D1155455

ÉTOILE APRÈS ÉTOILE

LE CYCLE DE STAR WARS

DANS L'ORDRE CHRONOLOGIQUE DE L'HISTOIRE

* Ordre chronologique des parutions au Fleuve Noir

STAR WARS

LE NOUVEL ORDRE JEDI

ÉTOILE APRÈS ÉTOILE

TROY DENNING

LUCAS BOOKS

Fleuve Noir

Titre original :
Star by Star

Traduit de l'américain par
Jean-Marc Toussaint

Collection dirigée par
Patrice Duvic et Jacques Goimard

© Lucasfilm Ltd & ™, 2001
Edition originale : Del Rey ®, un département du groupe Ballantine
© Presses de la Cité, 2002, pour la traduction française

ISBN : 2-265-06930-2

A Andria,
pour ses conseils, ses encouragements,
et bien plus encore.

Dramatis Personae

Alemar Rar, Chevalier Jedi (femelle Twi'lek)
Anakin Solo, Chevalier Jedi (humain)
Bela Hara, Chevalier Jedi (femelle Barabel)
Borsk Fey'lya, Chef d'Etat (Bothan)
C-3PO, droïde de protocole
Cilghal, Maître Jedi (femelle Mon Calamari)
Eryl Besa, Chevalier Jedi (humaine)
Ganner Rhysode, Chevalier Jedi (humain)
Han Solo, Capitaine du *Faucon Millennium* (humain)
Jacen Solo, Chevalier Jedi (humain)
Jaina Solo, Chevalier Jedi (humaine)
Jovan Drark, Chevalier Jedi (Rodien)
Krasov Hara, Chevalier Jedi (femelle Barabel)
Kyp Durron, Maître Jedi (humain)
Lando Calrissian, combattant résistant (humain)
Leia Organa Solo, ancienne diplomate de la Nouvelle République (humaine)
Lowbacca, Chevalier Jedi (Wookiee)
Luke Skywalker, Maître Jedi (humain)
Mara Jade Skywalker, Maître Jedi (humaine)
Nom Anor, Exécuteur (mâle Yuuzhan Vong)
R2-D2, droïde astromécanicien
Raynar Thul, Chevalier Jedi (humain)
Saba Sebatyne, Chevalier Jedi (femelle Barabel)
Tahiri Veila, Chevalier Jedi (humaine)

Ils avaient surgi, sans le moindre avertissement, des confins de l'espace galactique. Les Yuuzhan Vong appartenaient à une race de terribles guerriers. Ils avaient fondu sur leurs victimes par surprise et par traîtrise, armés d'une étrange technologie organique qui avait donné du fil à retordre – beaucoup trop de fil à retordre – à la Nouvelle République et à ses alliés. Même les Jedi, sous la direction de Luke Skywalker, avaient été obligés de se replier, incapables de mettre leurs talents à profit. Pour une raison inconnue, les Yuuzhan Vong semblaient complètement insensibles à la Force.

L'assaut des extraterrestres avait pris de court la Nouvelle République. Avant qu'elle puisse rassembler ses forces et contre-attaquer, plusieurs planètes furent détruites et d'innombrables personnes perdirent la vie. Parmi elles, le Wookiee Chewbacca, loyal ami et partenaire d'Han Solo. La Nouvelle République avait gagné la bataille, la première d'une série de coûteuses victoires. A la suite de cette frappe extraterrestre initiale, avait jailli un nombre incalculable d'assaillants et de vaisseaux. La planète Ithor avait succombé aux Yuuzhan Vong. Cette défection représentait une perte incommensurable pour la Nouvelle République et un échec personnel pour le Jedi Corran Horn, qui en assuma la responsabilité.

Le gouvernement de la Nouvelle République se disloquait un peu plus à chaque nouvelle défaite. Même les Chevaliers Jedi commencèrent à se disperser sous la pression des assauts. Luke

Skywalker, confronté aux soucis liés au commandement des Jedi, fut alors contraint de faire face à un problème plus intime : son épouse bien-aimée, Mara, tomba gravement malade. Une infection inquiétante, causée par un germe, aussi inconnu que déroutant, entraînant la dégénérescence du sujet. Un mal nécessitant que Mara mobilise presque toute son énergie uniquement pour ne pas mourir. Privés d'un chef suffisamment fort pour coordonner leurs actions, certains Chevaliers Jedi tombèrent sous la coupe de Kyp Durron. Celui-ci préconisa de faire appel à toutes les ressources possibles, y compris une agressivité débridée, afin de terrasser les Yuuzhan Vong, au risque de sombrer définitivement dans le Côté Obscur. Les enfants Solo eux-mêmes – tous Chevaliers Jedi – se retrouvèrent partagés quant à la position à adopter.

Rongé par le chagrin et la culpabilité, suite à la mort de Chewbacca, Han Solo se détourna de sa propre famille, recherchant l'expiation dans l'action. Il parvint à déjouer un complot Yuuzhan Vong visant à éliminer les Jedi. Il revint auprès de ses amis avec ce qui semblait représenter un antidote au mal de Mara Jade Skywalker. Mais même ce succès ne parvint pas à lui faire oublier la perte de son ami le plus cher, ni à sauver sa relation avec Leia. Cette dernière, elle aussi, ployait sous les remords. Elle avait négligé une vision du futur et, à présent, elle se jugeait responsable de l'anéantissement de la Flotte Hapan sur Fondor, destruction massive entraînée par l'incontrôlable puissance de la Station Centerpoint, une arme redoutable déclenchée par son fils cadet, Anakin.

L'aîné des enfants Solo, Jacen, eut également une vision au cours de laquelle il vit la galaxie basculer vers les ténèbres. Terrorisé à l'idée de rompre l'équilibre, le jeune Jedi décida d'abandonner temporairement tout recours à la Force. Mais, en sauvant la vie de Leia, Jacen avait damé le pion à Tsavong Lah, le grand Maître de Guerre des Yuuzhan Vong. Pour se venger, le Maître de Guerre avait proposé une trêve momentanée, à la seule et unique condition que les Jedi – et Jacen en particulier – soient livrés aux Yuuzhan Vong.

Les Jedi se retrouvèrent pourchassés. Lorsque les plus jeunes représentants de l'ordre, réfugiés à l'Académie Jedi, furent menacés, Anakin Solo vola à leur rescousse, se mêlant incognito à la caste inférieure des Yuuzhan Vong afin de sauver la vie de son amie Tahiri Veila. Son action fit de lui un héros, mais le Temple Jedi édifié sur Yavin Quatre fut complètement détruit.

Luke et Mara furent alors accusés de trahison par les représentants de la Nouvelle République. Mara, enceinte, eut à faire face à une rechute de sa terrible maladie. Luke, de son côté, tenta de regagner sa place à la tête des Jedi. Avec l'aide de Jaina Solo, Kyp Durron parvint à convaincre Skywalker de lui laisser mener une mission visant à détruire une super arme Yuuzhan Vong. La mission fut couronnée de succès… Mais Jaina apprit, beaucoup trop tard, que ce qu'ils avaient détruit n'avait rien d'une arme. Il s'agissait en fait d'un Vaisseau Monde en cours de gestation, un havre conçu pour les civils, destiné aux jeunes Yuuzhan Vong. Encore une fois, l'équilibre fut rompu et la galaxie sembla basculer un peu plus vers les ténèbres. Le seul rayon de lumière, au milieu de tout ceci, fut la naissance du fils de Luke et de Mara, Ben Skywalker.

Après la destruction de leur Vaisseau Monde et se voyant dans l'incapacité de capturer les Jedi, les Yuuzhan Vong mirent fin à la trêve. A nouveau, des planètes entières allaient succomber sous l'avance inexorable des forces extraterrestres resserrant leur étau autour des Mondes du Noyau. Les Jedi pourraient alors bien représenter le dernier espoir d'une galaxie qui ne veut plus d'eux…

1

Le sombre éclat d'un lointain navire stellaire se matérialisa, l'aiguille bleutée de ses échappements ionisés le poussant en travers de l'immense disque brillant d'un soleil orangé. Comme un million d'autres astres identiques dans la région du Noyau, celui-ci était dépourvu du moindre monde civilisé, de la moindre espèce pensante. Il était d'ailleurs si inconséquent qu'on ne lui avait attribué pour seul nom qu'un vague et antique numéro d'identification datant de l'occupation Impériale. Devant tant d'immensité et tant de mondes inoccupés, Jaina Solo se dit qu'on ne devrait jamais avoir à se battre, qu'il y avait suffisamment de place pour tout le monde. Mais le confort était toujours bien plus facile à dérober qu'à gagner, la paix bien plus aisée à rompre qu'à maintenir – comme le disait si souvent sa mère. Les Yuuzhan Vong s'étaient abattus sur une galaxie qui aurait finalement très bien pu les accueillir à bras ouverts. Il s'agissait d'une erreur que ces extraterrestres se devaient encore de comprendre. Mais un jour, Jaina en était persuadée, un jour les Jedi leur ouvriraient les yeux…

R2-D2 formula une demande sifflante depuis sa station de connexion cybernétique installée à l'arrière de la passerelle de commandement de l'*Ombre de Jade*.

— Reste branché, R2, dit Jaina sans se retourner. Ils ne nous ont toujours pas envoyé de signal. Et Mara a encore besoin de se reposer.

Le droïde émit une longue objection électronique.

Jaina jeta un coup d'œil à l'écran de l'interface puis leva les mains en l'air.

— Bon, d'accord. Si c'est ce qu'elle a dit, tu peux aller la réveiller.

R2-D2 se déconnecta de sa console et roula en direction de la cabine des passagers, laissant Jaina seule sur le pont de l'*Ombre de Jade*. Elle estimait que l'appareil, même ainsi, en orbite d'attente, avec tous ses systèmes au minimum et ses propulseurs ioniques froids et silencieux, évoquait plus une armure blindée de combat qu'un vaisseau spatial de soixante-dix tonnes. Le siège ergonomique, la configuration plongeante de la passerelle et la verrière panoramique donnaient à Jaina la sensation de flotter librement dans le vide de l'espace, alors qu'une nouvelle batterie de capteurs à commande rétinienne se chargeait de lui transmettre, par l'intermédiaire de projections holographiques, tout ce qui se trouvait en dehors de son champ de vision. Les communications et les contre-mesures pouvaient être contrôlées au moyen d'une série d'interrupteurs installés le long de la commande des gaz. Un assortiment de boutons identiques, intégrés au manche, était affecté aux capteurs, armes et déflecteurs. Même les systèmes vitaux pouvaient être modifiés au seul son de la voix quand une unité astromécanicienne était reliée à la console de connexion cybernétique du poste de passerelle réservé aux droïdes. C'était là le cockpit parfait et, lorsque viendrait le moment de posséder son propre vaisseau, Jaina mettrait un point d'honneur à reproduire la configuration des fauteuils de celui-ci, avec le pilote assis seul, à l'avant et en contrebas, le copilote et le navigateur occupant les deux sièges installés côte à côte juste derrière. C'était d'ailleurs ce détail de la disposition qui lui plaisait le plus.

La rêverie de Jaina fut interrompue par une sensation soudaine de profonde perturbation, une vague inattendue dans la Force qui se métamorphosa bientôt en une étrange frénésie. Elle ouvrit son esprit un peu plus et perçut brièvement une onde d'envie grondante, de faim insatiable. Rien de vraiment maléfique, mais plutôt quelque chose de sinistre, de sauvage, suffisamment brutal pour obliger la jeune femme à s'étrangler de surprise et à s'arracher à son emprise.

Sentant une perle de sueur glacée lui couler sur le front, Jaina enclencha le bouton des communications de la manette des gaz et demanda à Mara, par l'intercom, de la rejoindre sur le pont. En attendant, elle étudia les écrans des capteurs. Il n'y avait rien d'anormal. Mais Jaina ne savait que trop bien qu'il était préférable de ne pas faire totalement confiance aux instruments. Elle et Mara avaient placé l'*Ombre* en orbite autour de la planète la plus proche de l'astre orangé. C'était une boule de magma, ceinte d'un anneau de débris, qui gravitait à un peu plus de vingt millions de kilomètres de son soleil. En l'absence de R2-D2 et de ses corrections constantes de la résolution des visuels, tout ce que Jaina pouvait apercevoir au loin était un enchaînement constant de décharges électromagnétiques.

Devinant le reflet d'un mouvement dans la verrière, Jaina posa les yeux sur un capteur rétinien installé à l'avant du cockpit. Instantanément, une petite section de plexalliage s'opacifia pour se transformer en miroir révélant la silhouette svelte de Mara Jade Skywalker qui pénétrait sur la passerelle. La cascade rousse et dorée de la chevelure de l'épouse de Luke n'était qu'un enchevêtrement de boucles nouées par un séjour prolongé sur l'oreiller. Son teint, fort heureusement, avait perdu de sa grisaille et ses grands yeux verts semblaient beaucoup moins embrumés qu'ils ne l'avaient été depuis quelque temps. Jaina se leva et, se sentant un peu comme un enfant qu'on aurait surpris dans le placard à confitures, s'empressa de libérer le fauteuil de pilote.

Mara lui fit un signe de la main.

— Non, reste assise, tu en as parfaitement le droit. (Elle se laissa tomber dans le siège du navigateur. L'air purifié par le système de filtration se chargea soudain d'un parfum sucré de talc et de lotion stérilisante qui semblait s'accrocher obstinément à elle, même lorsqu'elle se trouvait à des milliers d'années-lumière de son bébé. Elle hocha le menton en direction du lointain navire spatial.) Ce sont nos deux enquiquineuses ?

— Le transpondeur l'a bien identifié comme étant le *Chasseur de Nébuleuses*, dit Jaina. (R2-D2 regagna son poste à la console et confirma l'identification d'un petit grincement.) Mais aucun signal d'accostage n'a été transmis. Et puis, il y a quelques instants, j'ai ressenti quelque chose, heu... d'étrange... dans la Force.

— Je le sens toujours, répondit Mara en hochant la tête. Mais je ne pense pas que cela provienne de nos deux passagères. Il y a quelque chose qui cloche.

— Il y a tout qui cloche, enchaîna Jaina. (Croiseur Corellien de mille mètres de long, équipé d'un propulseur subluminique Hoersch-Kessel, le *Chasseur de Nébuleuses* avait déjà franchi plus de la moitié du disque du soleil orange. A présent, par la verrière, il était aussi gros que l'index de Jaina, et sa traînée bleutée trois fois plus longue.) Toujours pas de signal. On devrait peut-être leur laisser une orbite supplémentaire. Après quoi, on pourrait se glisser derrière la planète et mettre la gomme...

Mara secoua la tête.

— Luke a raison à propos de ces deux-là. A force de brandir leurs sabres à tort et à travers, elles causent plus de morts que de raison. Il faut profiter du fait qu'elles ont besoin d'un moyen de transport pour leur mettre le grappin dessus. (Elle passa les baudriers de son harnais de sécurité par-dessus ses épaules et en verrouilla les attaches.) Tenons-nous prêtes. Passe en préchauffage.

— Qui, moi ? (Jaina avait déjà eu l'occasion de piloter l'*Ombre de Jade*, mais, pour ce voyage, sa tante avait préféré conserver les commandes. Probablement parce qu'il s'agissait de sa toute première mission à bord de son cher vaisseau depuis la naissance de Ben. Ou bien avait-elle simplement ressenti le besoin de s'occuper l'esprit pendant le temps qu'elle passerait loin de son fils ?) Mais, enfin, c'est ton vaisseau !

— J'ai encore besoin d'un peu de sommeil. Tant que tu n'as pas eu de bébé, tu ne peux pas te rendre compte du luxe que cela représente ! (Mara demeura silencieuse pendant quelques instants.) Il s'agit d'un ordre, pas d'une suggestion, ajouta-t-elle d'un ton ferme.

— Bien compris ! (L'éclat de rire de Jaina fut teinté d'un brin d'amertume. A dix-neuf ans, elle avait eu la possibilité de sortir avec des garçons, mais la guerre l'avait empêchée de poursuivre plus sérieusement la moindre relation. Même encore aujourd'hui, sa permission, accordée par l'Escadron Rogue, n'était que temporaire, le temps de laisser s'apaiser ce mouvement anti-Jedi qui grondait au sein du Sénat.) *Comme si j'avais le temps d'avoir un bébé...*

La jeune femme se pencha pour activer le démarreur des unités ioniques. Elle s'interrompit en plein geste, car R2-D2 venait de pousser un sifflement alarmiste. Le tableau de bord holographique s'affola et afficha une succession de formes et de couleurs avant de se recentrer sur l'image d'un petit appareil cylindrique qui croisait à leur rencontre, par-delà la couronne incandescente du soleil orange.

— Voilà qui explique leur silence, dit Mara. (Le poste du navigateur, bien que dénué d'instruments holographiques, était cependant équipé d'une batterie complète de moniteurs traditionnels.) R2, tu crois que nous sommes de taille à les affronter ?

Un message apparut sur tous les écrans de communication, annonçant à Mara et à Jaina la sinistre nouvelle : la représentation n'était pas à l'échelle. Une série de données en provenance des senseurs s'affichèrent, apportant à chaque instant un peu plus d'informations sur les véritables dimensions, la vélocité et la composition de la coque du nouvel appareil. Jaina émit un petit sifflement et regarda par la verrière teintée du cockpit en direction de la silhouette à peine discernable qui progressait derrière le *Chasseur de Nébuleuses*.

— On dirait une sorte de frégate, dit Jaina. Qu'est-ce que tu veux qu'on fasse ?

— La seule chose qu'on ait à faire. (Il y avait une note de prudence dans la voix de Mara. Un paramètre qui lui avait été totalement étranger avant la naissance de son fils.) On met les systèmes en veilleuse et on attend.

Dans les appartements privés du Capitaine Pollux, à bord du *Chasseur de Nébuleuses*, les sœurs Rar se tenaient debout côte à côte face à la console vidéo relayant les informations provenant de l'extérieur. Leurs longues queues crâniennes – leurs lekkus – se tordirent nerveusement lorsqu'un important morceau de corail yorik se détacha de la frégate et mit le cap sur le *Chasseur*. Criblé de crevasses et de cratères, le petit appareil évoquait plus un astéroïde exsangue de minerais à la suite de forages abusifs qu'une barge de transbordement. L'écran des senseurs confirmait cependant la signature thermique d'au moins une centaine de guerriers embarqués à son bord. Une autre créature, plus grande, plus froide, était également présente, mais les deux sœurs n'avaient pas eu besoin de consulter les renseignements fournis par les capteurs pour s'en apercevoir. Lorsqu'elles avaient projeté les ondes de la Force vers le cosmos, elles avaient palpé cette même présence affamée qu'elles avaient déjà décelée lorsque la frégate était apparue en bordure de la couronne solaire. Quelle que soit la chose que les Yuuzhan Vong avaient amenée avec eux, elle semblait en tout cas bien mieux adaptée à cette galaxie que ses maîtres ne le seraient jamais.

Alema isola la signature thermique de la créature et demanda à l'ordinateur de bord de l'identifier. Puis elle se tourna vers sa sœur, Numa, occupée à étaler sur la couchette du capitaine tous les accessoires nécessaires à leur déguisement : deux tenues de danseuse très légères, du maquillage et guère plus. Ayant passé l'année qui venait de s'écouler à diriger un farouche mouvement de résistants sur le monde occupé de New Plympto, il ne faisait aucun doute pour les deux sœurs que c'étaient bien elles que le détachement venait chercher. Fort heureusement, leurs ennemis croyaient traquer une seule et unique femme humaine, et non deux danseuses Twi'lek. En tant que chefs de la résistance, elles avaient toujours pris soin de ne jamais apparaître ensemble et de toujours dissimuler leurs lekkus sous les amples capuches de leurs manteaux de Jedi.

Lorsque les deux sœurs revinrent à la console vidéo, après avoir ôté leurs combinaisons de vol et passé des tenues moins rigides, elles constatèrent que les Yuuzhan Vong étaient en train de débarquer de leur appareil dans la baie d'accostage. Avec leurs fronts fuyants, leurs yeux cernés sous les membranes bleues et tombantes qui leur servaient de paupières, ils dépassaient d'au moins une demi-tête un humain de taille moyenne. Ils paraissaient également beaucoup plus lourds. Leurs faciès brutaux avaient subi d'affreuses transformations, changeant leurs visages en masques parcheminés, mélanges de cartilages disjoints et de chairs tuméfiées. Leurs corps puissants étaient entièrement décorés de tatouages religieux et de scarifications rituelles. La plupart portaient des armures vivantes dont les plaques étaient constituées de carapaces de crabes vonduuns. Tous étaient équipés du traditionnel bâton Amphi Yuuzhan Vong, une sorte de serpent susceptible de se transformer à volonté en trique, en lance acérée ou bien en fouet dardé de pointes empoisonnées. Le plus épouvantable des guerriers, une brute aux épaules voûtées, avec deux sombres cavités à l'emplacement du nez, joua des coudes avec arrogance au milieu des gardes pour s'avancer jusqu'au Capitaine Pollux.

— Vous avez des *Jeedai* à bord ?

— Non, mentit calmement Pollux. C'est pour ça que vous nous avez interceptés ?

Le guerrier ignora la question du capitaine.

— D'où venez-vous ? Talfaglio ? Saccoria ?

— Vous ne croyez tout de même pas que je vais vous le dire ! répondit Pollux. Aux dernières nouvelles, notre galaxie tout entière est en guerre contre vous.

La réplique provoqua chez le Vong un grondement peu enthousiaste, mais chargé de respect.

— Nous ne sommes que des éclaireurs, Capitaine, et vous transportez des réfugiés. Vous n'avez rien à craindre de nous... A condition de nous dire dès maintenant s'il y a des *Jeedai* parmi vos passagers.

— Il n'y en a pas. (Pollux ne détourna même pas les yeux en répondant. Sa voix ne faillit pas non plus. Tout officier de vaisseau spatial civil savait que les Yuuzhan Vong ne percevaient pas la Force.) Vous pouvez fouiller, si vous voulez.

Le guerrier lui adressa un sourire.

— Mais je le veux, Capitaine, je le veux. (Il se tourna vers la barge de transbordement et lança un ordre dans sa langue :) *Duwin tur voxyn !*

Une fente se dessina à l'arrière de l'appareil, puis s'ouvrit doucement, comme s'il venait soudainement de se doter de deux lèvres pulpeuses. Une paire d'yeux jaunes et ovoïdes apparut dans l'obscurité. A l'autre bout du navire, Alema ressentit à nouveau cette vague de faim insatiable dans la Force qui devenait de plus en plus distincte. Lorsque la faille atteignit près de cinquante centimètres, un trait d'ébène jaillit par l'ouverture et retomba sur le sol de la soute en un ondoiement de ténèbres.

— Des nuages de feu ! s'étrangla Numa.

La créature – le fameux voxyn, comme l'avait deviné Alema en se fondant sur ce qu'elle comprenait du langage Yuuzhan Vong – se mit à fouiner un peu partout dans la soute, perchée sur ses huit pattes arquées. Si elle dépassait à peine, en hauteur, le niveau des hanches des personnes présentes, elle mesurait plus de quatre mètres de long. Sa tête plate et son corps sinueux étaient entièrement recouverts d'écailles noires. Une ligne de cils épais et sensitifs courait le long de son arête dorsale et des flagelles blancs terminaient en panache sa longue queue, à l'image d'un fouet. La bête tourna autour du capitaine et des membres d'équipage apeurés avant de se diriger vers l'arrière de la baie d'accostage.

Sur leur écran vidéo, les deux sœurs virent Pollux foudroyer le guerrier Yuuzhan Vong du regard.

— Pourquoi avez-vous amené ce… cette chose à bord de mon vaisseau ?

Du revers de la main, le guerrier administra à Pollux une gifle qui précipita le capitaine au sol.

— Vous ne croyez tout de même pas que je vais vous le dire ! répondit-il en éclatant de rire.

Les gardes de Pollux hésitèrent à riposter. Le capitaine, du regard, leur fit signe de ne pas bouger et se releva avec autant de dignité que possible.

Alema fit alors pivoter une petite antenne de transmission de faisceaux concentrés vers la planète obscure où devait les attendre le vaisseau spatial avec lequel elles avaient rendez-vous. Puis elle composa un code secret Jedi de communication et transmit tout ce qu'elles étaient en train de voir sur leur moniteur. La proximité du soleil orange provoquerait certainement des interférences dans le signal, mais celui-ci pouvait être amplifié à sa réception. Ce serait déjà mieux que rien si jamais elle et Numa ne réussissaient pas à s'échapper.

Le voxyn déambula autour des navettes, puis inspecta le reste de la soute pendant quelques instants. Il s'engouffra ensuite dans un corridor adjacent. Les deux Twi'lek le perdirent de vue, le temps pour Alema de se connecter au signal du bon scanner. Lorsque l'image apparut de nouveau, la bête était en train de parcourir méthodiquement la coursive principale du vaisseau, à croire qu'elle avait emprunté des trottoirs roulants toute sa vie. A l'entrée du large couloir s'avança une troupe de Yuuzhan Vong. Leur méfiance naturelle envers la technologie les obligea à éviter le translateur et ils s'engagèrent sur la partie fixe du trottoir. Finalement, ils décidèrent de ne pas courir à la suite de la créature. Ils s'éparpillèrent alors en petits groupes à travers tout le vaisseau.

Alema régla un scanner de surveillance sur le voxyn et, pendant l'heure suivante, sa sœur et elle observèrent la créature en train d'arpenter les ponts principaux du *Chasseur de Nébuleuses*, flairant de temps en temps un réfugié terrifié ou relevant nerveusement la tête à chaque fois qu'un son mécanique venait à retentir. Enfin, la créature plongea dans une fontaine décorative et se mit à nager en cercle autour de la statue d'un oursin astral Mon Calamari. Ses cils dorsaux se dressèrent et ses grands yeux jaunes se braquèrent sur le plafond de la salle. Avec un sentiment de malaise, Alema se tourna vers le générateur holographique de la cabine et demanda à l'ordinateur de lui projeter un plan tridimensionnel du navire stellaire. Après quelques réglages, il devint évident que les appartements privés du Capitaine Pollux se trouvaient exactement au-dessus de la créature, dix étages plus haut.

— Très déplaisant… dit Numa. (Les pointes de ses lekkus fouettèrent vivement l'air.) On dirait que cette chose a deviné où nous sommes.

— Cela n'a pas de sens. (Alema projeta les ondes de la Force et perçut cette même sensation de faim insatiable, de plus en plus pressante et juste en dessous d'elle.) A moins qu'elle ne se serve de la Force pour nous pister.

Un frisson parcourut les lekkus de Numa et elle dévisagea sa sœur du coin de ses yeux en amande.

— On peut dire que tu n'as pas ton pareil pour choisir l'hypothèse la plus alarmante.

— Alarmante, certes, mais plausible.

Alema indiqua l'écran vidéo. Le voxyn venait de reprendre sa course dans le couloir en direction de l'ascenseur le plus proche.

Numa étudia l'image pendant un moment avant de déclarer :

— On dirait que tu as raison. Peut-être qu'on devrait se camoufler.

Après quelques instants de méditation, elles commencèrent à se refermer sur elles-mêmes, dissimulant leur présence dans les ondes de la Force. Lorsqu'elles parvinrent à ne même plus se percevoir l'une l'autre, Alema regarda à nouveau le moniteur vidéo. Le voxyn venait d'atteindre le tube de l'élévateur. Il frappa la commande d'activation avec l'une de ses griffes, puis força son thorax à l'intérieur du tube. Le courant répulseur le souleva et son long corps sinueux fut aspiré vers le haut du puits. La Twi'lek suivit le tracé de l'ascenseur sur une centaine de mètres. Il débouchait sur le pont des officiers, à moins de deux cents mètres en contrebas de l'endroit où elles se trouvaient. La créature reprit son inspection méthodique des coursives.

— Ça ne sert à rien, il peut toujours sentir notre présence. (Elle se tourna vers la sacoche qui contenait leurs combinaisons et leurs sabres laser.) On pourrait peut-être le coincer à la sortie d'un élévateur ?

— Et après ? demanda Numa. Les balafrés concluront vite que le Capitaine Pollux leur a menti.

— Ils s'en rendront compte de toute façon dès que cette chose viendra gratter à notre porte. (Désolée de ne pouvoir revêtir à nouveau sa combinaison, Alema sortit son sabre laser de la sacoche et activa sa lame argentée.) Si on doit se faire prendre, autant en profiter pour éliminer quelques Yuuzhan Vong.

— Non, dit Numa, tendant la main et éteignant le sabre laser de sa sœur. Je ne le permettrai pas. Pas après ce qui s'est passé sur New Plympto.

Rendus furieux par la résistance de la planète en question, les Yuuzhan Vong l'avaient infestée d'une peste mortelle qui y avait balayé toute forme de vie. Dissimulés à bord de convoyeurs miniers rassemblés en flotte à la bordure du système, les deux sœurs, et quelques milliers d'autres, avaient assisté à cette destruction. Les survivants avaient discrètement rejoint l'espace profond peu de temps après que leurs ennemis eurent abandonné le monde dévasté.

— Mais ce sont des Yuuzhan Vong, dit Alema. Tu penses qu'ils vont pardonner au capitaine de leur avoir menti ?

— J'en doute, rétorqua Numa en retournant à la console. Nous devons leur faire croire que leur créature se trompe.

Elle activa un hologramme qui représentait la frégate Yuuzhan Vong flottant à cinq cents mètres de la baie d'accostage du *Chasseur de Nébuleuses*. Mesurant à peine deux cents mètres de long, le vaisseau ennemi paraissait bien petit comparé à la taille du navire stellaire, mais ses nodules d'armement, crépitant sur ses flancs, ne laissaient aucun doute quant à ses capacités destructrices.

Alema comprit immédiatement le plan de sa sœur.

— On prendra une navette de sauvetage en chemin…

Elle remit son sabre laser dans leur sacoche de voyage et lança le sac à Numa. Puis elle s'empara d'un databloc qui traînait sur la table de nuit de la couchette du capitaine et ouvrit un canal de communication relié aux capteurs vidéo braqués sur l'espace. Les deux sœurs quittèrent les appartements privés du capitaine et coururent jusqu'à l'autre bout du pont des officiers. Arrivée au tube élévateur, Alema consulta son databloc et découvrit que le voxyn était en train de patauger dans l'un des bassins d'épandage, à deux niveaux en dessous d'elles. Les yeux jaunes de la bête étaient toujours fixés sur le plafond, à suivre leur déplacement pas à pas.

— Il sait que nous avançons, dit Alema.

— Oui, mais apparemment sa notion des distances n'est pas

des plus précises. (Des deux sœurs, Numa était toujours la plus optimiste.) Où va-t-on ?

Alema fit apparaître un graphique des stations d'évacuation installées dans les flancs du vaisseau. Elle en choisit une qui s'ouvrait exactement à l'opposé de l'endroit où se trouvait la frégate des Yuuzhan Vong.

— Pont des machines, section quarante-deux. (Elle procéda à une surveillance rapide du segment en question et découvrit un détachement de Yuuzhan Vong sur le point de détruire un droïde chargé du contrôle gravitationnel.) Il va falloir bluffer une escouade de balafrés.

— Tu as un plan de secours ?

Alema consulta son databloc pour trouver un autre moyen de s'échapper, puis secoua la tête.

— Non, rien. A moins d'essayer de s'échapper par l'angle mort des capteurs du *Chasseur*…

— Hors de question. (Les pointes des lekkus de Numa se recroquevillèrent vers l'intérieur.) On va y aller à mains nues.

— A mains nues ? (C'était le terme qu'elles utilisaient sur New Plympto lorsqu'elles étaient obligées de cacher leurs armes et de se déguiser afin de passer pour des esclaves.) Mais tu es folle ! Je n'abandonnerai pas mon sabre laser !

— Au risque de faire massacrer tout le monde à bord ? (Numa s'empara de son sabre laser dans la sacoche de voyage, dévissa la crosse, démonta de son support le cristal adegan chargé de concentrer le faisceau et le fixa dans son nombril au moyen de quelques points de colle de grimage. Sous sa tenue vaporeuse, le joyau doré ressemblerait à s'y méprendre à un ornement de danseuse.) Tu crois que le souvenir de ce qui est arrivé à Daeshara'cor mérite qu'on fasse preuve d'autant d'égoïsme ?

Alema empoigna ses lekkus, puis les rabattit derrière son dos. Bien qu'elle n'ait jamais vraiment été leur maître, Daeshara'cor était pourtant celle qui avait découvert le potentiel des deux Twi'lek. Au cours de l'une des rares visites d'un Jedi sur Ryloth, elle avait reconnu le talent inné des deux sœurs Rar à utiliser la Force. Elle les avait sauvées de l'une des plus sinistres prisons

Ryll sur Kala'uun et s'était occupée de leur transfert jusqu'à l'Académie d'entraînement des Jedi. Alema soupira et tendit la main.

— Puisqu'il le faut…

Numa déposa le sabre laser dans la paume de la main de sa sœur. Alema en démonta le cristal adegan et dissimula le joyau dans son nombril. Elles jetèrent leurs tuniques de Jedi et le reste de leurs armes dans un vide-ordures désintégrateur. Elles empruntèrent alors un ascenseur et descendirent de vingt niveaux jusqu'au pont des machines. Elles déposèrent ensuite sciemment leur sacoche sur le sol de la coursive, à l'entrée du tube. Il s'agissait d'un acte de sabotage beaucoup moins voyant qu'une destruction pure et simple du panneau de contrôle, mais tout aussi efficace. Les circuits chargés d'éviter les collisions entre les élévateurs interdiraient l'accès au tube tant qu'on n'aurait pas vérifié que tout risque d'accident était écarté.

— Il est temps d'avoir l'air frivole, déclara Alema.

Elle fit apparaître un émotidrame à l'eau de rose des plus banals sur l'écran de son databloc et les deux sœurs se mirent en route vers la section quarante-deux. Tout en progressant dans la coursive, elles passèrent la tête dans chacune des salles qu'elles rencontraient, appelant bruyamment une personne nommée Travot. Lorsqu'elles atteignirent le poste du contrôle des inductions, un guerrier Yuuzhan Vong s'avança en travers de leur chemin. Il portait trois longues cicatrices sur chaque joue et une de ses oreilles avait subi des dommages irréparables. Il appartenait clairement à une caste de guerriers inférieure. Les deux sœurs se plaquèrent contre la cloison la plus éloignée et, faisant de leur mieux pour paraître choquées et dégoûtées, elles se glissèrent devant l'extraterrestre.

Ce dernier leur bloqua le passage en abaissant son bâton Amphi.

— Où allez-vous ?

— V… Voir Travot, dit Numa en adoptant une voix terrifiée et hésitante. Il travaille aux transformateurs.

— Aux transformateurs ? répéta le Yuuzhan Vong.

Alema haussa les épaules, puis baissa les yeux sur son

databloc, comme si elle ne pouvait résister à l'attraction de son émotidrame.

— Oui, c'est là qu'il travaille.

Un autre Yuuzhan Vong, avec le nez crochu et le visage strié de balafres d'un officier de seconde classe, s'avança dans le corridor. Il dévisagea brièvement les deux sœurs. Voyant que leurs tenues de danseuse ne leur permettaient pas de dissimuler un sabre laser ou quoi que ce soit d'autre, il leva son index pour indiquer le couloir par lequel elles étaient venues.

— Ce vaisseau fait l'objet d'une inspection. Retournez à vos couchettes.

Numa et Alema adoptèrent des airs apeurés et confus, mais ne bougèrent pas.

— Obéissez ! dit le soldat.

— On… On ne peut pas, dit Alema.

— Ils ont condamné le pont réservé à l'équipage, dit Numa. Et ils ont fermé notre salon.

— Tenez, regardez… (Alema fit apparaître un pan du vaisseau sur son databloc et le tendit à l'officier.) Nous n'avons nulle part où aller…

— Ne me contaminez pas avec vos objets profanes ! (L'officier fit tomber le databloc des mains d'Alema et l'écrasa sous son talon. Il fit alors signe à une personne qui se trouvait dans une pièce voisine.) Amenez-moi l'infidèle qui est chargée des machines.

Un troisième Yuuzhan Vong apparut dans l'encadrement de la porte, poussant devant lui une femme couverte de contusions. L'une de ses paupières était entaillée et la moitié de son visage baignait dans un sang aux senteurs cuivrées.

— Il y a un certain Travot dans votre équipe ?

Numa vit sa sœur attirer le regard de la femme ingénieur d'un hochement de tête à peine perceptible, utilisant la Force pour lui suggérer qu'elle connaissait Travot. Profitant de l'insensibilité des Yuuzhan Vong à la Force, Alema projeta des ondes et perçut la présence de plus d'une centaine d'individus, pour la plupart terrifiés, furieux ou blessés. Elle ne parvint pas à percevoir leurs agresseurs, bien entendu. Ils étaient aussi invisibles dans la

Force que la Force l'était pour eux. En revanche, elle sentit la voracité du voxyn se rapprocher d'elles. L'animal avait dû emprunter un autre ascenseur.

Au bout de quelques instants de confusion, l'ingénieur prit la parole :

— Oui, il y a bien un Travot qui travaille aux machines, mais il ne fait pas partie de mon équipe.

L'officier observa les deux sœurs, passant sans doute en revue tous les moyens de mettre un terme à cette situation. Alema décida de lui faciliter la tâche en agissant comme si la réponse lui convenait, une façon subtile de forcer la main d'un interlocuteur que sa sœur et elle avaient perfectionnée dans les geôles Ryll de Kala'uun.

— Les machines, c'est par là, pas vrai ? Section quarante-deux, c'est ça ?

— Exact, dit l'ingénieur. Section quarante-deux.

Alema fit un pas au-devant de sa sœur et posa les yeux sur le bâton Amphi lui barrant le passage. Le subalterne leva les yeux vers son officier. Celui-ci lui lança un regard noir et lui fit signe d'y aller.

— Accompagne-les et reviens à ton poste.

Sans attendre que le guerrier leur ouvre le passage, les deux sœurs se glissèrent sous le bâton Amphi et reprirent leur marche dans la coursive. Les sections de la coque étaient séparées par des arches structurelles assez simples qui enjambaient le couloir tous les dix mètres. Chaque arche contenait une mince porte de duracier qui pouvait s'abaisser automatiquement au premier signe de dépressurisation. Ces cloisons pouvaient également être activées au son de la voix, mais l'équipage avait judicieusement évité de se servir des codes secrets pour enfermer et isoler les détachements Yuuzhan Vong chargés de fouiller le navire.

Pressant le pas dans le couloir, Alema projeta à nouveau les ondes de la Force et sentit le voxyn juste derrière elles, au même niveau et se rapprochant à très grande vitesse. Elles venaient d'atteindre la section trente-trois, et il leur fallait encore franchir quatre-vingt-dix mètres avant de rejoindre la capsule de sauvetage.

— J'ai froid, dit Alema en frottant ses bras nus. Tu as senti ce courant d'air ?

— Silence ! ordonna le garde. Vos plaintes sont des insultes pour nos dieux.

Alema aurait tant aimé serrer son sabre laser dans la paume de sa main…

Un faible crissement de griffes sur du métal retentit dans le corridor. Elle regarda par-dessus son épaule et aperçut un ondoiement de ténèbres bondir dans le couloir stérile.

— Qu'est-ce que c'est que ça ? s'exclama-t-elle, ayant toutes les peines du monde à paraître étonnée. Qu'est-ce qu'il nous veut ?

Numa regarda à son tour, poussa un hurlement des plus convaincants et se mit à courir dans le tunnel en levant les bras au ciel. Alema cria elle aussi et courut à la suite de sa sœur. Le garde, stupéfait, essaya de leur emboîter le pas et leur ordonna de s'arrêter. En atteignant la section trente-huit, il poussa un nouveau cri de surprise, puis se mit à jurer dans sa langue lorsque le voxyn le dépassa en trombe au point de lui faire perdre l'équilibre.

Alema ne s'appesantit guère sur son sort.

— Fermeture de la section trente-huit ! hurla-t-elle. Code d'autorisation : nebula rubantine !

La cloison de la section s'abaissa derrière elle en sifflant et se verrouilla. Elle se déforma ensuite considérablement sous le poids du voxyn qui venait de la heurter. Alema sut qu'en refermant cette porte elles attireraient l'attention du commandeur Yuuzhan Vong. Il en serait de même, de toute façon, si elles laissaient le voxyn les rattraper. Elle espéra simplement que la créature s'était brisé le cou. Apparemment, non. La chose s'était relevée presque instantanément et frappait violemment le panneau de duracier.

Elles atteignirent la section quarante-deux. Numa s'approcha de la cloison extérieure et appuya sa paume contre la commande d'activation de la porte de la capsule de sauvetage.

— Attention ! Vous venez de demander l'accès à l'aire de lancement d'une capsule de sauvetage, déclara l'ordinateur avec la même voix de femme chaleureuse qu'il utilisait pour annoncer l'heure du dîner. Etes-vous certain de vouloir continuer ?

— Oui ! dit Numa.

— Si vous souhaitez continuer, une alarme retentira à la sécurité…

— Suppression de l'alarme, code : Pollux, huit, un, six ! cria Alema. Départ confidentiel !

— Suppression confirmée.

Lorsque l'iris de l'écoutille menant à la baie d'envol s'ouvrit enfin, un claquement sonore retentit au niveau de la section trente-huit. Alema comprit que le verrou hermétique de la cloison venait d'être forcé. Sa première pensée fut que quelqu'un, depuis le pont principal, avait dû commander l'ouverture de la porte, mais c'est à ce moment qu'elle entendit la voix étouffée de la femme ingénieur.

Le panneau s'éleva vers le plafond et le voxyn se précipita dans le corridor, ses cils sensoriels hérissés et les flagelles blancs de sa queue fouettant en tous sens. Les yeux jaunes de la créature fixèrent le sol, sa longue langue fourchue se mit à palper l'air ambiant. Plus que jamais, Alema regretta de ne pas serrer son sabre laser.

— Préchauffage de la capsule ! ordonna Numa, tout en poussant Alema dans la lumière bleutée de l'aire de décollage. Allez, *c'est maintenant ou jamais* !

Alema se retrouva face au réacteur à combustion primitif de la navette de sauvetage. Il faisait à peine un mètre de diamètre et suffisait tout juste à propulser l'engin et sa centaine de passagers vers la planète habitée la plus proche.

Dans le corridor, Numa aboya un nouvel ordre :

— Fermeture de la section quarante-deux ! Code d'autorisation : nebula rubantine !

— Le code de fermeture de la section est temporairement désactivé, répondit l'ordinateur de sa voix suave. Veuillez contacter un ingénieur responsable afin de lui exposer la nature de l'urgence.

— Procédure forcée ! cria Numa. Désarmement des capteurs de sécurité ! Code : Pollux…

Pendant que Numa finissait d'énumérer son code, Alema se glissa le long du réacteur pour gagner le flanc de la capsule. Un craquement sinistre retentit dans le couloir, mais il ne lui était plus possible de voir ce qui se passait à l'extérieur de la baie d'envol. Elle pressa sa paume sur la commande de mise en route de la navette. L'écoutille s'ouvrit en coulissant, révélant une cabine à l'éclairage austère où s'alignaient dix rangées de sièges à compensateurs d'accélération. Il n'y avait ni cockpit, ni hublot, et seul un droïde de pilotage se tenait face à l'unique tableau de bord de l'appareil.

Le droïde se tourna et indiqua le siège qui se trouvait le plus loin de la porte.

— Bienvenue à bord de la navette de sauvetage quatre-vingt-un. Veuillez vous asseoir en attendant les autres passagers. Il n'y a aucune raison de…

— Prépare-toi à un lancement à froid ! (Alema aurait certainement préféré le confort d'un lancement à chaud, mais la traînée du réacteur serait immédiatement repérée par la passerelle. Même si leurs espoirs de s'échapper discrètement semblaient fondre comme neige au soleil, il fallait encore tenter le tout pour le tout.) Sur mon ordre. Code d'autorisation : Pollux…

— Le code d'autorisation d'urgence m'a déjà été donné, dit le droïde, retournant à son travail. Inutile de répéter le code d'autorisation d'urgence une fois qu'on a franchi la porte de la baie de lancement.

Un son répugnant d'éructation résonna dans le corridor et Numa poussa un cri. Alema sortit de la navette précipitamment et aperçut sa sœur en train d'avancer en titubant vers l'appareil, levant les mains pour se couvrir le visage. Elle manqua de peu l'ouverture, se cogna sur les montants de l'écoutille et tomba face contre terre en trébuchant contre le rebord du seuil. Sa figure et sa poitrine étaient recouvertes d'un mucus brunâtre et bouillonnant. Ses lekkus se mirent à frapper avec frénésie le sol de duracier.

Alema ne ressentit pas la douleur de Numa, bien qu'elle sache que cela pouvait arriver entre deux parents sensibles aux ondes de la Force, mais elle perçut distinctement les pensées de sa sœur. Numa était terrifiée à l'idée de perdre la vue et, plus que tout, elle avait peur que l'on découvre qu'elle était un Jedi et que cela entraîne la mort d'innocents. De plus, Numa était furieuse. Furieuse de son propre manque de prudence et de s'être laissé surprendre par la créature.

— Numa !

Alema fit un bond vers sa sœur et vit le voxyn ramper sous la cloison de la section quarante-deux, tirant de toutes ses forces sur ses pattes pour se glisser à l'intérieur. Son corps était presque complètement aplati et la Twi'lek fut stupéfaite de constater que l'animal bougeait encore. En raison de la violence avec laquelle elles étaient susceptibles de se refermer, les portes étanches des sections étaient en général équipées de détecteurs de sécurité. Mais on pouvait également ignorer ces détecteurs lorsqu'il fallait détruire quelque chose à l'aide du lourd panneau de métal et sauver le vaisseau stellaire.

Lorsque Alema s'approcha de sa sœur, la créature fit pivoter son large groin dans sa direction et pulvérisa un jet de salive brune à travers l'accès à la baie. Prévenue par ce qui était arrivé à Numa, Alema appela la Force à elle et, d'un imperceptible mouvement du bout de ses doigts, renvoya la déjection vers la créature. Le voxyn, plus rapide qu'un trait de laser, détourna la tête et évita le mucus.

Alema ne s'attarda guère sur lui. Les pensées de Numa étaient de plus en plus distantes, de plus en plus erratiques, et ses pleurs cédaient petit à petit la place à des gémissements. Alema attrapa sa sœur sous les aisselles, brûlant ses doigts dans la déjection acide et essayant de ne pas penser aux dégâts que cette substance était en train de causer au visage et aux yeux de Numa.

— Retrouve ton équilibre, petite sœur, dit-elle en traînant Numa jusqu'à la baie d'envol. Laisse la Force couler en toi.

Numa devint complètement silencieuse, son esprit se figea dans un calme presque inquiétant. Puis le calme se dissipa, laissant alors flotter une impression de paix persistante et une vague sensation de vide. Alema ne put retenir un cri et baissa les yeux. Elle découvrit que le mucus était en train de lui ronger les os des phalanges et sut que le courage finirait par lui manquer.

Elle porta le cadavre de sa sœur jusqu'à la baie de lancement de la capsule de sauvetage et releva la tête vers la porte. Le voxyn, toujours coincé sous le panneau de métal, l'observait attentivement. Une partie de sa tête était recouverte du résidu de sa salive acide. Les écailles prises dans la déjection craquèrent et fumèrent en se dissolvant. Les extrémités de plusieurs bâtons Amphi apparurent dans l'étroite ouverture sous le panneau, près du crâne de la bête, et tentèrent, en vain, de faire levier.

Une partie d'Alema – la partie qui ne pleurait pas sur le sort de sa sœur, la partie d'elle-même qui était encore un Chevalier Jedi – comprit que le dernier espoir de s'échapper discrètement s'était définitivement évanoui. Les Yuuzhan Vong entendraient le ronronnement de la fermeture du sas étanche et le claquement accompagnant l'éjection de la navette. Pourtant, elle se sentit obligée de continuer. De toute façon, la vie de Pollux et de ses hommes était désormais condamnée. Même si elle se rendait, elle en savait assez sur les Yuuzhan Vong pour ne pas croire que le commandeur extraterrestre pardonnerait au capitaine ses mensonges. Mais il faudrait tout de même un certain temps pour détruire un vaisseau aussi important que le *Chasseur de Nébuleuses*. Si Alema procédait rapidement à l'éjection, peut-être la frégate ennemie se déciderait-elle à poursuivre la navette de sauvetage au lieu de s'attaquer au navire stellaire. C'était là son seul espoir.

Elle se tourna vers l'écoutille.

— Fermeture de l'écoutille de la baie…

Le groin du voxyn, tout ce qu'Alema pouvait apercevoir de la créature, pivota vers elle et s'ouvrit sur une cinquantaine de centimètres. Un hurlement assourdissant lui vrilla les oreilles et, soudain, une onde de choc comprimée pareille à un poing la frappa à l'estomac. Sa tête se mit à tourner et elle fut prise de nausée. En une fraction de seconde, elle se retrouva plaquée contre la coque de la capsule de sauvetage, serrant toujours sa sœur entre ses bras. Elle sentit alors quelque chose de chaud lui couler de l'oreille. Elle porta ses doigts privés de chair à sa tempe. Quand elle baissa à nouveau sa main, les extrémités de ses os étaient maculées de sang écarlate.

Alema essaya de se relever, eut un haut-le-cœur, puis retomba en arrière. Sa tête tourna de plus belle et son estomac se révulsa. Tenant toujours Numa contre elle, elle rampa en s'aidant de ses pieds et franchit l'écoutille de la capsule.

— Décollage ! s'étrangla-t-elle. Décollage immédiat !

L'écoutille de la navette se referma, les lumières se tamisèrent. Et ce fut tout. La capsule demeura effroyablement silencieuse et immobile. Stupéfaite, Alema se traîna jusqu'au premier rang de fauteuils ergonomiques et regarda vers la proue. Le droïde pilote lui faisait face et son module vocal clignotait au fur et à mesure qu'il énumérait les différentes étapes réglementaires d'une procédure de lancement.

— Suppression des procédures ! hurla Alema. Code d'autorisation…

La capsule de sauvetage fit un bond en avant et Alema fut projetée contre le montant de duracier de l'un des fauteuils.

Jaina ne vit pas l'appareil décoller. Elle était en train d'étudier son tableau de bord, essayant d'aligner parfaitement les capteurs de communication de l'*Ombre* avec l'antenne de transmission de faisceaux concentrés du *Chasseur de Nébuleuses*. Le fait que le navire stellaire flottait au point mort à vingt millions de kilomètres du soleil orange aurait déjà rendu, dans le meilleur des cas, la tâche bien complexe. Avec la présence de la frégate Yuuzhan Vong, obligeant l'*Ombre de Jade* à se maintenir en position en utilisant exclusivement des jets d'air comprimé, cela devenait presque impossible.

Après plusieurs tentatives, Jaina finit par aligner les appareils de communication dans un périmètre-cible concordant avec l'orbite de la navette et la progression du *Chasseur de Nébuleuses* devant le disque du soleil orange.

— Et comme ça ?

R2-D2 fit défiler un message sur l'écran du tableau de bord.

— Non, je ne pense pas y arriver ! cria Jaina. Si tu reçois quoi que ce soit, affiche-le !

Une demi-douzaine de vidéos floues en deux dimensions se matérialisèrent à l'intérieur de la verrière, alignées de façon panoramique. La moitié montrait des guerriers Yuuzhan Vong se comportant comme tout bon guerrier Yuuzhan Vong : fracassant des droïdes, jetant des appareils électroniques dans des vide-ordures désintégrateurs, passant à tabac des réfugiés sans défense. Un écran montrait une sorte de reptile à huit pattes – était-ce bien un reptile ? – coincé sous une lourde porte de soute, la tête carbonisée par l'acide et les yeux éclatés par une décompression subite. Un autre écran présentait une aire de lancement de navette de sauvetage vide. Mais ce fut le dernier écran qui attira particulièrement l'attention de Jaina. L'image montrait la passerelle du *Chasseur de Nébuleuses*, où le Capitaine Pollux et les membres de son équipage étaient retenus prisonniers par un détachement de guerriers Yuuzhan Vong. Même si Jaina avait personnellement connu Pollux et si la transmission vidéo avait été meilleure qu'elle ne l'était actuellement, la jeune femme aurait été dans l'incapacité de reconnaître le capitaine. Son visage mutilé n'était plus qu'une masse informe.

Un guerrier Yuuzhan Vong dépourvu de nez arracha l'une des oreilles du capitaine.

— Pour la dernière fois : où avez-vous pris en charge les *Jeedai* ?

Aussi incroyable que cela paraisse, Pollux trouva la force de rire.

— Quels Jedi ?

Le Yuuzhan Vong pouffa.

— Capitaine, vous êtes un vrai comique. (L'extraterrestre déposa délicatement l'oreille arrachée dans la paume de la main de Pollux, puis se tourna vers ses subalternes.) Tuez tout l'équipage.

Ecœurée, Jaina se tourna vers Mara.

— Qu'est-ce qu'on peut faire ?

Mara conserva les yeux braqués sur l'ordinateur de navigation.

— Pour l'équipage, rien. Mais jette un coup d'œil à ça.

Elle pianota un code et une trajectoire dorée se matérialisa en travers du cockpit. Elle partait du *Chasseur de Nébuleuses*, plus ou moins perpendiculaire au cap maintenu par l'*Ombre de Jade*, et s'incurvait brusquement vers la planète.

— Une navette de sauvetage ? (Jaina releva les yeux vers le navire stellaire. La frégate Yuuzhan Vong flottait toujours au point mort à quelques encablures de l'ouverture de sa baie d'accostage.) Elles mettent en danger la vie de milliers de réfugiés et s'enfuient à bord d'une navette de sauvetage ? Elles, des Jedi ?

— On dirait bien. (Mara se mit à calculer une trajectoire d'interception.) Allons les cueillir avant qu'elles ne causent d'autres dégâts.

2

A moins d'un kilomètre au-delà de la paroi de transparacier, l'horizon criblé d'antennes plongeait dans des abîmes de ténèbres où flottaient astéroïdes errants et étoiles distantes. De petits halos bleus apparaissaient çà et là, s'animant et grossissant à l'arrière des énormes barges-cargos chargées du duracier en provenance des lointaines chaînes de fabrication. Les transporteurs de personnel striaient l'obscurité de leurs longues traînées ionisées, filant d'un site de construction à un autre au milieu de la centaine de cales sèches orbitales. Dans chacune d'elles, de gigantesques droïdes soudeurs illuminaient les infrastructures de vaisseaux en cours d'assemblage de tempêtes d'étincelles aveuglantes.

A son arrivée, Han Solo était parvenu à dénombrer pas loin de cinq cents vaisseaux de guerre en montage dans les vieux chantiers de Bilbringi. Il s'agissait pour la plupart d'escorteurs, de corvettes et de petits appareils qu'il était possible de terminer à la va-vite. Mais il avait tout de même aperçu deux Destroyers Stellaires de classe impériale. Même s'il semblait évident que les deux énormes vaisseaux ne seraient pas achevés avant une attaque éventuelle des Yuuzhan Vong pour s'emparer du site, leurs coques étaient sur le point d'êtres scellées et leurs unités de propulsion avaient déjà été installées. Visiblement, le jeune Général Muun, un Sullustain, avait de la suite dans les idées. Le type même du bureaucrate ambitieux susceptible d'impressionner le haut commandement de Coruscant mais qui atteignait très vite les limites de la patience de Han.

Han aurait souhaité pouvoir disposer en cet instant des techniques de concentration Jedi dont son fils Jacen lui avait si souvent parlé. Il afficha un sourire aussi forcé qu'hypocrite et s'avança jusqu'au centre de la salle. Leia était assise sur une petite banquette, en compagnie du Général Muun. L'intensité de ses yeux bruns illuminait son visage avec ce même éclat qui avait tant séduit Han bien des années auparavant. Même s'il ne comprendrait jamais comment son épouse était parvenue à conserver cette brûlante ferveur après trente ans passés au service de la galaxie, Han considérait ce regard comme un véritable point d'ancrage, la seule constante qui semblait perdurer en dépit de décennies de combats, de peines et de pertes. A présent, lorsque les jambes de sa femme – guéries mais encore un peu faibles après l'épreuve presque fatale subie sur Duro – venaient à flancher, le cœur de Solo se figeait dans sa poitrine à la seule idée, toujours douloureuse, d'avoir pu perdre Leia. Depuis cette alerte, Han s'était juré qu'il ne tenterait plus *jamais* de l'exclure de ses pensées.

— ... des milliers de vies sont en jeu, Général, était-elle en train de dire. Les Vray sont des êtres paisibles. Sans escorte, le convoi d'évacuation sera complètement vulnérable face aux Yuuzhan Vong.

— Et combien de vies perdra la Nouvelle République si Bilbringi tombe avant que la flotte ne soit achevée ? demanda Muun. (Les lourdes bajoues du Sullustain ondulaient doucement pendant qu'il parlait, mais ses sentiments demeuraient complètement enfouis derrière le masque plat de son visage.) Des planètes entières vont succomber. Ce qui signifie des millions de morts.

— Tout ce qu'elle vous demande, ce sont vingt appareils, dit Han.

Le général tourna ses yeux noirs vers Solo.

— Elle nous demande cinq croiseurs et quinze corvettes. Un quart des défenses de Bilbringi, alors que les Yuuzhan Vong sondent déjà nos postes de surveillance avancés.

— Mais nous vous laissons l'*Intimidant*, déclara Han de sa voix la plus posée. Quant aux autres vaisseaux, ils seront de retour au bout d'une semaine standard… Deux maximum.

— Je suis désolé, mais c'est non, dit Muun, secouant la tête et commençant à se lever.

Un signal sonore retentit de la console sécurisée de communication installée sur le bureau du général. C-3PO, qui se tenait jusqu'alors derrière la banquette, releva la tête.

— Voulez-vous que je prenne cet appel pour vous, Général ? demanda-t-il.

— Seulement s'il s'agit d'une urgence, dit Muun en hochant la tête. Sinon, dites que je rappellerai ultérieurement.

— Merci, C-3PO, dit Han. (Toute interruption risquait d'amenuiser leurs chances d'obtenir l'escorte demandée. Solo se laissa choir dans le fauteuil qui faisait face au siège du général.) Vous semblez oublier à qui vous parlez, Général.

Les yeux de Leia se teintèrent brusquement d'inquiétude.

— Han…

— Il n'y a pas si longtemps, elle aurait pu tout simplement vous ordonner de lui confier les vaisseaux, continua Solo. S'il y a bien quelqu'un qui mérite…

— Je sais parfaitement ce que mérite la Princesse, dit Muun, se rasseyant à contrecœur. J'ai étudié toutes les vidéos historiques à l'Académie.

— Les vidéos historiques ? gronda Han. Depuis combien de temps êtes-vous dans l'armée ? Moins d'un an ? (Il jeta un coup d'œil par le dôme de transparacier en direction des cales sèches qui bourdonnaient d'activité.) Vous avez dû obtenir un sacré résultat aux examens pour obtenir ce haut commandement si rapidement.

Un tremblement indigné parcourut les bajoues du Sullustain. Avant qu'il puisse répondre, C-3PO prit la parole :

— Je vous prie d'excuser cette interruption, mais un émissaire Yuuzhan Vong souhaite rencontrer la Princesse Leia.

— Quoi ? demandèrent les époux Solo à l'unisson.

— Dis-lui non ! tonna Han.

— Comment m'a-t-il trouvée ? demanda Leia.

C-3PO émit un message d'un millième de seconde, sous forme de cri numérique, dans le communicateur. La réponse lui parvint quelques instants plus tard.

— L'émissaire Yuuzhan Vong refuse de révéler cette information à l'officier de garde, mais il assure, au nom de Yun-Yammka, ne vous vouloir aucun mal.

— C'est non, dit Han.

Leia foudroya son mari du regard, puis se tourna vers C-3PO.

— Dis-lui que je lui ferai parvenir mes instructions dans quelques instants.

— Ça ne va pas ? Le cosmos te tourne la tête ? (Han savait bien qu'il ne l'emporterait pas dans cette discussion, mais il se devait au moins d'essayer. Ayant déjà perdu son meilleur ami par le fait des Yuuzhan Vong, il était farouchement déterminé à ne pas perdre son épouse.) A moins que tu n'aies oublié Elan et la tentative des Bo'tous ? Dois-je te rappeler que tu as failli perdre l'usage de tes jambes l'an passé sur Duro ?

— Je n'ai rien oublié du tout, dit Leia d'un ton calme. (Elle se tourna vers leur hôte.) Mais je suis certaine que le Général Muun aimerait savoir, au moins autant que moi, comment cet émissaire Yuuzhan Vong a découvert ma présence ici.

— Effectivement, répondit le Sullustain en hochant la tête.

— On ne peut pas laisser un Yuuzhan Vong approcher de Bilbringi ! lança Han, comprenant soudain que Muun était son seul allié pour essayer d'empêcher Leia de prendre des risques. Le seul inventaire des appareils...

— ... ne sera utile à nos ennemis que si le compte est exact. (Le Sullustain ne prit même pas la peine de regarder dans la direction de Han. Ses bajoues se soulevèrent en une sorte de sourire figé.) Cela fait bien longtemps que nous attendons une telle occasion, dit-il à Leia.

— Alors, je suis ravie de pouvoir vous offrir cette possibilité. (La Princesse se tourna vers C-3PO.) Tu peux annoncer au Yuuzhan Vong que nous lui accordons le droit d'accès.

— Du moment qu'il est sans arme et sans masque, ajouta Han d'un ton morose. (Les deux gardes du corps Noghri de Leia, qui attendaient dans le couloir, derrière la porte du bureau de Muun, aimeraient encore moins cela que lui. Eux non plus ne réussiraient certainement pas à convaincre Leia qu'il s'agissait d'une mauvaise idée.) Et au moindre signe d'entourloupe…

— Il a déjà promis de se conduire honorablement, répondit C-3PO. Cela dit, si vous voulez mon avis, la promesse d'un Yuuzhan Vong a autant de valeur que celle d'un Jawa.

Le Général Muun s'avança jusqu'à son bureau et ouvrit un canal de communication avec son responsable de la sécurité.

— Commencez l'opération Fin de Trêve. Il ne s'agit pas d'un exercice.

Han et les gardes du corps passèrent les deux heures suivantes à convertir l'une des chambres d'interrogatoire de la vieille base impériale en une salle d'entretiens jugée suffisamment sûre pour Leia. Le système de sécurité principal était un panneau de transparacier qui séparerait les interlocuteurs au cours de la discussion. La pièce était également équipée d'une batterie de biocapteurs chargés de surveiller les constantes corporelles du Yuuzhan Vong, d'un compensateur de pressurisation pour contenir tout poison que l'émissaire tenterait d'introduire dans la salle et d'un « bouton d'éjection » permettant d'ouvrir la chambre sur le vide extérieur.

Les préparatifs conduits par le Général Muun furent aussi efficaces et deux fois plus rapides. A peine avait-il transmis son ordre que tout travail s'interrompit dans les cales sèches et que les lumières des chantiers s'éteignirent, donnant ainsi l'impression que le site était délaissé. Au moment où les vaisseaux éclaireurs apparurent au-dessus du planétoïde, seules trois cales sèches d'allure délabrée demeuraient encore en fonction, leurs équipes réduites d'ouvriers allant et venant, apportant à la va-vite un semblant de touche finale à une demi-douzaine de corvettes peu conséquentes. La plupart des autres sites n'étaient même plus visibles dans la noirceur de l'espace. Les quelques cales sèches que l'on pouvait encore discerner ne contenaient que des coques de vaisseaux à moitié achevées, abandonnées par des ouvriers dans la hâte d'une évacuation prématurée. Qu'il ait ou non mérité son commandement à un si jeune âge, le Général Muun avait fait preuve d'une réelle intelligence, digne de l'admiration de Han. D'après ce qu'il pourrait apercevoir, l'émissaire Yuuzhan Vong n'encouragerait guère ses congénères à s'attaquer aux chantiers de construction de Bilbringi.

C-3PO annonça l'arrivée de l'émissaire, puis une douzaine de gardes pénétrèrent dans la chambre d'interrogation en compagnie du Yuuzhan Vong, qui n'avait bénéficié que de très peu de décorum diplomatique. Quelque chose ressemblant à un œil artificiel lui avait été confisqué et reposait dans la main d'un officier de la sécurité. On l'avait également débarrassé de ses vêtements et il ne portait plus qu'une cape réglementaire de la flotte dont il avait relevé la capuche. Il portait dans ses bras une créature d'aspect spongieux, évoquant l'un de ces villips que les Yuuzhan Vong utilisaient pour communiquer sur de longues distances, mais ce modèle-là était plus gros et plus gélatineux. Les officiers scientifiques du chantier avaient passé la créature au crible afin de déceler la moindre trace d'arme Yuuzhan Vong connue et avaient confirmé qu'il s'agissait bien d'un objet organique de communication. Mais Adarakh et Meewahl, les gardes du corps Noghri de Leia, insistèrent pour procéder à une nouvelle inspection. Ils flairèrent, palpèrent, pressèrent la chose au point que Han crut qu'elle allait éclater. Solo posa sa main sur le bouton d'éjection. Tant que quelqu'un ne lui expliquerait pas comment cette sorte de protozoaire géant était capable d'envoyer des messages à travers toute la galaxie aussi efficacement que le réseau HoloNet, il ne ferait confiance à personne.

Une fois que tout le monde fut satisfait, les soldats forcèrent l'émissaire à s'asseoir sur la seule et unique chaise que contenait la pièce. Puis ils sortirent et verrouillèrent la porte.

Leia s'avança jusqu'au panneau de transparacier.

— Je suis Leia Organa Solo, annonça-t-elle.

— Oui, je sais, nous avons déjà eu l'occasion de nous rencontrer. Sur la planète Rhommamool. (La voix de l'émissaire était rocailleuse et arrogante, et Leia se sentit pâlir. Son interlocuteur déposa sa créature sur la table et ôta sa capuche, révélant son visage mutilé – dont l'une des orbites était vide – de Yuuzhan Vong.) Et, sur Duro, nous avons même travaillé ensemble pendant quelque temps.

— Cree'Ar ? (La main de Leia se posa instinctivement sur la crosse de son sabre laser, celui que Luke avait fabriqué pour elle bien des années auparavant, Tsavong Lah ayant détruit son autre sabre l'année précédente sur Duro.) Nom Anor !

— Vous avez une excellente mémoire. (Le Yuuzhan Vong observa froidement Leia.) Comment va votre fils Jacen ? Et Mara ? Est-elle toujours en convalescence ? Vous savez combien l'état de votre belle-sœur m'intéresse.

Han sentit le bouton d'éjection lui brûler la paume de la main et remarqua qu'il était sur le point d'appuyer dessus.

— Cause toujours, mon vieux... (Pendant la chute de Duro, Nom Anor avait tenté de tuer Mara et Jaina, essayé d'orchestrer la mort de Leia et Jacen et, auparavant, était parvenu à infecter Mara au moyen d'une grave maladie qui avait coûté à la jeune femme deux ans de soins intensifs.) Rien ne me ferait plus plaisir que de t'éjecter dans l'espace...

Le sourire de Nom Anor se fit sournois.

— Avant même d'entendre ce que je suis venu vous annoncer ? De plus, je ne pense pas que Leia Organa Solo soit à même de rompre sa promesse me garantissant le droit d'accès.

— Ma promesse, certes, pas celle de Han, dit Leia. Son contrôle de ses nerfs n'est plus ce qu'il était. Comment saviez-vous que j'étais ici ?

— Avec l'évacuation du peuple Vray, où donc iriez-vous chercher une escorte ? (Nom Anor fit un geste en direction de la créature posée sur la table.) Puis-je ?

— Cela fait des semaines que les Vray ont évacué, dit Leia, continuant de presser son interlocuteur pour obtenir une réponse à sa question. (Han pensa que, si un espion rôdait à Bilbringi, Nom Anor se garderait bien de le leur dire. Son silence, cependant, serait de toute façon tout aussi utile pour le Général Muun.) Et cela ne fait que quelques heures que nous sommes arrivés.

— Il va sans dire que nous observons Bilbringi. Et c'est tout ce que je peux vous dire à ce sujet. (Sans en demander la permission, cette fois-ci, Nom Anor réveilla sa créature d'une tape sèche.) Tsavong Lah souhaite que vous regardiez ceci.

La créature fondit en un disque plat et se mit à luire d'une bioluminescence jaunâtre. Les rayons lumineux dessinèrent un long navire stellaire, avec une proue massive et le pont très distinct en forme de marteau des énormes paquebots civils de la Corporation d'Ingénierie Corellienne. Le navire devait flotter au point mort dans l'espace, car aucun flux ionisé ne provenait de ses réacteurs et ses portes de soutes étaient grandes ouvertes.

— Ce navire stellaire est le *Chasseur de Nébuleuses*, annonça Nom Anor. La retransmission est en direct.

Le cœur de Han fit un bond jusque dans sa gorge. Le *Chasseur de Nébuleuses* était le vaisseau à la rencontre duquel étaient parties Mara et Jaina. Leur mission devait être des plus simples, un rendez-vous rapide dans un secteur sûr, puis retour à la base. Apparemment, quelque chose avait mal tourné. Il adopta une mine impassible de joueur de sabacc endurci et se força à ne pas regarder en direction de sa femme.

— Très impressionnant, dit Leia. (Elle devait certainement être aussi inquiète que Han, mais sa voix était toujours aussi sèche et moqueuse.) Vous avez donc appris à transmettre des hologrammes. J'ai hâte de jeter un coup d'œil à vos holofilms sur le Net.

— Les Yuuzhan Vong maîtrisent la lumière vivante depuis des siècles, grogna Nom Anor. Je vous montre cet appareil car le Maître de Guerre estime que vous seriez certainement prêts à négocier.

Nous y voilà, songea Han. Il écarta sa main du bouton d'éjection, sachant qu'il n'aurait pas la force de résister si Nom Anor lui déclarait que les Yuuzhan Vong détenaient sa fille en otage.

— Tsavong Lah se trompe, dit Leia. (Sa voix était devenue un peu plus froide, seul indice de la boule glacée qui devait certainement se former au creux de son estomac.) Je préférerais négocier avec un Hutt.

— Les Hutts ne détiennent pas ce qui vous intéresse, rétorqua Nom Anor en perforant l'hologramme d'un de ses doigts griffus. Il y a dix mille réfugiés à bord de ce vaisseau et leur salut dépend de vous.

— J'en doute. Si c'est tout ce que Tsavong Lah souhaitait me montrer, alors notre entretien est terminé.

Leia tourna le dos à Nom Anor et s'éloigna du panneau de transparacier. Han eut la tentation de lui crier que la vie de leur fille était en danger, mais il se retint, conscient que son épouse était en train de défier l'arrogance de son interlocuteur.

Elle avait déjà atteint la porte lorsque Nom Anor la rappela.

— Vous pouvez tous les sauver, dit-il en se levant pour dominer le faisceau de bioluminescence. Révélez-moi simplement l'emplacement de la base secrète des Jedi.

Leia posa les yeux sur Han, se demandant visiblement si Nom Anor était sincère lorsqu'il prétendait qu'il était encore temps de sauver Jaina, Mara et les réfugiés.

— Il n'y a pas de base secrète des Jedi, dit-elle enfin.

Nom Anor poussa un soupir théâtral.

— Princesse Leia, vous me discréditez aux yeux de Tsavong Lah. (Il laissa son menton retomber sur sa poitrine.) Je lui ai bien dit que vous ne seriez pas prête à sacrifier tant de vies pour en sauver si peu. Mais il est persuadé que vous êtes prête à en sacrifier d'autres – beaucoup d'autres – afin de protéger les Jedi.

Pendant que Nom Anor parlait, une salve de balles de plasma stria l'hologramme et explosa à la surface du navire privé de boucliers, forant des cratères incandescents dans la coque de duracier. Des nuages noirs de débris gros comme des têtes d'épingle et des jets de vapeur atmosphérique fusèrent dans l'espace. Une autre salve de plasma fut alors propulsée. La plupart des balles pénétrèrent par les déchirures causées par la première rafale et s'en allèrent perforer les cloisons intérieures du vaisseau. Les nuages s'assombrirent, de plus en plus de débris furent éjectés dans le vide glacé. Soudain, l'image changea et un agrandissement de la zone de la rupture apparut, révélant que les débris n'étaient autres que les corps des passagers du paquebot, fracassés par la dépressurisation et tourbillonnant comme des pantins.

— La sagesse de Tsavong Lah est aussi vaste que cette galaxie elle-même, dit Nom Anor, roulant son seul œil valide au ciel, comme satisfait d'une bonne plaisanterie, avant de faire un geste vers l'hologramme. Ils sont en train de périr parce que des Jedi se trouvaient à bord. Si les Jedi ne souhaitent pas que d'autres y laissent encore la vie, dites-leur de se rendre dans un délai d'une semaine standard.

— D'autres ? (Han savait que c'était exactement la question que Nom Anor attendait de lui, mais il ne parvint pas à s'empêcher de la poser. Il lui fallait savoir ce qui était arrivé à Jaina.) Combien d'autres ?

— Vos éclaireurs vous confirmeront que nos flottes ont encerclé la planète Talfaglio. Pendant la semaine qui vient, tous les vaisseaux de réfugiés seront contenus sur orbite. Si les Jedi se rendent, le convoi sera autorisé à prendre l'espace. Si les Jedi refusent de se rendre, le convoi sera détruit. (Nom Anor baissa les yeux vers la main de Han qui flottait au-dessus du bouton d'éjection avant d'ajouter :) Tout comme il sera détruit si je manque à l'appel.

— Vous espérez que les Jedi vont capituler ? demanda Han. (Il était trop soulagé que Nom Anor n'ait rien dit au sujet de Jaina ou de Mara pour être réellement peiné par le décès de dix mille étrangers. Peut-être aurait-il dû se sentir coupable. Pour l'heure, tout ce qui lui importait était de savoir que les deux femmes étaient vivantes.) Tu peux toujours courir, mon vieux. Autant en finir tout de suite.

Han fixa Nom Anor droit dans les yeux – *dans l'œil* – puis il baissa lentement la main vers le bouton d'éjection, souriant d'un air mauvais, laissant à Leia une dernière possibilité de l'arrêter. Le Yuuzhan Vong soutint le regard du Corellien en souriant de façon méprisante. Il ne détourna même pas la tête lorsque la main de Han effleura le dessus du bouton. Solo marqua une courte pause, attendant que Leia l'empêche de continuer. Mais elle ne dit rien. Il se tourna vers elle et découvrit qu'elle observait attentivement l'émissaire, ses yeux bruns bouillonnant de rage.

— Qu'est-ce que tu attends ? demanda-t-elle.

— Vraiment ?

— Vas-y… dit Leia en hochant la tête.

Le ton de sa voix mit Han quelque peu mal à l'aise. Il comprit soudain que Nom Anor avait peut-être omis d'évoquer le sort de

Jaina et de Mara pour une autre raison. Une raison à laquelle Leia avait visiblement déjà pensé. Il était tout à fait possible que les deux femmes se soient trouvées à bord du *Chasseur de Nébuleuses* pendant l'explosion, les Yuuzhan Vong ne sachant pas alors qui ils venaient de tuer.

Han appuya doucement sur le bouton d'éjection et un sifflement se produisit lorsque les panneaux du plafond commencèrent à s'entrouvrir. L'œil valide de Nom Anor s'écarquilla.

— Vous êtes fous ? cria-t-il en se levant d'un bond. Vous allez causer la mort de millions de gens !

Leia se pencha et releva le bouton d'éjection, bloquant les panneaux du plafond en cours d'ouverture.

— Pas nous. Vous.

L'air continuait de s'échapper de la salle en hurlant. L'image du *Chasseur de Nébuleuses* disparut lorsque la créature villip se recroquevilla sur elle-même. Nom Anor regarda le plafond, puis baissa la tête vers Leia. Son affreuse figure se tordit sous l'effet de la surprise. Leia attendit que le Yuuzhan Vong porte enfin ses mains à ses oreilles afin de se protéger pour tirer sur le bouton d'éjection et refermer les panneaux du plafond.

Lorsque Nom Anor ôta enfin les mains de ses oreilles, la Princesse prit la parole :

— Retournez auprès de votre Maître de Guerre et racontez-lui comment nous vous avons traité. Dites-lui que les Jedi n'acceptent pas d'assumer la responsabilité des vies qu'il met en danger et que tout émissaire qui se présentera ici en formulant des menaces similaires ne sera pas renvoyé auprès des siens.

Nom Anor hocha la tête. Sans pour autant paraître docile, il avait tout de même quelque peu perdu de son caractère hautain.

— Je lui dirai. Mais cela ne changera rien. (Il alla jusqu'à la porte et attendit qu'on lui ouvre.) Le Maître de Guerre sait que son plan marchera, ajouta-t-il. Et, jusqu'à présent, il ne s'est encore jamais trompé.

Luke Skywalker savait qu'un séjour prolongé dans une cuve à Bacta, s'il allait réparer tous les dommages physiques, ne pourrait jamais effacer totalement l'angoisse qui subsistait chez Alema. Cette angoisse, il pouvait la percevoir clairement alors qu'elle était encore en train de flotter dans le bain, toujours absorbée dans son intense transe curative. Son tourment ne ferait qu'empirer, à son réveil, lorsqu'elle apprendrait ce qui était arrivé au *Chasseur de Nébuleuses*. A l'angoisse s'ajouteraient des sentiments de culpabilité, de colère... Et la peur de cette *chose* qui avait tué sa sœur. Déjà bien proche de basculer vers le Côté Obscur pendant qu'elle dirigeait la résistance de New Plympto, elle n'en serait alors que plus facilement attirée vers celle-ci, plutôt que d'accepter la responsabilité de la mort de sa sœur, de la destruction de New Plympto et du sort du paquebot stellaire. En fait, la question n'était pas de savoir si, oui ou non, Alema Rar basculerait vers le Côté Obscur de la Force, mais plutôt de savoir quand et pour combien de temps.

La porte de l'infirmerie coulissa en chuintant derrière Luke. Il se retourna et vit Cilghal, sur le seuil, qui l'observait de ses grands yeux humides.

— Je suis désolée de vous déranger, Luke, mais votre beau-frère demande à s'entretenir avec vous. Il semble persuadé que vous lui cachez quelque chose.

Luke ne put s'empêcher de sourire.

— Ce cher vieux Han. C'est bon de le savoir redevenu comme avant.

L'immense bouche de Cilghal s'écarta en un caractéristique sourire Calamarien.

— Oui, c'est vrai.

Luke la suivit dans le corridor circulaire et se dirigea vers la salle de conférences. Comme la majeure partie du reste de la nouvelle base, le tunnel avait été percé au laser dans la roche brute. L'intérieur avait été ensuite isolé au moyen d'un enduit de plastimousse souple et blanc, ce qui conférait à l'excavation une douceur et une luminosité qui n'avaient rien à voir avec celles d'une caverne traditionnelle. La mousse jouait également le rôle d'excellent protecteur thermique. Elle conservait si efficacement la chaleur générée par les équipements que la plupart des occupants de la base, toutes espèces confondues, avaient choisi de ne porter pour seul vêtement que leurs combinaisons spatiales d'urgence – dont l'utilité se révélait encore trop souvent nécessaire – en prenant soin d'en laisser tous les soufflets en position ouverte. Les ingénieurs travaillaient d'arrache-pied à corriger ce problème, mais les habitants comparaient déjà leurs chambrées à des cabines de sauna.

Luke pénétra dans la salle de conférences et y retrouva ses neveux, Jacen et Anakin, attendant avec Danni Quee, Tahiri Veila et quelques autres Jedi. Un petit hologramme représentant Han et Leia flottait au-dessus du projecteur holographique installé au centre de la table. Han était en train de presser ses fils de questions, leur demandant *pourquoi* leur sœur ne se trouvait pas avec eux dans la pièce. Quant à Leia, elle avait plutôt l'air embarrassée.

Luke rejoignit les autres à la table et, au grand soulagement de ses neveux, prit place dans l'arc du capteur holographique.

— Han, Jaina est au centre de transmission avec R2. Ils essaient d'amplifier les signaux reçus du *Chasseur de Nébuleuses*. Elle nous rejoindra dès qu'elle le pourra, mais, pour l'heure, elle ne peut pas interrompre ses recherches.

Han fronça les sourcils, mais sembla accepter l'explication.

— Tu as entendu parler de la menace ?

— Il y a quelques minutes, répondit Luke en hochant la tête.

— Alors, qu'est-ce qui t'a pris tant de temps ?

— J'étais auprès d'Alema Rar, dit Luke. Elle n'avait pas bouclé sa ceinture lorsque la capsule a été éjectée et elle est salement amochée. Elle n'a pas dit grand-chose sur le chemin du retour, excepté « voxyn ». J'étais donc en train d'essayer de capter une impression subconsciente de ce qui était arrivé à sa sœur.

— Une impression subconsciente ? demanda Han en plissant les yeux.

— Par le truchement de la Force, Han, dit Luke, commençant à perdre patience. (Même si Han était presque redevenu lui-même, la peine causée par la mort de Chewbacca continuait de se manifester parfois de façon bien étrange. Depuis peu, il s'agissait de sautes d'humeur qui incitaient souvent Leia et ses enfants à désirer se cacher derrière le premier astéroïde venu.) Jaina va bien. Et Mara aussi.

— Alors, comment ça se fait que Mara ne soit pas là ?

— Mara ne peut pas, non plus, laisser tomber ce qu'elle est en train de faire, répondit Luke. Elle s'occupe de nourrir Ben.

— Je te prie de nous excuser pour notre nervosité, intervint Leia, adressant à son mari un regard ennuyé. Mais c'est une sacrée démonstration que Nom Anor nous a faite. Dix mille morts. Et je doute qu'il se serait réellement arrêté là si je lui avais révélé l'emplacement d'Eclipse. Qu'est-ce qu'on va faire au sujet de Talfaglio ?

— D'abord, souvenez-vous qu'en laissant les Yuuzhan Vong tenter de nous rendre responsables de ce qui s'est passé, nous ne faisons qu'entrer dans leur jeu, dit Luke. Nous devons toujours nous rappeler que ce sont eux les assassins, pas nous.

— C'est exact dans les faits, Maître Skywalker, dit Cilghal, s'adressant à Luke de façon bien plus formelle, à présent qu'ils étaient en présence d'un plus large auditoire. Mais cela me gêne considérablement de fermer les yeux sur la mort de tant d'individus. Que la responsabilité nous en incombe ou non, nous devons faire quelque chose pour les empêcher de continuer.

— Et nous ne sommes pas complètement innocents non plus, fit Jaina en investissant la salle en compagnie de R2-D2 et de plusieurs autres Jedi. (La nouvelle concernant la menace de Tsavong Lah se propageait très vite et des membres du personnel de la base étaient en train de rejoindre le lieu de la réunion.) Il y avait des Jedi sur le *Chasseur de Nébuleuses* et ces mêmes Jedi dirigeaient la résistance sur New Plympto. Les sœurs Rar ont condamné le vaisseau stellaire à l'instant même où elles ont embarqué à son bord. Tout comme nous l'avons condamné en acceptant d'aller à sa rencontre.

— Et comment peux-tu croire que les Yuuzhan Vong n'auraient pas capturé les passagers pour les offrir en sacrifice à leurs dieux, hein ? demanda Danni Quee, toujours prompte à souligner les faiblesses des arguments de ses interlocuteurs. (Femme de petite taille, avec de grands yeux verts et des cheveux blonds et bouclés, Danni avait été l'un des premiers prisonniers des Yuuzhan Vong. La première, en tout cas, à découvrir leurs méthodes de tortures.) Nous ne pouvons pas présumer de la façon dont pensent ces tueurs, reprit-elle. Cela n'entraînerait que des erreurs. De graves erreurs.

Tout en parlant, Danni s'était écartée pour laisser Jaina rejoindre Luke dans l'arc du capteur de l'holocommunicateur.

— Salut, M'man, salut, P'pa, dit Jaina. Désolée de vous avoir fait attendre.

— On n'a pas attendu tant que ça, répondit Leia.

La tension disparut totalement du visage de Han Solo et il ajouta :

— Oui, pas de problème...

Le calme dura encore une seconde, jusqu'à ce qu'Anakin Solo, ses cheveux bruns plus en bataille que jamais, ne se décide à propulser le cours de la conversation à la vitesse de la lumière :

— Bon, écoutez. Je ne pense pas qu'il soit important de savoir maintenant si nous sommes responsables ou non. Il y a des centaines de milliers, peut-être des millions de vies qui sont en jeu. Il faut que nous fassions quelque chose, c'est tout.

— Et que veux-tu que nous fassions, Anakin ? demanda Luke.

Tahiri répondit à sa place :

— Briser leur blocus, bien entendu. (Du haut de ses quinze ans, la blonde et svelte Tahiri évoquait à bien des égards une version plus jeune de Danni Quee. Elle avait également été prisonnière des Yuuzhan Vong jusqu'à ce qu'Anakin vienne la sauver du laboratoire métamorphique où elle était retenue.) Faisons-leur payer pour qu'ils ne recommencent jamais. C'est la seule façon de leur rendre la monnaie de leur pièce.

— Et c'est exactement ce que les Yuuzhan Vong attendent de nous, dit Danni. S'ils considèrent les Jedi comme des guerriers, comparables à eux, alors ils s'attendront à une riposte.

L'hologramme de Han hocha la tête.

— Ils veulent faire sortir les Jedi de leur cachette. Ce serait de la folie que d'aller au-devant d'eux. Surtout en sachant qu'ils nous attendent au tournant.

— Alors nous allons laisser une planète de plus succomber

sous leurs coups ? (La voix calme de Jacen produisit un contraste frappant avec la tension croissant dans la salle. Il se tourna vers Tahiri et Anakin.) Par ailleurs, brandir nos sabres laser ne fera qu'entraîner la mort d'un plus grand nombre de gens.

Anakin se renfrogna, comme c'était souvent le cas ces derniers temps lorsqu'il s'entretenait avec son frère aîné.

— Si tu préfères, tu peux rester à l'écart, en spectateur...

Jacen leva une main.

— Laisse-moi terminer, Anakin, tu veux ? Ce que je suis en train de dire, c'est qu'aucune option n'est vraiment valable. (Il se tourna vers le reste de l'auditoire.) Si nous combattons, les Yuuzhan Vong massacreront encore plus de gens. Si nous ne nous battons pas, ils les tueront quand même. Nous ne pouvons pas autoriser cela. Les Jedi sont tout de même supposés être les défenseurs de la vie dans cette galaxie, non ?

— Qu'est-ce que tu insinues, Jacen ? demanda Han. Que les Jedi doivent se rendre ? (Il ferma les yeux et tressaillit.) Dis-moi que ce n'est pas cela que tu veux...

— Personne ne va se rendre, Han, avança Luke.

Il éprouvait de la sympathie pour les préoccupations de son beau-frère. De tous les jeunes Chevaliers Jedi qui avaient rejoint Eclipse, Jacen était le plus philosophe, luttant souvent avec l'idée paradoxale qu'il était parfois nécessaire de détruire pour préserver quelque chose. Luke savait que les inquiétudes de son neveu provenaient de la vision perturbante qu'il avait eue sur la planète Duro. Une vision au cours de laquelle il avait vu la galaxie basculer doucement vers les ténèbres sans pour autant être capable de l'en empêcher. Terrifié à l'idée de rompre un peu plus l'équilibre, le jeune Jedi avait temporairement renoncé à l'utilisation de la Force. Même s'il avait de nouveau eu recours à ses talents lorsque cela s'était révélé nécessaire pour sauver la vie de sa mère, Jacen demeurait suffisamment incertain à propos de sa vision pour que ce sentiment de malaise le contraigne encore à l'inaction. Une situation au moins aussi périlleuse, à sa façon, que celle qui pouvait incessamment mettre la vie d'Alema en péril.

— Nous ne capitulerons pas, répéta Luke. Et nous ne laisserons pas les Yuuzhan Vong nous attirer au combat sans y être préparés. (Il se tourna vers Danni et Cilghal.) Le Programme Eclipse a-t-il déjà quelque chose à nous offrir ?

Danni secoua la tête.

— Pas vraiment. D'après les hologrammes, nous sommes maintenant capables de déterminer lorsqu'un yammosk coordonne une bataille. Mais il nous est encore impossible d'identifier ses schémas directeurs et sa façon de communiquer. Il va falloir qu'on s'approche de l'un d'eux.

Luke posa les yeux sur Cilghal.

— Et du côté des villips ?

— Je crains bien que mon équipe n'ait encore moins progressé, dit-elle. Les Yuuzhan Vong ont bien évidemment cessé d'utiliser les villips que nous avions capturés. Ce qui ne nous laisse guère d'autre choix que de les disséquer. Pour l'instant, nous n'avons pas la moindre idée de leur mode de fonctionnement.

Luke hocha la tête à l'intention des deux scientifiques.

— Il est encore trop tôt pour espérer faire de grands progrès, mais je suis certain que vous y arriverez. (Il se tourna vers le reste de l'assistance. Il devait bien y avoir une cinquantaine de personnes à présent, y compris Mara et Ben, leur tout jeune fils, ainsi qu'une douzaine de volontaires non Jedi ralliés à la cause.) Notre voie n'est pas encore toute tracée, mais une chose me semble claire : ce serait de la folie de laisser les Yuuzhan Vong nous entraîner dans une bataille pour laquelle nous ne sommes pas encore prêts. J'espère que vous saurez vous montrer patients et que votre foi en la Force vous permettra de bien comprendre que le poids de la destruction du *Chasseur de Nébuleuses* doit reposer sur les épaules des véritables responsables.

Le groupe murmura son approbation et l'assistance commença à évacuer la salle. Mara s'approcha de son époux.

— Bien envoyé, Luke. (Serrant Ben contre elle, elle se hissa sur la pointe des pieds pour l'embrasser.) Mais je me sentirais tellement mieux si la Force pouvait enfin peser sur les épaules des Yuuzhan Vong.

3

L'un des mille blasphèmes païens ayant échappé à la Rédemption d'Obroa-skai, le Musée de Photonique Appliquée, s'élevait au-dessus des champs environnants en un étincelant massif de tours de transparacier et de galeries de cristalplast. Nom Anor, ayant passé beaucoup trop de temps auprès des infidèles pour trouver la vision révoltante, savait cependant qu'il était préférable de ne pas trop montrer à ses congénères qu'il y était accoutumé. Il marqua une pause sur le pas de la porte, posa un regard ardent sur les plaines noires qui s'étendaient à perte de vue, puis adopta un air de dégoût avant de suivre son escorte jusque dans le grand hall. Là, une centaine de prisonniers originaires de Verpine observaient les gardes Yuuzhan Vong de leurs grands yeux insondables d'insectoïdes. Après une brève conversation avec le subalterne du détachement, l'escorte de Nom Anor le conduisit au travers d'un dédale de corridors, éclairés de façon profane au moyen de sphères flottantes de lumière pure.

Ils retrouvèrent Tsavong Lah dans une chambre, entouré d'un enchevêtrement de centaines de kilomètres de câbles translucides. Guerrier tatoué de la tête aux pieds, aux lèvres finement dessinées et aux plaques d'armure directement implantées sur le squelette, le Maître de Guerre tenait en main un petit holobloc, observant le disque de projection de l'appareil avec le même regard que d'autres auraient accordé aux couards ou aux esclaves.

— Maintenant ! ordonna-t-il à l'instrument.

Tsavong Lah venait à peine de fermer la bouche qu'un éclair illumina instantanément le réseau câblé. La lumière sembla ensuite faire un bond et se concentra juste au-dessus de l'holobloc. Un millième de seconde plus tard, l'image grandeur nature d'une Aile-X infidèle apparut, masquant le torse du Maître de Guerre et obscurcissant une bonne partie de la salle. Le chasseur stellaire pivota lentement vers la porte et ouvrit le feu. Seul Nom Anor ne se baissa pas pour se protéger.

— Sais-tu ce que je ferais de ça, si j'étais un infidèle ? demanda Tsavong Lah depuis l'intérieur de l'hologramme.

— Vous le détruiriez, sans aucun doute, répondit Nom Anor. Ces choses si dénuées de vie sont une abomination aux yeux de nos dieux. Je ne peux vous dire combien cela m'a dégoûté de devoir les utiliser quand j'ai préparé le terrain pour notre invasion.

— Nous devons tous faire ce qui est nécessaire, Exécuteur, et tes ordres t'obligent à supporter les obscénités de nos ennemis. (Le ton de Tsavong Lah semblait aussi irrité que distant.) Nous ne pouvons vaincre ce que nous ne comprenons pas. Par exemple, les pilotes de nos coraux skippers pourraient aisément se laisser duper par une image comme celle-ci. Si j'étais l'un de nos ennemis, la galaxie serait infestée d'engins de ce type.

— Mais la galaxie en est *déjà* infestée, répondit Nom Anor, l'air tendu. Ils ne sont guère dignes de votre admiration, ô Très Grand. Leurs capacités sont aussi limitées que celles de nos ennemis.

L'Aile-X disparut. Tsavong Lah laissa tomber l'holobloc au sol et l'écrasa sous la terrible griffe de vua'sa qu'on lui avait greffée après que son pied eut été tranché par le sabre de Jacen Solo.

— Nos ennemis se sont révélés suffisamment retors pour contrecarrer tes plans à maintes reprises. (La voix du Maître de Guerre était chargée de dégoût. Fervent adepte de la suprématie des dieux Yuuzhan Vong, il refusait d'accepter l'influence du hasard et considérait tout échec comme un signe de décadence spirituelle.) Je crois savoir que ce n'est pas le cas aujourd'hui...

— Le chilab a fonctionné à merveille. (Nom Anor pencha la tête sur le côté, se pinça les narines et força une expiration dans ses sinus. Bien que la foi lui fasse défaut pour apprécier la douleur procurée par la neurolarve, il feignit un sourire de satisfaction lorsque la créature détacha ses griffes préhensiles de son nerf optique et sortit par sa cavité nasale. Il la laissa tomber dans la paume de sa main et la présenta à Tsavong Lah.) J'ai pu tout observer à mon arrivée. Je suis certain que les souvenirs enregistrés par le chilab se montreront très utiles lorsque vous planifierez votre attaque.

— Sans aucun doute. (Tsavong Lah glissa la larve dans la poche de sa cape accrochée à ses épaules par des griffes acérées.) J'étudierai cela plus tard. Comment s'est déroulé ton entretien avec Leia Organa Solo ?

— Très bien. (Il aurait été impensable de répondre quoi que ce soit d'autre.) Je suis persuadé que les Jedi vont accepter nos conditions.

— Vous êtes bien plus confiant que je ne le serais si j'étais à votre place, dit une petite voix derrière lui, légèrement en contrebas. Les Jedi vont sentir qu'il s'agit d'un piège. Ils se montreront prudents.

Nom Anor se tourna et vit une silhouette au plumage hétéroclite passer le cordon de gardes en sautillant sur ses pattes à articulations inversées. Ses oreilles délicates et ses antennes torsadées lui donnaient de vagues airs de mite, mais Nom Anor considérait que la créature était encore plus nuisible qu'une multitude de radanks.

— Vergere ! répondit-il d'un ton rageur. J'ignorais que vous connaissiez si bien les Jedi.

— Vergere les connaît bien mieux que moi, dit Tsavong Lah. C'est elle-même qui m'a annoncé que les *Jeedai* te laisseraient la vie sauve. Moi, je pensais qu'ils t'abattraient sur-le-champ.

— Peut-être étiez-vous plus proche de la vérité que votre petit animal de compagnie. (Nom Anor refusait de considérer Vergere comme l'assistante du Maître de Guerre. L'étrange petite créature n'avait été rien de plus que le compagnon d'un agent qui avait trouvé la mort au cours d'une tentative avortée pour semer la peste mortelle au sein des Jedi. Elle était devenue la conseillère de Tsavong Lah après un bref séjour dans les prisons du service d'espionnage de la Nouvelle République. Là, en quelques semaines, elle était parvenue à en apprendre beaucoup plus sur leurs ennemis que Nom Anor n'avait été capable de le faire en plusieurs années en tant qu'agent provocateur. Des questions avaient été soulevées à propos de sa loyauté, mais, une fois établie la véracité des informations qu'elle avait fournies, elle était vite devenue la plus grande rivale de l'Exécuteur.) Leia Solo et son époux ont bien essayé de me tuer, comme vous le supposiez, reprit Nom Anor. Mais j'ai pu utiliser leurs émotions pour sauver ma vie.

— Alors maintenant, vous êtes capable de contrôler les émotions des Jedi ? se moqua Vergere. Peut-être pourriez-vous les obliger à capituler.

— Essayez donc d'attirer un tana vers l'abattoir avec des sourires et des mots doux. (Nom Anor écarta les bras et se tourna vers Tsavong Lah.) Même moi, je ne pourrais le persuader de poser sa tête sur le billot.

Le Maître de Guerre le récompensa d'un vif hochement de tête.

— Je suis bien plus intéressé par ce que t'a dit Leia Solo que par les raisons qui font que tu es encore vivant. Comment a-t-elle réagi lorsque le *Don d'Angoisse* a détruit les infidèles ?

— Elle a voulu me tuer.

— Mais elle s'en est abstenue, observa le Maître de Guerre. Qu'a-t-elle donc fait ?

— Je l'ai convaincue que, si elle me tuait, elle signerait également l'arrêt de mort de millions de réfugiés. (Nom Anor réalisa qu'il croyait peut-être un peu trop à son affirmation, probablement en raison de l'humiliation qu'il avait déjà subie, aux mains de Leia, sur Duro.) Elle a donc cédé.

— Elle n'a pas cédé. Elle a refusé d'accepter la responsabilité. (Vergere présenta son interprétation contradictoire comme un fait, pas comme une supposition. Elle sautilla jusqu'à

Tsavong Lah.) Elle a consacré toute sa vie à la diplomatie. La probabilité qu'elle tombe dans un piège si grossier est aussi élevée que celle de vous voir succomber à une embuscade.

Tsavong Lah médita l'argument pendant quelques instants.

— C'est bien ce qu'il me semblait. A mon avis, il y a autre chose. (Il leva les yeux par-delà le plumage de Vergere, en direction de Nom Anor.) Elle t'a laissé la vie pour une raison. Laquelle ?

La réponse, bien sûr, était tout simplement qu'elle avait donné sa parole à l'Exécuteur, mais celui-ci jugea préférable de ne pas en faire état. Une telle réponse contredirait l'opinion exprimée par le Maître de Guerre quelques instants auparavant. Même si un Yuuzhan Vong pouvait éventuellement insinuer, contrecarrer, voire comploter, tout en espérant rester en vie, il lui était parfaitement interdit de contredire. De temps en temps, Nom Anor se demandait si l'attitude des infidèles n'était pas meilleure. Il supposa que le fait qu'il ne soit pas en train de frissonner de terreur à l'idée d'être puni par les dieux était le signe qu'il avait passé bien trop de temps loin des siens. Préférant, pour l'heure, ne pas se demander pourquoi il aurait été obligé de subir la douleur de l'introduction du chilab dans son système nerveux si le Maître de Guerre ne s'était pas attendu à ce qu'il revienne sain et sauf, Nom Anor haussa les épaules.

— Avant de me relâcher, elle m'a donné un avertissement. Elle m'a demandé de vous dire que les Jedi n'assumeraient pas la responsabilité de la mort des otages. Elle m'a aussi dit que tout émissaire, porteur de menaces similaires, que vous pourriez lui envoyer ne vous serait pas retourné.

Si Tsavong Lah remarqua la moindre faille dans les propos de Nom Anor quand il affirmait qu'il avait été le maître de la conversation face à Leia, il ne le montra pas. Il se contenta de se tourner vers Vergere.

— Encore une fois, tu avais raison.

Elle lui sourit.

— Ne vous avais-je point dit que les Jedi seraient des adversaires de valeur ?

— C'est exact, dit le Maître de Guerre. Mais les réfugiés seront l'instrument de leur perte. Ils seront la raison pour laquelle la Nouvelle République tournera définitivement le dos aux *Jeedai*.

4

La seule bonne chose qui avait découlé des menaces proférées par Tsavong Lah était que le Général Muun avait décidé que le moment était mal choisi pour se montrer indifférent au sort des réfugiés. Il avait jugé en revanche l'instant fort opportun pour donner un coup de pouce à sa carrière en « sauvant » un convoi de rescapés. Non seulement il avait envoyé une dizaine de vaisseaux pour escorter les Vray en lieu sûr, mais il avait, de plus, insisté pour diriger lui-même l'opération, offrant ainsi la possibilité à Han et à Leia de retourner directement sur Eclipse.

L'un des nombreux mauvais aspects découlant de la menace fut que, dès leur arrivée, Luke les attendait pour leur confier une nouvelle mission et leur demander s'il pouvait leur emprunter C-3PO. Les époux Solo eurent à peine le temps de saluer Anakin et les jumeaux avant de reprendre l'espace en direction de Nova Station, située dans ce qui avait été jadis le système de Carida.

Parcouru par les déjections gazeuses en plein refroidissement, nées de l'explosion qui avait transformé son soleil en supernova, l'espace entourant la station était d'une teinte écarlate. Leia n'avait jamais vu rien vu de semblable. Des volutes de nuées cramoisies enveloppaient régulièrement la station orbitale, masquant les étoiles distantes et rappelant l'image du sang, instantanément porté à ébullition, des milliards de Caridans qui avaient péri dans la catastrophe. Assise en compagnie de Han dans cette gargote qu'on avait ironiquement appelée Big Boum, sirotant du tord-boyaux et essayant d'ignorer l'orchestre Bith de Bobolo Baker, Leia sentit monter un haut-le-cœur. La catastrophe en question avait été provoquée, motivée par l'insatiable soif de vengeance et de destruction éprouvée par l'espèce humaine.

Un carillon électronique résonna trois fois, noyant temporairement les mélodies frivoles de Bobolo, puis une voix d'homme annonça quelque chose de confus dans le haut-parleur. En même temps que tous les autres clients du boui-boui, Leia et Han tournèrent la tête vers le projecteur holographique suspendu au-dessus de l'orchestre Bith. Le nom *Astéroïde Danseur* apparut, accompagné d'une ligne technique le décrivant comme un cargo YT-1500. Quelques instants plus tard, le mot *Confirmé* s'inscrivit sur le tableau d'affichage et un hologramme reproduisant la configuration très distincte du cockpit de l'appareil se matérialisa.

Han gronda de frustration et tendit la main vers le pichet de tord-boyaux qui se trouvait devant lui.

— Ils devraient déjà être là, à l'heure qu'il est. (Il se servit à boire, avala une gorgée, retint une grimace et reposa le verre sur la table.) Booster ne viendra plus.

— Il doit venir, dit Leia, heureuse de deviner dans le regard de son mari un semblant de dégoût pour le contenu de son verre. (Pendant une longue période suivant le décès de Chewbacca, Han s'était laissé aller à boire tout et n'importe quoi. Plus c'était fort et imbuvable, meilleur c'était. Le fait que ses papilles gustatives se remettent à fonctionner normalement était un signe supplémentaire de sa volonté de guérir.) Même l'*Aventurier Errant* a besoin de refaire le plein. Est-ce qu'on les aurait ratés ?

Han lui adressa un de ses légendaires regards qui en disaient long sur la stupidité d'une pareille question et fit un signe en direction du projecteur holographique.

— Veux-tu m'expliquer comment on peut rater un Destroyer Stellaire ?

— Non, tu as raison, acquiesça Leia. Pas ici, en tout cas.

Construite pour remplacer Carida comme étape sur la route commerciale de Perlemia, Nova Station flottait à l'intérieur de l'enveloppe gazeuse en expansion de la supernova, croisant à la limite de la nuée à la vitesse constante de trois kilomètres par seconde. Ainsi, tout vaisseau spatial devant accoster était obligé de quitter l'hyperespace pour pénétrer le nuage en vitesse subluminique et utiliser ses capteurs afin de calculer les coordonnées finales d'arrimage. Ceci donnait alors aux officiers de sécurité de la station – et à tous ses occupants – la possibilité d'identifier le vaisseau bien longtemps avant son arrivée. L'endroit était donc devenu le repaire idéal de tous les contrebandiers, criminels et autres individus désireux de se ménager une porte de sortie.

Han regarda son épouse de l'autre côté de la table.

— Qu'en penses-tu, la Rouquine ? (Il faisait référence à la couleur fluo des cheveux de Leia, qui lui tombaient à présent dans le cou. Ils avaient bien repoussé depuis que la Princesse s'était complètement rasée à la suite de l'alerte à la contamination survenue sur Duro l'année précédente. Même vêtue d'une veste de pilote spatial hors d'âge et d'une combinaison de vol un peu trop étroite, elle avait toujours grande allure. La teinture temporaire de ses cheveux faisait également partie de son déguisement de contrebandier.) Tu crois qu'on devrait partir ?

Leia sourit et secoua la tête.

— Et si on mangeait plutôt quelque chose ?

Elle tendit la main pour utiliser la commande de service et remarqua qu'on était en train d'observer Han depuis la table voisine. L'individu était un Weequay à l'impressionnante carrure, avec un nez épaté et un visage ridé au moins aussi repoussant que celui d'un Yuuzhan Vong.

— Je crois bien que quelqu'un t'a reconnu.

— Moi ? (Han tourna la tête vers le hublot pour tenter de repérer l'observateur dans le reflet de la vitre.) C'est pourtant pas *moi* qui suis apparu le plus à la une du Net au cours des vingt dernières années...

Regrettant depuis fort longtemps l'anonymat qu'il avait perdu en devenant un héros de la Rébellion, Han avait adopté un déguisement sommaire en se laissant pousser une moustache tombant de part et d'autre de sa bouche, et des favoris qui lui barraient les joues. Avec, en plus, une barbe de deux jours, le camouflage avait correctement fonctionné jusqu'à présent. Probablement parce que les gens ne s'attendaient certainement pas à rencontrer l'époux d'un ancien chef d'Etat dans un établissement comme le Big Boum.

Apparemment, leur chance était en train de tourner. L'énorme Weequay prit son verre et se leva. Le pan de son cache-poussière s'écarta subrepticement, révélant la crosse d'une imposante vibrolame accrochée à sa ceinture. Sachant que ses gardes du corps Noghri pourraient vite s'énerver, Leia adressa un rapide coup d'œil à Meewahl. Svelte et musclée, ne mesurant guère plus d'un mètre cinquante de haut, Meewahl inspirait cependant le respect avec sa peau parcheminée et ses yeux farouches. Toute la clientèle du Big Boum s'écartait d'ailleurs de son chemin. Leia fit signe à la Noghri de rester sur ses gardes d'un double battement des cils, puis sembla ignorer l'étranger qui s'approchait de Han.

— Une petite minute, dit Han, plus à lui-même qu'à Leia. Je connais ce type.

L'air de rien, la Princesse glissa la main sous la table pour ouvrir l'étui du blaster accroché à sa hanche. Le fait que son époux connaisse l'individu ne signifiait pas pour autant qu'il faille exclure la possibilité d'une tentative d'assassinat. Le grand Weequay s'arrêta à leur table, évalua Leia du regard et se tourna vers Han.

— Je pensais bien que c'était toi, dit-il. J'aurais reconnu cette odeur entre mille.

— Ah bon ? (Han plissa les yeux en observant le Weequay, tentant visiblement de se souvenir de leur précédente rencontre.) On me le dit souvent.

— J'ai pas vu ton vaisseau apparaître sur le tableau d'affichage, Miek. (Le sourire du Weequay avait quelque chose de dédaigneux. Apparemment, observer Han en train de se livrer à un effort intense de mémoire l'amusait beaucoup.) Toujours sur le *Soleil* ?

— Tu peux dire ça comme ça, répondit Han en lui adressant un sourire de conspirateur. (Il avala une longue gorgée de son tord-boyaux, histoire de gagner un peu de temps. Le *Coup de*

Soleil faisait partie de la douzaine de faux codes de transpondeurs régulièrement utilisés pour le *Faucon Millennium*. Ils avaient accosté à Nova Station sous le nom de *Long Cours* et Han lui-même possédait plus de fausses identités qu'il n'était capable d'en mémoriser. Solo reposa son verre sur la table et s'empara du pichet pour se resservir.) Seulement, aujourd'hui, il faudrait que tu essaies un autre nom...

Le Weequay éclata de rire.

— Je m'en doutais. Ton capitaine est un sacré malin. (Il tira une chaise à lui et s'assit en jetant des coups d'œil alentour.) Pourtant, je ne vois aucun Ryn dans les environs.

Cette dureté que seule son épouse était capable de remarquer pointa dans le regard de Han. Leia comprit qu'il avait enfin reconnu son interlocuteur.

— Droma n'est plus de la partie, dit Han. (Droma et Solo avaient combattu côte à côte pendant un certain temps après la capture d'Ord Mantell. Ils avaient passé près de six mois à rechercher les membres du clan du Ryn portés disparus afin de les rassembler dans un camp de réfugiés sur Duro. Droma et les siens s'étaient depuis volatilisés dans l'espace, mais la fréquentation assidue du Ryn avait permis à Han de se concentrer sur quelque chose au moment où Leia avait été dans l'incapacité de s'occuper de son mari. Pour cela, les Ryn occuperaient à jamais une place de choix dans son cœur.) Lui et moi, on a décidé de partir chacun de notre côté il y a près d'un an de cela.

— Vraiment ? (Le Weequay se tourna à nouveau vers Leia, pour l'évaluer – voire la reluquer – des pieds à la tête.) Et c'est elle, ton nouveau patron ?

— Non, le patron, c'est moi, répondit Han, l'air offusqué. Elle, c'est mon second.

— Tu peux dire ça comme ça, ajouta Leia en observant son mari de l'autre côté de la table. Quand tu es dans tes bons jours.

Le Weequay éclata d'un rire sincère, puis stupéfia Leia en glissant la main sous la table pour lui peloter le genou.

— Eh bien, la prochaine fois qu'il sera dans un de ses mauvais jours, faudra venir me voir à bord de la *Pochette Surprise*. J'en suis le commandant en second et je pourrais te faire obtenir n'importe quel poste.

— Ça suffit, Plaan. Elle ne cherche pas de boulot. (La voix de Han était redevenue sérieuse.) Qu'est-ce que tu fais si loin de Tholatin ? Je croyais que tu étais devenu chef de la sécurité.

L'once d'humour que Leia avait jusqu'à présent perçue dans la conversation s'évanouit instantanément.

— Changement de job. Comme je t'ai dit, je suis second sur la *Pochette Surprise* maintenant. (Il ôta sa main de la cuisse de Leia.) En fait, si je suis ici, c'est qu'on est un peu à court de personnel pour une mission. La paie est bonne.

Han resta silencieux un long moment. Leia voulut refuser, mais Solo leva une main pour l'en empêcher.

— Bonne comment ?

— *Capitaine* ? l'interrompit Leia. (Que ce soit en raison de sa sensibilité à la Force, ou bien parce qu'ils étaient ensemble depuis tant d'années, le rôle que Han souhaitait voir Leia tenir s'imposa à elle presque instinctivement.) Et cette cargaison qu'on doit nous livrer ?

Han ne la regarda même pas.

— Elle est en retard, cette cargaison…

— Oui, mais on nous a déjà payés pour ce boulot. (Leia jouait effectivement son rôle, mais elle avait été également véritablement irritée par la réponse de son époux.) Et je te rappelle que notre contact n'est pas des plus coulants avec ceux qui ne respectent pas leurs contrats. Cela me gênerait vraiment qu'on te congèle dans un bloc de carbonite, ou autre chose de ce genre…

Han frissonna, puis avala une autre rasade de son tord-boyaux.

— Il y a une clause au contrat, annonça-t-il. Si la cargaison a plus d'un jour de retard, on peut revenir la chercher plus tard. Ecoutons plutôt ce qu'il a à nous dire, tu veux ?

— Je ne peux pas te dire grand-chose tant que je n'ai pas la certitude que tu es dans le coup, dit Plaan.

— On n'a pas besoin d'en savoir beaucoup, dit Han. Si ce n'est d'avoir la certitude qu'il ne s'agit pas encore une fois de devoir berner des réfugiés. La dernière chose que je souhaite, c'est bien d'avoir aux trousses la flotte de la Nouvelle République.

— C'est fini, tout ça, dit Plaan en secouant la tête. Ce coup-ci, on les emmène où ils veulent aller. Un coup fumant pour eux comme pour nous. Tu n'en reviendras pas.

Leia se laissa aller contre le dossier de son siège et croisa les bras en travers de sa poitrine, faisant de son mieux pour avoir l'air furieuse. Ce qui, vu la situation, n'était guère difficile.

— Ça prendra combien de temps ? demanda Han.

— Un petit saut pour récupérer le reste de la marchandise, expliqua Plaan. Après, c'est une mission de deux jours, pas plus.

Han regarda de l'autre côté de la table.

— T'en penses quoi, la Rouquine ?

Réalisant que son époux était toujours en train de sonder son interlocuteur pour obtenir plus d'informations, Leia embraya :

— Et qu'est-ce qu'on fait du *Long Cours*, Miek ? On fait du stop pour rentrer ?

— On vous déposera, dit Plaan. De toute façon, on repassera par ici après la livraison…

— Combien ? demanda Han.

— Cinq mille, répondit Plaan.

— Chacun ? avança Leia.

— Non, pour tous les deux, dit Plaan en fronçant les sourcils. Et ça doit en plus couvrir vos frais de mise en cale du *Long Cours*.

Han regarda Leia.

— Eh bien ?

Leia leva les yeux au ciel, puis tendit la main vers son tord-boyaux.

— On va réfléchir, conclut Han.

Plaan voulut leur proposer une meilleure offre. Il posa les yeux sur Leia et se ravisa.

— Ne réfléchissez pas trop longtemps. On décolle dans une heure.

Il prit son verre et se leva. Il joua des coudes dans la foule et rejoignit une paire d'individus qui lui semblaient faire l'affaire. Leia le regarda s'asseoir et entamer son petit discours. Puis elle releva la tête, comme tout le monde, lorsque le carillon électronique retentit. Cette fois-ci, le nom *Coureur de Lumière* apparut au-dessus de la tête des Bith.

— Alors, où va-t-il, à ton avis ? demanda Leia.

— Avec ce programme, trois possibilités, répondit Han. Kuat, Borleias ou Coruscant.

— Coruscant, présuma Leia. Kuat et Borleias refusent l'accès aux convois de réfugiés. Si, comme il dit, il espère bien atteindre son but, il est obligé d'aller à Coruscant.

Plaan venait de recruter ses deux membres d'équipage manquants. Il se leva, fit signe à Han et à Leia, puis traversa la foule vers la sortie, suivi de deux Ossan aux oreilles tombantes. Han leva son verre à l'intention du grand Weequay, avala une grande rasade, attendit que Plaan soit sorti et appuya sur le bouton de service.

— Et où comptes-*tu* aller ? demanda Leia, mettant l'emphase sur le *tu*.

— Aux toilettes, j'ai horreur du tord-boyaux, répondit Han. Et, ensuite, *nous* partons pour Coruscant.

Leia resta assise.

— Mais je ne peux pas. Tu sais combien mon frère se fait du souci à propos de ses étudiants.

Les jeunes apprentis de l'Académie Jedi montée par Luke se trouvaient à l'heure actuelle à bord de l'*Aventurier Errant* en compagnie de Booster Terrik. Depuis quelque temps, le vaisseau devait traverser la galaxie de part en part, effectuant des sauts aléatoires dans l'hyperespace afin d'empêcher les Yuuzhan Vong de le suivre à la trace. Malheureusement, dans les deux jours qui avaient suivi le réveil d'Alema Rar sur Eclipse et la description qu'elle avait faite de la mort de sa sœur, deux autres Jedi avaient succombé sous les coups des voxyns. L'un d'entre eux était mort sur Kuat, un monde que l'on croyait exempt de tout danger. Inquiet à l'idée que l'*Aventurier* puisse rencontrer l'un de ces tueurs de Jedi au cours d'une étape de ravitaillement, Luke avait demandé à Han et à Leia de transmettre à Booster les nouvelles coordonnées de la base Jedi sur Eclipse et de lui conseiller d'aller dorénavant s'y ravitailler exclusivement.

Booster étant Booster, il avait déjà trois jours de retard sur le planning prévu et Leia savait qu'ils risquaient de l'attendre indéfiniment.

— Attendons une journée de plus, suggéra-t-elle. Le *Long Cours* est très rapide. Si Booster ne se montre pas, nous pourrons toujours rejoindre Coruscant bien avant Plaan.

— Bon, de toute façon, je ne partirai pas d'ici sans toi, soupira Han. Mais l'Escadron Rogue est en patrouille autour de Coruscant en ce moment et Wedge me doit une faveur. Laisse-moi au moins lui parler et m'assurer que la *Pochette Surprise* reçoit l'accueil chaleureux qu'elle mérite.

— Wedge Antilles te doit une faveur ?

— Tout le monde me doit une faveur, répondit Han.

Booster ne se montra pas, comme prévu. Wedge – le Général Antilles – se fit tirer l'oreille pour ordonner l'abordage d'un vaisseau spatial correctement immatriculé sans le moindre « élément suspect avéré » ; dans ce cas précis, la présence des plaignants. Sachant que ceci ne ferait que renforcer le sentiment anti-Jedi qui régnait au Haut Conseil, Leia avait accepté à contrecœur les conditions dictées par Han et informé Luke qu'il leur était impossible d'attendre l'*Aventurier Errant* plus longtemps. Ils quittèrent Nova Station et plongèrent dans l'hyperespace sur la route commerciale de Perlemia. Han se dit qu'ils seraient assez rapides pour rattraper la *Pochette Surprise* avant Coruscant.

Il se trompait. Ils quittèrent la vitesse-lumière au moment même où l'Escadron Rogue s'apprêtait à appréhender la *Pochette Surprise*. Wedge demanda à Han de le retrouver au bureau du Contrôle Orbital afin de lui faire son rapport. Han n'étonna personne en annonçant qu'il ne manquerait pas de le faire, mais seulement après avoir constaté de lui-même ce qu'il advenait de la *Pochette Surprise*.

L'aura habituelle des feux de position et des traînées de réacteur qui scintillait autour de Coruscant était à présent concentrée sur des zones réduites de halos lumineux. Pour se défendre d'une éventuelle attaque éclair des Yuuzhan Vong, l'armée avait entouré la planète d'un bouclier de mines orbitales. Seuls quelques douzaines de portails d'accès avaient été ménagés et le trafic progressait à un rythme excessivement ralenti.

Han fit passer le *Faucon* au-dessus d'un couloir de circulation et plongea dans le flux des appareils, à quelques centaines de mètres de la poupe massive de la *Pochette Surprise*. Son irruption soudaine déclencha un signal d'alerte assourdissant, émis par le transporteur de plus de mille mètres de long à qui il venait de couper la route. Solo se pencha vers sa console de communication pour lui retourner l'affront et Leia fit un bond hors du siège du copilote, initialement prévu pour un Wookiee, afin de l'en empêcher.

— Du calme, l'acrobate. Ce n'est pas le moment de déclencher un concert d'avertisseurs.

Han retira sa main de la console et Leia ouvrit une fréquence privée vers le transporteur.

— Transport ? Désolé de vous couper la route. Il va y avoir une intervention militaire dans ce couloir. Je vous suggère de virer de bord.

— Une intervention ? répondit la voix glacée d'un Durosien. Qu'est-ce que c'est que cette histoire ?

L'énorme vaisseau de transport commença à s'écarter doucement du flux de circulation, déclenchant alors une telle cacophonie de signaux d'alerte que Leia dut couper momentanément le son de la console.

— Franchement, qui a besoin de l'armée ? demanda Han. Laissons les Yuuzhan Vong approcher et voyons s'ils sont capables de tenir le coup dans tout ce bazar.

Le tonnerre d'avertisseurs s'amplifia lorsque les silhouettes de quatre petites Ailes-X firent irruption. Les chasseurs virèrent sur l'aile et vinrent se poster juste derrière la *Pochette Surprise*. Leia parcourut la bande de fréquences de la console de communication jusqu'à ce qu'elle entende la voix familière de Gavin Darklighter :

— ... et préparez-vous à l'abordage pour inspection, *Pochette Surprise*.

— Pour quelle raison ? répondit la voix de Plaan. Nous

n'avons enfreint aucune loi commerciale. Nous n'avons même pas encore passé les contrôles de la douane.

— Sachez qu'il s'agit d'une inspection militaire de routine ordonnée par la Nouvelle République. Inutile de vous inquiéter, ajouta Gavin d'une voix plus rassurante, ces contrôles se font de façon aléatoire.

— Aléatoire ? (La voix de Plaan sembla fort dubitative.) Je dois en référer à mon capitaine.

— Rappelez-lui que nous pouvons passer outre les régulations douanières, dit Gavin. Et que nous sommes armés.

La discussion entre Plaan et son supérieur dut être particulièrement animée, car la *Pochette Surprise* continua de progresser jusqu'à ce que le couloir d'accès ne mesure plus qu'à peine trois cents mètres de large. La présence des mines spatiales devint plus tangible. L'inhabituelle noirceur de l'espace périphérique, dans lequel elles avaient été disséminées, paraissait plus menaçante encore que la silhouette des armes orbitales que Leia pouvait entrevoir, de temps en temps, se dessiner contre le scintillement de la surface de la planète. Gavin prévint de nouveau le vaisseau que son détachement de chasseurs était armé et autorisé à tirer. Plaan répondit alors que la *Pochette Surprise* transportait un millier d'innocents réfugiés.

— Ils ne vont pas s'arrêter, dit Leia.

Supervisant l'échange depuis le réseau orbital de plates-formes armées, les soldats des Forces de Défense Planétaire durent en arriver à la même conclusion. Par le biais de la console du *Faucon* allouée aux communications militaires, Leia entendit une succession d'officiers de plus en plus élevés dans la hiérarchie exiger, d'abord de Gavin Darklighter puis de Wedge Antilles, qu'on leur établisse un rapport. Enfin, la voix mal réveillée du Général Rieekan – rappelé depuis peu de sa retraite pour prendre le commandement des FDP – contacta directement Han afin de lui demander des explications.

Han lui dressa le portrait de Plaan, exposa le passé chargé du Weequay, habitué à monnayer la vie des réfugiés, et lui raconta ce qu'il avait entendu sur Nova Station.

— Donc, si je comprends bien, vous me dites que ces individus ne vous disent rien qui vaille, c'est ça ?

— Oui, c'est à peu près ça, Général, répondit Han en faisant la grimace.

Il y eut un craquement sonore, indiquant que le général était passé sur une autre fréquence. Sa voix retentit alors sur le canal non codé qu'utilisait l'Escadron Rogue pour communiquer avec la *Pochette Surprise*.

— Colonel Darklighter, vous savez qui vous parle ?

— Oui, Monsieur. A vos ordres, Général Rieekan.

— Bien. En tant que commandant en chef des Forces de Défense Planétaire de Coruscant, je vous ordonne d'empêcher la *Pochette Surprise* de franchir la barrière de mines. Est-ce que vous me comprenez ?

Leia tourna la tête vers Han. A moins de trois kilomètres en aval du *Faucon*, le trafic était déjà en train de passer le portail. Le temps que Gavin réponde au général, la *Pochette Surprise* et l'Escadron Rogue serait certainement sur le point d'atteindre les mines.

— Heu, Général ? Nous sommes déjà engagés dans le couloir sécurisé…

— Vous avez vos ordres, Colonel Darklighter. Rieekan, terminé.

Ces quelques mots suffirent. Excepté le *Faucon* et les Ailes-X, tous les appareils qui se trouvaient dans un rayon de dix kilomètres autour de la *Pochette Surprise* changèrent de cap et s'écartèrent.

— *Pochette Surprise*, obtempérez ! insista Gavin. Mettez en rade et préparez-vous à l'accostage !

La réponse cohérente à cela aurait été de déclencher les rétrofusées de la proue pour amorcer un freinage. Au lieu de cela, la *Pochette Surprise* se cabra prestement.

— Nous ne voulons pas d'ennuis, annonça Plaan.

— Négatif, *Pochette Surprise*. (La voix appartenait au Colonel Tycho Celchu, le supérieur direct de Gavin Darklighter, lui-même pilote vétéran de l'Escadron Rogue.) Vous ne pouvez pas faire demi-tour ici. Votre tonnage est trop important pour le couloir sécurisé.

— Ça, c'est notre problème, répondit la voix de Plaan.

Au moment où il disait cela, les trois cents mètres de carlingue de la *Pochette Surprise* montèrent en chandelle juste devant le *Faucon* et entreprirent d'exécuter un retournement sur le dos.

— Colonel ? appela Gavin. Quels sont vos ordres ?

— Boucliers ! répondit Tycho.

— Bonne idée, murmura Han en tendant la main vers les contrôles des déflecteurs.

La main de Leia était déjà en train de faire coulisser les boutons des rhéostats.

— Pleine puissance ?

— Vous, les Jedi, alors, toujours en train de lire dans les pensées…

Leia poussa les commandes au maximum, puis se pencha sur l'intercom relié à la soute et aux quartiers d'équipage.

— Accrochez-vous, derrière ! Ça va secouer.

Les Noghri, bien entendu, ne répondirent rien.

Deux mines défensives décochèrent des missiles. Le laser inférieur de la *Pochette Surprise* riposta immédiatement et les deux mines explosèrent avant que leurs projectiles n'aient parcouru cent mètres.

— Têtes de larves ! jura Han, s'arc-boutant sur ses commandes pour amener le *Faucon* à piquer du nez.

Sur la fréquence militaire, Gavin s'égosillait avec frénésie :

— Contrôle balistique, désactivez les…

Les dix mines qui se trouvaient à proximité ouvrirent le feu. Leurs missiles fusèrent vers la *Pochette Surprise* dans un déploiement oblong de traînées orangées. Le laser ventral du cargo entra à nouveau en action, détruisant trois mines de plus. Dix mines supplémentaires se déclenchèrent.

— La leçon devrait leur suffire, là, non ? dit Leia, tentant d'ajuster son harnais de sécurité. (Bien entendu, il était prévu pour retenir le corps massif d'un Wookiee. La Princesse voulut mentionner le fait qu'il serait peut-être temps de le changer, mais se retint. Elle se contenta donc de s'accrocher du mieux qu'elle put.) On aurait vraiment dû leur faire notre rapport d'abord !

La première vague de mines explosa dans une tornade de lumière aveuglante contre les boucliers déflecteurs de la *Pochette Surprise*. Il en fut de même pour la seconde volée. Trois missiles parvinrent en revanche à s'infiltrer sous les boucliers. Leurs têtes vibrantes pénétrèrent la coque de duracier du vaisseau. L'un d'eux explosa sur le pont et fit voler en éclats les hublots de transparacier, projetant des morceaux aussi gros que des Ailes-X en travers du couloir sécurisé. Une deuxième tête chercheuse désintégra les unités de propulsion ionique. Le cargo tournoya sur lui-même et retomba derrière le *Faucon*. Leia ne parvint pas à discerner l'emplacement de la troisième détonation. Son regard fut soudainement attiré par des halos orangés grossissant dangereusement par-delà la verrière du cockpit du *Faucon*.

— Han ?

— Je sais… dit-il. (La *Pochette Surprise* hors de la zone de combat, le *Faucon Millennium* s'était malgré lui transformé en cible de choix pour les missiles défensifs.) Accroche-toi. Je crois qu'elles vont…

Les halos disparurent et une demi-douzaine d'objets sombres vinrent rebondir, sans causer le moindre dommage, contre les boucliers du *Faucon*.

— … se désactiver, dit Han, terminant sa phrase.

Il fit pivoter son vaisseau et exécuta un virage très serré pour suivre la *Pochette Surprise*. Leia se sentit écrasée contre le dossier de son fauteuil trop grand, puis poussa un grognement de douleur en décollant du siège et en heurtant les boucles trop lâches de son harnais de sécurité.

Han releva la tête vers le hublot.

— Ça risque de chauffer. Enclenche le compensateur d'inertie et boucle ta ceinture.

— Je ne peux pas la serrer plus ! dit Leia. Je vais juste essayer de m'accrocher !

Impossible de savoir si Han avait entendu sa réponse. Il était bien trop occupé à piloter son appareil. Ils plongèrent à travers le flux du trafic.

Les Ailes-X des Rogue fusèrent en spirale sur la trace de la *Pochette Surprise*. Une multitude d'engins spatiaux, pris de panique, se mirent à bondir et à virer dans toutes les directions. Leurs boucliers crissèrent les uns contre les autres. Des traînées ioniques bleutées se croisèrent en un improbable ballet lumineux. Han vira de justesse sous le nez d'un yacht stellaire. Le *Faucon* rebondit contre les déflecteurs du vaisseau, se glissa entre deux transporteurs de Gallofree et émergea sous la colonne de trafic.

Les pilotes qui manœuvraient en aval de l'Escadron Rogue répondirent immédiatement aux messages d'alerte et dévièrent de leurs trajectoires afin de laisser le passage libre à la *Pochette Surprise*. Leia projeta les ondes de la Force pour tenter de deviner si les passagers du cargo en perdition étaient toujours vivants. Elle perçut une vague de terreur qui lui confirma que Plaan n'avait pas menti concernant la quantité de réfugiés. Et également une bourrasque sauvage, une étrange agitation, comme une sensation de faim insatiable. Elle n'avait jamais ressenti cela auparavant.

— Han ?

— Une minute…

En contrebas, un trio d'Ailes-X essayait de s'aligner sur le centre de gravité de la *Pochette Surprise*. Leia regarda les flancs du cargo et découvrit l'endroit où avait explosé la troisième mine. Des volutes de vapeur, un nuage de débris et des flots de conteneurs de marchandises s'échappaient du trou béant. Les trois chasseurs stellaires parvinrent enfin à ajuster leur vitesse à celle du vaisseau. Ils décochèrent des volées de rayons laser pour agrandir la brèche dans la coque afin de pouvoir accoster.

La manœuvre était désespérée, mais fort efficace. Ils suivaient le protocole militaire standard prévu pour l'abordage des engins spatiaux ayant échappé à tout contrôle. Une fois à l'intérieur de la soute, l'un des trois chasseurs enclencherait ses boucliers pour sceller la brèche. Les deux autres pilotes, vêtus de combinaisons pressurisées, quitteraient leurs appareils pour tenter de gagner le pont et sauver la situation.

La sensation sauvage perçue par Leia s'estompa soudainement. La Princesse se rappela un détail similaire rapporté par Jaina et Mara à la suite de l'attaque sur le *Chasseur de Nébuleuses*. Leia ouvrit un canal codé de communication avec l'Escadron Rogue.

— Colonel Celchu, Colonel Darklighter, ici Leia Solo. Il se peut que vos hommes trouvent autre chose que des réfugiés et des contrebandiers à bord. Je pense qu'il y a aussi un voxyn.

Han lui adressa un regard éberlué, mais elle l'ignora et attendit.

— Bien compris, répondit Gavin. Heu... Un voxyn, dites-vous ?

— Un monstre Yuuzhan Vong, expliqua Leia. Un tueur de Jedi. Tenez-vous à l'écart de tout ce qui ressemblerait à une sorte de reptile à huit pattes. Très à l'écart. Ces choses crachent de l'acide et émettent des cris paralysants. Qui sait ce qu'elles peuvent encore faire d'autre...

— Je tâcherai de m'en souvenir. Darklighter, terminé.

Leia se tourna vers Han.

— Il y va en personne ?

— Il a même accosté en premier, lui confirma Han.

Les époux Solo passèrent alors quinze éprouvantes minutes à suivre l'orbite instable de la *Pochette Surprise* autour de Coruscant. Gavin était non seulement le supérieur hiérarchique de Jaina au sein de l'Escadron Rogue, mais c'était également un ami de Han et de Leia. C'était le cousin de Biggs Darklighter, qui avait perdu la vie en aidant Luke à détruire la première Étoile Noire lors de la Bataille de Yavin. Les Solo craignaient de le voir disparaître dans un accident, ou succomber aux assauts d'un voxyn, mais tenter de stabiliser la course du cargo au moyen des rayons tracteurs du *Faucon* ne ferait que mettre leurs propres vies en danger. Il n'y avait rien d'autre à faire, sinon rester assis à attendre que quelqu'un d'autre, là, à l'intérieur, se comporte en héros. Leia observa les poings serrés de son mari. À la blancheur de ses articulations, elle devina que cette incapacité à intervenir le rendait encore plus fou de rage qu'elle.

Ils attendirent, encore et encore. Le cargo croisa en tourbillonnant la dernière voie de circulation sécurisée et entama une orbite polaire erratique. Les FDP acceptèrent de désactiver les mines orbitales du secteur concerné. La *Pochette Surprise* traversa la barrière de défense. A ce rythme, cependant, sa trajectoire se détériorerait au bout de quarante-deux minutes. Avec tous les rayons tracteurs des stations du Contrôle Orbital affectés au déblayage des dégâts causés par la manœuvre désespérée du cargo, il n'y aurait guère d'autre option que de détruire la *Pochette Surprise* avant qu'elle n'aille s'écraser à la surface de Coruscant. Il faudrait rapidement faire appel à des engins civils pour évacuer les passagers, ou bien tous périraient avec le vaisseau.

Apparemment, Gavin était parvenu à gagner la salle des machines. Les fusées stabilisatrices de la *Pochette Surprise* s'allumèrent. Le Contrôle Orbital lança un message d'évacuation de détresse. Une réponse parvint immédiatement d'un volumineux croiseur, annonçant qu'il avait à son bord suffisamment de place pour accueillir un millier de passagers.

L'appareil, un transporteur aux lignes pures baptisé la *Fidèle Compagne*, apparut derrière le *Faucon*. Sa coque de cinq cents mètres vint se ranger juste au-dessus de l'écoutille d'évacuation supérieure du cargo. Han se glissa derrière la poupe de la *Pochette Surprise*, visiblement contrarié à l'idée de rester là sans pouvoir intervenir. Leia projeta à nouveau les ondes de la Force. Les passagers rejoignaient les ponts supérieurs du cargo. En masse, ils tentaient de gagner le centre de l'appareil. Elle ne perçut aucune trace de voxyn. Mais cela ne signifiait rien. Jaina et Mara avaient perdu la trace de l'assassin de Numa Rar peu de temps après la première perturbation affamée.

Au moment où la *Fidèle Compagne* amorça sa descente vers l'écoutille d'évacuation, la *Pochette Surprise* se trouvait au-dessus du pôle sud de Coruscant. L'ordinateur de navigation indiqua qu'il ne restait plus que trente-trois minutes avant la détérioration de l'orbite. Leia espéra que cela suffirait pour secourir mille personnes.

La voix de Gavin Darklighter retentit soudain dans le haut-parleur :

— Leia ? Comment avez-vous dit qu'on pouvait tuer ces choses ?

— *Ces choses* ? lança-t-elle.

— Il y en a quatre, confirma Gavin.

Han poussa un grognement.

— A peu près un mètre de haut et quatre de long, continua Gavin. Elles ne nous attaquent pas, mais elles se trouvent entre nous et la trappe d'accès.

Han bascula de fréquence vers la *Fidèle Compagne*.

— *Compagne* ? Mettez temporairement en rade et maintenez votre position. (Sans attendre de réponse, il releva le nez du *Faucon*, se glissa le long de la coque du plus gros appareil et enclencha la commande d'accélération.) Nous avons un petit problème à régler.

Leia n'entendit pas ce que le pilote du transporteur répondit. Elle-même était occupée sur une autre fréquence.

— Gavin, ne bougez pas. On va vous dégager le passage.

— Dégager le passage ? répondit-il. Mais comment ?

Leia se tourna vers son mari.

Han haussa les épaules. *On va réfléchir à la question*, sembla-t-il suggérer.

— Nous avons un plan, annonça Leia dans le micro tout en foudroyant son époux du regard.

Le *Faucon* se glissa au-dessus de la poupe endommagée de la *Pochette Surprise* et slaloma entre les poussées orangées des fusées de stabilisation et de freinage de la *Fidèle Compagne*. Un fracas retentit depuis la section supérieure du cargo Corellien et les écrans des capteurs à longue portée se couvrirent de parasites. Han ne releva même pas la tête. Il avait perdu son antenne parabolique tellement de fois qu'il en transportait à présent toujours une de rechange dans ses soutes. Le système de pattes de fixation interchangeables permettait d'installer une nouvelle parabole en l'espace de quelques minutes.

Leia dégrafa son harnais de sécurité, empoigna son sabre laser et se leva.

— Un moment ! dit Han, crispé sur ses commandes pour éviter au *Faucon* d'être transformé en sandwich de duracier. Où vas-tu comme ça ?

— La baie d'accostage…

— C'est trop dangereux ! (Han détourna les yeux du hublot pour le regarder.) Hors de question, tu restes ici !

— Si tu préfères… (Leia fut obligée d'admettre que ce zèle protecteur de la part de son mari n'était pas une si mauvaise chose, que cela faisait partie du processus naturel de guérison.) Je peux *te* laisser utiliser la Force pour attirer les voxyns pendant que *moi* je continue à érafler la peinture du *Faucon*…

Elle fit un geste en direction du hublot. Au-devant, l'espace qui s'ouvrait entre la *Pochette Surprise* et la *Fidèle Compagne* devait être à peine plus grand que le cargo Corellien lui-même.

Han serra les dents.

— Utilise plutôt la trappe d'urgence du haillon de chargement de la soute arrière, dit-il. Quand tu les auras attirés, reste de *ce côté* du sas.

— Comme tu veux, mon chéri ! cria Leia.

Elle s'était déjà engouffrée dans le corridor d'accès.

Au passage, elle demanda aux Noghri de la rejoindre à la poupe. Adarakh démonta les panneaux du plancher du haillon et, pendant que Meewahl préparait le tunnel escamotable d'évacuation d'urgence, Leia guida Han par l'intercom pour qu'il place le *Faucon* en position. L'espace était de plus en plus étroit. Han dut relever le nez de son appareil contre la coque de la *Fidèle Compagne*, pour laisser à Leia la possibilité d'assurer la jonction avec l'écoutille d'évacuation de la *Pochette Surprise*. Derrière le panneau, la Princesse sentit la présence des voxyns, quatre tueurs avides de se repaître de son sang de Jedi. Adarakh termina d'égaliser les pressions.

Un claquement résonna contre le panneau de métal du cargo en perdition. Inutile d'essayer d'attirer les voxyns à elle. Ils viendraient bien tout seuls.

Leia observa le panneau, puis activa la commande de son sabre laser.

— C'est parti !

Une vague d'excitation se propagea dans la Force. Une masse puissante vint heurter violemment l'écoutille de l'intérieur, à l'autre bout du tunnel d'évacuation. Adarakh et Meewahl dégainèrent leurs blasters.

— Allez… Venez ! ordonna Leia.

Elle s'approcha de la porte et appuya sur la commande d'ouverture. Elle entendit le sifflement caractéristique de l'air en train de s'engouffrer dans le sas et poussa un soupir de soulagement. Si les voxyns, de leur côté, avaient défoncé le panneau de l'écoutille, le système de sécurité aurait maintenu le scellement de l'installation d'évacuation. La Princesse fit signe à Adarakh et à Meewahl de la suivre près du sas. Puis elle commanda la fermeture de la porte de la soute derrière eux et attendit.

L'écoutille d'évacuation du cargo ne s'ouvrit pas.

— Leia ? appela Han par l'intercom. Qu'est-ce qui se passe ?

— Rien. L'écoutille n'est pas ouverte de leur côté.

— Attends, je peux essayer de forcer la télécommande.

Le panneau du sas glissa sur son axe, révélant un couloir grouillant de pattes noires écailleuses surmontées de grands yeux jaunes méfiants. Une créature tendit le cou pour regarder dans la soute du *Faucon*, puis recula pour rejoindre ses congénères dans le sas.

— Eh bien ? demanda Han.

— Ils doivent sentir que c'est un piège.

Han garda le silence pendant quelques instants, puis déclara :

— Ecoute, notre côté du tunnel d'évacuation est correctement pressurisé. Il est encore temps de se décrocher et de mettre les bouts.

Leia se dressa sur la pointe des pieds pour essayer de compter le nombre de voxyns dans le tunnel, mais son angle de vue ne lui permit pas d'en savoir plus.

— Non, on reste là. Il faut que je les attire dans la soute.

— Les attirer dans la soute ? (Impossible de ne pas noter le ton de désapprobation qui teintait la voix de Han.) Je descends te rejoindre.

— Ne bouge pas. (Leia appuya sur la commande du sas extérieur qui la séparait des monstres.) Il faut bien que quelqu'un s'occupe du pilotage.

Han hurla quelque chose dans l'intercom, mais Leia ne l'entendit pas. Les voxyns, dans un sinistre crissement d'écailles et de griffes frottant le métal, surgirent du tunnel d'évacuation. Leia leva son sabre laser et se mit prestement en garde. Deux voxyns entrèrent, puis une troisième paire d'yeux jaunes surgit à la porte et regarda dans sa direction. La Princesse devina que le quatrième monstre devait se trouver juste derrière. Elle fit appel à la Force pour bondir en arrière dans la coursive intérieure qui menait à la soute.

Adarakh et Meewahl ouvrirent le feu et déversèrent un torrent de rayons laser dans l'ouverture. Le voxyn de tête, qui se trouvait à moins de trois mètres, explosa dans un nuage de vapeur acide. Son sang dégagea une puanteur pareille à de l'ammoniac brûlé. Leia sentit les larmes lui monter aux yeux. Elle voulut crier pour rappeler les Noghri. Grave erreur. Ses poumons semblèrent soudain s'enflammer sous l'action de la nuée acide.

Le deuxième voxyn bondit en hurlant par-dessus le corps du premier. Un invisible coup de bélier frappa Leia de plein fouet et une douleur terrible lui vrilla les oreilles. Adarakh et Meewahl s'écroulèrent juste devant elle. Leia recula et s'appuya contre le mur de la soute. Elle projeta une onde de Force pour commander la fermeture de l'écoutille. Le voxyn ouvrit de nouveau la gueule et vomit une déjection brunâtre.

Le mucus vint éclabousser le panneau du sas qui était en train de se refermer, mais quelques gouttes passèrent par l'ouverture et atteignirent les Noghri inconscients. Leia estima la catastrophe évitée de justesse et se concentra à nouveau sur le verrou. Elle poussa un juron. Le système de sécurité, destiné à empêcher l'écrasement de quelqu'un par le panneau, refusa de sceller complètement l'écoutille. Une patte reptilienne émergea de sous la porte et se mit à tâter frénétiquement le sol. La Princesse abattit son sabre laser. La lame bourdonna au contact de cette chose, plus dure encore que le duracier.

Un cri s'éleva dans la soute, de l'autre côté du panneau, et le voxyn tenta de glisser sa gueule sous la porte. Leia appuya sur un autre bouton, celui commandant la fermeture d'urgence de la porte. Espérant que, pour une fois, l'un des trois cerveaux droïdes du vaisseau ne procéderait pas à une vérification préalable de la situation, elle appuya de nouveau sur le bouton. La porte hésita quelques instants, puis s'écrasa sur le museau du voxyn. Il y eut un autre cri, plus étouffé cette fois. Une odeur âcre s'éleva, pire encore que la précédente. Une flaque de sang pourpre s'écoula autour de la gueule écailleuse de la créature. Leia eut la nausée. Sa tête lui tourna. Ses poumons brûlaient tellement qu'elle tomba à genoux.

Elle releva la tête. Les deux derniers voxyns se trouvaient à moins d'un mètre d'elle, l'observant par le hublot du sas de sécurité. Ils ouvrirent leurs gueules et un fracas, pareil à un orage de météorites, traversa la vitre de transparacier. Leia tituba et tomba à la renverse.

— Leia ? Qu'est-ce qui se passe en bas ? cria Han. Réponds-moi !

— Nous devons…

Le reste de sa phrase fut englouti dans une terrible quinte de toux.

— Leia ? Tu n'as pas l'air d'aller…

— Pas le temps ! répondit-elle, essayant de se relever à grand-peine, sentant sa tête tourner de plus en plus et sa vision s'obscurcir. Han, nous devons…

Elle ne termina pas sa phrase. Il ne lui restait pourtant plus qu'un mot à prononcer : *dégager*.

5

Mara détourna les yeux de l'hologramme. L'image s'attarda à nouveau sur les cadavres, instantanément congelés par le froid sidéral, jaillissant en tourbillonnant de la coque transpercée du *Chasseur de Nébuleuses*. A ce moment précis de la catastrophe, elle et Jaina avaient été trop occupées à récupérer la capsule de sauvetage pour remarquer l'attaque des Yuuzhan Vong. Mais Mara avait depuis observé maintes fois la scène retransmise par holoprojecteur et ne souhaitait plus y assister. Dans l'intimité de son appartement, sur Eclipse, elle avait demandé à R2-D2 de lui diffuser la séquence en boucle pour essayer de deviner comment elle aurait pu porter secours aux réfugiés. Au bout de la centième fois, elle avait abandonné tout espoir de trouver une solution, convaincue qu'elle n'aurait de toute façon pas pu faire grand-chose de plus. Cette conclusion lui avait apporté un vague réconfort.

La voix suffisante de Nom Anor – enregistrée par les équipements de surveillance de la salle d'interrogatoire de Bilbringi – résonna dans le haut-parleur de R2-D2. Mara se concentra sur les autres personnes présentes dans cette salle obscure et froide. Il s'agissait d'un hangar de stockage de la base de ravitaillement Solistation qui flottait librement dans l'espace. La base était l'un de ces milliers de points de rendez-vous anonymes où les Jedi pouvaient se retrouver et se volatiliser avant que les Brigades de Paix ne remarquent leur présence. Un éclair de haine traversa le regard glacé de Kyp Durron. Il serra sa mâchoire de jeune homme émergeant à peine de l'adolescence et ravala sa colère jusque dans le tréfonds obscur de son être, là où il contenait toutes ses émotions. La réaction de Saba Sebatyne fut un peu plus difficile à comprendre, peut-être parce que Mara ignorait comment la colère pouvait s'exprimer sur le visage écailleux d'une Barabel. Grands yeux sombres, épaisses arcades sourcilières et museau finement dessiné, les traits reptiliens de Saba ne trahissaient absolument rien.

Luke laissa l'hologramme défiler jusqu'à la fin de l'enregistrement. Lorsque le projecteur de R2-D2 s'éteignit, la colère de Kyp devint parfaitement tangible dans la Force. La salle se chargea d'une énergie presque crépitante, menaçant de faire exploser les portes de leur paisible point de rencontre. Les sentiments de Saba, pour peu qu'elle en ait eu, demeurèrent secrets. Mara aurait très bien pu essayer de les deviner en sondant son esprit au moyen de la Force, mais elle savait pertinemment comment réagirait un Barabel face à une intrusion de ce genre.

Kyp Durron ne surprit personne en prenant la parole avant Luke :

— Je n'y suis pour rien. (Il tendit un doigt accusateur vers R2-D2, comme si le droïde s'était lui-même attaqué à la flotte de réfugiés.) Je ne suis pas responsable des actions des Yuuzhan Vong.

— Qui a dit que tu l'étais ? répondit calmement Luke. Mais tu as quand même fourni du ravitaillement aux résistants de New Plympto.

Kyp Durron hocha la tête à contrecœur.

— Je n'ai pas à m'excuser. Si tous les Jedi faisaient la même chose sur toutes les…

— Kyp, personne ne te demande d'excuses, dit Luke en tendant une datacarte au jeune Jedi. Nous sommes seulement venus te faire part de nos informations sur les voxyns et discuter de la façon dont les Jedi devraient réagir à cette nouvelle menace en provenance des Yuuzhan Vong.

— Il faut les ignorer. (Kyp empocha la datacarte et tourna les talons, prêt à partir.) Merci pour les informations.

— Kyp, il s'agit de la vie d'un million de personnes, dit Mara. Les Jedi ne peuvent pas les ignorer.

Kyp s'arrêta à la porte, mais ne se retourna pas.

— Et qu'est-ce qu'on peut faire d'autre, hein ? Ce serait de la folie de les attaquer. Ils ne rêvent que d'une chose : nous éliminer. Si nous capitulons… Laissez tomber, de toute façon, je ne me rendrai pas.

— Et moi non plus, dit Luke. Mais le moment est mal choisi pour les harceler. Nos ennemis au sein du Sénat se serviront de cela pour…

— Je me fous du Sénat ! rétorqua Kyp. De plus, les Apôtres et moi-même, nous ne harcelons pas nos ennemis, *Maître* Skywalker, nous les abattons. Les autres Jedi devraient faire pareil.

Mara se demanda si la sensation d'irritation qu'elle perçut provenait d'elle-même ou de son mari. Luke n'appréciait guère qu'on l'appelle Maître et il détestait particulièrement cela quand le terme était employé sur un ton méprisant.

Kyp appuya la paume de sa main sur une touche sensitive du mur. La porte du hangar de stockage coulissa, à la grande surprise des onze pilotes en tenue de combat qui se trouvaient derrière et qui essayaient d'écouter à travers le panneau.

— Eh bien ? dit Kyp debout sur le seuil, dévisageant tout le monde. On s'en va ou pas ?

Les pilotes s'éparpillèrent à travers le hangar. Ils coururent vers leurs Ailes-X XJ3 flambant neuves – la toute dernière version, et la plus redoutable, du vénérable chasseur stellaire – posées à l'entrée de la baie d'atterrissage. Avant que Kyp les suive, Mara le rejoignit à la porte et l'empoigna par le bras.

— Kyp, personne ici ne dit que tu as tort, mais il est temps pour les Jedi d'agir ensemble, dit-elle. Les Yuuzhan Vong sont malins. Si nous continuons d'agir chacun dans notre coin, ils finiront par nous massacrer les uns après les autres.

— Je sais cela mieux que quiconque… dit Kyp en hochant la tête. (Son apprenti, Miko Reglia, était déjà tombé aux mains de l'ennemi. Il regarda par-dessus l'épaule de Mara en direction de Luke.) Quand vous serez prêts à vous battre, je serai là.

— Et lorsque tu seras prêt à te joindre à nous, répondit Luke, tu sauras où me trouver.

Une fois Kyp hors de portée, Saba Sebatyne s'approcha du seuil de la porte et déclara de sa voix rauque :

— Celui-ci ne cause que des ennuis.

Mara se tourna vers la Barabel.

— Alors, comme ça, tu parles le Basique ? (Elle se tourna vers C-3PO.) Je commençais à me demander si je n'allais pas faire appel aux services de Bouton d'Or pour traduire la conversation !

— Pardonnez à cette Barabel, répondit Saba d'une voix sifflante et amusée avant d'ajouter : La Jedi Eelysa lui a appris la sagesse de la patience.

Eelysa était originaire de Coruscant. Elle était née juste après la mort de Palpatine et avait réussi à éviter tous les pièges qui avaient fait sombrer tant d'autres dans la corruption. Parvenue à l'âge adulte, elle était devenue l'un des Chevaliers Jedi les plus habiles et les plus dignes de confiance que Luke ait jamais connus. Il lui était arrivé de passer des années entières dans les recoins les plus sauvages de la galaxie pour soutenir la cause Jedi. Elle avait découvert l'existence de Saba lors d'une mission d'espionnage de longue durée sur Barab I. Les conditions de la mission l'avaient empêchée d'envoyer la jeune Barabel sur Yavin Quatre afin qu'elle puisse s'y entraîner avec les autres étudiants Jedi. Eelysa avait donc décidé de prendre Saba comme apprentie. Elle lui avait appris tout ce qu'elle pouvait de la Force. Elle avait malheureusement été obligée de quitter précipitamment la planète pour échapper à une escouade de chasseurs soutenant les doctrines anti-humaines prêchées par Nolaa Tarkona de Ryloth et son Alliance de la Diversité.

Lorsque Saba en eut fini de ses sifflements reptiliens, elle proféra quelque chose dans sa langue. C-3PO, zélé comme à son habitude, s'empressa de traduire :

— Elle dit également que la Jedi Eelysa lui a appris la sagesse d'écouter sans s'énerver.

— Oui, Eelysa a prouvé qu'elle était une experte en la matière, dit Luke d'un ton enjoué en rejoignant le groupe vers la sortie. J'aurais dû me douter que tout Jedi l'ayant fréquentée nous réserverait bien quelques surprises.

— Cette Barabel est heureuse de savoir que son silence ne vous a pas offensés, dit Saba. L'odeur émise par Kyp Durron n'a pas plu du tout à cette Barabel. Comment quelqu'un comme lui peut-il récupérer un escadron tout neuf d'Ailes-X ?

— Il y a certaines personnes, dans l'armée, qui admirent son courage… aussi mal placé soit-il… dit Luke.

Il attrapa au vol le regard de Mara et lui fit signe de se poser sur l'assortiment hétéroclite d'Ailes-Y, de Chasseurs de Têtes et de Howlrunners bien alignés derrière la barge d'assaut – criblée d'impact de missiles au plasma – appartenant à Saba. Débarquant de la Bordure Extérieure, et n'ayant rejoint les combats que très récemment, la Barabel n'était pas aussi connue, ni aussi bien équipée, que Kyp Durron. Mais son sang-froid et sa discrétion lui avaient valu la confiance d'un escadron tout entier de pilotes, qui faisaient preuve de la même détermination que les Jedi.

— La réputation de ton détachement suscite également l'admiration de pas mal de gens occupant des postes importants, ajouta Mara. Je suis certaine que ces mêmes officiers qui fournissent son équipement à Kyp Durron seraient ravis de laisser tomber, l'air de rien, quelques caisses de leurs cargos afin de contribuer à ton approvisionnement.

Les pupilles fendues de Saba se dilatèrent presque en forme de losange.

— La Horde Sauvage ne déshonorera jamais les Jedi en s'appropriant ce type de marchandise…

Mara fut prise de court par le ton désapprobateur qui venait de poindre dans la voix de Saba. Luke se contenta de sourire et de poser une main – sa vraie main – sur l'épaule couverte d'écailles de la Barabel. C-3PO les avait déjà prévenus qu'une telle démonstration de familiarité avec une Barabel pouvait entraîner la perte d'une main ou d'un bras. Le geste amical de Luke cependant ne déclencha qu'un ondoiement de la puissante queue reptilienne de Saba en signe d'acceptation.

— Entre tes mains, ce type de marchandise ne causerait

aucun déshonneur aux Jedi, dit Luke. Mais je suis content d'apprendre que l'idée puisse te préoccuper. As-tu réfléchi aux menaces proférées par Tsavong Lah contre les réfugiés ? Sais-tu à quel point nous serons affectés si le Sénat persiste à croire que nous restons insensibles devant tant de massacres ?

Saba détourna le regard.

— Les voies de la Force ne sont pas encore très claires…

Elle ouvrit la bouche, comme pour continuer sa phrase, mais elle se ravisa et ses écailles semblèrent se hérisser. Au bout de quelques instants, Luke et Mara échangèrent eux aussi des regards perplexes. Ils projetèrent alors les ondes de la Force tout autour d'eux. Mara ne perçut rien d'inhabituel et elle comprit, à la réaction mitigée de Luke, que son époux en était arrivé à la même conclusion.

— Saba ? demanda Luke.

— Vous n'avez rien senti ? demanda la Barabel en se tournant de nouveau vers lui.

— Non, répondit Mara. (Elle savait bien que Saba n'était jamais très à l'aise en sa présence. En cet instant particulière-ment, après que Mara eut suggéré d'agir de façon douteuse. Mais elle savait aussi que rester là, près d'elle, à ne rien faire, ne ferait certainement pas disparaître ce sentiment de malaise.) Et Luke n'a rien senti non plus.

— Etrange… (Saba regarda autour d'elle, puis fit fouetter sa queue, ce qui, chez les reptiliens de son espèce, correspondait à un haussement d'épaules.) Maître Skywalker, cette Barabel a conscience que le Sénat désapprouve nos actions et celles de ceux qui se sont ralliés à notre cause. Mais les plus couards se sentent toujours menacés par les plus courageux, n'est-ce pas ? (Elle tourna le regard vers son groupe de pilotes. Ils attendaient patiemment près de leurs appareils durement éprouvés par les combats.) Les Jedi sont peu nombreux. Les Yuuzhan Vong sont légion. Pourtant, regardez les efforts qu'ils déploient contre nous : voxyns, blocus, flottes entières lancées à notre poursuite. D'une certaine manière, nous leur faisons peur. La Force suggère à cette Barabel que nous devons continuer.

Mara voulut suggérer qu'ils seraient bien plus efficaces s'ils travaillaient ensemble, mais elle sentit une vague d'acquiescement soudain provenant de Luke et préféra se taire.

— Les Barabel sont des chasseurs, dit Luke à Saba. Et les chasseurs sont plus efficaces quand ils travaillent en petits groupes.

Saba adressa à Luke un sourire en coin.

— Vraiment, le Maître Skywalker est aussi sage que le prétend la Jedi Eelysa. Peut-être ferait-il l'honneur d'accorder à cette Barabel une grande faveur ?

— Bien entendu, répondit Luke sans hésiter.

— Et vous ? demanda Saba en se tournant vers Mara. Ce serait une charge supplémentaire et cette Barabel sait bien qu'un jeune a éclos dernièrement dans votre nid.

Mara pensa immédiatement à Ben. Elle sentit sa présence à bord de l'*Ombre*, ainsi que celle de Jaina et de Danni. Le bébé était en train de dormir paisiblement dans les bras de l'une des deux jeunes femmes. Mara ne tenterait jamais d'entreprendre quelque chose qui serait susceptible de mettre la santé de son enfant en danger. Elle perçut cependant chez Luke une confiance absolue pour cette Maître Jedi qu'ils n'avaient jamais rencontrée. La confiance absolue que Mara éprouvait elle-même pour son époux dicta donc la réponse qu'elle formula à la Barabel :

— Pas de problème. Tous les Jedi doivent s'entraider, dit-elle. Et ce n'est pas l'aide qui manque sur Eclipse…

— Parfait, vous allez avoir besoin de toute l'aide possible, répondit Saba sans sourire.

Elle se tourna vers C-3PO et gronda quelque chose dans sa langue.

— Vraiment ? s'exclama le droïde, dont les photorécepteurs étincelèrent sous le coup de la panique.

Saba éructa une réponse.

— Non, non, il ne s'agit que d'une façon de parler, s'empressa de déclarer C-3PO en détalant en direction de la barge d'assaut. Loin de moi l'idée de vous traiter de menteuse !

Luke et Mara échangèrent des regards intrigués. Mara pensa soudain qu'ils avaient, eux aussi, une faveur à demander à Saba.

Elle était sur le point de formuler sa requête lorsque Luke, comme d'habitude, devança sa pensée :

— Saba, peut-être que la Horde Sauvage pourrait bien, elle aussi, nous rendre un grand service. Il s'agirait de transporter une grande quantité d'équipements jusqu'à la zone des combats.

— Et d'emmener une scientifique, ajouta Mara. L'issue de la guerre pourrait en dépendre, surtout si vous savez où il est possible de trouver un yammosk, l'un de ces coordinateurs de guerre.

Mara eut l'impression que la Barabel ne les avait pas entendus. Le regard de Saba était ailleurs et les plis de son front reptilien semblaient encore plus creusés qu'à l'habitude.

— Maître Skywalker, savez-vous où se trouve Eelysa en ce moment ?

Mara perçut une certaine appréhension dans la réponse de son mari.

— Elle est toujours chargée de surveiller la situation pour nous sur Corellia.

Les yeux de Saba se posèrent à nouveau sur Luke.

— Pensez-vous qu'elle puisse être en danger ?

Mara sentit monter en elle une vague de découragement. Luke se préoccupait autant que possible du sort de ses anciens étudiants de l'Académie, mais il lui avait été presque impossible de consacrer à chacun le temps nécessaire au développement de ce lien si serré qui pouvait unir les Jedi dans la Force. Eelysa, elle, avait passé des années à entraîner Saba toute seule dans un environnement particulièrement délicat. Il paraissait évident que le lien qu'elles entretenaient était des plus forts, au point que Saba semblait à même de percevoir le moindre changement dans le mental de son ancien Maître.

— On n'arrive jamais à deviner ce qui se trame chez Thrackan Sal-Solo et tous ceux de son espèce, dit Mara. Mais, d'après nous, la mission d'Eelysa ne doit présenter aucun danger. Les Corelliens ne savent même pas qu'elle est parmi eux.

— Peut-être l'ont-ils découverte, dit Saba. A moins qu'il ne se soit passé autre chose. En tout cas, Eelysa a peur.

— *Peur* ? demanda Luke. (Il se tourna vers Mara.) Ce n'est pourtant pas son genre.

Saba secoua la tête.

— Non, effectivement. Nous tâcherons d'en savoir plus dès que nous aurons fini l'embarquement de votre équipement et de votre scientifique. Nous n'aurons pas de problème pour trouver un yammosk. En général, ce sont eux qui viennent à nous.

— Merci, dit Luke. Je vais demander à Danni de s'occuper du chargement.

Skywalker activa son communicateur et informa Danni Quee. Cette dernière sembla contente – voire très enthousiaste – de voler en compagnie de Saba Sebatyne plutôt qu'avec Kyp Durron. La rampe d'accès à la soute de l'*Ombre de Jade* s'abaissa. Danni et les pilotes appartenant à l'escadron de Saba s'empressèrent alors de procéder au transfert du matériel.

C-3PO revint en compagnie de trois Barabel à l'impressionnante carrure. Un peu plus grands que Saba, tous trois arboraient les écailles violet et vert des jeunes adultes. Ils portaient également des sabres laser accrochés à leurs ceintures.

— Maître Skywalker, s'il vous plaît, nous étions en partance pour Yavin Quatre lorsque la guerre a interrompu nos préparatifs, dit Saba. Voudriez-vous emmener ces jeunes Jedi et leur montrer la voie à suivre pour devenir de vrais Chevaliers ? Il y a encore beaucoup trop d'instincts de chasseur dans cette Barabel pour leur dispenser un enseignement correct.

Luke et Mara échangèrent un regard interloqué, puis Mara prit la parole :

— S'agit-il de vos enfants, Saba ?

— Ils sont compagnons de portée, c'est exact, mais seul le mâle est de moi, répondit-elle. Les femelles partagent la même mère. L'une d'entre elles possède également le même père que mon fils mais, bien entendu, il est impossible de dire laquelle.

Les deux humains perdirent aussitôt le fil, mais Mara se dit qu'avec le temps ils finiraient par s'y retrouver.

— Nous prendrons soin d'eux. Comme si c'étaient nos enfants.

Saba écarquilla les yeux.

— Ils sont bien assez grands pour se procurer leur nourriture. Contentez-vous de leur fournir un territoire. Une cave ou un terrain en friche fera parfaitement l'affaire.

Ce fut au tour de Mara d'être choquée. *Voilà qui risque d'être intéressant.*

Le sourire discret qui s'esquissa au coin des lèvres de Luke suggéra qu'il avait bien perçu le sens de ses pensées. C'est alors que Saba laissa échapper une longue tirade de sifflements reptiliens. Mara prit le son émis par Saba pour un rire sifflant si caractéristique de cette espèce. Mais la Barabel poussa un cri de douleur et se jeta à quatre pattes en position d'attaque. Ses crocs acérés comme des couperets se dévoilèrent et elle lança un gémissement plaintif.

Mara et Luke firent, à l'unisson, un pas en arrière. Instinctivement, ils portèrent la main à leurs sabres laser. C-3PO, en Barabel, marmonna quelque chose à l'attention de Saba. Elle gronda une vague réponse et se recroquevilla sur elle-même, prête à bondir. Ses congénères réagirent à la détresse de leur tuteur. Ils se mirent eux aussi à quatre pattes et ajoutèrent leurs voix rauques à la mélopée grondante de Saba. Ils commencèrent à lacérer le sol de duracier.

Mara et Luke se regardèrent, stupéfaits. Soudain, la Force se chargea de colère et d'une sensation d'incrédulité. Mara s'agenouilla à côté de Saba et, ignorant les conseils de C-3PO, selon qui il ne fallait jamais entrer en contact physique avec un Barabel, posa une main sur le dos de l'étrange Jedi reptilien.

— Saba ? Qu'est-ce qui ne va pas ?

La tête de la Barabel se tourna lentement vers Mara. Ses pupilles se contractèrent en une fente à peine visible, ses crocs s'imbibèrent de salive.

— Eelysa, gronda-t-elle. Quelque chose l'a attrapée.

— Quelque chose ? demanda Luke.

Saba fit battre sa queue contre le sol, incitant C-3PO – même si ce n'était guère nécessaire – à expliquer que, chez les Barabel, c'était une façon typiquement reptilienne d'exprimer sa colère.

— Celle-ci ne sait pas, dit la Barabel. Mais elle n'est plus. Eelysa n'est plus.

Mara et Luke échangèrent un coup d'œil par-dessus le dos de la créature, sachant parfaitement ce que l'autre était en train de penser.

Un voxyn.

6

Avec un immense hologramme de la situation stratégique flottant au niveau des ténèbres du plafond et des douzaines d'écrans de contrôle éparpillés dans la fosse en contrebas, la salle de commandement des forces armées de la Nouvelle République évoquait plus un aquarium galactique qu'un quartier général. L'hologramme principal représentait les grands tracés de la galaxie. Un large ruban écarlate marquait la route d'invasion des Yuuzhan Vong. En à peine deux ans, les extraterrestres avaient foré une percée qui allait du Bras de Tingel jusqu'à l'espace Bothan. Trois ramifications bien distinctes menaçaient la Bordure Intérieure. Deux pointaient vers Duro et Fondor. La troisième, qui avançait vers Bilbringi, n'avait pas encore franchi la Bordure. Mais Leia savait que cela ne tarderait pas. Les envahisseurs détruisaient les vaisseaux bien plus vite que la Nouvelle République ne les construisait et Bilbringi ne disposait pas de défenses importantes. Leia s'interrogea sur l'attention que le Comité de Supervision Militaire de la Nouvelle République, le CSMNR, allait accorder aux réfugiés de Talfaglio. Elle se demanda, d'ailleurs, s'ils pouvaient se permettre de prendre réellement en considération leur existence.

Bien ennuyée de devoir à nouveau s'engager dans les corridors tortueux de la négociation et du pouvoir de Coruscant, Leia s'appuya sur le bras de son fils et s'avança sur la mezzanine. Cela faisait plus de vingt-quatre heures qu'elle avait repris connaissance, après le contact avec le sang toxique du voxyn, mais elle avait toujours besoin d'un soutien pour se déplacer. Elle se considéra comme très chanceuse. Les Noghri, qui avaient subi le plus fort de l'attaque, reposaient toujours, inconscients, au fond des cuves à Bacta, avec de graves blessures aux tympans et aux poumons.

— C'est assez encourageant, dit Jacen. (Il avait décidé de rester avec sa mère pendant que Han repartait pour Eclipse afin d'y convoyer les cadavres des voxyns.) S'ils nous laissent entrer ici, cela doit certainement signifier que notre réputation au sein du Sénat n'est pas si mauvaise.

— Ne te laisse pas trop abuser par tout ceci, dit Leia. Il y a toujours une raison derrière celle qui pousse Borsk Fey'lya à faire quelque chose. Ecoute avec tes yeux, Jacen. Regarde avec tes oreilles…

Tout en avançant, Leia ne prêtait guère attention aux écrans qui scintillaient en contrebas de la mezzanine. Il existait une salle similaire, bien que moins sophistiquée, sur Eclipse. Les informations y étaient tenues à jour grâce à des transmissions secrètes fournies par un officier de commandement sympathisant. Leia savait que les hologrammes représentaient plusieurs douzaines de flottes en transit entre les stations, ainsi qu'un nombre alarmant de batailles spatiales. Depuis un an, la situation n'avait pas beaucoup évolué. Les Yuuzhan Vong renforçaient, petit à petit, leur emprise sur les territoires occupés, mais leur avance demeurait bloquée dans le secteur Corellien.

Leia et Jacen passèrent devant un hologramme qui dépeignait l'ambiance de travail frénétique régnant aux chantiers navals de Bilbringi. C'est alors qu'une large plate-forme élévatrice monta de derrière une image tridimensionnelle d'un conflit mineur ayant éclaté près de Vortex. Borsk Fey'lya en personne se trouvait sur la plate-forme. Ses traits sauvages de Bothan se tordirent en un vague sourire de bienvenue. Sa fourrure couleur crème ondula d'une façon que Leia avait appris à interpréter depuis longtemps comme une expression de gêne caractéristique à cette espèce.

— Princesse Leia, votre présence nous honore.

— Vous n'avez pas trouvé de place dans votre agenda pour

permettre à un ancien chef de l'Etat de s'adresser en personne au Sénat ? demanda Leia. (La guerre empirait et le soutien dont bénéficiait Fey'lya s'amenuisait. Elle pouvait se gagner plus d'alliés en le traitant sèchement.) Vous n'allez tout de même pas me dire que les choses vont si mal, n'est-ce pas ?

Le sourire peu sincère de Fey'lya demeura figé sur son visage.

— Je suis ravi de constater que vous vous êtes si rapidement rétablie de votre rencontre avec l'un de ces tueurs de Jedi. (Il ouvrit lui-même la porte de la plate-forme, signe qui prouvait combien son pouvoir s'était amenuisé.) On peut certainement vous trouver une place dans l'agenda, si vraiment vous y tenez, mais le CSMNR étudiera plus attentivement votre proposition en séance restreinte. Je vous en prie, venez avec moi.

Leia lâcha le bras de Jacen et gagna la plate-forme élévatrice. Ils descendirent pour gagner la salle de conférence du comité. Là, Leia avança jusqu'au pupitre d'orateur. Des sénateurs, assis sur des gradins en hémicycle, attendaient de l'autre côté de la pièce.

— Nous vous remercions de votre venue, dit Fey'lya, la rejoignant sur le podium, et nous souhaitons également la bienvenue à votre compagnon Jedi.

— Jacen est ici en tant que garde du corps personnel, dit Leia, justifiant ainsi la présence de son fils et écartant toute question sur le fait que le conseil n'avait pas délégué de Chevalier plus aguerri. Ceci n'a rien à voir avec les Jedi. Il ne s'agit que d'un sujet concernant SELCORE.

— Bien entendu, répondit Fey'lya d'un ton aimable. Nous avons étudié votre rapport. Il requiert toute l'attention du CSMNR.

Intriguée par le soutien inattendu du Bothan, Leia se tourna vers lui.

— Et ?

— Et, malheureusement, ceci concerne bien les Jedi, lança une voix féminine très mielleuse. Ne sont-ils pas la seule et unique raison pour laquelle les Yuuzhan Vong retiennent des otages de Talfaglio ?

Leia se tourna pour voir une élégante femme aux cheveux

noirs de jais se lever de son siège. Jeune et sensuelle, sénateur de la planète Kuat, monde connu pour ses chantiers navals, Viqi Shesh défendait farouchement auprès du Conseil de Surveillance l'importance de son monde natal dans l'effort de guerre. Elle possédait également des appuis parmi les membres les plus influents du Sénat. Elle avait fait preuve de ses talents de négociateur, changeant son fusil blaster d'épaule avec une aisance qui effrayait les Bothan et n'hésitant pas à se servir de sa position politique pour améliorer ses revenus. Moins d'un an auparavant, en tant que sénateur administrateur de SELCORE, l'organisme chargé de la sélection des ressources destinées aux réfugiés, Shesh avait passé un accord fort bénéfique pour elle, visant à détourner des ressources vitales prévues pour les camps de réfugiés sur Duro. Leia avait été incapable de rassembler suffisamment de preuves pour obliger cette femme à démissionner du Sénat, mais l'affaire avait causé assez de remous pour lui faire perdre sa place au sein du comité. Comment cette personne dénuée de scrupules était-elle parvenue à se frayer une place au cœur du très influent – et hautement secret – CSMNR ? C'était encore un mystère. Mais la tirade d'ouverture de la Kuati indiqua clairement à Leia qu'elle-même et les Jedi se trouvaient en présence d'une ennemie très puissante.

Invoquant la Force pour se donner courage et patience, Leia soutint le regard du sénateur.

— Les Yuuzhan Vong ont menacé de détruire le convoi de réfugiés si les Jedi ne se rendent pas, c'est exact. Mais, en considérant que les Jedi décident de se soumettre, ne croyez-vous pas que la prochaine exigence des Yuuzhan Vong sera de leur livrer les chantiers de construction de Kuat ?

— Cela n'a jamais été dans les habitudes de la Nouvelle République de céder au chantage, dit Fey'lya, interrompant la discussion avant que les choses ne s'enveniment. La question est : que pouvons-nous faire sans en venir à la reddition ?

— Je crois que nous ne pouvons rien faire, dit Shesh en regardant Fey'lya. Peut-on jeter un coup d'œil au secteur Corellien ?

Le Bothan s'empara d'une télécommande et l'hologramme principal pivota pour afficher le secteur concerné. Le système

Corellien était entouré par un barrage de frégates de la Nouvelle République. Celles qui se trouvaient près de Duro brillaient avec plus d'intensité, indiquant qu'elles étaient probablement en train de faire face à des tirs de vaisseaux ennemis. La planète Talfaglio était encerclée par un essaim de corvettes Yuuzhan Vong. Un unique croiseur, posté au centre de la formation, devait leur fournir le soutien logistique nécessaire. Mais c'était le système de Jumus qui était le plus inquiétant. A un très court saut dans l'hyperespace de Corellia et de Talfaglio, il servait à présent de base à la majorité de la flotte qui avait fondu sur Duro.

— Comme vous pouvez le voir, les Yuuzhan Vong espèrent que nous allons tenter de briser leur blocus, dit Shesh, indiquant le petit rassemblement de vaisseaux en orbite autour de Corellia. Dès que nous agirons, ils attaqueront et ils n'auront qu'à se baisser pour ramasser leur trophée.

— Pas si nous les prenons à revers, dit Jacen. (Il indiqua un point au-dessus de leurs têtes, traçant une route tangente au Noyau Profond, jusqu'à l'arrière du secteur.) Si nous introduisons secrètement trois destroyers stellaires par ici, nous pouvons anéantir leur blocus et repartir avec le convoi avant même qu'ils aient le temps de réagir.

— Ah, voilà qui leur donnerait une bonne leçon, dit Kvarm Jia, un sénateur à barbe grise du secteur Tapani. Où pouvons-nous trouver trois destroyers stellaires ?

— Oui, bien sûr, où va-t-on dénicher trois appareils tout juste bons à balancer à la poubelle, hein ? intervint Shesh, prompte à réduire le soutien de Jia à néant. A moins que vous ne suggériez de sacrifier une autre planète à l'ineptie des Jedi…

Deux sénateurs se mirent à parler en même temps. Comprenant qu'ils avaient des avis parfaitement opposés sur la situation, chacun essaya de couvrir la voix de l'autre. Fey'lya appela au calme, mais fut immédiatement rabroué par les sénateurs de la coalition anti-Jedi qui, à leur tour, furent hués par les supporters de Jia. Bientôt, tous les sénateurs présents sur les gradins se joignirent au tumulte généralisé.

Jacen jeta un coup d'œil à Leia et secoua la tête, l'air dépité.

Habituée à la nature bestiale des politiciens de la République, Leia passa le temps en comptant les membres de l'assemblée. Elle se rendit compte rapidement que le comité était presque divisé en deux moitiés égales. Elle emprunta alors le sabre laser de Jacen – elle avait délibérément laissé le sien, espérant ainsi bien faire comprendre qu'elle se présentait au comité au nom de SELCORE et pas en tant que Jedi – et se tourna vers Fey'lya.

— Puis-je ? dut-elle crier pour se faire entendre.

Le Bothan hocha la tête et fit un pas en arrière.

— Je vous en prie !

Leia activa la lame. Son éclat et son sifflement si caractéristiques interrompirent toutes les conversations. Se retenant de sourire face à la réaction de l'assemblée – l'arme agissait après tout comme un rappel du pouvoir éternel des Jedi –, elle éteignit la lame d'un coup de pouce.

— Je vous prie d'excuser cette dramatique mise en scène, dit Leia, rendant son arme à son fils. En me présentant ainsi à vous, je n'avais nullement l'intention de semer pareille discorde au sein du CSMNR. C'est bien la dernière chose dont cette République ait besoin. Peut-être le comité pourrait-il se contenter de soumettre la proposition de Jacen aux voix et nous en aurions terminé pour aujourd'hui ?

— Voter ? *Maintenant ?* demanda Shesh en plissant les yeux. Pour que vous et votre fils puissiez utiliser vos pouvoirs télépathiques de Jedi ?

Leia se força à afficher un sourire tolérant.

— Ces trucs ne fonctionnent que sur les faibles d'esprit. Et je peux vous assurer qu'au sein de ce comité personne ne l'est.

La plaisanterie déclencha un rire de soulagement au sein des deux factions de l'assemblée.

— A moins que vous n'ayez peur de perdre le contrôle, Sénateur Shesh, se moqua Jia.

— Moi, je ne perdrais rien du tout, Sénateur Jia, dit Shesh. Ce serait la Nouvelle République qui perdrait tout. Mais votons, votons, je vous en prie.

Fey'lya avança jusqu'à son estrade et lança le scrutin. Le cerveau-droïde des gradins annonça les résultats une fraction de seconde avant même que le dernier sénateur ait poussé le bouton de son clavier de vote. Comme Leia s'y attendait, la résolution passa avec une différence de deux voix, ce qui n'était pas assez pour autoriser l'action sans le consentement absolu du Sénat. C'était suffisant, en revanche, pour permettre à Fey'lya de se servir de son autorité dans le respect du secret militaire, d'éviter ainsi le risque que présentait une réunion plénière et de « déclarer » officiellement que la majorité nécessaire avait été acquise. Etant donné la déférence dont il avait fait preuve quelques instants auparavant, Leia attendait de lui qu'il prenne la décision qui s'imposait.

Mal à l'aise, cependant, à l'idée de devoir quelque chose à un Bothan, elle se tourna vers Fey'lya.

— Alors, Chef Fey'lya, allez-vous déclarer la majorité ? Vous tenez là une chance de sauver des millions de vies.

La fourrure de Fey'lya ondula à nouveau, trahissant combien sa position de chef de l'Etat était devenue bien futile.

— S'agit-il de la possibilité d'en sauver des millions ou d'en sacrifier des milliards ?

— Pardon ? (Leia fut surprise par le ton de colère de sa propre voix. Peut-être était-ce dû à la fatigue, ou bien à la surprise d'avoir si mal calculé son coup. Elle se sentit obligée de lutter pour contenir la volée d'invectives qui lui vint à l'esprit.) Mais, Chef Fey'lya, ce plan est un bon projet…

Fey'lya leva une main en un geste apaisant.

— Et je ne dis pas le contraire. Mais vous devez savoir ce que la perte de trois destroyers stellaires signifierait pour nous. Nous pourrions perdre dans la foulée une bonne douzaine de planètes. (Il passa ses doigts dans la touffe de fourrure crème qui lui poussait sur la joue, puis reprit la parole, d'un ton délibérément songeur :) Je vais demander à l'armée d'étudier la question.

— Etudier la question ? intervint Jacen. Le convoi aura été réduit en poussières d'étoiles au moment où ils en arriveront à une conclusion !

— Je suis certain que le Général Bel Iblis fera accélérer les choses, dit Fey'lya d'un ton égal. En attendant, nous patienterons.

— Nous patienterons ? (Dans son état de faiblesse, Leia ne parvint pas à conserver un ton mesuré. Elle connaissait Garm Bel Iblis qui, tout comme Wedge Antilles, avait été rappelé dans ses fonctions lorsque la guerre avait éclaté. Il agirait aussi vite que possible. Mais, en admettant qu'il parvienne à faire accélérer les rouages de la bureaucratie, il n'existait aucune garantie d'obtenir satisfaction.) Comment pouvons-nous patienter face aux Yuuzhan Vong ?

Fey'lya retroussa les babines et grogna d'une façon que Leia interpréta comme vaguement rassurante.

— Nous allons demander à Tsavong Lah de nous envoyer un émissaire pour discuter de cela.

— Un émissaire ? hurla Jia. Mais ils pourraient croire que nous demandons un délai pour accepter leurs conditions !

Les oreilles de Fey'lya se couchèrent vers l'avant de sa tête, de façon presque malicieuse.

— Précisément, Sénateur. Et cela va nous permettre de gagner du temps. (Le Bothan se tourna prestement vers Leia.) Mais soyez tranquille, Princesse. Quelle que soit la conclusion du Général Bel Iblis, nous ne dirons qu'une seule chose à l'émissaire : que les menaces des Yuuzhan Vong ne font que renforcer les liens qui unissent la Nouvelle République aux Jedi.

Jia se mit à sourire.

— Un point qu'il faudra souligner lorsque nous sauverons les otages…

— Qu'il faudra mettre en avant même si nous sommes obligés de les laisser mourir, ajouta Shesh, hochant la tête en signe d'approbation. Je crois que nous sommes parvenus à un consensus, Chef Fey'lya.

Cette idée de consensus ne fit qu'envenimer la colère de Leia. Elle avait travaillé avec Borsk Fey'lya suffisamment longtemps pour savoir qu'il ne prenait de décision que dans son propre intérêt. Peu importe ce qu'il avait l'intention d'annoncer aux Yuuzhan Vong. Elle était certaine qu'il ne laisserait pas les Jedi entraver une possibilité d'arranger ses affaires.

— Ce à quoi vous êtes parvenus, Sénateurs, dit Leia d'un ton glacé, c'est un consensus de fous !

— Maman ?

Leia sentit Jacen projeter vers elle des ondes de la Force pour la calmer, pour apaiser sa colère. Elle perçut alors combien son fils était encore jeune. Le Sénat de la Nouvelle République n'avait rien de ce groupe dénué de défauts que le garçon imaginait. Il était à des encablures de ces exemples de bonne foi dont C-3PO lui avait rebattu les oreilles au cours de ses leçons d'éducation civique. Le Sénat était un rassemblement de gens assoiffés de pouvoir dont le dévouement politique ne servait qu'à dissimuler la quête personnelle. On ne mesurait plus le succès des sénateurs qu'à la durée de leur mandat. Et Leia eut honte de penser qu'elle avait joué un rôle si prépondérant dans la mise en place de cet organisme. Elle aurait avec joie tourné les talons et regagné l'ascenseur, elle aurait presque franchi d'un bond la rambarde de sécurité si son fils ne l'avait pas retenue au moyen d'une onde psychique.

Pour se justifier, elle alla tout de même jusqu'à la plate-forme et déclara :

— J'ai perdu plus de temps que nécessaire avec le CSMNR.

Borsk Fey'lya la rejoignit et se posta devant elle.

— Vous n'avez aucune raison de vous mettre en colère, Princesse. L'intégrité du Général Bel Iblis est au-dessus de tout soupçon.

— Je ne discute pas l'intégrité de Garm, Chef.

Leia se servit de la Force pour ouvrir la porte de l'ascenseur, derrière Fey'lya. Elle repoussa le chef d'Etat et avança sur la plate-forme. Jacen marcha jusqu'à elle, une main levée, prêt à la retenir au premier signe de faiblesse.

Lorsqu'ils atteignirent la mezzanine pour se diriger vers la sortie, le jeune homme demanda :

— Tu crois que c'était prudent de se comporter comme ça ? On a déjà assez d'ennemis au Sénat, non ?

— Jacen, je suis lasse du Sénat. Et c'est la deuxième fois, pour te dire la vérité.

Tout en parlant, Leia sentit un calme inattendu l'envahir. Elle était soudain plus forte, plus en harmonie avec elle-même. Elle sut que la signification de ses paroles dépassait la simple colère qu'elle nourrissait face aux politiciens. Elle avait perdu patience devant Fey'lya non seulement parce qu'elle était faible et fatiguée – ce qui était vraiment le cas –, mais aussi parce qu'elle sentait bien qu'elle n'appartenait plus du tout à ces arcanes du pouvoir, qu'elle ne croyait plus à ce processus qui plaçait des bureaucrates égoïstes à des postes de pouvoir, écrasant ceux qu'ils avaient juré de protéger. La Force la guidait, lui signalait que la Nouvelle République avait changé, que la galaxie avait changé et, plus que tout encore, qu'elle avait elle-même changé. Elle s'était engagée sur une nouvelle voie ; il était donc temps pour elle de renoncer aux préceptes de l'ancienne.

Leia prit le bras de Jacen et déclara d'une voix plus paisible :

— Je ne me présenterai plus devant eux ou devant n'importe quel comité. Plus jamais.

Jacen demeura silencieux, mais sa détresse et son inquiétude étaient aussi lourds dans la Force que l'atmosphère au-dessus d'un marais de Dagobah. Leia passa son bras autour de la taille de son fils et, toujours aussi surprise de constater que son enfant de dix-neuf ans la dominait de plusieurs têtes, se serra contre lui.

— Jacen, il y a des fois où il est très dangereux de croire que les gens peuvent être bons, dit-elle doucement. Borsk est notre pire ennemi au sein du Sénat et il vient tout juste de nous le prouver.

— Vraiment ?

Ils quittèrent l'immense salle du comité et empruntèrent un long corridor qui leur était familier.

— Réfléchis, dit Leia. Le motif derrière l'objectif. Pourquoi donc Borsk voudrait-il s'adresser à un émissaire Yuuzhan Vong ? Qu'est-ce qu'il peut bien avoir à lui proposer en échange ?

Jacen resta silencieux et fit quelques pas. Puis il s'arrêta. La réponse venait de le frapper de plein fouet.

— Nous !

7

Du sang dégoulinant d'une série de blessures infligées à la hâte, Nom Anor se présenta à la sentinelle qui gardait les quartiers privés de Tsavong Lah à bord du *Sunulok*.

— On m'a convoqué, déclara Nom Anor, luttant pour dissimuler son excitation, car le Maître de Guerre n'avait pas l'habitude d'inviter ses subordonnés dans son appartement privé, surtout pendant le cycle de sommeil. On m'a dit de ne pas me soucier de mon apparence personnelle.

La sentinelle hocha courtoisement la tête et posa la paume de sa main sur le pore récepteur de la valve de la porte. Le portail mit quelques instants à reconnaître l'odeur du soldat, puis il se résorba, révélant une petite chambre de contemplation éclairée doucement par les lichens bioluminescents des murs. Tsavong Lah était assis à l'autre extrémité de la chambre, absorbé dans une conversation avec un maître villip. Nom Anor, comme l'exigeait la coutume, tapa poliment du pied et attendit qu'on l'invite à entrer.

Vergere surgit de derrière un panneau et lui fit signe d'avancer.

— Il souhaite que vous assistiez à cela…

Irrité de découvrir sa rivale en ces lieux, Nom Anor fit le tour de la table pour regarder par-dessus l'épaule du Maître de Guerre. Le villip présentait à présent le visage d'une femme humaine, aux pommettes saillantes et aux traits secs. Nom Anor sentit son irritation se dissiper, car il connaissait très bien la femme en question. Il l'avait lui-même ralliée à la cause des Yuuzhan Vong.

— ... vois que vous avez utilisé les vornskrs que je vous ai envoyés à bon escient, était en train de dire Viqi Shesh. Quatre Jedi sont déjà morts. Vos voxyns sont vraiment très efficaces.

— Nos voxyns ? Comment savez-vous qu'ils s'appellent ainsi ?

Shesh écarquilla légèrement les yeux, mais avec suffisamment de subtilité pour que le Maître de Guerre ne remarque pas sa surprise.

— C'est comme cela que les Jedi les appellent. Je ne sais pas comment ils ont découvert leur nom. Il devient de plus en plus difficile de leur arracher la moindre information sur ce sujet.

— Tiens donc ? demanda Tsavong Lah, pensif. Comme c'est intéressant...

Vergere stupéfia Nom Anor en touchant le bras du Maître de Guerre.

— Votre agent est arrivé.

Tsavong Lah ne la frappa pas. Il ne lui fit aucune remarque, ni aucune réprimande de quelque sorte. Il demanda à Shesh de patienter et se tourna vers son « agent », comme Vergere venait d'appeler Nom Anor, de façon si péjorative. Il étudia les taches de sang qui souillaient sa tunique de soie.

— Mon appel a interrompu tes dévotions, dit-il, l'air vraiment désolé. Mais peut-être puis-je arranger cela.

Tsavong Lah surprit Nom Anor encore une fois. Le Maître de Guerre se leva et alla chercher – lui-même ! – une chaise de ronces à l'autre bout de la pièce. Il posa le siège face au villip de Shesh et fit signe à son invité de venir s'y asseoir. L'absence de croûtes de sang séché signifiait que le dernier repas de la chaise avait été fort peu satisfaisant. Mais hésiter en un instant pareil aurait été considéré comme une insulte. Nom Anor s'installa et sentit les aiguillons affamés du siège s'enfoncer dans la chair de son dos et de ses fesses. Il se consola en se disant que le Maître de Guerre devait être persuadé qu'un tel supplice lui serait agréable.

— Je suis très honoré, dit-il.

Tsavong Lah retourna au villip.

— Viqi, j'ai là, avec moi, un de vos vieux amis.

— Vraiment ? répondit Shesh. (Elle n'avait pas pu voir Nom Anor entrer dans la pièce. Son villip n'était relié qu'au Maître de Guerre, et seulement à même de relayer son image et sa voix.) Et qui est là ?

— Je suis sûr que le nom de Pedric Cuf vous dit quelque chose, non ? demanda Tsavong Lah, utilisant le pseudonyme sous lequel Shesh connaissait Nom Anor.

Le sourire qui apparut sur le villip fut loin d'être sincère. A la première occasion qui s'était présentée, Viqi avait aussitôt décidé de se passer de l'intermédiaire de Nom Anor pour proposer directement ses services au Maître de Guerre.

— Quelle bonne surprise…

— Viqi, veuillez répéter ce qui s'est passé aujourd'hui. (Tsavong Lah ne donna à Nom Anor aucune chance de répondre au salut du sénateur Kuati.) Il faut que Pedric Cuf entende tout cela.

Viqi, obéissante, raconta ce qui s'était déroulé dans la salle du comité quelques heures auparavant, mettant l'accent sur le plan de Jacen visant à dresser une embuscade contre le blocus de Talfaglio. Elle insista – peut-être un peu trop longtemps – sur son habileté à manipuler Borsk Fey'lya en le poussant à demander l'avis des militaires, laissant ainsi le temps aux Yuuzhan Vong de se préparer à déjouer ladite embuscade.

— Je pense que vous disposez de deux semaines, tout au plus, termina Shesh. Je vous tiendrai informés.

— Vous avez bien agi, dit Tsavong Lah. (Nom Anor savait qu'ils disposaient déjà d'une flotte de réserve pour ce genre de situation.) Mais racontez donc à Pedric Cuf ce que vous m'avez dit à propos de l'émissaire, Viqi.

Si elle savait que, en ne prononçant que la moitié de son nom, Tsavong Lah se montrait offensant à son égard, Viqi Shesh n'en laissa rien paraître.

— Il y a eu des inquiétudes à propos du temps requis pour obtenir un avis de l'armée. J'ai donc persuadé Borsk Fey'lya de demander qu'on lui envoie un émissaire. (Son villip sourit.) Il n'a pas vraiment l'intention de vous dire quoi que ce soit, mais je l'ai convaincu que cette demande pourrait peut-être mettre les otages à l'abri, le temps que les militaires en aient fini avec leur étude.

— Très malin, dit Tsavong Lah. Vous nous faites gagner un temps précieux. Laissons-les croire que ce sont eux qui patientent et pas nous. Vous êtes très douée, Viqi. Le jour de notre victoire, votre récompense dépassera votre imagination. Avez-vous besoin de quelque chose dès maintenant ?

— Juste le financement nécessaire.

— Vous allez l'avoir. Et plus encore, promit le Maître de Guerre. Par les canaux habituels, bien entendu.

Tsavong Lah interrompit la communication en tapant sur le dessus du villip. Puis il se tourna vers Nom Anor après que la créature fut redevenue une boule inerte gélatineuse.

— Celle-là, elle commence à m'irriter, gronda-t-il. Elle me prend pour un imbécile.

— Les humains n'ont pas leur pareil pour se mettre toujours en pleine lumière, dit Nom Anor, inquiet à l'idée que la colère du Maître de Guerre puisse retomber sur lui dans la mesure où il était responsable du recrutement de Viqi Shesh. Mais ils sont apparemment incapables de discerner la taille de l'ombre qu'ils projettent.

— C'est bien dommage pour toi, Nom Anor, non ? dit Tsavong Lah.

Nom Anor se pencha en avant, réfrénant un cri de douleur en sentant les épines de la chaise s'arracher de son dos.

— Pour moi, Maître de Guerre ?

Tsavong Lah hocha la tête.

— Dis-moi, crois-tu vraiment ce qu'elle nous raconte à propos du Bothan ? Tu penses qu'il n'a vraiment pas l'intention de s'entretenir avec nous ?

— Pas plus que je ne crois que c'est bien *elle* qui l'a persuadé de demander qu'on lui envoie un émissaire, répondit Nom Anor. Borsk Fey'lya désire réellement nous parler et Viqi Shesh craint, justement, qu'il n'ait effectivement quelque chose à nous faire entendre. Elle cherche seulement à se protéger.

— Nous pensons donc de la même façon sur ce sujet, Nom Anor, dit le Maître de Guerre. Encore une bonne raison pour me pousser à te demander de retourner chez ces infidèles.

— Lui ? demanda Vergere.

Nom Anor lança un regard noir à la créature couverte de plumes.

— Et qui d'autre ? Peut-être songiez-vous à y aller à ma place ?

Vergere baissa les bras.

— Mon objection n'était qu'une forme d'éloge, Nom Anor. Vous avez causé énormément de dégâts à la Nouvelle République. Borsk Fey'lya, même s'il le voulait, ne pourrait pas s'entretenir avec vous. Le Sénat exigerait immédiatement sa démission.

— Vraiment ? (Tsavong Lah sourit de façon malicieuse puis se tourna vers Nom Anor et fit un geste en direction de la chaise de ronces.) Tiens, pour tes loyaux services, mon ami. Considère ceci comme un cadeau.

8

La porte s'ouvrit sur un silence inhabituel. Cilghal sentit sa peau se sécher. Les voxyns étaient morts. Le *Faucon Millennium* s'était écarté de la *Pochette Surprise* en catastrophe. Ses écoutilles d'urgence étaient restées grandes ouvertes, sa soute arrière exposée au froid du cosmos. Les créatures étaient parvenues à se sceller dans des sortes de cocons d'écailles, survivant ainsi à la décompression soudaine. Elles avaient même survécu, un temps seulement, au vide de l'espace, en plongeant dans une hibernation profonde. Mais, à terme, le froid avait fini par les tuer. Han avait décidé de maintenir le vide et le zéro absolu dans ses soutes pendant tout le voyage jusqu'à Eclipse. Lorsqu'ils étaient enfin arrivés à la station, les voxyns étaient congelés. Cilghal avait donc sondé leur structure moléculaire par le truchement de la Force et avait découvert que les cellules de leurs corps avaient explosé. Elle avait ensuite confirmé ses premières observations en procédant à des sondages à ultrasons et à des scans thermiques. Elle avait ensuite réalisé une bonne douzaine d'analyses biologiques sur les carcasses congelées par le froid cosmique, espérant y déceler une petite étincelle de vie. Pour être sûre de ses résultats, elle avait procédé aux tests une seconde fois. Après avoir obtenu la confirmation qu'elle cherchait, elle s'était enfin décidée à couper les griffes des animaux encore fichées dans le plancher de duracier du *Faucon*. Ils étaient bien morts.

Pourtant, Cilghal n'avait voulu prendre aucun risque. En tout cas, pas avec des créatures capables de cracher de l'acide et d'assommer leurs proies à coups de décharges soniques. Des créatures dont le sang devenait toxique au contact de l'air, dont les coussinets des pattes renfermaient des centaines de rétrovirus mortels. Cilghal était bien trop fatiguée pour analyser la situation, elle avait commis suffisamment d'erreurs ces derniers temps pour ne pas jouer avec la vie de ceux qui résidaient à bord de la station Eclipse. Elle s'écarta de la porte, puis sortit son communicateur de sa poche et le leva devant ses lèvres.

Un gémissement plaintif de Wookiee tonna dans la pièce. Elle perçut alors une perturbation, une étrange lourdeur dans la Force. Ensuite, elle se rendit compte qu'elle venait aussi d'entendre des pleurs. Des pleurs *humains*.

Cilghal jeta de nouveau un coup d'œil à l'intérieur de la pièce et vit une rangée de jeunes Jedi se tenant devant le panneau en transparacier qui donnait sur la zone d'observation en zéro absolu. A une extrémité du groupe se trouvait Anakin, grand, dégingandé, large d'épaules, bombant le torse comme ces jeunes humains passant de l'enfance à l'âge adulte, reconnaissable entre tous à ses mèches de cheveux ébouriffées couleur de sable. A côté de lui, évidemment, se tenait Tahiri, petite, svelte, ses cheveux blonds coupés court. Comme à son habitude, elle était pieds nus. Elle tenait les bottes de sa combinaison pressurisée dans une main et le bras d'Anakin dans l'autre. Le gémissement de Wookiee était parvenu depuis l'autre extrémité de la rangée. Lowbacca, la fourrure couleur de feuille d'automne, serrait la silhouette athlétique de Jaina Solo entre ses bras puissants et poilus. Près d'eux se trouvaient Zekk et Tenel Ka. Zekk était un jeune homme au corps noueux, aux cheveux noirs en bataille qui lui descendaient bien en dessous de la nuque. Tenel Ka était une grande et vaporeuse beauté aux cheveux couleur de rouille. L'un de ses bras était amputé juste au-dessus du coude. Et, plus ou moins au centre de la rangée, se tenait celui que Cilghal avait entendu pleurer. C'était Raynar Thul, un garçon aux cheveux blonds, les poings collés contre le panneau de transparacier. Ses épaules se soulevaient et s'abaissaient à chaque sanglot.

Cilghal resta quelques instants à l'extérieur, essayant de

décider si, oui ou non, venir récupérer un autre échantillon justifiait son intrusion. Les jeunes Chevaliers Jedi formaient un groupe très uni, ayant passé de nombreuses années à étudier à l'académie Jedi fondée par Luke sur Yavin Quatre. Ensemble, ils avaient combattu des impériaux, des Jedi Noirs, des organisations criminelles sans scrupules et affronté d'innombrables dangers. S'ils avaient de la peine, elle jugea qu'il valait peut-être mieux ne pas troubler cet instant de recueillement.

Elle voulut tourner les talons, mais sa présence n'était pas passée inaperçue. Tenel Ka pivota et posa sur elle des yeux rougis par le chagrin.

— Ne vous occupez pas de nous, dit-elle. Nous ne sommes pas venus vous déranger dans votre travail.

Sentant l'angoisse de ses compagnons dans la Force mais incapable de prendre une décision quant à l'attitude à adopter, Cilghal pénétra tout de même dans la salle. Elle alla jusqu'à un placard où elle avait rangé la combinaison de cryo-protection qu'elle devait revêtir afin d'aller collecter ses échantillons.

— Quelqu'un d'autre est mort ? demanda-t-elle, craignant d'entendre une réponse affirmative.

— Lusa, répondit Anakin d'une voix défaillante. (Lusa était l'une de leurs proches amies de l'académie de Yavin Quatre. Une femme Chironienne, amoureuse de la nature. Anakin fit un geste vague en direction des carcasses gelées dans la chambre d'analyse.) Elle a été traquée par une meute de voxyns.

— On vient juste d'apprendre la nouvelle par subspace, ajouta Tahiri. Elle était près de chez elle, tranquille, et se promenait dans les prés.

— Elle était censée être en sécurité, ajouta Jaina, dégageant enfin son visage des bras de Lowbacca. Chiron est à des années-lumière des Yuuzhan Vong.

Cilghal ressentit un violent sentiment de culpabilité.

— Je suis vraiment désolée de ne pas avancer plus vite dans mes recherches. J'ai appris beaucoup de choses à propos de ces créatures, mais rien qui puisse nous être réellement utile.

Raynar marmonna une suggestion. Elle n'avait qu'à travailler plus ardemment. Par respect pour sa douleur, Cilghal fit comme si elle n'avait rien entendu et commença à enfiler sa combinaison de cryo-protection.

Lowbacca, lui, ne resta pas indifférent. Il gronda doucement une réprimande à l'attention du jeune Jedi, insistant sur son manque de correction. Raynar se tourna et voulut dire quelque chose, mais les mots demeurèrent coincés dans sa gorge et il reposa les yeux sur la chambre froide.

Jaina s'écarta de Lowbacca et posa une main sur le bras de Raynar avant de se tourner vers Cilghal.

— Veuillez excuser Raynar, chère Cilghal. Lusa et lui étaient très proches. (Les yeux de Jaina étaient gonflés de larmes, mais Cilghal devina que les petites veinules qui les striaient de rouge étaient dues à la colère.) Personne ne vous en veut. Les Jedi se font massacrer et le Sénat nous accuse de lui faire perdre la guerre. De temps en temps, je pense que nous devrions tous émigrer dans les Territoires Inconnus et abandonner la République aux Yuuzhan Vong.

— Je comprends, dit Cilghal. (La peine, surtout chez les jeunes, avait besoin de s'extérioriser, sinon elle pouvait causer la perte de celui qui la nourrissait trop longtemps en son sein.) Mais que ferons-nous lorsque les Yuuzhan Vong viendront nous traquer là-bas ?

Le regard de Jaina se durcit, mais elle hocha la tête.

— Oui, je sais… Et puis nous n'avons aucune garantie que les Chiss nous y accueillent à bras ouverts…

— Alors, je suppose que nous devons trouver un moyen de défendre farouchement cette partie de la galaxie. (Cilghal manqua de tomber en se coinçant un pied dans l'une des jambes de sa combinaison de cryo-protection.) Si nous le pouvons…

— Mais ces créatures doivent bien avoir un point, faible, non ? demanda Tahiri. Les Hommes des Sables disent que tout le monde possède un point faible. Tout le monde sauf eux, évidemment.

— Pour l'instant, je n'ai découvert aucune faiblesse chez les voxyns, répondit Cilghal. Comme nous le suspections, ils sont à la fois adaptés à la vie dans cette galaxie et à la vie dans celle des

Yuuzhan Vong. Mais je n'ai rien découvert de plus. Il y a tant de questions qui restent sans réponses.

— Vous êtes fatiguée, dit Tenel Ka, se rapprochant de la scientifique pour l'aider maladroitement à enfiler le bras de sa combinaison de protection. Laissez-moi vous aider.

— Peut-être qu'elle devrait aller se reposer, dit Anakin, se retournant et révélant des yeux aussi rouges que ceux de Tenel Ka. Difficile de penser correctement quand on a du mal à tenir debout.

Cilghal sourit en percevant l'inquiétude du jeune homme.

— Tu as raison, bien entendu, mais je n'arriverai pas à trouver le sommeil tant que des gens mourront. (Elle passa son bras dans la seconde manche.) Alors, autant me remettre au travail.

— Est-ce qu'on peut vous aider à quelque chose ? demanda Tenel Ka. Nous devons aller prendre notre tour de garde d'ici une heure, mais…

— Vous pouvez toujours observer comment je procède, répondit Cilghal. Peut-être que vous parviendrez à découvrir comment je contamine les échantillons.

— Les contaminer ? demanda Tahiri. Que voulez-vous dire ?

— Leur code génétique se comporte toujours de la même façon, dit Cilghal. Cela ne vient pas de l'équipement, j'ai vérifié. C'est donc que je dois contaminer les échantillons d'une manière ou d'une autre lorsque je les prélève.

Tenel Ka tourna les yeux vers ses amis. Elle posa une main sur le bras de Cilghal, l'empêchant involontairement de refermer sa combinaison de cryo-protection.

— Combien de fois avez-vous essayé, Cilghal ?

— Quatre fois, répondit celle-ci.

— Et le code est toujours le même ? demanda Jaina. Exactement le même ?

Cilghal hocha la tête, essayant, avec difficulté, de deviner où les jeunes Jedi voulaient en venir.

— Même chose lorsque Tekli procède aux prélèvements. (Tekli était son apprentie. Une jeune Chadra-Fan à peine plus âgée que Jaina.) Je crois que nous commettons une erreur systématique à un moment donné.

— Et si ce n'était pas le cas ? demanda Tenel Ka.

Une vague de lassitude submergea Cilghal et elle secoua la tête.

— Non, nous faisons une erreur, c'est sûr. Il n'existe pas deux séquences génétiques parfaitement identiques. Il y a toujours des différences.

— Pas toujours, dit Jaina.

Cilghal plissa le front et sentit que sa peau était en train de virer au vert pâle.

— Des clones ? s'étrangla-t-elle. Les voxyns sont clonés !

— Pourquoi se donner tant de peine ? demanda Tenel Ka. Est-ce que ce ne serait pas plus simple de les élever de façon plus traditionnelle ?

— Probablement. (Les pensées de Cilghal se mirent à défiler à la vitesse de la lumière.) A moins qu'ils ne disposent que d'un seul sujet…

Les yeux d'Anakin scintillèrent sous le coup de l'excitation. Ou, peut-être, de la détermination.

— Ça pourrait bien représenter une faiblesse, ça…

— Mais ces voxyns sont arrivés en même temps, observa Tenel Ka. Comment être sûrs qu'un autre groupe de ces créatures ne puisse pas provenir d'une matrice différente ?

Cilghal réfléchit à la question pendant quelques instants, passant en revue tous les tests – scientifiques ou utilisant la Force – auxquels elle pourrait procéder. Au bout d'un moment, elle en arriva à la seule conclusion possible.

— Aucun moyen de s'en assurer, dit-elle, tant que nous ne disposerons que d'un seul jeu d'échantillons.

— Alors nous avons besoin d'échantillons supplémentaires, dit Anakin. (Il était déjà arrivé à la porte. Se retournant, il constata que seule Tahiri le suivait. Il foudroya les autres du regard.) Et tout de suite !

9

Le signal était inégal et chargé de parasites, mais suffisamment clair. La sobre voix familière du journaliste Corellien s'éleva à l'intérieur du cockpit d'Anakin :

« Viqi Shesh, sénateur de Kuat, a déclaré avec un optimisme prudent que la Nouvelle République était prête à recevoir l'émissaire... »

Anakin bascula sur un autre canal afin de s'adresser à son petit détachement :

— Dites ? Vous entendez ça ? (Le groupe s'était posé sur un astéroïde flottant en périphérie du système Froz. Ils avaient éteint leurs moteurs et surveillaient discrètement les va-et-vient du trafic. Puisque Kyp Durron avait l'habitude de venir s'approvisionner ici, l'endroit semblait parfaitement indiqué pour essayer de trouver les voxyns dont Cilghal avait besoin.) Les Yuuzhan Vong ont décidé finalement d'envoyer un ambassadeur...

— Coupe l'intercom, ordonna Jaina. (Anakin était à la tête de cette mission, mais, en tant que pilote vétéran de l'Escadron Rogue, Jaina était chargée de superviser tout l'aspect tactique. Comme Luke le leur avait expliqué avant qu'ils ne quittent la base Eclipse, Anakin décidait de ce qu'il fallait faire et Jaina de la façon de procéder.) A tous, restez passifs ! Aucune émission, même pour des conversations anodines. On ne sait pas qui pourrait être à l'écoute.

Anakin fit cliqueter son micro en guise d'approbation. La voix écœurante de Viqi Shesh se substitua à celle du journaliste :

« Je serais la dernière à pardonner à quiconque pactiserait avec ces assassins, mais je pense qu'il est grand temps que nous ayons la possibilité de nous entretenir avec eux, dit-elle. Si nous pouvons faire comprendre à nos ennemis que la Nouvelle République n'exerce aucun contrôle sur les Jedi, alors, peut-être que les Yuuzhan Vong se contenteront d'exercer leur pouvoir sur des cibles plus judicieusement choisies...

— Mais essayer de faire comprendre quoi que ce soit aux Yuuzhan Vong, est-ce que cela ne signifierait pas les aider à découvrir l'emplacement de la base secrète des Jedi ? demanda le journaliste. N'est-ce pas là la raison pour laquelle ils ont commencé par capturer des otages ?

— Je suis une sympathisante des Jedi depuis que j'ai rejoint le Sénat, mais, dans ce cas précis, je dois avouer que Luke Skywalker ne pense qu'à lui et à ses disciples. Les actes irréfléchis des Jedi ont mis en péril la vie des citoyens d'une planète tout entière. Et, maintenant, il refuse d'en assumer la responsabilité. »

— Qu'est-ce que vous dites de ça ? demanda Zekk, ignorant l'ordre de Jaina de conserver le silence radio. (Au cours de leurs jeunes années, lui et Jaina avaient été très proches, mais, lorsqu'elle avait décidé de rejoindre l'Escadron Rogue, leurs routes s'étaient séparées. Il semblait mettre un point d'honneur à essayer de l'importuner aussi souvent que possible.) Les Yuuzhan Vong menacent la vie de milliards de gens et c'est nous qui devons porter le chapeau ?

— Chasseur de Primes ? Qu'est-ce que je viens de dire ?

— Une minute ! dit Tenel Ka. (En compagnie de Lowbacca, Raynar et Ulaha Kore – qui, en plus d'être une musicienne hors pair, n'avait pas son pareil comme analyste tactique épaulée par la Force –, Tenel Ka supervisait leur plate-forme de capteurs, installée à bord d'une barge d'assaut modifiée baptisée *Gros Yeux*.) Nous captons un signal à l'entrée du système. Leur transpondeur les identifie comme étant le cargo *Reine de Célérité*.

Tenel Ka transmit les coordonnées à tous les droïdes-astro-mécaniciens des Ailes-X avant d'ajouter :

— Un deuxième appareil vient de quitter l'hyperespace. Son cap est en train de converger vers le premier.

— Un Interdictor ennemi ? demanda Jaina.

C'était là l'une des tactiques préférées des forces d'interdiction Yuuzhan Vong. Leurs appareils demeuraient tapis dans un système qu'on leur avait au préalable assigné, puis ils fondaient sur leurs proies en réalisant de très courts sauts dans l'hyperespace.

Tenel Ka fut très rapide à confirmer la déduction de Jaina.

— Le signal ne correspond à rien sur nos capteurs. Aucune émission ionique. D'après la masse, il est de la taille d'une corvette.

— Anakin ? demanda Jaina.

— Une petite minute.

Etant, au sein du groupe, le plus apte à manipuler la Force, Anakin se concentra et projeta sa perception à la limite des concentrations de population dans le système Froz. Il ne ressentit la présence d'aucun voxyn à bord de la corvette. Il ne perçut pas non plus la présence de Yuuzhan Vong. Ce n'était guère surprenant. Grâce au cristal vivant qu'il avait dérobé dans une base ennemie sur Yavin Quatre, il était capable de discerner les Yuuzhan Vong, d'une façon différente, plus vague que celle qui permettait aux Jedi de ressentir la présence des êtres vivants. Mais sa perception à cette distance était beaucoup trop faible et il ne parvint qu'à discerner, pas très distinctement, une sorte de masse concentrée. Il fut très surpris de détecter une présence plus ordinaire, tapie sur une lune désolée et gelée en bordure du système. Une présence qui, elle-même, fut surprise de percevoir l'onde de Force projetée par le jeune homme.

— Voxyn : négatif, signala-t-il. Mais il y a quelque chose sur cette lune qui croise en orbite douze. Je n'arrive pas à voir ce que c'est. Mais ce ne sont pas des Yuuzhan Vong.

— Nous n'avons rien senti d'affamé, annonça la voix rocailleuse de l'un des apprentis Barabel de Saba Sebatyne. (Anakin avait hésité à emmener avec lui ces nouveaux venus. Luke lui avait pourtant rappelé qu'ils avaient survécu à plus de cinquante batailles spatiales, pilotant d'antiques Ailes-Y pour le compte des Chevaliers Errants. Durant le voyage vers Froz, ils s'étaient tous révélés parfaitement rompus au pilotage des nouveaux XJ3, des modèles spéciaux d'Ailes-X les plus sophistiqués qui soient, équipés de lasers à répétition programmables, de systèmes de torpilles à protons à leurres modifiés et de boucliers extrêmement résistants.) Pourtant, nous pouvons vous confirmer que la présence sur l'orbite douze est bien humaine.

Incapable de savoir si le Barabel essayait de se moquer de lui ou bien de se rendre utile, Anakin préféra choisir la seconde option.

— Heu… Merci pour le renseignement, heu… C'est Numéro Un ?

Il se produisit un sifflement syncopé qui devait correspondre à un éclat de rire.

— Non. Queue Numéro Deux !

Anakin sentit le rouge lui monter aux joues.

— Ah… Désolé.

Queue Numéro Un était le mâle, Tesar Sebatyne. Numéro Deux et Numéro Trois étaient Bela et Krasov Hara. Elles n'étaient pas sœurs, insistaient-elles, mais compagnes de portée. Peu importait ce que cela signifiait, leur sens de l'humour faisait toujours frissonner Anakin. C'étaient elles qui avaient suggéré « Queue » comme nom de code et, pour une raison que personne ne comprenait, les Barabel semblaient trouver cela hilarant.

Raynar intervint, mettant fin à l'embarras d'Anakin :

— Pourquoi restons-nous ici à attendre ? Faisons quelque chose !

— On ne peut pas désobéir, dit Anakin. (Il était tout aussi impatient que Raynar de venger la mort de Lusa, mais Luke leur avait ordonné de se concentrer sur la mission. Sachant que Viqi Shesh et ses alliés défendaient l'idée que les Jedi devaient se rendre dans l'intérêt de tous, le moindre petit incident aurait vite fait de retourner l'intégralité du Sénat contre eux.) Et puis, la *Reine de Célérité* peut certainement se débrouiller sans nous. Si les Yuuzhan Vong nous voient intervenir, ils ouvriront le feu et s'enfuiront. Autant les laisser procéder à leurs petites recherches.

— Effectivement, annonça Tenel Ka. Ils viennent de se servir de leurs basals dovins pour forcer la *Reine de Célérité* à stopper ses machines. Un petit détachement s'approche d'elle.

Un trio de signaux lumineux, un rouge marquant l'appareil de la Nouvelle République et deux bleus indiquant des Yuuzhan Vong, apparut sur l'écran tactique d'Anakin. Il demanda à son droïde-astromécanicien, Cinq, de rassembler toutes les données techniques et ne put que confirmer ce qu'avait annoncé Tenel Ka. Même les Yuuzhan Vong ne détruisaient pas systématiquement tous les vaisseaux qu'ils croisaient sur leur route. Si un appareil ne transportait ni matériel de guerre ni Jedi, ils le laissaient partir dans l'espoir de le capturer à nouveau, sur le chemin du retour, avec une cargaison de réfugiés.

Une voix rocailleuse de Barabel, qu'Anakin attribua à Krasov, s'éleva :

— Anakin, nous sentons... Nous sentons que quelqu'un est en train de désobéir aux ordres de ton oncle-maître.

Quelques instants plus tard, un essaim de signaux apparut sur l'écran du capteur d'Anakin.

— *Gros Yeux* ? appela le jeune homme.

— Un détachement d'Ailes-X, déclara Tenel Ka. Douze XJ3.

— Probabilité à quatre-vingt-dix-neuf pour... commença Ulaha avant de marquer une pause. Eh bien, plus aucun doute, il s'agit de Kyp et de ses Apôtres.

— *Gros Yeux*, ouvrez une voie de communication sécurisée, dit Anakin. Et préparez les coordonnées pour un micro-saut.

— Anakin, l'avertit Jaina. Souviens-toi que...

— Juste au cas où... l'interrompit-il. (Le signal de communication subspatial s'alluma sur sa console. Il s'empara de son micro et activa la transmission.) Détachement d'Ailes-X, vous savez qui vous parle...

Il projeta une onde de la Force pour s'identifier et sentit en réponse une présence au moins aussi puissante que la sienne.

— Je vous demande de rompre la formation, dit-il. Vous risqueriez de nous attirer à tous des ennuis.

— Des ennuis, c'est vrai, répondit la voix familière de Kyp Durron. Mais pas pour tout le monde.

Sur l'écran tactique d'Anakin, le signal de la navette d'assaut des Yuuzhan Vong se mit à bourdonner, puis se volatilisa. Elle avait simplement disparu. Aucun signe d'attaque de la part des Ailes-X. Aucune traînée de réacteur, aucun éclair d'énergie. Rien.

— *Gros Yeux* ? demanda Anakin. Est-ce que quelque chose ne va pas avec...

La corvette riposta alors de tous ses canons à plasma tout en décochant des missiles de magma. Le moniteur d'Anakin se stria de rayures rouges. La batterie de senseurs de *Gros Yeux* semblait parfaitement fonctionner. Kyp avait réussi à détruire la première navette. Mais comment ? Avec la Force. Cela ne semblait guère possible. Seul le plus puissant de tous les Jedi pourrait s'en servir ainsi. Et seuls les Jedi Noirs s'autorisaient à le faire. Se servir de la Force pour tuer entraînait un Jedi vers la corruption, lui donnait la soif du pouvoir. Enfin, c'était ce que Luke leur avait dit. Anakin savait que Luke et Mara avaient été fort déçus par leur dernier entretien avec Kyp Durron. Peut-être était-ce là la raison.

Les Apôtres commencèrent à virevolter et à riposter, lacérant l'écran tactique des éclairs de feu de leurs lasers. Des balles de plasma ennemies éclatèrent contre leurs boucliers déflecteurs ou rebondirent avant de disparaître. Le signal de la corvette fut alors submergé par les parasites. Anakin pensa qu'il devait s'agir d'un tir de torpilles à protons, mais, une fois encore, son moniteur ne lui signala aucune traînée de réacteur.

Lorsque les parasites cessèrent, la corvette était toujours là. Mais ses tirs s'espacèrent et faiblirent considérablement. Les Ailes-X XJ3 fusèrent sur elle, la dardant de rayons laser, finissant leur travail à grands coups de torpilles à protons. Cette fois, des traînées apparurent sur l'écran d'Anakin.

La voix de Kyp s'éleva alors sur le canal subspatial :

— Tu vois ? Pas de problème...

La *Reine de Célérité* alluma ses moteurs subluminiques et commença à prendre la tangente. Même si Anakin savait que ce genre d'attaques aléatoires pouvait, à terme, se révéler fort peu bénéfique pour la Nouvelle République et les Jedi, la mort de Lusa était encore trop fraîche dans son esprit pour qu'il ne se sente pas néanmoins satisfait.

— Joli coup, reconnut-il.

Il était sur le point de demander des éclaircissements sur les deux explosions mystérieuses lorsque la voix de Tenel Ka s'éleva sur le canal de communication de l'escadron :

— Nouveaux contacts en approche, lança-t-elle. Deux… Non, trois vaisseaux. Ils ont l'air un peu plus gros.

Cinq siffla un signal d'alarme en affichant les témoins sur le moniteur d'Anakin. Les trois signaux étaient disposés selon la technique du triangle empilé : un appareil au-dessus, un autre à niveau et le dernier en dessous du plan tactique des Apôtres. Chaque vaisseau était en position pour que sa ligne de mire ne soit pas obstruée par les deux autres. Anakin s'apprêtait à demander une projection tactique lorsque des lignes de données s'affichèrent sous chacun des appareils, les identifiant tous trois comme des frégates d'assaut, lentes et pataudes, mais puissamment armées et fort bien protégées.

— Une embuscade ! cria Anakin.

— Effectivement ! annonça Tenel Ka. Ils viennent de lancer leurs coraux skippers.

Des nuées de signaux très faibles jaillirent des trois frégates et foncèrent vers le site de la bataille. La plupart prirent position autour de la zone de feu et une demi-douzaine se lancèrent à la poursuite de la *Reine de Célérité*.

Les Apôtres rompirent la formation. Les gros vaisseaux répondirent par une volée de missiles de lave perforante. Deux des Ailes-X de Kyp étincelèrent brièvement avant de se volatiliser.

Anakin était déjà en train de décoller de l'astéroïde.

— Un instant, Anakin, dit Jaina. (En dépit de son ordre, l'Aile-X continuait sa progression et remontait la ligne des autres chasseurs.) Nous ne sommes pas vraiment en train de suivre les ordres, là…

— Mais nous ne sommes pas non plus en train de désobéir, non ? demanda Anakin. (Il ne savait pas réellement ce que son oncle voulait. Il ne savait pas non plus si Kyp avait, ou non, basculé vers le Côté Obscur. Luke, de toute façon, ne souhaitait pas qu'il se fasse tuer et encore moins capturer.) On ne peut pas les laisser attraper à nouveau l'un d'entre nous. Pas après la mort de Lusa.

— C'est différent, dit Tenel Ka. On peut avancer l'argument que Kyp seul a déclenché tout ceci.

— Peut-être, dit Anakin.

Il s'accorda un court moment de réflexion. Les gens l'accusaient de n'en faire qu'à sa tête depuis Yavin Quatre et il ne souhaitait pas leur donner raison. D'un autre côté, il avait déjà pris sa décision.

— Est-ce vraiment l'argument que tu veux soutenir ? demanda-t-il.

Tenel Ka demeura silencieuse pendant quelques instants. Puis la barge d'assaut décolla à son tour.

— Non, dit-elle enfin.

— Très bien, on y va. Jaina, dis-nous comment procéder.

L'escadron se rassembla autour de *Gros Yeux*.

— Notre micro-saut va nous amener juste derrière la frégate inférieure, dit-elle. Alors, pas de fantaisies, ne vous laissez pas emporter par votre élan. Pratiquez une brèche d'évasion dans leurs défenses et mettez le cap sur la base. Les Queues, vous assurez la couverture. Je ne veux pas vous vexer, mais nous n'avons pas encore eu l'occasion de travailler ensemble.

— Pas de problème, Sticks, dit l'un des Barabel. (Craignant de ne pas réagir à temps à l'appel d'un autre nom de code, Jaina avait demandé à l'escadron d'utiliser son ancien surnom, datant de l'époque où elle servait les Rogue.) Nous sommes très honorés d'assurer votre protection. Est-ce que Queue Numéro Un pourrait suggérer quelque chose ?

Tenel Ka commença le compte à rebours.

— Tu as sept secondes, Numéro Un, dit Jaina.

— Leurs équipes d'artilleurs vous tourneront le dos quand vous sortirez de l'hyperespace. Si vous envoyez la barge d'assaut dès le premier passage…

— Compris. C'est risqué, mais ça pourrait marcher si on agit vite, répondit Jaina. Ménestrel ? Les probabilités ?

— Probabilité de succès… Quatre-vingt-deux pour cent. Marge d'erreur…

Lowbacca approuva le plan des Barabel en poussant un grondement.

— … Deux, un, zéro ! annonça Tenel Ka.

Anakin mit les gaz et enclencha son hyperdrive. Les étoiles se déformèrent et s'étirèrent en lignes convergentes. Deux secondes plus tard, ayant parcouru près de la moitié du système stellaire, Cinq sifflota pour annoncer qu'ils étaient arrivés. Pour éviter d'être indisposé par le retour en espace réel, Anakin ferma les yeux. Il projeta une onde de la Force et sentit son escadron en formation derrière lui. Kyp et ses Apôtres se trouvaient à quelque distance de là, légèrement en retrait sur la gauche. Les appareils évoluaient dans la zone des combats, évitant les balles de plasma et les missiles au magma. Maintenant qu'il était suffisamment proche, Anakin perçut également la présence des Yuuzhan Vong dans la bataille. Une perturbation peu distincte, juste assez puissante pour détourner son attention à un moment aussi crucial. Il fut, l'espace d'un instant, tenté de démonter le cristal de concentration de son sabre laser. En pleine bataille spatiale, il n'était pas recommandé de se laisser distraire.

L'Aile-X vira brusquement sur la droite. Cinq, travaillant en équipe avec les autres droïdes-astromécaniciens de l'escadron, aligna l'appareil sur les cibles potentielles. Ayant repoussé à présent tout risque d'être déboussolé, Anakin ouvrit les yeux et aperçut les combats qui se déroulaient devant lui en un enchevêtrement de couleurs étincelantes.

— Tout le monde est prêt ? demanda Jaina.

Anakin appuya sur la commande de son micro pour répondre par l'affirmative et compta les signaux lancés par les autres membres du groupe. Par le truchement de la Force, il perçut chez sa sœur une drôle de résignation, qui n'avait rien à voir avec la sensation d'excitation, chargée d'adrénaline, que lui-même ressentait. Elle paraissait plus lasse que tendue, presque détachée. Peut-être était-ce ainsi que les as du pilotage survivaient à tant de batailles cosmiques. A moins que ce ne soit le lourd prix à payer pour être toujours en vie, le résultat d'un excès de stress. Peut-être que les politiciens du Sénat n'étaient pas la seule raison pour laquelle Jaina avait quitté l'Escadron Rogue de façon presque permanente. Peut-être les chirurgiens avaient-ils suggéré à Gavin qu'elle avait besoin d'un repos prolongé.

— Cinq ? Ouvre un canal privé avec Jaina.

Avant que le droïde n'exécute l'ordre, Jaina déclara :

— Nous sommes tous là, prêts au combat. Vous avez le feu vert, Jedi, bonne chasse !

Son Aile-X fit un bond en avant et fila vers le panorama strié de lumière qui, à présent, emplissait toute la verrière du cockpit d'Anakin. Repoussant l'idée de suggérer à sa sœur de rester en retrait, le jeune homme activa sa batterie d'armement et sélectionna ses canons laser. La cible apparut devant lui. D'abord une silhouette massive, occultant les étoiles, se transformant peu à peu en un mégalithe de ténèbres, crachant plasma et magma dans le maelström des combats.

Jaina plongea à la rencontre du premier corail skipper sur le point d'intercepter les Jedi. L'appareil ennemi dut bientôt virevolter en tous sens pour éviter les tirs de la jeune femme. Le pilote transféra toute la puissance au basal dovin pour renforcer ses protections au lieu de passer à l'attaque. C'était un mauvais calcul. Jaina esquiva les quelques balles de plasma tirées vers elle et décocha au skip une volée de tirs à répétition. Lorsque l'un des rayons toucha sa cible, elle chargea immédiatement ses batteries à fond et pressa la détente.

— Ça, c'est du tir ! s'exclama Zekk.

— Coupe ta radio, Chasseur de Primes ! ordonna Jaina.

Zekk éteignit son microphone.

Rien ne s'interposant entre lui et la frégate, Anakin opta pour les torpilles à protons et aligna son collimateur de visée sur la proue du navire. Tesar avait vu juste au sujet des artilleurs. Les nodules à plasma et les lanceurs de projectiles, installés de ce côté du vaisseau, ne semblaient pas réagir.

— Cinq ? Tu peux vérifier ce qui se passe du côté de la *Reine de Célérité* ?

Cinq afficha l'image du vaisseau en question sur l'écran tactique. Les coraux skippers étaient en train d'assaillir la *Reine de Célérité* de toutes parts.

— Pas terrible, grogna Anakin. Pas terrible du tout, même. Ça va autant amuser Oncle Luke que son combat contre le rancor...

Cinq afficha une ligne de données indiquant le temps qu'il faudrait aux skippers pour revenir vers leur base d'origine. Certes, ils ne se trouvaient pas dans la zone des combats, mais ils pouvaient encore couper la retraite aux Jedi.

— Garde l'œil sur eux...

Cinq sifflota une réponse affirmative, puis le collimateur de visée d'Anakin clignota, indiquant que la portée était réglée pour les torpilles. La frégate emplissait à présent toute la verrière. Anakin ne pouvait voir qu'un rocher pareil à un astéroïde.

— Anakin, paré, annonça-t-il.

— Chasseur de Primes, paré, dit Zekk. On fait l'aller-retour ?

— Passe devant.

Une douzaine de cercles blancs – trois torpilles à protons et les leurres nécessaires – fusèrent en éventail vers les flancs de la frégate. Les Yuuzhan Vong activèrent leurs basals dovins à concentration de gravité, projetant une chaîne de trous noirs miniatures, avalant tout ce qui passait à leur portée. Zekk enclencha alors ses canons laser et arrosa la frégate de tirs en rafales. Au cours des deux années qui venaient de s'écouler, les combats entre la Nouvelle République et les Yuuzhan Vong avaient évolué en une sorte de jeu de bluff, chaque camp essayant d'obliger l'autre à gaspiller ses réserves limitées de puissance sur des opérations de défense inutiles et des attaques inefficaces. La modification des XJ3 avait été prévue pour permettre aux pilotes de vaincre à ce jeu.

Anakin décocha sa salve de torpilles, puis changea

brusquement d'armement et envoya des rafales de laser. Les équipes de défense Yuuzhan Vong mirent un peu de temps à réagir face à ces attaques. Les capteurs de proximité des torpilles firent exploser les projectiles à quelques mètres du vaisseau. La coque se couvrit de cercles incandescents. Par l'une des fissures commença à s'échapper une colonne d'oxygène. Anakin frappa à nouveau la brèche à l'aide de deux décharges de laser. Des cadavres et de l'équipement jaillirent par l'ouverture et tournoyèrent dans le vide intersidéral. Zekk intervint, décochant un tir simultané de ses quatre canons d'ailes. Des explosions se produisirent à l'intérieur de la frégate. Les deux chasseurs Jedi, parvenus trop près de leur cible, durent virer de cap.

Anakin sentit que des yeux Yuuzhan Vong étaient braqués sur lui. Le cristal lambent, dérobé aux Vong, pouvait aussi rendre des services. Il tourna brusquement vers la droite. Un missile de magma, jailli de la partie inférieure de la frégate, le frôla en tourbillonnant. Anakin sentit, dans la Force, que sa réaction venait de trouver un écho. Il jeta un coup d'œil à son moniteur et aperçut Zekk changer lui aussi brusquement de cap pour se glisser entre son chasseur et un autre missile de roche en fusion.

— Merci du tuyau ! tonna Zekk.

Une paire de skippers fit irruption de sous la frégate et vola à leur rencontre, leurs canons volcans ouvrirent le feu et décochèrent des balles de plasma en direction de la barge d'assaut.

Anakin entreprit de faire demi-tour.

— Attrapons-les !

— Négatif, les garçons ! (L'Aile-X de Jaina apparut derrière les deux skips et releva le nez, prête à tirer.) Occupez-vous plutôt des deux qui sont en train de passer par-dessous.

Elle ouvrit le feu. Une seule torpille à protons poursuivit le skipper le plus proche. Inutile de suivre l'action sur le moniteur tactique. Avec Jaina sur leurs talons, les Yuuzhan Vong pouvaient déjà être considérés comme morts. Anakin et Zekk plongèrent sous la frégate, zigzaguant au milieu d'une tornade de missiles au magma. Ils contournèrent la partie inférieure du vaisseau avant que les artilleurs Vong puissent riposter correctement. A trois cents mètres de là, deux skips remontaient en chandelle vers *Gros Yeux*, essuyant le feu nourri des énormes canons laser de la barge d'assaut.

Anakin sentit que Zekk le recherchait dans la Force. Il associa ses quatre canons d'ailes et aligna son collimateur de visée. Pilote de tête, paré ! Ils appuyèrent simultanément sur leurs détentes. Leurs armes étincelèrent simultanément. Et les skips furent désintégrés. Simultanément.

— Très joli coup, annonça Tenel Ka. Maintenant, dégagez le passage...

Anakin appuya sur sa commande des gaz. Il aurait dû rester un dernier corail skipper, mais rien n'apparaissait sur les écrans.

— Où est passé le dernier skip ? demanda-t-il.

— Je l'ai eu, répondit Jaina. En passant par en dessous...

Cinq émit un sifflement.

— Eh oui, tous les quatre ! lui répondit Anakin. On dirait que cela ne l'excite même plus.

La barge d'assaut illumina les ténèbres cosmiques de rayons colorés. Anakin posa les yeux sur son écran de surveillance arrière et vit les équipes Vong chargées des boucliers encaisser la première salve. Une deuxième volée de missiles fusa vers la frégate. Quatre échappèrent aux batteries de défense. L'un d'entre eux pénétra par la brèche précédemment ouverte par Anakin et Zekk. L'explosion traversa le vaisseau de part en part, produisant une ouverture dans le flanc opposé de l'appareil. La troisième salve cassa le vaisseau en deux. L'engin bascula sur lui-même. De la vapeur et des cadavres s'échappèrent au milieu des innombrables débris.

Anakin exécuta un demi-tour pour revenir vers le lieu des combats. Il aperçut une autre frégate qui s'apprêtait à couper la route aux Apôtres. *Gros Yeux* lança toutes ses torpilles et, sachant qu'il n'était pas de taille à affronter son adversaire, plus imposant, battit en retraite. Jaina ouvrit la route à Anakin et Zekk au milieu de la tempête de feu. Soudain, la voix de Kyp s'éleva dans les canaux de communication :

— C'est bon, Sticks, tu en as assez fait. On se charge du reste.

— C'est cela, répondit Jaina d'un ton sarcastique, probablement parce qu'elle venait de constater que les missiles tirés par la barge d'assaut, victimes d'une perturbation gravifique, étaient en train de dévier de leur cap. Et tu crois qu'ils vont te laisser passer comme ça ?

— Non, pas exactement *comme ça*…

Un éclair aveuglant illumina la proue de la frégate, incendiant le pont de commandement. Le vaisseau, hors de combat, se mit à dériver dans l'espace. Les huit survivants du groupe des Apôtres lancèrent une volée de torpilles sur l'appareil endommagé, puis changèrent brusquement de cap pour quitter la zone de tir et s'assurer une avance confortable sur les coraux skippers lancés à leur poursuite.

— Kyp ? s'étrangla Anakin. Mais comment as-tu…

— La Force.

La réponse avait été brusque. Même sans avoir recours à la Force, Anakin avait très bien deviné la colère de Kyp d'avoir perdu autant d'hommes dans cette échauffourée. Les deux groupes se rejoignirent à quelque distance de là et conservèrent un silence glacé. Auparavant, Kyp avait déjà eu l'occasion de céder à sa colère et tous les Jedi connaissaient le danger que cela pouvait représenter.

Mais Anakin se posait des questions. Sur Yavin Quatre, un paria Yuuzhan Vong avait trahi son peuple et aidé Anakin à sauver Tahiri. Il y avait un Côté Obscur à tout, même en dehors de la Force. La puissance de la volonté pouvait autant compter que la pureté du cœur. Aujourd'hui, plus que jamais, il semblait au jeune homme que la Force était un outil parmi tant d'autres et qu'il fallait utiliser cet outil pour le bien de tous. Et si Kyp Durron avait découvert un moyen d'utiliser la Force pour détruire les vaisseaux ennemis, il paraissait évident pour Anakin qu'une enquête devait s'ouvrir sur Eclipse. Il était fort possible qu'un Jedi puissant, doté d'une grande volonté et d'un cœur pur, soit à même d'en user sans sombrer dans le Côté Obscur.

Kyp laissa le silence perdurer sur les canaux de communication jusqu'à ce que le groupe ait totalement échappé à ses poursuivants.

— Anakin ? demanda-t-il enfin. Est-ce que ces explosions t'ont fait penser à quelque chose ?

— Leur signature spectographique correspondait à celles des torpilles à protons, avança Tenel Ka, soucieuse d'aider son partenaire. Mais il n'y avait aucune trace de réacteur.

— Et qu'est-ce que ça vous indique ? demanda Kyp d'un ton narquois. Réfléchissez un peu. « La taille ne compte pas », et tout ce genre de choses...

— Télékinésie ? s'étrangla Anakin. Tu t'es servi de la Force pour propulser les torpilles ?

— Je ne suis pas aussi rapide qu'un combustible de propulsion, enfin pas encore ! Mais les Yuuzhan Vong ont des difficultés à repérer les torpilles à protons lorsque celles-ci ne sont pas suivies d'une bonne grosse traînée de gaz bien brillante.

Anakin en fut presque déçu. Il espérait qu'on lui présenterait une quelconque arme secrète, quelque chose que les Yuuzhan Vong, aveugles à la Force, seraient incapables de contrer. Au lieu de cela, il découvrait qu'il ne s'agissait en fait que d'une nouvelle tactique pour avancer les pions sur la planche de jeu, un truc que l'ennemi finirait par comprendre et serait alors à même de déjouer.

Kyp, s'attendant à ce qu'on le félicite pour son intelligence, dut déchanter. Tenel Ka remarqua seulement que cette technique permettrait de faire économiser à la Nouvelle République quelques barils de combustible. C'est alors qu'un signal d'urgence attira le regard d'Anakin vers son moniteur tactique. Cinq modifia l'affichage et lui montra la carcasse de la *Reine de Célérité* dérivant dans l'espace. Les six coraux skippers qui l'avaient détruite mettaient à présent le cap vers le groupe dans l'espoir de couper leur retraite.

— J'ai bien peur que nous n'ayons de la compagnie très bientôt... annonça Tenel Ka.

Les six pilotes de skippers étaient inférieurs en nombre et couraient à une mort certaine. Mais un assaut désespéré permettrait certainement de ralentir les Ailes-X, et le reste du détachement Vong pourrait alors les rattraper. Anakin poussa un juron entre ses dents. Il jura de nouveau lorsqu'il constata que trois chasseurs avaient changé de cap pour filer vers les skips.

— Continue sur ta trajectoire, Anakin, grogna un Barabel. Ça ne prendra pas longtemps. Ils ne sont que six.

Les trois chasseurs, sur le moniteur, fusionnèrent en un seul témoin lumineux et continuèrent leur route vers l'ennemi. Les Yuuzhan Vong seraient bientôt obligés de choisir entre être réduits en pièces ou bien abandonner leurs positions. Sans que cela surprenne personne, ils resserrèrent les rangs et décochèrent stries et tourbillons lumineux mortels vers les Barabel.

Par sa verrière, Anakin discerna à peine la bataille, réduite à quelques têtes d'épingles étincelantes au milieu des ténèbres. Il regarda à nouveau son écran tactique et vit les lignes de tir ennemies se volatiliser à l'approche des appareils des Barabel.

— Mais comment fait-on un truc pareil ? s'étrangla Zekk.

— Apparemment, d'après ce que je vois, ils sont capables de dégommer les missiles *en plein vol* ! annonça Tenel Ka. L'agrandissement optique m'indique soixante-douze pour cent de chance de corrélation entre leurs tirs de laser et la disparition des projectiles.

Anakin était certes impressionné par leur technique de tir, mais pas autant qu'il l'était par leur tactique de vol. Pour fusionner ainsi en un seul témoin lumineux sur l'écran, ils devaient voler l'un au-dessus de l'autre, à moins d'un mètre de distance. Sinon en démoralisant l'ennemi, il n'arrivait pas à comprendre comment une telle façon d'agir pouvait être utile lors d'un combat. Mais il était assurément admiratif.

Soudain, un missile au magma parvint à percer les défenses des trois Aile-X. Anakin, les yeux rivés à son moniteur, attendit l'horrible éclair lui signalant la fin de l'un des trois Barabel, voire des trois en même temps, considérant qu'ils volaient si près les uns des autres.

Il ne se produisit pas. Le missile apparut de nouveau, de l'autre côté du témoin lumineux, suivant une tout autre trajectoire. Quelqu'un avait donc utilisé la Force pour influer sur son vol.

— Il me faut des Jedi comme ça dans mon escadron ! annonça Kyp. Il me faut des Jedi Barabel !

Anakin releva la tête. La bataille était à présent un peu plus claire, évoquant une nuée d'insectes luminescents. Mais le temps venait à manquer et il n'était plus question de rejoindre les Barabel pour les aider.

Les Yuuzhan Vong cessèrent de tirer leurs missiles au magma et se concentrèrent sur les balles de plasma. A la stupéfaction d'Anakin, les Barabel ne gaspillèrent pas leurs efforts à essayer de les éviter. Ils prirent l'attaque de pleine face, encaissant projectile après projectile, continuant de progresser en ligne droite alors que leurs boucliers auraient dû rendre l'âme depuis longtemps.

— Mais comment font-ils ça ? demanda Zekk. Est-ce qu'ils parviennent à se transférer de la puissance entre leurs boucliers respectifs ?

— Non, cela va trop vite. (La voix de Jaina était chargée d'admiration. C'était la première fois depuis le début de la bataille qu'elle manifestait une émotion.) Ils doivent permuter leurs positions. Se relayer à la tête du groupe pendant que les autres rechargent leurs boucliers.

— Effectivement, confirma Tenel Ka. Des pulsations ioniques fluctuantes accompagnent les variations de signature de leurs réacteurs.

— Alors là, je suis vraiment impressionné, dit Anakin.

Un signal Yuuzhan Vong disparut. Les Ailes-X pivotèrent vers un autre appareil ennemi. Celui-ci disparut à son tour. Anakin, guère surpris par la tactique, admira cependant la précision. Les compagnons de portée concentraient leur puissance de feu et submergeaient leur cible sous un flux continu et massif de rayons laser. Un troisième skip se volatilisa. Les survivants convergèrent vers les flancs des chasseurs afin de les prendre en tenailles.

Le signal des Barabel vibra et ralentit. Anakin comprit que les Yuuzhan Vong étaient en train de se servir de leurs basals dovins pour anéantir les boucliers des Ailes-X. Il voulut ouvrir un canal de communication pour crier à ses partenaires d'enclencher les contre-mesures, à savoir éteindre brièvement les déflecteurs pour les rallumer une fraction de seconde plus tard. Mais il n'osa pas troubler la concentration des trois Barabel.

Et ceux-ci lui donnèrent une nouvelle occasion de pousser un cri de stupeur en éteignant complètement leurs répulseurs subluminiques. La distance entre les appareils se réduisit considérablement en un instant. Soudain, chacune des trois Ailes-X se retrouva face à un corail skipper. L'écran tactique se couvrit alors d'un enchevêtrement de traînées lumineuses, témoignant d'une grande quantité de missiles. Ensuite, il n'afficha plus que des parasites. Les explosions protoniques avaient certainement dû brouiller et saturer le signal relayé par la barge d'assaut. Anakin regarda à nouveau par sa verrière et vit un éclair lumineux pareil à celui d'une nova.

Il reposa les yeux sur son moniteur. Rien d'autre que des parasites.

— Cinq ?

Le droïde sifflota et se mit au travail pour filtrer le signal saturé.

— Les Queues ? appela Jaina. Vous êtes là ?

Personne ne répondit, mais Tenel Ka s'empressa d'annoncer :

— Les senseurs sont en train de s'initialiser à nouveau. On dirait que les trois Ailes-X sont toujours là.

— Les Queues, vous êtes là ? répéta Jaina. Numéro Un ? Numéro Deux ? Numéro Trois ?

On lui répondit par une longue mélopée de sifflements qui, chez les Barabel, devait correspondre à des éclats de rire.

— Nous sommes là, Sticks, gronda l'un des compagnons de portée. Un, Deux et Trois...

10

Près d'une centaine de balcons sénatoriaux étaient restés vides en signe de soutien au boycott Ithorien. Les Wookiees arrachaient des morceaux de leurs consoles pour les lancer en direction du pupitre de l'orateur. Là, un hologramme d'un sénateur Thyferran était en train d'exposer un plan en neuf points pour entamer des négociations de paix avec les Yuuzhan Vong. L'intégralité de la délégation consulaire de Talfaglio allait et venait dans les coursives latérales en hurlant, demandant qu'on exige des Jedi qu'ils se rendent en échange de la vie des otages. Balmorra proposait la réalisation gratuite de plates-formes orbitales pour batteries de turbolasers à toutes les planètes susceptibles d'envoyer une flotte à son secours. Quant aux droïdes de sécurité, ils parcouraient la salle en tous sens à la recherche d'un assassin de Dathomir prétendument caché dans l'assistance.

Ce n'était pas dans ces conditions que Borsk Fey'lya aurait aimé accueillir l'émissaire de Tsavong Lah. Il aurait préféré le rencontrer dans le grand hall de réception, autour d'une carafe de bon porto Endorian, à discuter calmement d'une procédure acceptable à suivre pour leur rencontre publique. Mais l'émissaire avait hésité face à une telle invitation, préférant suggérer que le chef de l'Etat vienne l'accueillir à la sortie de son vaisseau. De la part de Fey'lya, cet acte de respect aurait amplifié la fracture qui scindait déjà le Sénat et fait trembler sur ses bases le peu de soutien dont Borsk disposait encore. Ainsi, incapables de parvenir à un compromis, les deux hommes se rencontraient donc pour la première fois dans la grande chambre de convocation du Sénat de la Nouvelle République, sous les yeux de la galaxie tout entière et sans que l'un sache ce que l'autre avait à annoncer. Il s'agissait d'un moment historique, selon l'expression consacrée, l'un de ces moments au cours desquels les empires s'élevaient ou succombaient au gré des paroles des politiciens, un de ces moments où les faveurs de la postérité pouvaient être gagnées ou perdues en une fraction de seconde. Le Chef d'Etat Fey'lya crut qu'il allait rendre son déjeuner.

Le Yuuzhan Vong, ressemblant vaguement à un Jedi dans son manteau à capuche couvrant son armure écarlate en écailles de crabe vonduun, fit durer le plaisir, franchissant les trois cents mètres qui le séparaient de Borsk Fey'lya au pas ralenti d'une limace des marais de Dagobah. L'émissaire n'avait amené aucun garde du corps, donnant ainsi l'impression qu'il n'avait pas besoin d'autre protection que son armure vivante et le long bâton Amphi qu'il tenait à la main. Il ne prêta pas attention aux sifflements et quolibets que de nombreux sénateurs lui adressaient. Il n'accorda même pas un seul regard aux fous qui osaient sortir de la foule pour lui suggérer de s'entretenir en privé avec eux. Le seul moment où il releva la tête fut quand les Togorians lancèrent leurs tasses de caf dans sa direction. Et encore n'accorda-t-il qu'un regard distrait aux droïdes de sécurité qui s'empressèrent de détruire les projectiles en plein vol.

Borsk se dit qu'il aurait dû ordonner au sergent chargé de la sécurité de désarmer le Yuuzhan Vong. Il avait d'abord songé qu'à le voir ainsi faire face à un guerrier armé les spectateurs du réseau HoloNet le considéreraient comme quelqu'un de courageux. Mais il n'en était plus si sûr. Même si les droïdes de surveillance ne manqueraient pas de tirer à vue sur l'émissaire au premier geste d'attaque, Borsk se connaissait suffisamment lui-même pour savoir que, dans ce cas d'espèce, la présence des caméras holographiques ne l'empêcherait pas de détaler à toutes jambes.

Lorsque le Yuuzhan Vong atteignit enfin la zone d'audience principale, il s'arrêta près de l'estrade des orateurs et attendit. Comme les négociateurs en avaient décidé, Borsk Fey'lya descendit de son podium de chef d'Etat et rejoignit son interlocuteur au bas de la scène, se postant en face de lui. Il était suivi de deux membres du Conseil : Viqi Shesh, de Kuat, et Fyor Rodan, de Commenor. Personne n'échangea la moindre politesse ou civilité.

— Je suis Borsk Fey'lya. Je vous ai invité ici pour que nous discutions des otages de Talfaglio.

— Qu'y a-t-il à discuter ? (L'émissaire jeta sa capuche en arrière, révélant son terrible faciès de Yuuzhan Vong.) Les propos que j'ai tenus à Leia Solo étaient pourtant assez clairs, non ?

Le tumulte de la salle d'audience s'estompa petit à petit, cédant la place au ronronnement électrique des banques de données que des assistants consulaires avaient mises en route afin d'identifier le visage et la voix de cet émissaire. Borsk n'avait cependant pas besoin de leur aide. Même s'il n'avait guère eu l'occasion de rencontrer les envahisseurs de visu – il n'en avait, en fait, jamais eu l'occasion –, il avait regardé des centaines de fois l'hologramme de la rencontre de Leia et de l'émissaire sur Bilbringi. Le visage tuméfié de Nom Anor lui était tout aussi familier que son propre visage, même si à présent le sinistre individu s'était fait poser un œil artificiel dans l'orbite vide qu'il arborait si fièrement sur l'enregistrement holographique.

— Leia Solo ne fait plus partie des représentants de ce gouvernement, dit Borsk. (Même si sa fourrure avait tendance à se hérisser, il parvint à conserver une voix calme et résolue.) Si vous avez quelque chose à annoncer à la Nouvelle République, c'est à moi que vous devez le dire.

L'émissaire le dévisagea de son seul œil valide, visiblement surpris par l'impudence de Borsk.

— Vous ne connaissez donc pas nos accords ?

Un murmure indigné parcourut l'assemblée. Les assistants consulaires venaient en effet d'informer leurs supérieurs de l'identité de l'émissaire. Borsk comprit alors qu'il lui fallait agir très vite. Le rôle tenu par Nom Anor lors du conflit entre Rhommamool et Osaria, et pendant la chute de Duro, n'était plus un secret pour personne. Que les Yuuzhan Vong l'aient choisi comme émissaire était une insulte non dissimulée.

— Vos accords ? Je sais que vous menacez de tuer des millions de citoyens de la Nouvelle République, dit Borsk. Je vous ai convoqué afin d'obtenir des explications.

Le murmure dans l'assemblée s'amplifia. Les Wookiees grondèrent leur approbation. Borsk ne fit rien pour calmer les ardeurs, ce que les représentants de Talfaglio interprétèrent comme un encouragement. Ils invitèrent donc leurs alliés à s'élever contre les Wookiees. Un fracas assourdissant de voix s'éleva alors des rangs de ceux qui soutenaient les Jedi et Borsk en conclut qu'il avait peut-être trouvé un moyen d'asseoir ses positions. Il fixa Nom Anor droit dans les yeux et laissa le vacarme continuer. Finalement, Viqi Shesh gagna l'estrade du Conseil et utilisa le système de haut-parleurs pour réclamer le silence. Borsk ne fut guère troublé par l'intervention de sa collaboratrice. Il fut, en revanche, surpris de constater la rapidité avec laquelle il fut accédé à la requête de Viqi.

Lorsque le calme revint, Nom Anor se détourna de Borsk et observa les différents balcons.

— Quel dommage que le courage de vos Jedi ne soit pas aussi flagrant que celui de vos bureaucrates.

Le chœur de jurons ne fut pas aussi bruyant que Borsk l'aurait souhaité. L'espace d'un instant, il se demanda s'il n'était pas en train de commettre une erreur. La plupart des systèmes qui soutenaient les Jedi semblaient faire preuve d'une loyauté presque fanatique, mais, malheureusement, ces territoires étaient déjà occupés ou bien coupés du reste de la Nouvelle République par la percée de l'envahisseur. D'un autre côté, les mondes qui souhaitaient négocier avec les Vong étaient pour la majorité des planètes riches appartenant au système du Noyau. Des planètes dotées de ressources vitales pour l'effort de guerre, mais dirigées par des politiques parfaitement indifférents à la condition précaire de chef d'Etat de Borsk Fey'lya. Les Yuuzhan Vong le savaient bien. C'était donc pour cela qu'ils avaient envoyé leur plus célèbre espion pour les représenter. Ils étaient en train d'essayer de diviser le Sénat en deux factions : ceux qu'ils pouvaient intimider et les autres. Borsk pratiquait la politique depuis suffisamment longtemps pour savoir ce qui attendait ceux qui se laissaient aisément intimider.

Il attendit que Nom Anor ait fini d'inspecter du regard les balcons et galeries, passant rapidement sur ceux qui lui adressaient un sourire dédaigneux ou confiant, s'attardant sur ceux qui demeuraient silencieux jusqu'à ce que, gênés, ils soient forcés de détourner les yeux. Borsk fut obligé d'admirer la technique de l'émissaire. En politique, c'était un système d'intimidation classique, rendu d'autant plus efficace par le fait que les Yuuzhan Vong avaient prouvé à maintes reprises qu'ils n'hésitaient pas à mettre à exécution les plus impensables des menaces. Heureusement pour la Nouvelle République – enfin, d'après l'humble opinion de son chef d'État –, l'adversaire des Yuuzhan Vong était passé maître dans cette pratique.

Lorsque le regard de Nom Anor se posa de nouveau sur le podium des orateurs, Borsk fit quelques pas en avant afin de venir se poster à quelques centimètres de la poitrine du Yuuzhan Vong. Faisant intentionnellement contraster sa silhouette courtaude avec celle, plus massive, de son interlocuteur, il se tordit le cou en arrière pour regarder l'autre sous son menton lacéré.

— Les Yuuzhan Vong semblent craindre nos Jedi, effectivement, s'ils estiment qu'une poignée de Chevaliers vaut bien la vie de millions d'individus.

Borsk avait parlé si doucement que le droïde preneur de son avait été obligé de venir flotter entre eux pour capter ses paroles. Comme il l'avait prévu, Nom Anor fut obligé de faire un pas en arrière pour le dévisager.

— Vos vies ne valent rien pour nous.

— Vraiment ? (Borsk releva la tête vers les tribunes, cherchant du regard le pacifique sénateur de Thyferra.) C'est bien ce que je pensais.

Un silence tomba sur la grande salle et le Bothan sut qu'il avait réussi son coup en entendant des milliers de sénateurs changer de position dans leurs sièges. Il tenait enfin son public. Personne ne s'attendait à cela et plus personne n'osa respirer de peur de manquer ce qui se produirait ensuite. C'est alors que

Viqi Shesh vint se poster à côté de lui. Borsk sentit que l'excitation soudaine qui s'était emparée de l'assemblée était en train, tout aussi soudainement, de se volatiliser.

— Ce que le Chef d'Etat veut dire, Ambassadeur, c'est que les Yuuzhan Vong ne comprennent peut-être pas les relations de la Nouvelle République avec les Jedi. Nous manquons de contrôle sur...

— Non ! l'interrompit Borsk, adressant à Viqi Shesh un regard capable de fondre le duracier. Ce n'est pas du tout ce que le Chef d'Etat veut dire !

Shesh pâlit, mais se refusa à battre en retraite :

— Je vous demande pardon...

— La sénatrice de Kuat est invitée à exprimer son opinion dans les forums prévus à cet effet. Elle n'est en aucun cas habilitée à parler au nom du Chef d'Etat. (Borsk la foudroya du regard jusqu'à ce qu'elle se décide enfin à s'éloigner, puis il porta à nouveau son attention sur Nom Anor.) Ce que le chef d'Etat veut dire, c'est que les Yuuzhan Vong sont des couards et des assassins. S'ils disposaient d'au moins autant de courage que le plus futile de leurs esclaves, ils arrêteraient de se cacher derrière des réfugiés sans défense et iraient affronter directement les Jedi.

— Nous ne nous défilons pas ! cria Nom Anor en réponse. Ce sont les Jedi...

— Tiens donc, répondit Borsk d'un ton sarcastique. Alors je vous suggère de jeter un coup d'œil du côté du secteur Corellien. D'après ce que je sais, on en aurait aperçu récemment quelques-uns dans les environs de Froz...

Une grande partie de l'assistance éclata de rire. « L'embuscade irresponsable des Jedi » survenue à Froz avait fait la une du réseau HoloNet pendant plusieurs jours. Il était encore trop tôt pour savoir si le commentaire de Borsk allait changer la perspective de la couverture médiatique. En tout cas, il permettrait de maintenir l'incident – et le chef d'Etat – en bonne place dans les journaux vidéo pour les journées à venir.

L'œil fuyant de Nom Anor pivota de nouveau vers Borsk et le Bothan sentit son estomac se serrer. Il avait lu les rapports concernant l'œil artificiel qui avait été confisqué à Bilbringi et avait entendu parler du sort déplaisant réservé à quiconque avait le malheur de recevoir le poison mortel en pleine figure. Mais il refusa de se laisser intimider. Il sentit le soutien des défenseurs des Jedi se raffermir et il comprit que, s'il montrait à présent la moindre once de peur, il perdrait tout ce qu'il avait si durement gagné. Soudain, en un éclair d'inspiration, Borsk sut ce qu'il avait à dire, il comprit exactement comment cristalliser ce soutien.

— Vous pourriez aussi aller explorer l'espace Bothan. Je sais de source sûre que les Jedi y sont très appréciés.

La remarque déclencha un rire encore plus tonitruant que le commentaire concernant Froz, car tout le monde savait que Borsk et les Jedi n'étaient pas en très bons termes depuis… Eh bien, depuis toujours ! Il s'agissait d'une faiblesse dans un plan en plein développement. Une faiblesse que Borsk comptait bien éliminer en offrant le soutien de son système natal aux Jedi. Il releva les yeux vers le balcon réservé à ses compatriotes et aperçut Mak Sezala, le sénateur Bothan, qui le foudroyait du regard. Borsk aplatit ses oreilles en signe d'avertissement. Sezala, obéissant, se leva et commença à énumérer toutes les planètes sur lesquelles les Yuuzhan Vong pourraient entreprendre des recherches. Aucun de ces mondes n'était habité. Mais le geste amena les sénateurs de centaines d'autres systèmes à se lever et à émettre des suggestions similaires.

Nom Anor plissa les yeux. Borsk songea l'espace d'un instant qu'il était peut-être allé trop loin, mais le Yuuzhan Vong fit un pas en arrière.

— Je vais relayer vos suggestions. (Il se tourna vers les escaliers et observa les balcons.) Toutes vos suggestions.

— Parfait. Mais vous allez le faire en utilisant un villip, dit Borsk.

Nom Anor regarda par-dessus son épaule.

— Comment ?

— Vous pouvez relayer toutes nos suggestions en vous servant d'un villip. (Borsk ne voulait surtout pas lâcher cette chance de se moquer du redoutable espion.) Je vous ai convoqué ici pour obtenir des explications sur la prise en otage d'un million de personnes. Vous ne quitterez pas les lieux sans me les avoir fournies.

La réponse de Nom Anor fut engloutie par le tumulte des hurlements des Wookiees. Les grondements de joie rassurèrent Borsk. Certes, il ne serait plus jamais invité à pénétrer dans l'espace Bothan, mais il se sentait rassuré, très rassuré.

11

Le villip se transforma enfin, prenant l'apparence du visage scarifié du Maître de Guerre. Dur, les traits anguleux, avec des yeux pensifs et une bouche bien ourlée, c'était un visage que Viqi Shesh aurait pu autrefois trouver séduisant. Aujourd'hui, bardé de cicatrices de dévotion et tuméfié selon les rites, elle ne le trouvait guère plus qu'intéressant. Comment se faisait-il alors que son estomac se retournait à chaque fois qu'elle le voyait ? Comment se faisait-il qu'elle ait éprouvé une sensation de malaise devant le délai qu'avait mis le villip pour lui répondre ? Cela devait venir de son pouvoir. Elle était irrémédiablement attirée par les hommes puissants. Enfin, par les mâles puissants. Elle n'était pas très fière de cette faiblesse. Sur Kuat, où les femmes de son statut faisaient l'acquisition de serviteurs telbun dans le but d'en faire leurs compagnons, on considérait même cela comme de la perversion. Mais c'était un fait, un secret dont elle avait honte. Pendant quelque temps – très peu, d'ailleurs – elle avait presque éprouvé de l'attirance pour cette boule de fourrure qu'était Borsk.

— Viqi, vous avez quelque chose à m'annoncer ? demanda Tsavong Lah.

— Oui. (Elle appréciait qu'il l'appelle par son prénom. Cela traduisait une certaine marque d'intimité qu'il ne partageait pas avec la plupart de ses congénères.) La session a été des plus surprenantes.

— Nom Anor prétend qu'elle a été couronnée de succès.

— Alors, Nom Anor a dû voir des choses que je n'ai pas vues, répondit-elle. Il a apparemment mal compris la situation dès le départ. Son arrogance a obligé Borsk à exprimer son soutien aux Jedi.

— Tiens donc ? (Le Maître de Guerre n'eut pas l'air surpris.) Il m'a pourtant assuré qu'il avait bien agi.

— J'ai passé toute la journée à essayer de sauver les meubles.

— Vraiment ? (Cette fois, Tsavong Lah eut l'air surpris, probablement parce qu'il n'était pas habitué à ce que des subordonnés fassent preuve d'autant d'initiative.) Qu'avez-vous donc fait ?

— Le Sénat est divisé assez distinctement au niveau des frontières du Noyau, expliqua-t-elle. Ceux qui se trouvent à l'intérieur – curieusement, ceux qui se trouvent en travers de votre route d'invasion – tiennent à se retourner contre les Jedi. Les autres leur apportent leur soutien.

— Il fallait s'y attendre, dit Tsavong Lah d'un ton impatient.

Voyant que le Maître de Guerre n'avait pas réellement saisi la signification de ses propos, Viqi employa alors un ton confiant.

— Les Mondes du Noyau disposent de toutes les ressources utilisées par la Nouvelle République. Et ceux qui tiennent les cordons de la bourse sont ceux qui contrôlent le gouvernement.

— Et ?

— J'ai donc passé toute la matinée à m'entretenir avec des sénateurs du Noyau. Nous ne pouvons pas encore prétendre remporter un scrutin qui engendrerait la destitution de Borsk, mais, s'il arrivait quelque chose de fâcheux à ce dernier, il y a fort à parier que le nouveau chef de l'Etat serait certainement moins bien disposé à l'égard des Jedi.

Tsavong Lah écarquilla les yeux.

— Vous pensez à un assassinat ?

Viqi fut surprise de sentir un frisson lui courir le long de la colonne vertébrale. Le meurtre était une bien horrible façon d'exprimer les choses, mais les Yuuzhan Vong n'avaient pas leur pareil pour exprimer l'horreur.

— Nom Anor était tout près de lui aujourd'hui. Il pourrait le faire.

— Nom Anor ? répéta Tsavong Lah. Dites-moi, Viqi, ne seriez-vous pas élue chef de l'Etat s'il arrivait quelque chose à Borsk Fey'lya ?

Viqi sourit, confiante.

— C'est mon objectif, effectivement.

Le Maître de Guerre lui adressa un regard noir.

— Alors, faites-le, Viqi.

Son sourire s'évanouit.

— Moi ? (Les pensées se mirent à tourbillonner dans son esprit. Elle essaya de deviner ce que recouvraient ces propos. Etait-il en train de tester son courage ? Etait-il en train de plaisanter ? Peut-être ne comprenait-il pas vraiment les ramifications possibles de sa suggestion. Oui, ce devait être ça, plutôt.) Je ne pense pas que la politique fonctionne de la même manière au sein de la Nouvelle République et chez les Yuuzhan Vong. Si j'assassine Borsk, je serai destituée de mes fonctions et envoyée en camp de redressement, pas élue chef de l'Etat.

— Seulement si vous êtes prise…

Viqi fronça les sourcils. Tsavong Lah pouvait sans aucun doute lui procurer les moyens de tuer Borsk discrètement, mais, connaissant les Yuuzhan Vong – et le Maître de Guerre en particulier –, elle eut la certitude qu'un tel acte entraînerait une quelconque mutilation sur son corps et l'obligerait à regarder le Bothan droit dans les yeux au moment de sa mort. Elle n'avait jamais eu l'occasion d'assassiner quelqu'un de ses propres mains jusqu'à présent, mais elle s'en sentait capable, considérant la récompense à la clé. Mais que se passerait-il lors de l'enquête qui suivrait ? Certes, les Yuuzhan Vong étaient de farouches guerriers, mais ils ne savaient rien des méthodes et technologies d'investigation dont disposait la Nouvelle République. Des technologies qui ne manqueraient pas d'identifier très distinctement le meurtrier de Borsk.

Viqi secoua la tête.

— Ça ne marchera pas.

— Vous refusez de m'obéir ?

— Oui… (Elle sentit ses entrailles se glacer. Elle regretta immédiatement d'avoir proposé d'assassiner le chef de l'Etat.

Mais elle savait pertinemment qu'il était trop tard pour éprouver la moindre peur. Le Maître de Guerre interpréterait toute hésitation comme un geste de faiblesse et l'utiliserait comme le prédateur qu'il était. Elle avait travaillé si durement, elle avait commis tant d'actes qui la répugnaient qu'elle ne pouvait pas tout laisser tomber sur un coup de tête.) Oui, car cela ne nous apporterait rien de bon, à vous comme à moi, si je me retrouvais déportée sur une planète-prison.

Le ton de Tsavong Lah se fit un peu plus menaçant :

— Je dispose de moyens pour vous forcer à coopérer. Je suis certain que Belindi Kalenda serait très intéressée de découvrir notre association.

— Je n'en doute pas. Mais alors, vous perdriez le flot régulier d'informations provenant de la salle de commandement du CSMNR. (Pour illustrer ses propos, elle pencha la tête de côté et serra les dents. Puis elle frissonna lorsque le chilab se détacha et rampa le long de sa cloison nasale.) Et je suis certaine que le service de contre-espionnage de la Nouvelle République serait très intéressé par l'une de ces petites choses...

La larve psychique tomba de sa narine exactement au moment où elle terminait sa phrase. Un petit sourire de respect se dessina sur le visage de Tsavong Lah.

— Comme vous le souhaitez, Viqi Shesh, dit-il. Mais Nom Anor n'est pas digne d'accomplir une tâche si importante. Un chasseur de vermine, un certain Bjork Umi, vous contactera très prochainement.

— Et ?

— Donnez-lui le lieu et l'heure, dit Tsavong Lah. Et vous deviendrez chef d'Etat. *Notre* chef d'Etat.

12

— Le CYV Un est un droïde de guerre haut de gamme, équipé d'un système de recherche et d'identification infaillible, de la puissance d'artillerie lourde d'une voiture d'assaut et, en choisissant l'option de l'armure renforcée en laminanium, capable de survivre même dans les endroits les plus dangereux qui soient. Mesdames et messieurs, je vous présente la réponse absolue à l'invasion de la Nouvelle République, le Chasseur de Yuuzhan Vong Un de Tendrando Armements !

L'énorme droïde de guerre apparut au grand jour. L'engin couvert de camouflage gris et noir, doté d'une tête évoquant un crâne humain, traversa le terrain d'essai à une vitesse ahurissante, exécutant bonds, esquives et sauts périlleux à un rythme dépassant la perception ordinaire. Il traversa un mur de ferrobéton, apparemment érigé là dans ce seul et unique but, plongea sous un landspeeder en vol stationnaire et termina sa démonstration en se positionnant à l'entrée du terrain. Il pivota exactement de quatre-vingt-dix degrés vers la gauche et attira l'attention des spectateurs – installés sur une plate-forme flottante – en les saluant d'un coup de canon de son fusil blaster serré jusque-là contre sa poitrine.

Avec sa tête de mort et ses photorécepteurs rouges luisant au fond d'orbites aussi profondes que des impacts de blaster, le droïde arborait une vague mais cauchemardesque ressemblance avec l'ennemi qu'il était supposé détruire. Son torse triangulaire, la proportion massive de ses membres, tous bardés d'équipements divers, et la façon dont les plaques de son blindage se superposaient au niveau des articulations incitèrent Leia à songer qu'il ressemblait à un guerrier Yuuzhan Vong enfermé dans la coque d'un droïde. Elle se demanda si les ingénieurs de Lando avaient intentionnellement poussé les similarités aussi loin – dans l'idée de troubler le jugement de leurs adversaires et de les irriter – ou bien si l'affront résultait d'une pure coïncidence.

S'exprimant avec la voix de Lando, mais une voix encore plus grave et plus masculine encore, le droïde déclara :

— CYV 1-1A au rapport. Tous systèmes fonctionnels. Paré pour la suite de la démonstration.

Leia leva les yeux au ciel, à l'écoute de cet échantillon de la vanité si caractéristique de Lando, puis se tourna vers Han, revenu sur Coruscant aussitôt après la livraison des voxyns sur Eclipse.

— Je ne vois vraiment pas pourquoi je suis là.

— Considère qu'il s'agit d'une faveur. (Han hocha la tête en direction de la proue de la plate-forme volante où se tenait Borsk Fey'lya, flanqué des Généraux Garm Bel Iblis et Wedge Antilles.) Tu sais bien que Borsk aurait refusé de rencontrer Lando si tu n'avais pas été là.

— Et vas-tu m'expliquer pourquoi le chef de l'Etat a soudainement décidé de s'entretenir avec un marchand d'armes ? demanda Leia. Tu sais ce que ça veut dire ?

— Que ce sont de bons droïdes ? répondit Han en haussant les épaules.

— Et qui est assez qualifié, ici, pour émettre un tel jugement hein ? (Leia marqua une longue pause.) Non, il est en train d'essayer de me faire changer d'avis.

— Ecoute, tout ce que Lando tente de faire, c'est de vendre quelques droïdes qui pourraient permettre de gagner cette guerre, dit Han.

— Je parlais de Borsk.

— J'avais compris, répondit Han. Mais qu'est-ce qu'il y a de mal à tenter de te servir de *lui*, pour une fois ?

— C'est une question de politique. Je suis lasse de tout ça.

Elle conserva le silence et écouta Lando expliquer comment il allait procéder à la démonstration des capacités du CYV dans l'environnement de combat le plus complexe possible, à savoir le champ de bataille urbain. CYV 1-1A pivota et s'engouffra dans le labyrinthe de simulation, construit en verre renforcé, évoquant une cité relativement moderne. La plate-forme volante le suivit à une douzaine de mètres au-dessus du sol afin que ses occupants puissent avoir une vue dégagée de l'action. Adarakh et Meewahl étaient toujours dans leurs cuves à Bacta, récupérant de leurs brûlures à l'acide. Sinon, Leia savait qu'ils auraient tous deux insisté pour que l'engin d'observation se tienne le plus éloigné possible. Les démonstrations de droïdes de guerre avaient la sinistre réputation de souvent mal se terminer.

La première épreuve commença. Deux silhouettes ressemblant à des Yuuzhan Vong s'engagèrent très calmement dans la ruelle juste derrière 1-1A. Ils étaient armés de bâtons Amphi et de baudriers chargés de scarabées paralysants.

— Il n'y a pas à s'inquiéter, dit Lando. Ce sont en fait des droïdes d'entraînement, construits à partir du même châssis que le CYV, mais programmés avec des tactiques de combat Yuuzhan Vong. Ils sont équipés d'une gamme d'émetteurs qui imitent le battement du cœur, la chaleur et l'odeur de nos ennemis.

— Des Yuuzhan droïdes, l'ultime abomination, dit Bel Iblis en souriant. J'admire l'homme qui a une telle confiance en ses produits.

— Je suis fier de tout ce que je construis, dit Lando en rendant son sourire au général. Mais que trouvez-vous de si admirable dans ce cas précis ?

— Rien de particulier, dit Bel Iblis, haussant les épaules. Je me demandais simplement ce qu'allaient penser nos ennemis en apprenant que vous fabriquez des répliques mécanisées de Yuuzhan Vong à la chaîne ?

Le sourire de Lando se figea.

Les Yuuzhan droïdes firent trois pas dans la ruelle avant que 1-1A bondisse à leur rencontre. Les servomoteurs de ses jambes à répulsion sifflèrent doucement en propulsant son énorme masse. Un Yuuzhan droïde commit l'erreur de lever son bâton Amphi. Il fut immédiatement foudroyé par un rayon vert tiré par un blaster. L'autre fut plus rusé. Il plongea en avant, déterminé à se servir de son baudrier. A peine avait-il posé la main sur l'un des insectes que le blaster de 1-1A l'interrompit en plein mouvement.

— Pour les besoins de cette démonstration, le canon blaster de 1-1A a été programmé sur un réglage non mortel, spécifiquement modulé pour paralyser les circuits des Yuuzhan droïdes, expliqua Lando. Au combat, dans la réalité, 1-1A serait à même de sélectionner le niveau d'énergie nécessaire à l'annihilation de toute cible allant jusqu'à la taille d'un corail skipper. Nous pourrons observer ses capacités de destruction dans la deuxième partie de la démonstration.

CYV 1-1A marqua une pause, le temps que son scanner lui confirme qu'il avait bien anéanti ses deux cibles. Puis il s'engagea dans l'avenue principale. Au cours de l'heure qui suivit, Leia et les autres observèrent le droïde de guerre se sortir de toutes sortes de situations extrêmes de combat : repérer des Yuuzhan droïdes dissimulés derrière des plaques de duracier, pister plusieurs fuyards simultanément et enfin – ce qui impressionna Leia au plus haut point – parvenir à capturer trois espions équipés de grimages Ooglith cachés au milieu d'une foule de badauds, sans blesser qui que ce soit. Pour le final, on ordonna à 1-1A de participer à une embuscade simulée. Simulée seulement, car les senseurs du droïde de guerre l'avaient averti bien à l'avance de la situation. Lando confirma tout de même son ordre. Sur la demi-douzaine de Yuuzhan droïdes coincés face à 1-1A dans une impasse, quatre réussirent à projeter des scarabées paralysants. Un seul parvint à en lancer un second avant de s'écrouler, inconscient. Quand les senseurs de CYV 1-1A lui confirmèrent qu'il avait bien anéanti ses cibles, les impacts causés par les scarabées dans son armure de laminanium étaient déjà en train de se reboucher.

— Un métal capable de se régénérer ? observa le Général Bel Iblis. Joli…

— Ce n'est là qu'une des nombreuses innovations de la conception du CYV. (Le sourire de Lando était à nouveau empreint de fierté. Un sourire bien plus sincère que ceux que Leia avait pu observer chez Lando au cours des dernières années.) Bien entendu, il est impossible de simuler un combat à grande échelle dans le cas présent. Les Yuuzhan Vong disposent d'armements plus lourds, que nous ne pouvons pas utiliser pour une simple démonstration. Mais tout ceci vous donne une bonne idée des capacités du CYV. Il est totalement immunisé contre les agents biologiques et peut se sceller hermétiquement en présence de produits chimiques corrosifs. Le blindage de laminanium lui permet d'encaisser le tir de plasma d'un corail skipper en pleine poitrine sans broncher.

— Et combien de temps lui faudrait-il pour récupérer d'un tel impact ? demanda Wedge.

— Moins d'un jour standard. Il aurait cependant besoin de recharger ses batteries et il faudrait remplacer son lingot de laminanium de réserve. (Lando fit un signe au CYV. Déclenchant un murmure d'appréciation chez les généraux, le droïde utilisa les fusées à répulseurs dissimulées dans ses pieds pour venir se poser sur la plate-forme.) Nous allons maintenant gagner le champ de tir, où 1-1A va vous faire la démonstration de sa puissance de destruction.

Il fit un signe de tête au droïde-pilote et l'engin traversa la ville artificielle en direction du long tunnel où les essais devaient avoir lieu.

— L'arme principale du CYV est le canon blaster à débit variable de son bras droit, poursuivit Lando. Mais on peut également équiper son bras gauche de toute une série d'armements divers, comme une batterie de cinquante missiles à tête chercheuse, un fusil à charge sonique, des lasers lourds…

Pendant que Lando énumérait les options, Fey'lya, lui faisant signe de continuer son discours pour les généraux, se rapprocha d'Han et de Leia, installés à l'arrière.

— Impressionnant, non ? dit-il, s'adressant au couple comme s'il ne s'agissait que d'un échange de banalités.

J'imagine assez bien une armée de ces droïdes défendant la République. Combien en faudrait-il ? Un million d'unités ?

— Plutôt trois millions, si vous voulez mon avis, répondit Han, coiffant immédiatement sa casquette de négociateur pour défendre les intérêts de son ami. Les Yuuzhan Vong sont très nombreux et ces joujoux-là pourraient bien leur donner du fil à retordre. Ça vaut vraiment le coup.

— Trois millions ? (Fey'lya considéra le chiffre, puis se tourna vers Leia.) Ça fait beaucoup de laminanium, tout ça... J'aurai besoin de tout le soutien possible pour faire passer une telle motion à l'assemblée.

Leia sentit soudainement un creux se former dans son estomac. Elle savait bien que ce moment finirait par arriver depuis qu'elle avait assisté à la critique des actes de Nom Anor par Fey'lya devant le Sénat tout entier et – pour une fois – elle était presque impatiente d'accéder à la requête du Bothan. Après la destruction de la *Reine de Célérité* lors de la bataille de Froz, les Jedi n'en finissaient plus de subir les critiques des sénateurs qui ne leur étaient pas favorables. Un soutien apporté au chef d'État contribuerait certainement à apaiser les esprits à ce sujet, mais ce qu'elle avait éprouvé, quelques jours auparavant, lorsqu'elle avait quitté le centre de commandement du CSMNR, ne pouvait être pris à la légère. La Force était en train de la guider hors des voies de la politique, mais il ne faisait aucun doute que le Bothan nourrissait l'espoir de la voir retrouver sa place au sein du Sénat. Un geste qui serait un gage de soutien auprès du chef d'État et qui permettrait également aux Jedi d'avoir un représentant officiel et de se faire entendre. C'était pourtant un sacrifice qu'elle ne pouvait plus se permettre de faire. Ses émotions avaient été on ne peut plus claires à ce sujet.

— Je suis certaine que vous obtiendrez tout le soutien nécessaire si vous croyez sincèrement qu'il s'agit de la bonne marche à suivre.

La fourrure du Bothan, au niveau de son cou, se mit à onduler de façon hésitante.

— Si je le crois ? Mes croyances n'ont guère de poids face au Sénat.

— Un Sénat que vous avez constitué, vous et vos semblables, ajouta Leia. Je ne pense pas en faire partie.

Les oreilles de Fey'lya s'aplatirent et Leia entendit son époux marmonner quelque chose entre ses dents. Ils avaient déjà abordé ce sujet avant de venir assister à la démonstration. Certes, Han comprenait la détermination de sa femme de ne plus jamais vouloir faire partie du Sénat. Mais, Han Solo étant Han Solo, il persistait à penser qu'elle devait au moins faire semblant de s'impliquer. D'après lui, tout ce qu'elle avait à faire était de sourire à droite et à gauche et d'apparaître de temps en temps en public aux côtés de Fey'lya. Alors, on laisserait un peu les Jedi tranquilles, Lando obtiendrait suffisamment de crédits pour s'acheter un secteur entier de la galaxie et la Nouvelle République disposerait de la meilleure armée de l'univers. Han ne pouvait pas comprendre qu'en acceptant de jouer le jeu de Fey'lya Leia accepterait de se plier aux méthodes du Bothan, qu'elle contribuerait à ce ramollissement qui avait transformé la Nouvelle République en une cible si facile pour les Yuuzhan Vong.

Après une longue pause, Fey'lya lança un regard significatif vers le sabre laser accroché à la ceinture de Leia.

— Allons, Princesse, vous savez bien comment les choses fonctionnent. Je ne peux pas soutenir les Jedi si ceux-ci ne me soutiennent pas en retour.

— Faites ce qu'il convient et vous obtiendrez leur soutien, dit Leia. (Lando et les généraux avaient depuis quelques instants abandonné toute discussion sur les mérites du CYV pour écouter discrètement la conversation.) Je n'exercerai plus cette profession qui consiste à passer des accords et à régler, dans l'ombre, une multitude de problèmes.

— Quel dommage, au moment même où nous avons tellement besoin d'un professionnel capable de fédérer les différentes factions de la Nouvelle République.

Lando écarquilla les yeux en entendant le ton acide de Borsk Fey'lya et adressa à Han un regard de détresse. Celui-ci se contenta de hausser les épaules.

— Désolé, mon vieux. J'avais promis qu'elle viendrait, mais je ne m'étais pas engagé sur ce qu'elle dirait...

La plate-forme volante ralentit et commença à descendre vers l'entrée du tunnel d'essai. Là, plusieurs techniciens de Tendrando étaient en train de décharger deux énormes caisses de munitions destinées au CYV. Lando changea le ton de la conversation en arborant l'un de ses sourires les plus enjôleurs.

— Aucun problème, Han. Ce joujou-là serait capable de se vendre tout seul. (D'un revers du pouce, il indiqua une escouade d'imposants gardes du corps humains, approchant en petite foulée du pas de tir pour protéger l'arrivée de la navette.) Lorsque le chef de l'Etat aura constaté ce que les cartouches au baradium de 1-1A sont capables de faire à un corail yorik, il voudra me commander une douzaine d'unités pour remplacer ces types, là-bas.

Derrière eux, la voix grave du CYV s'éleva :

— Restez calmes. Mettez-vous à couvert immédiatement. (La plate-forme trembla sous les pas lourds du droïde.) Urgence militaire ! Mettez-vous à couvert immédiatement !

Il s'agissait du même avertissement que le droïde avait émis pendant le test d'intervention en pleine foule, lorsqu'il avait appréhendé trois espions Yuuzhan droïdes essayant de se dissimuler au milieu d'un groupe de badauds formé de techniciens de Tendrando. Leia jeta un rapide coup d'œil à Lando. Celui-ci secoua la tête et marcha à la rencontre du droïde de guerre.

— 1-1A, la démonstration est terminée, lui dit-il.

— Affirmatif, démonstration terminée, répondit le droïde. Veuillez vous mettre à l'abri. Yuuzhan Vong détectés.

Le CYV passa devant Lando et arracha le droïde-pilote de sa console de commande avant de se brancher lui-même au poste de contrôle. La plate-forme était trop proche de son point d'atterrissage et Leia dut avancer jusqu'à la rambarde pour pouvoir observer le détachement de gardes. Ils s'étaient dispersés tout autour de l'aire d'envol, le dos à la navette, l'arme pointée vers l'extérieur, comme c'était l'usage. Une fois que la plate-forme se serait posée, il leur suffirait de faire volte-face pour noyer le groupe sous le feu mortel de leurs tirs croisés.

Le droïde de guerre pilota la plate-forme pour qu'elle s'éloigne du site.

— Calrissian ! cria le Général Bel Iblis. Ça suffit maintenant !

Leia projeta une onde de la Force et ne perçut rien provenant des gardes.

— Non, Garm ! annonça-t-elle. Ce sont des imposteurs.

Le CYV déplia son bras par-dessus la rambarde et décocha une rafale de rayons de son blaster. Deux Yuuzhan Vong détachèrent alors la manche de leur armure et tournèrent leurs épaules vers la plate-forme. Une chose noire et ailée jaillit de l'un des vêtements. 1-1A lança la plate-forme dans un virage serré pour éviter les tirs.

La chose volante – que personne ne parvint à identifier – s'écrasa contre la plate-forme, manquant de la faire basculer. Quatre pinces noires déchiquetèrent le duracier de la coque. Se frayant un passage dans le métal, un insecte évoquant un scarabée, de la taille de l'avant-bras de Leia, surgit sur le pont. Han, Bel Iblis et Wedge le désintégrèrent immédiatement à coups de blasters.

Il y eut une autre secousse. La plate-forme tourna sur elle-même et fila en piqué vers la reconstitution de la ville.

— Impact imminent, annonça le CYV. Accrochez…

Même amorti par les moteurs à répulsion, le choc fut énorme. Leia rebondit contre une plaque de duracier et tomba la tête la première sur une dalle de ferrobéton. Les corps des autres occupants virevoltèrent un peu partout autour d'elle. L'engin heurta le sol, bascula et s'écrasa contre un mur, restant en équilibre, cul par-dessus tête. Han l'appela. Elle projeta une onde de la Force pour sentir sa présence et perçut plus d'inquiétude que de douleur.

— Je vais bien ! cria-t-elle. Et les autres ?

Fey'lya répondit en premier :

— Fort heureusement, je ne suis pas blessé.

— Impeccable, annonça Bel Iblis.

— Pareil pour moi, enchaîna Wedge.

Lando fut le seul à ne pas répondre. Leia se releva péniblement et découvrit Calrissian recroquevillé sous la plate-forme renversée, en train de regarder 1-1A arroser la rue de ses puissants rayons de blaster. Les détonations semblaient curieusement étouffées.

— Lando ? (Leia décrocha son sabre laser de sa ceinture. La crosse lui parut familière, et pourtant l'arme lui semblait encore davantage un outil que le prolongement de son bras, comme cela aurait dû être le cas.) Tu peux peut-être dire à 1-1A de déclencher la grosse artillerie, non ?

— Impossible. Son système d'armement est équipé d'un modérateur de puissance. (Lando semblait écœuré.) Avec deux généraux et le chef de l'Etat ici, on n'a pas voulu prendre le risque qu'il y ait une défaillance dans sa programmation.

— Un modérateur de puissance ? firent Han et Fey'lya à l'unisson.

— Et alors ? Tu crois que ça m'amuse ? rétorqua Lando. Quand je pense qu'on dispose d'une possibilité pareille…

Des scarabées paralysants vinrent s'écraser contre la coque de la plate-forme retournée.

— Et qu'est-ce qu'il était censé faire dans le tunnel de tir, hein ? demanda Han. Un son et lumière ?

— Ça ne prend qu'une seconde pour changer une carte de programmation, dit Lando. Elle était avec les munitions.

Leia jeta un coup d'œil par-delà le rebord de la plate-forme. Le CYV, subissant les assauts continus des insectes paralysants, déversait un feu nourri sur les assaillants. Ses coups semblaient cependant impuissants face aux armures dérobées par les Vong. Soudain, le droïde poussa un cri électronique et commença à avancer d'un pas décidé dans la ruelle.

Deux Yuuzhan Vong s'abritèrent dans le renfoncement d'une porte et se débarrassèrent de leurs plaques de blindage thoracique. Ils sortirent chacun, de sous leur armure, une créature pareille à une anguille, qu'ils lancèrent vers 1-1A. En plein vol, les choses semblèrent se rigidifier, leurs têtes se mirent à luire sous l'action d'une énergie blanche et aveuglante, et leurs extrémités laissèrent échapper des volutes enflammées.

Dans le même mouvement, 1-1A décocha deux rayons. Les

anguilles explosèrent. Il tira à nouveau par deux fois, et les deux assaillants Vong s'écroulèrent.

Le droïde s'attaqua alors au reste de ses agresseurs. Deux succombèrent aux coups violents de ses bras fouettant l'air, mais les autres parvinrent à lui échapper. Han, Lando et les généraux en abattirent deux de plus avec leurs blasters. Wedge s'arrêta de tirer pour pousser Han et Leia vers Borsk Fey'lya.

— Emmenez-le avec vous ! Nous, on s'occupe des autres.

Han voulut objecter quelque chose, mais Fey'lya avait déjà commencé à détaler. Le chef d'Etat hurla quelque chose dans son comlink, exigeant qu'on lui réponde. A en juger par le ton paniqué de sa voix, personne ne répondait à son appel.

Leia tira Han par le bras et tous deux coururent après le Bothan. Que ça leur plaise ou non, Fey'lya était toujours le chef de l'Etat. Derrière eux, un nouvel assassin s'écroula. C'est alors que Wedge fut frappé à l'épaule par un scarabée paralysant et tomba à la renverse sur ses compagnons. Les trois derniers Yuuzhan Vong chargèrent. Ils s'engouffrèrent sous la plate-forme écrasée en courant. Le CYV apparut sur leurs talons, lardant les armures de ses ennemis de rayons parfaitement inoffensifs. Le blindage de laminanium du droïde était criblé d'impacts au point qu'on pouvait apercevoir son exosquelette et ses circuits, mais 1-1A avançait toujours, décochant tir après tir, parvenant à éviter de toucher ses alliés grâce à son système de ciblage de précision.

Comprenant qu'il fallait intervenir, Leia alluma son sabre laser.

— J'y retourne ! lança-t-elle.

— Trop dangereux ! (La panique dans le ton de Han surprit considérablement Leia.) Va avec lui !

Il poussa son épouse à la suite de Fey'lya, manquant de perdre la main en s'approchant d'un peu trop près de la lame du sabre laser. Puis il abattit le Yuuzhan Vong le plus proche d'un coup de blaster tiré par-dessous son bras. Destiné au Vong qu'il venait de tuer, un rayon laser émis par 1-1A le frappa en pleine poitrine et le propulsa contre Leia. Il s'écroula. Leia vit qu'il n'était que sonné. Carrément sonné. Elle recouvra son équilibre et sautilla à la rencontre des deux autres Yuuzhan Vong. L'un d'entre eux s'apprêtait à la frapper à la tête, l'autre avait déjà emboîté le pas à Fey'lya.

Leia s'accroupit et bondit en arrière, utilisant la Force pour guider et amplifier ses mouvements. Un saut périlleux en arrière aurait sans aucun doute représenté une meilleure tactique, mais elle était loin d'être une experte. Elle se remit sur pied et pivota, frappant le poursuivant de Borsk entre les omoplates. Sa lame couleur de rubis manqua de trancher l'individu en deux et l'odeur qui s'éleva soudainement de la blessure fut écœurante.

Leia termina son mouvement de rotation et intercepta le dernier Yuuzhan Vong exactement à l'endroit où elle l'attendait. Il fit fouetter son bâton Amphi en direction de ses jambes. Comme elle s'y attendait. Elle para le coup. L'individu laissa tomber son arme et porta la main à la poche de sa ceinture.

Quelque chose mordit Leia au niveau du genou. Elle le repoussa de la pointe de sa lame et se rendit compte que le bâton Amphi avait recouvré sa forme reptilienne. Elle envoya voler l'affreux animal au loin. La main du Yuuzhan Vong s'enfonça un peu plus dans sa sacoche. Leia invoqua la Force et lui administra un coup de pied animé de toute l'énergie dont elle disposait. Le choc frappa le Yuuzhan Vong de plein fouet et il recula de quelques pas en titubant.

Le guerrier poussa un grondement et ressortit sa main de sa sacoche. Se jurant pour la millième fois de consacrer désormais un peu plus de temps à son entraînement Jedi, Leia projeta son sabre en avant. Emettant un nouveau grondement de mépris, le guerrier pivota pour éviter le coup… et se retrouva coincé entre les puissants bras de laminanium de 1-1A. Le droïde écrasa l'armure du Vong comme une coquille d'œuf, et une substance visqueuse et noire s'en écoula et goutta sur le sol.

— Blaster inefficace, annonça le droïde, un peu désemparé et confus. Emploi d'une tactique de rechange.

13

Avec la splendeur laiteuse du noyau galactique se déversant par son plafond de transparacier, la salle du Cratère, sur Eclipse, était l'une des rares pièces à disposer encore de lumière. Lors d'une tentative de dévier davantage d'énergie vers le système de refroidissement central, les fusibles de l'armoire électrique principale avaient tous sauté, obligeant le personnel à couper les circuits non vitaux et forçant les Jedi à tenir conseil dans l'un des laboratoires de la base. Plusieurs réservoirs à villips – vides, même Cilghal n'était pas parvenue à les faire arriver à maturité – avaient été déplacés afin de créer un espace assez grand pour la réunion. Han, parfaitement remis, et Lando se tenaient légèrement en retrait, en compagnie des gardes du corps Noghri de Leia. Après l'incident de Coruscant, les Noghri étaient sortis de leurs cuves à Bacta un jour plus tôt que prévu et refusaient désormais que Leia se soustraie à leur surveillance.

Leia se trouvait sur le devant avec Mara, Cilghal et les Jedi les plus âgés. Jacen et Jaina, eux, se tenaient en compagnie de Tenel Ka, Lowie, Raynar, Zekk et de plus jeunes Chevaliers. Anakin, accompagné de la jolie Tahiri, était entouré d'un nombre croissant de nouveaux partenaires, parmi lesquels les trois compagnons de portée Barabel, Ulaha Kore, une humaine à cheveux roux nommée Eryl Besa et la danseuse Twi'lek Alema Rar.

Han fut assez contrarié – certainement pas autant que Tahiri, en tout cas – de constater que la Twi'lek Alema semblait côtoyer Anakin d'un peu trop près. La danseuse était à peu près du même âge que le jeune homme, mais, à voir comment elle le regardait et le touchait, elle paraissait bien plus mature à bien des égards. Et cet instant n'était pas le mieux choisi pour qu'Anakin en apprenne un peu plus sur le sujet. Luke avait organisé cette réunion pour faire part de l'avancée des recherches et des découvertes de Cilghal, mais tous venaient d'apprendre que Lyric, l'ami d'Anakin, venait de succomber aux voxyns. Plus inquiétant encore, les dernières nouvelles de Corran Horn signalaient que lui et sa femme, Mirax, avaient été aperçus tentant d'échapper à ces créatures lors d'un ravitaillement sur Corellia. Personne n'avait été en mesure de les contacter depuis.

Cilghal se décida donc à rompre le silence :

— J'ai demandé à Maître Skywalker d'organiser cette rencontre parce que je souhaitais vous faire part de nouvelles encourageantes. Malheureusement, je dois encore vous prier de m'excuser pour le retard que j'ai pris à essayer de résoudre ce problème. (La Mon Calamari tourna ses yeux globuleux vers le plancher.) Excusez-moi...

— Rassurez-vous... (Le ton chaleureux d'Anakin parvint à contenir quelque peu les larmes de la scientifique.) Personne n'aurait pu faire mieux que vous. Sans vous, nous ne saurions même pas que ces choses sont dérivées des vornskrs.

Han se sentit très fier en entendant les paroles de son fils. Il savait d'expérience combien il était difficile de ne pas s'effondrer après la perte d'un être cher. Les mots rassurants d'Anakin contribuèrent à apaiser Cilghal.

— C'est exact, acquiesça Ganner Rhysode. (La joue balafrée de cet homme de grande taille conférait à son visage, pourtant si séduisant, un air très dangereux.) Tout le monde sait combien vous avez travaillé dur, comme toutes les personnes présentes ici...

Sa phrase déclencha un chœur d'approbations. Cilghal, en effet, avait confié pour mission à de nombreux Jedi d'essayer de déterminer l'emplacement du voxyn original. La reine, comme ils l'appelaient à présent. Ganner avait reconstitué l'itinéraire de la *Pochette Surprise* à l'arrivée et au départ de Nova Station. Streen avait épluché les carnets de bord dans l'espoir d'y découvrir une faille. Et Cheklev dirigeait une équipe de douze savants, inlassablement occupés à analyser les morceaux de l'épave du vaisseau détruit. Pendant ce temps, Anakin et son groupe allaient de planète en planète, traquant des voxyns pour les besoins des recherches de Cilghal. Cette dernière, rassemblant toutes les données, avait donc pu dresser la carte de la répartition et de l'affectation des créatures. Le résultat de tous ces efforts joints avait confirmé que tous les voxyns étaient effectivement les clones d'une seule et unique créature. Mais, plus important encore, on avait découvert que leurs cellules se détérioraient à une vitesse particulièrement rapide. Cilghal avait estimé que ces monstres ne pouvaient survivre guère plus de quelques mois après avoir quitté la matrice, et Han savait pertinemment que la savante était en train d'étudier un moyen d'accélérer encore plus ce vieillissement en faisant appel à la Force.

Luke laissa à chacun la possibilité d'exprimer son soutien, puis il leva une main pour réclamer le silence.

— Personne n'a à se plaindre des progrès de Cilghal. Mais nous avons tous des raisons de nous inquiéter. Si Corran et Mirax sont portés disparus, alors Booster Terrik prendra peut-être de lui-même la décision de rejoindre la zone des combats pour aller à leur recherche.

— Pas avec Tionne et Kam à son bord, dit Han. (Leia et lui avaient eu l'occasion de s'entretenir avec Booster entre deux voyages pour Coruscant.) Ils savent où nous trouver. Ils ne le laisseront pas commettre la moindre imprudence tant qu'il n'aura pas fait un petit détour par ici au moins pour déposer les étudiants.

— Tu en es sûr ? demanda Luke. Après tout, ce vaisseau transporte toute la nouvelle génération de Chevaliers Jedi…

— Et deux d'entre eux sont ses petits-enfants, intervint Leia. Booster ne risquera pas la vie de Valin et de Jysella, même pour Mirax.

Luke réfléchit quelques instants et hocha la tête.

— Très bien. Je suis l'ami de Booster depuis assez longtemps pour savoir qu'il est capable de se débrouiller tout seul.

Cependant, je pense que nous respirerons tous un peu mieux si nous n'avons pas à nous soucier des élèves de l'Académie. (Il demeura silencieux pendant un moment.) Essayons donc de concentrer nos efforts pour que les voxyns cessent de nous éliminer un par un, reprit-il. Cilghal a des choses intéressantes à nous annoncer.

Luke s'avança vers Mara et sourit en admirant le bébé qui dormait dans ses bras. Constatant cela, Han se sentit soudainement extrêmement calme. Il se demanda si cela correspondait à quelque chose de similaire au fait d'être touché par la Force. L'espace d'un instant, la galaxie lui parut ne plus se désagréger. Tous les liens qui maintenaient son intégrité lui semblaient intacts et, Yuuzhan Vong ou pas, ces liens demeureraient dans l'avenir.

Cilghal battit deux fois des paupières et s'étrangla sous le coup de l'émotion avant de recouvrer sa contenance.

— Mes amis, j'ai découvert quelque chose de très intéressant sur le dernier voxyn rapporté par Ulaha et Eryl. (Elle adressa un signe de tête aux deux personnes concernées. Elles se tenaient au milieu du groupe de jeunes femmes qui, ces derniers temps, semblaient toutes vouloir se rapprocher d'Anakin.) Dans son estomac, j'ai trouvé un ysalamiri adulte et, dans l'estomac de l'ysalamiri, plusieurs feuilles d'olbio.

— Donc ces créatures dévorent les ysalamiris ? demanda Raynar. (Au cours de ses visites sur Yavin Quatre, Han avait remarqué l'impatience et la curiosité bouillonnantes du jeune homme, ainsi que l'envie permanente de parler de la jeune Tahiri. Encore deux choses qui avaient tenu le coup face à l'invasion des Yuuzhan Vong.) C'est bien ce que vous êtes en train de nous dire ?

— Non, Cilghal est en train de nous indiquer l'endroit où nous pourrions trouver la reine, dit Jacen. Avez-vous procédé à une analyse des métaux contenus dans les feuilles d'olbio ?

Cilghal sourit.

— Ça concorde parfaitement. Les feuilles proviennent de Myrkr.

Lando laissa échapper un petit sifflement admiratif. Han, qui venait d'exprimer son admiration de façon moins élégante, s'attira un regard foudroyant de la part de son épouse. Myrkr était une planète bien connue des contrebandiers en raison du fort taux de métal contenu dans ses arbres. Celui-ci rendait tout scanner orbital inopérant, et ce monde était l'endroit idéal où établir une base secrète. C'était également la planète d'origine des vornskrs et des ysalamiris, les premiers étant d'affreux prédateurs quadrupèdes qui repéraient la Force chez leurs proies, les autres de dociles reptiles capables de repousser la Force en créant une sorte de petite bulle psychique tout autour d'eux. Même dans les meilleures conditions, ce n'était pas l'endroit idéal pour partir à la chasse au voxyn. De plus, la tâche serait compliquée par le fait que la planète Myrkr se trouvait à quatre cents années-lumière à l'intérieur des lignes Yuuzhan Vong.

— Bon, d'accord, dit Raynar. Et c'est quoi, la bonne nouvelle ?

— C'est déjà un bon début, dit Mara, confiant Ben à Luke avant de se tourner vers Cilghal. Vous êtes sûre que la reine est là-bas ? L'ysalamiri aurait très bien pu venir d'une autre planète, non ?

Ce fut Jacen qui répondit :

— Pas avec ces feuilles présentes dans son estomac. Si elles étaient effectivement provenues d'une autre planète, leur teneur en métal n'aurait pas été aussi élevée.

— L'ysalamiri a mangé sur Myrkr peu de temps avant sa mort, acquiesça Cilghal. Il a été dévoré juste après. Je n'ai détecté aucune trace de congélation ou de conservation dans les feuilles.

Un silence impressionnant tomba sur l'assistance. La question qui allait se poser au groupe était aussi évidente qu'urgente. Les Jedi étaient tellement en phase les uns avec les autres qu'ils comprirent que leur première tâche serait d'établir un plan d'action.

— Evitons une attaque massive, dit Ulaha Kore. Même si nous parvenions à rassembler une flotte assez importante – ce qui me paraît impossible –, nos chances de réussir seraient proches de zéro.

— Et une telle tentative révélerait nos intentions, ajouta Luke. Nous devons réfléchir à un autre moyen.

— Un commando, dit Zekk. Faisons atterrir une petite équipe de spécialistes en douce…

— A condition de mieux se débrouiller que l'Escadron Spectre, l'interrompit Han. (Avant de quitter Coruscant, Han s'était arrêté au centre médical des Forces de Défense de la Nouvelle République pour prendre des nouvelles de Wedge. Il y avait trouvé le général d'humeur fort bavarde.) Cela fait plus de six mois qu'ils essaient de pénétrer la frontière entre Corellia et Vortex. Les Yuuzhan Vong ont des Interdictors équipés de basals devins un peu partout. Les gars du Spectre ont été interceptés sur toutes les voies hyperspatiales qu'ils ont essayé d'emprunter. Déjà que la section qui s'étend entre la route commerciale de Perlemia et la route Hydienne est assez dangereuse… Ils ont été repoussés de côté-ci de la frontière.

— Bon, nous voilà renseignés, dit Luke d'un ton songeur. Les Yuuzhan Vong savent que nous allons découvrir leur secret et ils attendent, bien préparés, que nous passions à l'action.

— Je pense même qu'ils comptent sur nous, dit Tahiri. (En dépit de son âge – quinze ans, c'était la plus jeune des Jedi présents dans la salle –, son commentaire attira l'attention de tous. Ayant survécu aux tentatives des manipulateurs généticiens Yuuzhan Vong visant à la transformer en esclave à leur solde, programmée pour chasser les Jedi, elle comprenait leurs ennemis mieux que quiconque.) Ils ont un dicton : « Laisse ton ennemi se battre. » Et je crois que le terme « loyal » ne fait pas partie de leur vocabulaire.

— Tu as tout à fait raison, Tahiri, dit Alema. (Le compliment ne lui attira qu'un regard glacial en guise de réponse. La Twi'lek fit comme si de rien n'était et s'adressa à Luke et aux aînés des Jedi :) Sur New Plympto, les Yuuzhan Vong essayaient toujours d'anticiper nos actions afin de mieux préparer leurs pièges. Vous pouvez être certains qu'ils sont à notre recherche à l'heure actuelle.

— Alors, il va falloir ruser, dit Anakin, employant le ton typique de l'adolescent sûr de lui. (Il pivota vers les jeunes Jedi assemblés autour de lui.) Les Yuuzhan Vong veulent qu'on se rende, pas vrai ? Eh bien rendons-nous ! Laissons-les, eux, nous faire franchir la frontière.

— Continue, dit Luke, attirant à nouveau, et adroitement, l'attention vers les adultes de l'assemblée. Nous t'écoutons.

Anakin s'écarta de Tahiri et avança vers son oncle.

— En plus, cela ferait gagner du temps pour Talfaglio.

— Ce serait un avantage non négligeable, convint Luke. De quelle manière devons-nous procéder ?

— Vous, vous ne faites rien, répondit Anakin. C'est nous qui nous occupons de tout.

Han sentit la poigne de Lando sur son bras avant même de se rendre compte qu'il était en train d'avancer. Lando était présent lorsque Leia avait vertement tancé son époux pour avoir failli provoquer sa mort pendant la démonstration du droïde. Elle lui avait dit, en des termes ne laissant aucune place à l'ambiguïté, que, même si elle était ravie de le savoir vivant, elle ne tolérerait aucune tentative de sa part – pas plus que d'un de ses gardes du corps Noghri, même si ceux-ci étaient certainement plus doués pour cela – de vouloir la protéger coûte que coûte. La prochaine fois que Han ferait mine de la couver, elle ou bien l'un de ses enfants, en succombant à ses instincts dominateurs – lui avait-elle déclaré –, il se retrouverait contraint de voler à bord du *Faucon* tout seul ! Han s'obligea à écouter ce que son fils cadet avait à dire. Il fit un pas en arrière en remerciant tout doucement Lando de l'avoir rappelé à l'ordre.

Anakin se retourna vers son groupe.

— Il faut qu'un traître nous livre aux Yuuzhan Vong sous prétexte de gagner du temps pour les otages de Talfaglio. Organisons un échange dans les environs d'Obroa-skai et laissons-les passer leur frontière. Ensuite, nous détournerons le vaisseau et nous mettrons le cap sur Myrkr. (Il s'adressa à sa sœur aînée :) Je sais que Wedge – le Général Antilles – t'a laissée piloter quelques-uns des vaisseaux Yuuzhan Vong qu'ils ont capturés. Est-ce que tu pourrais former Zekk ?

Jaina lui adressa un regard soupçonneux.

— Et pourquoi devrais-je le former ? Tu ne crois quand même pas que je vais te laisser entreprendre un truc aussi dingue tout seul, non ?

Le visage d'Anakin se figea dans une expression de détresse.

— Mais tu es supposée être en permission temporaire. L'Escadron Rogue pourrait te rappeler à tout moment…

— C'est vrai, ils pourraient, dit Jaina, levant les yeux au ciel. (Son visage se fit alors très dur, pareil à celui de Leia lorsque celle-ci voulait suggérer que sa décision était sans appel.) Si tu pars, je pars aussi.

— Et moi aussi, dit Tahiri.

Anakin fronça les sourcils.

— Toi ? Mais tu es trop…

— Si tu me dis que je suis trop jeune, je te balance un coup de pied mal placé ! l'interrompit la jeune fille. Personne ne connaît mieux les Yuuzhan Vong que moi. Est-ce que quelqu'un dans ton groupe, à part toi, peut-être, sera capable de reconnaître le labo d'un généticien ? Est-ce que quelqu'un d'autre connaît leur langage ?

— Elle a raison, dit Jaina. On a besoin d'elle pour le pilotage du vaisseau.

Anakin foudroya sa sœur des yeux.

— Tu peux piloter un appareil Vong ou pas ?

— Oh, je peux, oui, ne te fais pas de souci. Et Tahiri aussi, au cas où tu l'aurais oublié, lui répondit Jaina. (Elle faisait référence à l'évasion en catastrophe d'Anakin du système de Yag'Dhul, quelques mois auparavant. Avec Corran Horn et Tahiri, il avait échappé à une mort certaine en capturant un vaisseau de reconnaissance Yuuzhan Vong.) Tout ce qui concerne le vol, c'est vraiment facile par rapport au reste. Personne ne sait de quoi il va retourner vraiment. Alors, le pilotage…

— Et que se passera-t-il quand ils tenteront d'entrer en communication avec leur vaisseau ? demanda Tahiri. Il faut bien que quelqu'un comprenne ce qu'ils racontent, non ? Il faut bien que quelqu'un sache quoi leur répondre.

Elle lança un regard à la cantonade, comme si elle défiait

quiconque de protester. Le silence durait. Han se retint, attendant que son beau-frère mette un terme définitif à ce projet.

Luke ne disait mot. Han égrena les secondes, déterminé à tenir compte de l'avertissement de son épouse, mais également déterminé à maintenir sa famille à l'abri du danger. Toute sa famille.

Solo attendit cinq secondes de plus, estimant que le silence maintenu par Luke devenait parfaitement insupportable.

— Qu'est-ce que tu attends, Luke ? (Han repoussa la main de Lando qui tentait de le retenir et s'avança au milieu du cercle des Jedi.) Dis-lui, toi, pourquoi son plan ne peut pas marcher.

Les yeux bleus d'Anakin s'assombrirent sous l'effet de la colère et adoptèrent une teinte presque améthyste.

— Et toi, Papa, pourquoi ne me le dirais-tu pas ?

— D'accord, d'accord, je vais le faire. (Solo pivota vers son fils.) Ça ne marchera pas, parce que... (Han était tellement en colère qu'il avait du mal à trouver une raison valable.) Parce que tu n'as aucune certitude de pouvoir t'échapper.

— Je crois vraiment que je peux y arriver. Enfin, j'en suis raisonnablement certain. (En dépit de l'indignation qui se lisait dans ses yeux, la voix d'Anakin demeura calme.) Je suis passé derrière les lignes Yuuzhan Vong pour aller secourir Tahiri. Et puis, j'ai ça... (Il posa la main sur son sabre laser modulé par le cristal lambent.) Et, plus que tout encore, je connais leur mode de pensée.

— *Nous* connaissons leur mode de pensée, le corrigea Tahiri.

— Vous connaissez leur mode de pensée ! tonna Han. Alors, dites-moi, à quoi penseront-ils quand ils vous larderont de scarabées paralysants ?

— Han ! dit Leia en lui prenant le bras.

— Et puis je vais te donner une autre bonne raison, ajouta-t-il, repoussant la main de son épouse. Tu ne peux pas y arriver parce que c'est de la folie ! (Il agita un index menaçant devant le visage de son fils, surpris de constater qu'Anakin avait atteint la même taille que lui.) Et de toute façon tu n'iras pas, un point c'est tout !

— Han ! dit Leia en le tirant vers elle. Cette décision ne t'appartient pas.

— Elle n'appartient pas à Anakin non plus, c'est sûr ! répondit-il en la foudroyant du regard.

Lorsqu'il se tourna à nouveau vers son fils, il s'aperçut que celui-ci était en train de le dévisager, plus vexé qu'en colère, prêt à ne pas céder et tout à fait sûr de lui. Il avait tout de l'adolescent classique, un véritable esprit rebelle. Mais il y avait, dans son attitude, une fermeté qui n'échappait pas à Han. Une dureté forgée par un grand nombre de batailles, gagnées ou perdues, à peine adoucie par la disparition de camarades de combat ou la perte d'amis chers. A dix-sept ans, Anakin était probablement plus mature que Han ne l'avait été à trente. Le jeune homme avait certainement vu plus de batailles et de sang répandu que son père n'en avait vu au cours de ses missions pendant la Rébellion. Il était pourtant encore si jeune.

— Han, la décision appartient à Luke, dit Leia. Pas à Anakin ni à toi.

Elle s'interposa entre le père et le fils et obligea gentiment Han à retourner à sa place. Solo se demanda alors où il avait bien pu se trouver lorsque Anakin – et tous ses enfants, d'ailleurs – était passé ainsi à l'âge adulte. La réponse, bien entendu, était perdue, enfouie dans le tréfonds de sa peine. Au même titre que la raison de cette peine. Qu'il n'aurait jamais souhaité éprouver.

Mais le vieil Han Solo avait repris du poil de la bête. Et le Han Solo d'antan n'allait quand même pas laisser les Yuuzhan Vong – ou qui que ce soit d'autre – lui arracher sa famille. Il se tourna vers Luke.

— Ce n'est pas une mission. C'est un sacrifice. Tu ne peux pas l'envoyer là-bas. Lui ou un autre.

Luke étudia le sol pendant quelques instants avant de se tourner vers Anakin.

— Ton plan me paraît bon, Anakin. Sauf que c'est moi qui vais prendre la tête du commando. Toi, tu restes ici.

Le visage d'Anakin se décomposa. Han sentit son cœur se serrer, mais cela ne l'empêcha pas de se sentir soulagé. Luke avait déjà effectué ce type de mission auparavant. Han avait, par maintes fois, eu l'occasion de l'aider. Malgré l'impression de malaise qui se lisait sur le visage de Mara, Han savait que Luke s'en sortirait sans dommage. Surtout si, encore une fois, il l'accompagnait pour assurer sa protection. Han se tourna vers l'épouse de Luke, histoire de la rassurer, et constata qu'elle n'avait guère besoin de son réconfort. Elle avait la mâchoire serrée et le regard dur, mais elle affichait un calme que Han trouva difficile à comprendre. Elle percevait le danger, savait ce que la décision de son mari pourrait lui coûter. Et, pourtant, il se dégageait d'elle comme une acceptation stoïque des faits. Quelqu'un devait éliminer les voxyns. Et si ce quelqu'un devait être Luke, alors qu'il en soit ainsi.

Anakin observa son oncle pendant quelques instants, puis hocha légèrement la tête. Il fit un pas en arrière et réintégra son groupe. Il refusa de croiser le regard de son père. Pendant un moment, Han pensa que son fils allait quitter la pièce, mais Anakin était devenu un homme, un homme en tout point plus mûr qu'il ne l'imaginait. Semblant comprendre ce qu'une telle réaction aurait comme effet sur son groupe d'amis, Anakin ne bougea pas, prêt à apporter tout son soutien à Luke.

Après un moment de silence tendu, Tenel Ka fit un pas en avant. Sa tenue habituelle de guerrier de Dathomir était recouverte par la combinaison pressurisée que tous étaient obligés de porter sur Eclipse.

— Maître Skywalker, je vous prie d'excuser une question aussi candide de ma part, mais… avez-vous perdu la tête ?

La brutalité légendaire de la jeune femme déclencha dans la salle quelques gloussements gênés.

Luke ne put s'empêcher de sourire.

— Je ne pense pas, pourquoi ?

— Parce que vous devez être conscient que le plan d'Anakin ne fonctionnera pas pour vous, répondit-elle. Son plan repose sur le fait que les Yuuzhan Vong nous considèrent pour ce que nous sommes. Des jeunes. Ils ne se comporteront jamais de cette façon face à des Maîtres Jedi. Même s'ils ne vous abattent pas sur-le-champ, ils prendront toutes sortes de précaution pour vous rendre inoffensifs.

— Elle a raison, dit Ganner. Le chef doit être quelqu'un qui ne les inquiète pas. Quelqu'un qu'ils pourraient croire assez peu expérimenté pour se laisser berner par un traître. (Il dévoila ses dents blanches sous sa moustache.) Quelqu'un comme moi, par exemple.

Même Han parvint à discerner la réticence des autres Jedi.

Personne ne se portant volontaire pour accompagner le séduisant Chevalier, Jacen prit la parole :

— Peut-être que personne ne devrait y aller, finalement…

Sa suggestion incita sa sœur et son frère à froncer les sourcils.

— Jacen, dit Anakin, ce n'est pas le moment de tourner en rond à débattre de ce qui est bien ou de ce qui est mal. Soit nous éliminons ces choses, soit ces choses éliminent les Jedi.

— Et si nous détruisons la reine, alors les représailles des Yuuzhan Vong sur la Nouvelle République seront encore plus terribles, répondit Jacen. Sommes-nous de taille à en supporter la responsabilité ?

— Jacen, nous n'avons pas de sang sur les mains, nous, dit Alema, ses lekkus frissonnant de colère. Eux, en revanche…

— C'est pratique, comme argument. Mais est-ce que ça permettra vraiment de sauver plus de vies que ça n'en coûtera ? demanda Ulaha. En tant que Jedi, nous devons nous en inquiéter.

Le débat s'envenima. Les voix s'élevèrent et les gestes se firent menaçants, tout le monde argumentant sur les mêmes thèmes, sujets de dissension depuis la destruction du *Chasseur de Nébuleuses*. Alema se heurta avec véhémence à Jacen, probablement parce qu'elle ne pouvait pas supporter le poids de la destruction de New Plympto et de la mort de sa sœur. Ulaha et Jacen insistaient sur les responsabilités endossées par les Jedi. Ils reçurent alors le support d'un nombre étonnamment croissant de personnes, parmi lesquelles Streen, Cilghal et – plus surprenant encore – les trois compagnons de portée Barabel.

Finalement, le ton de la conversation monta tellement qu'on pria C-3PO d'emmener Ben, qui venait de fondre en larmes, jusqu'à la nursery. Luke essaya à plusieurs reprises de ramener tout le monde au calme. Il dut se servir de la Force pour projeter sa voix directement dans l'esprit des personnes présentes, et un silence aussi intense que gêné tomba sur l'assistance.

Luke regarda alors calmement les Jedi puis prit la parole, presque en chuchotant :

— On en revient à une seule et unique question : comment affronter un ennemi brutal et malfaisant sans devenir, à notre tour, brutaux et malfaisants ?

— Effectivement, approuva Tenel Ka.

Luke la dévisagea quelques instants, puis secoua la tête, l'air épuisé.

— J'aimerais bien pouvoir vous fournir la réponse, mais la Force refuse de m'aider sur la question. Je pense que c'est d'ailleurs le cas pour chacun d'entre vous. (Il marqua une pause. Personne ne le contredit.) Ce qui me paraît clair, en revanche, c'est qu'il est temps pour nous de choisir une voie. Je suppose que personne n'est persuadé que nous devrions nous soumettre aux Yuuzhan Vong, n'est-ce pas ?

Han eut une sueur froide, son fils Jacen ayant semblé un instant vouloir intervenir dans ce sens. Mais le jeune homme conserva le silence, comme le reste des Jedi.

— C'est bien ce que je pensais, dit Luke en hochant la tête. Alors, est-ce que nous détruisons les voxyns, au risque d'encaisser de sévères représailles ? Ou bien acceptons-nous nos pertes dans l'espoir que cela permettra de sauver plus de vies au sein de la Nouvelle République que cela ne nous en a coûté, à nous ?

— Qu'est-ce que vous attendez de nous ? demanda Ganner. Un vote ?

— J'attends votre opinion, répondit Luke. Quelle que soit la décision que je vais prendre, je veux que chacun ait eu la possibilité de s'exprimer sur la question.

Ganner réfléchit un moment, puis hocha la tête.

— Alors, je dis qu'il faut partir à la recherche de la reine.

— Acceptons nos pertes, gronda Tesar Sebatyne, le premier Barabel.

Ses compagnes de portée grondèrent à leur tour leur approbation. Luke commença donc à questionner chacun des membres de l'assistance. Même si Han était convaincu qu'il leur fallait partir à la recherche de la reine, il ne pouvait s'empêcher d'émettre un hourra silencieux à chaque fois que quelqu'un annonçait qu'il fallait accepter les pertes, car Tenel Ka avait évidemment raison lorsqu'il disait qu'un Maître Jedi ne pouvait emmener le commando. Ce vote signifiait qu'Anakin – et Jaina, sans aucun doute – n'irait pas risquer sa vie dans un plan aussi extrême que celui qui avait permis de libérer Leia du centre de détention à bord de la première Etoile Noire. Si les Jedi étaient résolus à accepter leurs pertes, Han et Leia pourraient demeurer à bord du *Faucon* à veiller sur leur progéniture. En attendant qu'une meute de voxyns se lance à leurs trousses. Tôt ou tard, il faudrait bien que quelqu'un se décide à éliminer la reine. Han ne voyait pas pourquoi il fallait que ce soit ses enfants.

Au moment où la question fut enfin posée à Leia, les avis étaient partagés de façon presque égale, avec, semblait-il, un très léger avantage en faveur de la non-destruction de la reine.

Lando se pencha vers Han.

— Tu peux respirer, mon pote. Leia et Mara vont vouloir cavaler après la reine. Mais Cilghal et Streen s'y opposeront.

Han savait pertinemment qu'aucun autre joueur professionnel dans la galaxie n'était à même de lire sur les visages aussi bien que Lando Calrissian. Mais il ne se sentit pas aussi soulagé qu'il l'espérait. La façon qu'avait Leia de le regarder en disait long sur ce qu'elle pensait de son attitude envers Anakin. Mais il n'y avait pas que sa colère, il y avait quelque chose d'autre. Han se comportait en égoïste, et elle le savait bien. Elle savait également ce que cet égoïsme pourrait coûter aux Jedi.

— Han ?

Pris par surprise, Solo se tourna vers Luke.

— Oui ?

— Ton opinion ?

— *Mon opinion ?*

— Tu es impliqué dans tout ça, dit Luke. Tu peux t'exprimer.

Han posa de nouveau les yeux sur Leia. Devinant l'appel silencieux qui se dessinait au fond de ses yeux, il se demanda comment elle parvenait, dans un moment pareil, à être aussi forte.

— D'accord, donnez-moi une minute…

Han Solo ferma les yeux, il aurait tant aimé qu'on lui apprenne l'une de ces techniques de relaxation Jedi. Il essaya de se calmer en respirant profondément. Cela ne servit pas à grand-chose. Il savait pourquoi son fils souhaitait tellement diriger cette mission. Il savait pourquoi Anakin avait participé à chaque bataille importante menée par les Jedi depuis le début de l'invasion des Yuuzhan Vong. Il savait pourquoi il avait foncé tête baissée pour secourir Tahiri.

Chewbacca.

Même si Anakin prétendait le contraire, tout les ramenait à Chewbacca.

— Papa, dit Anakin. Fais ce que ta conscience te dicte.

— Je n'ai pas besoin que tu me le rappelles. Vraiment pas. (Han ouvrit les yeux et vit son fils qui se tenait en face de lui. Il voulut prendre le jeune homme par les épaules, mais se rendit compte qu'étant donné sa taille ça n'allait pas se faire tout seul.) Tu n'es pas obligé de le faire, tu le sais ?

— Je sais. (La souffrance qui se lisait jusqu'à présent sur le visage d'Anakin céda soudain la place à l'insolence.) Mais je vais le faire quand même.

Ayant la désagréable impression d'avoir déjà remarqué ce même regard suffisant dans son miroir trente ans auparavant, Han se tourna et découvrit Leia qui le regardait bouche bée.

Il haussa les épaules et lui adressa un petit sourire en coin.

— Les enfants… On ne peut rien leur refuser, non ?

— J'en déduis que tu es pour la destruction de la reine, dit Luke.

Il termina donc son sondage, et les résultats suivants correspondirent exactement à ce que Lando avait prédit. Sauf que, fort de l'appui de Han en faveur de la mission, Luke décida de partir chercher la reine voxyn.

— Je suppose que toutes les personnes ici présentes soutiennent cette décision, dit-il. Nous ferons tout ce que nous pourrons pour protéger les innocents, mais nous allons envoyer une équipe sur Myrkr.

Jacen se tourna vers son frère.

— Alors, j'aimerais être le premier à me porter volontaire.

— Toi ? (Personne n'eut l'air plus surpris qu'Anakin lui-même.) Mais je croyais que tu étais opposé à l'idée ?

— Cela n'a pas d'importance, dit Jacen. Personne ne se débrouille aussi bien que moi avec les animaux. Si tu veux partir sur les traces de la reine, tu vas avoir besoin de moi.

— Quand il s'est collé quelque chose dans le crâne, celui-là, hein, Anakin ? dit Jaina, venant se poster à côté de son frère jumeau. Et je pense que nous sommes d'accord sur le fait que je viens aussi ?

— Comme si j'avais le choix, dit Anakin en souriant, avant de se tourner vers le reste des jeunes Jedi. Que tous ceux qui souhaitent se porter volontaires viennent me voir plus tard, il faut d'abord que nous mettions au point un plan d'action.

Han sentit ses genoux sur le point de se dérober sous lui. Ses trois enfants étaient décidés à se lancer dans la même mission suicide et il ne serait pas là pour les protéger. Il ne pouvait même pas envisager de se joindre à eux, car il n'était pas un Jedi.

Leia n'avait pas l'air plus heureuse que lui. Son visage était pâle, ses lèvres tremblaient. Pourtant, elle trouva le courage de relever la tête et d'avoir l'air fière.

— J'accepte à une seule condition ! lança-t-elle, se tournant vers Lando. Je veux que ce soit toi qui les livres.

Pour la première fois depuis très longtemps, Lando eut l'air sincèrement stupéfait.

— Moi ?

— Oui, tu es le seul qui puisse faire en sorte que ça réussisse, dit Leia. Je sais que je n'ai pas été d'une grande aide avec Borsk, mais, si tu acceptes de faire ça...

Lando leva les mains.

— Je vais vous aider dans toute la mesure du possible.

14

Le puissant droïde de guerre pivota sur deux cents degrés au niveau de sa taille et pointa l'extrémité de son bras blaster vers Raynar Thul.

— Instant quatorze du plan, Soldat !

— Je ne suis pas un soldat. (Raynar était toujours vêtu de la tenue colorée traditionnelle de négociant dont il avait hérité de sa famille. Dans ce cas précis : pantalon écarlate, écharpe de ceinture pourpre et tunique dorée, assortie à ses cheveux blonds en bataille.) On n'est pas à l'armée.

— Instant quatorze, insista 1-1A.

Raynar leva les yeux au ciel.

— L'équipe fait irruption dans la salle à manger et appréhende les Jedi, dit-il. Instant quinze : les Jedi abandonnent leurs armes…

— Leurs sabres laser, le corrigea le CYV. Et je n'ai pas demandé l'instant quinze, Soldat !

— Et je ne suis pas soldat, le corrigea Raynar d'un ton las.

Anakin et les seize membres de son commando étaient installés dans les confortables fauteuils automoulants du pont d'observation du yacht spatial privé de Lando Calrissian. Ils répétaient le plan qu'Anakin avait mis au point avec Luke, Lando, son père, sa mère et près de la moitié des Jedi présents à Eclipse. Il y avait un millier de détails, mais l'idée générale était que l'équipage de la *Dame Chance* appréhenderait « par surprise » les Jedi au moment où les Yuuzhan Vong monteraient

175

à bord. Pendant que les envahisseurs emmèneraient leurs prisonniers, deux droïdes de guerre CYV sortiraient du vaisseau par le sas d'évacuation d'ordures avec une capsule chargée de matériel. Ils iraient s'arrimer à la navette ennemie. Lorsque celle-ci retournerait au vaisseau-mère, les droïdes se laisseraient transporter, dissimulés par la masse de la navette. Afin de s'assurer que les CYV ne seraient pas repérés pendant l'opération, le commando s'occuperait de faire diversion.

— Instant trente-deux, Monsieur.

Se rappelant que le droïde le considérait comme l'officier du groupe, Anakin releva les yeux pour découvrir le bras blaster de 1-1A tendu au niveau de son visage. Comme d'habitude, regarder au fin fond du tunnel noir et mortel du canon de l'arme lui permit de rassembler toutes ses pensées et de se concentrer.

— Je me sers de la Force pour ouvrir le compartiment des armes et je distribue les blasters, dit Anakin. Les blasters seront conservés avec leurs cellules énergétiques désactivées.

— C'est bien ce détail qui me préoccupe, dit Tenel Ka. Il est évident que les Yuuzhan Vong vont trouver ça un peu trop pratique.

— Imaginez les conséquences s'ils s'en rendent compte, dit Lando en rejoignant le commando sur la passerelle d'observation. Les membres de mon équipage sont tous volontaires, mais ils ne se sacrifieront pas pour la seule crédibilité de cette opération.

— Ce qui prouve bien que Tenel Ka a raison, déclara Ganner. (En tant que Jedi le plus âgé à bord, il aurait pour fonction de se faire passer pour l'officier de service afin de laisser le champ libre à Anakin – enfin, aussi libre que possible – de diriger son commando.) Les Yuuzhan Vong ne sont pas idiots.

— Non, c'est vrai, c'est pour cela que je peux leur faire avaler le morceau, dit Lando. Désactiver les cellules énergétiques des blasters est une mesure de sécurité que prendrait certainement tout individu désireux de trahir un vaisseau chargé de Jedi.

— La notion a été évoquée pendant la préparation, dit Anakin. Papa pense qu'il s'agit d'une bonne idée.

Ganner haussa les épaules et, au grand soulagement

d'Anakin, finit par hocher la tête. Faire croire qu'il était le commandant en charge des Jedi avait été une suggestion de Ganner lui-même. Jusqu'à présent, la plus grande inquiétude d'Anakin était de savoir si leur aîné parviendrait à bien différencier les rôles de chacun.

— J'ai une question, dit Raynar.

— Pourquoi ne suis-je pas surprise ? murmura Jaina.

Lando sourit.

— On t'écoute. Il faut que tu aies confiance en ce plan.

— Les vaisseaux Yuuzhan Vong sont vivants, pas vrai ? demanda-t-il. Comment va-t-on faire pour que la navette ne se rende pas compte que deux droïdes sont accrochés à sa coque ?

— Ça serait un peu comme un shenbit sentant quelque chose se coller sur sa carapace, grogna Bela Hara. Une armure ne sert à rien si on ressent une douleur lorsqu'elle est heurtée.

— Il s'agit bien d'une coque, pas d'une armure, objecta Raynar. Et si les vaisseaux sont vivants…

— Ils ne sont pas vraiment vivants dans le sens où nous l'entendons habituellement, intervint Jaina. Ils sont dotés de cerveaux, mais ces cerveaux ne contrôlent que certaines fonctions, un peu comme les ordinateurs le font à bord de nos vaisseaux. Et ils ne *ressentent pas* ce qui se passe au niveau de leur coque. Enfin, aucun des vaisseaux à bord desquels j'ai eu l'occasion de voler ne ressentait quoi que ce soit.

— Ils ne peuvent pas, dit Jacen. Une sensation nécessiterait des terminaisons nerveuses et de telles terminaisons, à proximité de la surface de la coque, seraient gelées par le froid de l'espace. Imaginez-vous marchant pieds nus à la surface de Hoth…

L'explication sembla convaincre Raynar. Il frissonna et hocha la tête en direction de Lando.

— Merci. J'ai confiance, maintenant…

Le CYV pivota vers Lowbacca.

— Instant trente-trois, Soldat.

Lowbacca grogna quelque chose de long et grave, qu'Anakin interpréta comme l'envie de reprogrammer les banques de données du droïde. Le droïde de traduction du Wookiee, M-TD, vint voler en face de lui.

— Etes-vous certain de vouloir dire une chose pareille à un droïde de guerre, Maître Lowbacca ?

Lowbacca lui répondit par un grondement, et M-TD alla prestement se cacher derrière Tekli en produisant une série de cliquetis qui forcèrent les photorécepteurs de 1-1A à clignoter.

Lando s'interposa entre Lowbacca et le droïde de guerre.

— Ça suffit pour aujourd'hui, 1-1A. Repos. (Il adressa un regard fatigué à Lowbacca, puis se tourna vers les autres.) Nous avons déjà transféré les deux autres CYV et votre capsule d'équipement. Tendra est sur le pont, en train de calculer notre cap avec l'équipage.

— Nous sommes prêts, dit Tahiri, confiante. 1-1A nous a bien aidés.

L'expression de Lando se fit plus sévère.

— 1-1A est un droïde. Il peut vous aider à l'entraînement, mais il ne peut rien faire pour votre préparation. Pas pour une mission comme celle-ci.

— Je ne suis pas sûre de comprendre, avança Ulaha Kore. Nos répétitions se sont déroulées sans faille. Je suis persuadée que nous devons être prêts à improviser – toute bonne équipe devrait l'être –, mais les calculs actuels nous donnent… un taux de réussite de soixante-douze pour cent.

Anakin ne voulut pas en savoir plus sur la marge d'erreur possible. Il existait encore des paramètres inconnus qui ne manqueraient pas de faire pencher la balance soit vers les cent pour cent, soit, plus probablement, bien en dessous de cinquante.

Lando alla s'asseoir en face de la jeune Bith et la regarda droit dans ses yeux opalins.

— Ce dont je parle ne peut être calculé. (Il se tourna vers les autres membres de l'assistance.) Il y a certainement des choses qui vont mal tourner. Peu importe le nombre de répétitions, peu importe notre niveau de préparation à ce plan. Il est évident que les choses ne vont pas se dérouler comme nous le souhaitons. Il va falloir réagir très vite.

— Ça ne change pas des autres batailles, intervint Ganner.

— Il ne s'agit pas d'une bataille, Rhysode. Collez-vous ça

dans le crâne. (Lando dévisagea Ganner jusqu'à ce que celui-ci détourne les yeux, puis il continua à observer les autres.) Vous ne partez pas en tant que guerriers, vous partez en tant qu'espions. Vous serez obligés de commettre des actes qui vous déplairont. Vous ne pourrez pas faire machine arrière, vous n'aurez même pas le loisir d'hésiter.

— Nous n'hésiterons pas. (C'était Alema Rar qui avait pris la parole. Anakin devina, à la lueur qui scintillait dans ses yeux, qu'elle avait parfaitement compris ce que Lando était en train de leur expliquer.) Moi, en tout cas, je n'hésiterai pas.

Lando observa la Twi'lek pendant un long moment et hocha la tête.

— Vous avez déjà connu ça, je comprends… (Il se tourna vers les autres.) Prenez exemple sur Alema. Elle fera tout ce qui est en son pouvoir. Je vous conseille de faire de même.

— Comment cela ? demanda Jacen. Ça veut dire que tous les moyens sont bons pour parvenir à nos fins ?

— Ce qu'il veut dire, c'est que nous avons deux préoccupations, dit Alema, dont la voix soyeuse corrigeait à peine la fermeté des propos. La première, c'est de mener notre mission à terme. La seconde, c'est d'en revenir vivants.

— Et cette façon d'agir conduit au Côté Obscur, intervint Jacen. Si nous ne nous préoccupons pas des méthodes pour parvenir à notre but, nous ne valons guère mieux que l'Empereur… Ou que les Yuuzhan Vong.

— Peut-être, acquiesça Alema. Mais si le chemin qui s'ouvre à nous conduit aux ténèbres, nous ne devons pas battre en retraite. Pas pour notre sécurité, mais dans l'intérêt de ceux qui périront si nous échouons.

— Et pour Numa, Lusa, Eelysa et tous ceux qui ont déjà succombé aux voxyns, ajouta Raynar.

Alema le remercia de son soutien d'un sourire vaguement encourageant.

— Bien sûr, bien sûr. En mémoire de tous…

— Non ! La vengeance conduit vers le Côté Obscur, dit Zekk. Je ne m'impliquerai pas dans une telle entreprise.

Tout le monde se mit à parler en même temps. Alema et

Raynar argumentant que détruire les voxyns et vaincre les Yuuzhan Vong justifierait leurs actions, Zekk leur disant qu'ils ne savaient pas de quoi ils parlaient, Jacen insistant sur l'idée que la fin ne devait jamais justifier les moyens. Même si la plupart des autres semblaient se ranger quelque part à mi-chemin entre ces extrêmes, ils parlaient au moins aussi fort, poussant même Eryl, Besa et Jovan Dark, un Rodien d'ordinaire imperturbable, à se joindre à la discussion. Seuls les Barabel, recroquevillés dans un coin de la salle, leurs pupilles reptiliennes réduites à l'état de fentes étroites et verticales, semblaient conserver un semblant de calme.

Anakin soupira intérieurement, puis remarqua que Lando était en train de l'observer. Il comprit alors combien sa mère avait eu une bonne idée en choisissant le marchand d'armes pour les livrer à leurs ennemis. Même si l'avertissement de Lando, à propos du fait qu'il ne fallait pas hésiter, avait été sincère, il y avait fort à parier que ses propos avaient caché quelque chose. Sachant que les membres du commando finiraient par en venir à cette discussion, il l'avait lui-même provoquée dans le but de les obliger à considérer les choses suffisamment à l'avance. Il attendait d'Anakin qu'il se décide à trancher.

— Du calme. (Anakin attendit quelques instants et essaya à nouveau. Voyant que cela n'avait guère d'effet, il se mit à crier :) Silence ! Taisez-vous, c'est un ordre !

La dureté de sa voix, appuyée par la Force afin d'en augmenter le volume, figea enfin son auditoire. Avant que les discussions ne puissent reprendre, il déclara :

— Personne ne sombrera vers le Côté Obscur pendant cette mission. (Il lança un regard à Alema et Raynar.) C'est clair ?

— Ce n'était pas ce que je voulais suggérer, commença calmement Alema. Je voulais simplement dire qu'on ne pourra pas reculer…

— *Est-ce que c'est clair ?* répéta Anakin.

Les extrémités des lekkus d'Alema se recroquevillèrent un peu.

— Bien sûr, Anakin, dit-elle enfin du bout des lèvres.

Du coin de l'œil, Anakin vit un étrange sourire se dessiner sur le visage de Tahiri. Celle-ci ne s'entendait pas particulièrement avec les autres femmes Jedi du commando, mais elle détestait cordialement Alema. Ce n'était pas le moment de s'intéresser à ce problème. Anakin se tourna vers Raynar et fronça les sourcils.

Celui-ci hocha la tête.

— Oui, oui. Très clair. Qui voudrait se laisser tenter, de toute façon, hein ?

Anakin accepta la réponse et pivota vers Zekk et Jacen.

— Lando a raison. Il se peut que nous ayons à entreprendre des actions qui nous rebutent et que nous soyons amenés à prendre des décisions hâtives. Si vous ne pouvez pas supporter cette idée, il est encore temps pour vous d'embarquer sur le prochain cargo et de détaler d'ici.

— Quel type d'actions ? demanda Jacen. Si nous évoquions, maintenant, nos limites…

— Jacen ! l'interrompit Anakin. Est-ce que tu te sens d'attaque ?

Au lieu de répondre, Jacen regarda autour de lui à la recherche d'un soutien. Il le trouva, bien entendu, chez Zekk et Tenel Ka. Anakin commença à se dire que les talents particuliers de son frère avec les animaux ne valaient peut-être pas la discorde que Jacen risquait de semer dans l'équipe. Il se tourna vers Lando dans l'espoir de recevoir un conseil. Tout ce qu'il obtint fut l'expression impassible du joueur professionnel. Anakin devrait donc résoudre ce problème tout seul. Là où ils allaient, il lui serait impossible d'obtenir le moindre conseil d'un vétéran de la Rébellion.

Le jeune homme inspira profondément, se servant d'une technique de relaxation Jedi pour se concentrer. Depuis le début de l'invasion Yuuzhan Vong, lui et Jacen avaient pris leurs distances au point qu'ils avaient presque de la peine à se parler autrement qu'avec colère et amertume. Fort heureusement, ces blessures étaient en train de se refermer. La dernière chose qu'Anakin comptait faire était bien d'empêcher son frère de participer à la mission et de rouvrir les plaies. Mais cette mission devait être sa priorité, ainsi que celle de tous ceux qui comptaient y participer.

Anakin se tourna à nouveau vers son frère.

— Jacen, peut-être que…

— Anakin, j'ai bien réfléchi ! s'exclama Jaina. (Le ton de la jeune femme était très enthousiaste, mais Anakin réussit à percevoir à travers la Force une certaine agitation chez sa sœur. Etant aussi perturbée que les intéressés par les différends existant entre ses frères, elle s'était adressée à eux deux dans l'espoir de les rapprocher.) Vous savez combien on s'inquiète de leurs méthodes de rupture psychique…

— Heu, oui ? avança prudemment Anakin. (Tout le monde sur Eclipse savait que les Yuuzhan Vong plaçaient beaucoup d'espoirs dans leurs méthodes destinées à briser la volonté des Jedi. Le plus grand souci du jeune homme résidait dans le fait que les Vong qui emprisonneraient son équipe s'attelleraient immédiatement à cette besogne. L'un des membres du groupe ne pourrait peut-être pas endurer la torture jusqu'à ce qu'ils aient franchi la frontière.) Tu peux me dire quel rapport cela a avec notre conversation ?

— Vous vous rappelez comment nous avons utilisé l'union télépathique par la Force pendant la première attaque des Yuuzhan Vong sur Dubrillion, non ? demanda Jaina. (Les deux frères et la sœur étaient alors parvenus à partager leurs perceptions par l'intermédiaire de la Force.) Et si Jacen pouvait nous aider afin que ce lien unisse tous les membres de l'équipe ? On pourrait utiliser cette méthode pour se renforcer les uns les autres, sur le plan mental comme sur le plan émotionnel.

— C'est un bon plan, dit Tenel Ka. Chaque tortionnaire sait bien que l'isolation mentale est le premier facteur à utiliser pour briser la résistance d'une victime.

Anakin comprit le potentiel d'une telle idée. Tout comme il comprit combien sa sœur cherchait désespérément à empêcher l'abîme qui le séparait de Jacen de s'élargir.

— Et comment allons-nous y parvenir ? demanda-t-il avec prudence.

Jaina semblait sûre d'elle.

— J'ai discuté avec Tesar et ses compagnons de portée des techniques de combat des Chevaliers Errants, dit-elle en regardant dans la direction des Barabel. Je pense que nous pourrions adapter certaines de ces tactiques à notre situation.

— Oui, ce Barabel pense que nous le pourrions. Peut-être que nous pourrions même arriver à obtenir un gros combat-fusion.

Anakin souleva un sourcil. Le combat-fusion était le nom que les Barabel avaient trouvé pour leur incroyable démonstration de cohésion lors de la bataille particulièrement complexe de Froz.

— C'est une option intéressante, dit-il.

— Mais on a besoin de Jacen, le pressa Jaina. Il est le seul à disposer de suffisamment de pouvoir télépathique pour tous nous unir.

Ou bien pour nous séparer pour l'éternité, songea Anakin. Mais, en observant les visages pleins d'espoirs tournés vers lui, il comprit qu'il était bien trop tard pour se raviser. Empêcher Jacen de participer à la mission ferait non seulement de la peine à Jaina, mais cela rendrait également furieux Zekk, Tenel Ka et tous ceux qui partageaient les mêmes craintes au sujet du Côté Obscur. Cela contribuerait aussi à accroître l'antagonisme entre les deux frères, et Anakin avait autant envie de cela que de se faire implanter dans le crâne des électrodes de servitude par les Yuuzhan Vong.

— Jacen, il te faudra faire ce que je te dis au moment où je te le dirai, dit Anakin, soutenant le regard de son frère. Si quelque chose tourne mal, ce sera ma faute, pas la tienne. Si tu ne peux pas accepter cela, eh bien, désolé, tu ne peux pas venir.

Sentant qu'Anakin avait sérieusement pensé à l'exclure de la mission, Jacen n'hésita pas.

— Je me fie à ton jugement, dit-il en hochant la tête. Je te l'assure, Anakin.

15

L'écran des données se mit à s'affoler. Danni fut plaquée contre le dossier de son fauteuil anti-gravitationnel lorsque Wonetun entreprit de lancer leur vaisseau dans un virage serré. Brubb massif de la planète Baros, monde à la pesanteur très élevée, Wonetun pilotait toujours en conservant les compensateurs d'inertie sur quatre-vingt-douze pour cent. Pour lui, il était nécessaire de sentir toutes les vibrations de la barge d'assaut. Si quelqu'un, à bord, se sentait mal ou bien perdait connaissance, ce n'était pas aussi grave que de voir la coque du vénérable engin partir en poussière. Danni serra les dents, tentant coûte que coûte de garder les yeux ouverts pour surveiller ses écrans. Les données se mirent à défiler à vive allure. Cela ne signifiait pourtant pas qu'elle tenait enfin la clé de son énigme. Saba Sebatyne n'avait toujours pas signalé la présence d'un yammosk. Mais cela devait bien signifier quelque chose.

Les artilleurs désintégrèrent les skips avec une rafale de tirs à répétition des puissants canons de la barge d'assaut. Ressentant une appréhension, Danni se mit à frissonner. Elle résista pourtant à la tentation de détourner les yeux de ses instruments. Les données apparaissaient et disparaissaient par flux intermittents. Tout cela était bien suspect et Danni décida de ne pas se laisser distraire. Ses doigts se mirent à voler au-dessus du clavier de la console de commande. Elle activa les senseurs et enclencha les enregistreurs.

— Saba, est-ce qu'il pourrait y avoir un yammosk dans les

environs, à ton avis ? demanda-t-elle, le regard toujours rivé aux panneaux. Allez, dis-moi qu'il y a un yammosk dans le coin !

— Oh oui, il y en a bien un. Pas de doute. (Le ton de Saba était débonnaire. Elle ne semblait pas avoir compris le sens de la question de Danni.) Chevaliers Errants ? annonça-t-elle dans l'unité de communication de la barge d'assaut. Préparez-vous à vous replier vers le *Joyeux Drille*. Rompez la formation par la gauche au signal de cette Barabel…

Danni serra les poings. Le *Joyeux Drille* n'avait rien de la barge d'assaut étroite à bord de laquelle elle était installée. Il s'agissait d'un cargo rapide, dissimulé à quelque distance de là dans une poche de poussière d'étoiles. L'appareil servait de base d'opération mobile à l'escadron et permettait le transport rapide au combat des chasseurs Vigilance et Howlrunners, qui étaient dépourvus d'hyperpropulsion.

— Trois, deux, un, allez !

Danni eut toutes les peines du monde à conserver la tête tournée vers les instruments pendant que Wonetun lançait la barge dans un nouveau virage serré. Plusieurs nouvelles données apparurent à l'écran, mais, à peine affichées, elles disparurent presque aussitôt. Lorsque la courbe de signal se mit à osciller de façon désordonnée, Danni élimina la possibilité d'une coïncidence. Il s'agissait bien d'un code de communication et non d'une perturbation stellaire hasardeuse.

— Vous avez trouvé quelque chose, Danni Quee ? gronda Saba, qui venait certainement de percevoir l'excitation de la jeune femme dans la Force.

— Je crois bien. (La coque de la barge d'assaut vibra lorsque les artilleurs se mirent à ouvrir le feu.) Modulation gravifique. C'est comme ça que les yammosk communiquent.

— Ah. (Pour un Barabel, c'était là presque un cri de joie. Une lueur écarlate envahit le cockpit lorsqu'une décharge de plasma vint rebondir contre les boucliers déflecteurs de l'engin.) Si cette Barabel peut faire une suggestion, vous devriez activer un canal de transmission pour dupliquer vos données avant qu'elles ne soient totalement perdues.

Danni détourna les yeux de ses écrans de contrôle.

— Sabre de Sith ! s'exclama-t-elle.

Manœuvrant dans l'espace pour venir à leur rencontre, un champ d'objets ressemblant à des astéroïdes avançait. Mais les premières décharges de plasma, jaillissant des nodules des premiers aérolithes, permirent d'identifier les corps célestes comme étant la flotte ennemie. Danni voulut croire que les efforts des Chevaliers Errants étaient enfin récompensés. Mais ce n'était pas vraiment le cas.

Au cours des derniers jours, l'escadron avait organisé un goulet d'étranglement à proximité d'Arkania, une planète réputée pour ses mines de joyaux. Ils avaient appréhendé ainsi des corvettes Yuuzhan Vong qui s'aventuraient en dehors de la zone des combats. Tout le monde s'était alors dit que ces vaisseaux de patrouille n'avaient été envoyés que pour surveiller les positions de défense de la Nouvelle République. Mais il semblait à présent évident qu'ils avaient été chargés d'ouvrir une nouvelle voie à la flotte d'invasion. Danni n'eut pas besoin d'un hologramme galactique pour comprendre que la capture de la planète Arkania permettrait aux Yuuzhan Vong de se rapprocher à la fois de la route Hydienne et de la route commerciale de Perlemia. Ils seraient ainsi en position pour menacer la région des Colonies. Elle programma une transmission de ses données vers le *Joyeux Drille*, puis ajouta un message d'alerte sur la fréquence subspatiale d'urgence.

Les éléments de tête de la flotte ennemie expédièrent des volées de missiles au magma, forçant Wonetun à lancer la barge d'assaut dans une série de tonneaux et loopings à vous retourner l'estomac. Saba lui ordonna d'augmenter le compensateur d'inertie afin que l'équipage puisse rester conscient. La flotte de leurs adversaires était si proche qu'elle évoquait un long jet pulvérisé de corail yorik.

Le nez de l'un des plus gros engins s'entrouvrit et vomit une volée de grutchins, ces insectes d'environ cinquante centimètres de long ressemblant à des sortes de sauterelles. Les artilleurs de la barge ajustèrent leurs tirs, créant un barrage de feu laser face aux créatures. Ces choses étaient à même de percer une coque de titanium en l'espace de quelques secondes.

La voix de Saba s'éleva dans l'unité de communication :

— Voilà notre cible. Le croiseur de la section inférieure de la formation. Est-ce que vous le voyez ?

— C'est celui qui est tout au bout ? demanda Drif Lij, qui pilotait l'une des vieilles Ailes-X T-65 de l'escadron.

— Non, celui-ci est un leurre, répondit Saba. Comptez trois vaisseaux vers l'intérieur. C'est celui qui est légèrement en avance sur les autres.

— O.K., vu, fit Drif.

Un trille de cliquetis dans le système de communication confirma que tous les membres de la section avaient repéré l'engin en question. Danni sentit alors les craintes de ses coéquipiers céder la place à la détermination.

— Attention ! annonça Saba. Opération Sphère Etincelante dans cinq, quatre...

Izal Waz, un artilleur d'Arcona avec un drôle de penchant pour le sel, cessa de tirer et se laissa aller contre le dossier de son siège pour se concentrer. Ses yeux à facettes étaient incapables de distinguer réellement les formes, mais leur sensibilité aux mouvements faisait de lui le meilleur canonnier de l'escadron. Au fur et à mesure que Saba continuait son compte à rebours, les yeux dorés de Waz devinrent vitreux et distants – comme lors de ses innombrables excès de produits salins – et les veines le long de son crâne en forme d'enclume se mirent à saillir sous l'action de la concentration.

— ... zéro ! dit Saba.

Une sphère blanche et étincelante enveloppa la barge d'assaut. Danni crut un instant que les boucliers déflecteurs étaient en surchauffe, mais Wonetun s'activa sur les commandes et accéléra. Découvrant qu'aucune balle de plasma ne venait s'écraser contre la coque, Danni regarda par la verrière et vit que l'escadron tout entier était camouflé à l'intérieur d'une sphère pareille à un soleil.

— Mais qu'est-ce que c'est que ça ? s'étrangla la jeune femme.

— Avez-vous déjà entendu parler des mirages solaires ? demanda Saba.

— Les parhélies ? Bien sûr, répondit Danni. L'impression de se retrouver face à deux soleils en même temps...

— Eh bien, c'est pareil, expliqua Saba. Izal Waz appelle ça sa sphère étincelante. Il se sert de la Force pour attirer la lumière vers nous.

Danni observa Izal d'un œil nouveau, avec un regard teinté de respect.

— Et ça sert à quoi ?

— Ça sert à quoi ? siffla Saba. Ça nous sert de camouflage, voilà à quoi ça sert ! N'est-ce pas suffisant ?

La sphère devait mesurer environ un kilomètre de diamètre. Les Chevaliers Errants s'étaient resserrés autour de la barge d'assaut, une douzaine de silhouettes spectrales en formation de défense. L'Aile-X de Drif ne se trouvait qu'à quelques mètres devant le vaisseau principal. Ses réacteurs ioniques émettaient des volutes bleues qui se mêlaient à la teinte de la sphère et contribuaient à en intensifier l'éclat. Les décharges de plasma et les missiles au magma pénétrèrent aveuglément la sphère de protection, mais manquèrent leurs cibles. Ceux qui tendaient à se diriger vers les engins furent bientôt désintégrés par les défenses combinées des Chevaliers Errants.

— Est-ce que le *Joyeux Drille* dispose de suffisamment d'informations ? demanda Saba.

Danni vérifia ses instruments. Les données semblaient danser furieusement sur le moniteur.

— On obtient de bons résultats, dit-elle. Plus on reste, mieux c'est...

Les pupilles en losange de Saba se rétrécirent.

— Mais en ont-ils *suffisamment* ?

Danni procéda mentalement à un rapide calcul de statistiques et finit par hocher la tête.

— Ce serait bien si on captait un taux plus élevé sur l'échelle analytique, mais...

— Nous devons vous apprendre à piloter une Aile-A, Danni Quee. Les Chevaliers Errants auraient bien besoin de quelqu'un d'aussi fou que vous. (Saba se pencha sur la console de communication.) Escadron, rompez la formation et rejoignez le *Joyeux Drille*. On se retrouve à la base.

Protégés par la sphère étincelante en expansion, les deux Howlrunners et les trois Vigilance de l'escadron s'écartèrent pour rejoindre le cargo rapide.

— Senseurs passifs. Pas de laser, ordonna Saba. (Elle se tourna vers Danni Quee et fit un signe en direction d'Izal Waz, plongé en pleine transe, à son poste d'artilleur dans la tourelle supérieure.) Changez de place avec lui. La sphère étincelante requiert toute sa concentration.

Danni regarda l'imposant natif d'Arcona, essayant d'imaginer comment elle parviendrait à déplacer quelqu'un qui devait être au moins deux fois plus gros qu'elle sans rompre sa concentration.

— Heu… Je ne crois pas être capable de le soulever, dit-elle. Peut-être que vous pourriez…

— Cette Barabel pourrait… Mais elle vous a donné un ordre. (Saba lui adressa un regard vraiment noir.) Vous êtes une Jedi, Danni Quee. La taille ne devrait avoir aucune importance pour vous.

Danni déglutit. Cela faisait bientôt deux ans qu'elle étudiait la Force. Mais personne n'avait été en mesure de lui expliquer toutes les théories qu'elle recouvrait. Même Luke parlait de *sensations* et d'*actions* sans réellement expliquer le comment et le pourquoi. Utiliser la Force pour soulever Izal était une option qu'elle n'avait même pas envisagée. Saba passa une langue impatiente entre ses lèvres rocailleuses. Danni laissa échapper un long soupir de relaxation et se mit à imaginer le grand Arconien en train de se soulever de son siège et de venir délicatement flotter jusqu'au fauteuil se trouvant en face d'elle. Elle invoqua la Force et passa à l'acte.

A son grand soulagement, Izal s'installa dans le siège comme s'il s'était lui-même déplacé. La sphère étincelante était toujours intacte. Danni voulut alors rejoindre la tourelle de tir, comme on le lui avait ordonné, mais Saba la retint par l'épaule, la forçant à se rasseoir.

— Vous n'apprenez jamais à l'entraînement, Danni Quee ?

demanda-t-elle en grimpant dans la tourelle. Cette Barabel va s'occuper elle-même de tous nous sauver. Observez. Et apprenez.

Danni finit par comprendre, quelques instants plus tard, lorsqu'une volée de missiles de magma fusa vers eux. Son cœur se souleva jusque dans sa gorge. Elle sentit tous les opérateurs d'Ailes-Y invoquer la Force pour éviter le tir. L'heure n'était plus aux questions. La spirale de feu écarlate était en train de fondre sur la barge. Saba s'arc-bouta sur les commandes, tira, et le missile passa à quelques mètres au-dessus de la tourelle. Un autre membre de l'équipe parvint à dévier l'arrivée d'un grut-chin. Danni eut l'impression d'observer, pendant ce qui lui sembla représenter une éternité, la Barabel en train de se servir de la Force pour repousser ou détourner les missiles Yuuzhan Vong.

— Qu'est-ce que vous indique votre machine, Danni Quee ? demanda enfin Saba. Est-ce que le yammosk a découvert notre ruse ?

Danni se pencha pour étudier son écran. Les indicateurs gravifiques dansaient toujours.

— C'est comme avant, annonça-t-elle. Le yammosk doit être en train de donner des ordres. Tout le reste est assez calme. Je n'ai aucune idée de ce que cela peut signifier.

Saba dévoila ses dents aiguisées et siffla de satisfaction.

— Cela signifie qu'ils croient nous avoir abattus. (Elle descendit de la tourelle et fit signe à Danni d'aller s'installer dans le siège d'artilleur.) Armez tous les canons. Paré à ralentir et à larguer le bloc au signal de cette Barabel. Trois, deux...

Danni eut à peine le temps de s'installer dans la tourelle avant que Saba annonce « zéro ». La porte de la soute s'ouvrit en produisant un bruit sourd. Un bloc cubique de duracier pesant deux tonnes fut éjecté. La barge d'assaut décéléra et Danni fut catapultée contre le dôme de transparacier. Elle s'accrocha aux commandes des canons et se hissa dans le siège d'artilleur. Dehors, la sphère étincelante pareille à un soleil était déjà en train de rétrécir, traînant derrière elle une sorte de queue de comète constituée de missiles au magma, de balles de plasma et d'insectes grutchins.

Un grondement victorieux monta du pont principal de la barge d'assaut. Saba était penchée sur la console. Ses épaules écailleuses semblaient se soulever et s'abaisser au rythme des données qui dansaient sur l'écran.

— Oh, ils sont coincés, siffla-t-elle. Ils sont bien coincés !

Une balle de plasma s'écrasa contre les boucliers déflecteurs et la voix de Drif retentit dans le haut-parleur du système de communication :

— Danni ? Les ennemis sont *derrière nous*…

— Ah, pardon…

Elle fit pivoter la tourelle et vit les chasseurs des Chevaliers Errants faire volte-face pour aller à la rencontre d'une douzaine de coraux skippers. Pointant ses canons sans réellement viser, elle pressa la détente et sentit les armes jumelles s'animer. Deux longues traînées de feu écarlate strièrent les ténèbres sans étoiles. Les skips furent obligés d'esquiver et de manœuvrer pour éviter le tir, tout en continuant leur descente vers l'escadron. La barge d'assaut fit alors un bond en avant.

— Le croiseur en a après nos boucliers ! annonça Wonetun.

— Escadron ! En formation autour de la barge au signal de cette Barabel, tonna Saba. Cinq…

Le navire se mit alors à dériver vers l'arrière.

— Boucliers hors d'usage ! déclara Wonetun.

— Quatre, trois, deux, un, zéro ! hurla Saba.

La barge d'assaut accéléra. Les canons laser de Danni se déchaînèrent, réduisant les coraux skippers en poussière, le plus souvent par pur hasard. Les chasseurs exécutèrent des loopings pour encercler la barge et la protéger au moyen de leurs boucliers déflecteurs.

— Continue de tirer, Danni ! la pressa Drif. C'est toi qui protèges nos arrières.

Danni fit pivoter ses canons vers le plus gros point dans le ciel, une corvette ennemie fondant sur eux pour leur couper la retraite, et pressa la détente. Les rayons écarlates fusèrent droit sur la proue de l'engin et furent immédiatement absorbés par un mini-trou noir. Elle arrosa la coque de la corvette de l'avant à l'arrière, exécutant plusieurs allers et retours. Les équipes chargées des boucliers parèrent la plupart de ses attaques. Mais la corvette ralentit son allure, ses basals dovins trop occupés à dérouter l'énergie vers les écrans de protection.

Danni tira encore pendant quelques secondes. Le feu se concentrait à présent autour du gros vaisseau ennemi et les coraux skippers furent obligés de rompre leur formation. La jeune femme fit pivoter ses canons vers l'avant. La sphère étincelante ne mesurait plus que deux cents mètres de diamètre, la taille d'une comète de classe trois. Le cosmos, juste devant, était complètement obstrué par un croiseur Yuuzhan Vong, une silhouette aussi massive que plusieurs lunes réunies, vomissant plasma et magma en direction des appareils de la Nouvelle République. La sphère, qui avait viré au doré, s'aplatit et se réduisit de plus en plus, aspirée par les anomalies gravifiques générées par les équipes Vong chargées d'éliminer les boucliers.

— Préparez missiles et torpilles. Mode de dispersion ! ordonna Saba. Attendez... Attendez...

La sphère étincelante subit une distorsion sous l'influence des forces d'attraction et sembla dessiner une sorte de fleur. Puis elle fut réduite à l'état de point lumineux à peine plus gros que l'ongle du petit doigt de Danni Quee.

— Feu à volonté ! commanda Saba. Annulez Opération Sphère Etincelante !

La sphère disparut complètement et Izal s'écroula sur le pont de la barge, complètement épuisé. Le croiseur Yuuzhan Vong s'assombrit alors, ce qui suggérait que ses artilleurs étaient en train de modifier le réglage de leurs armes. Les Chevaliers Errants décochèrent une deuxième, puis une troisième volée de missiles à fragmentation et de torpilles à protons. Soudain, les ténèbres qui leur faisaient face s'illuminèrent de traînées ionisées en spirale et d'éclats tourbillonnants de plasma.

— Opacifiez les boucliers d'impact ! commanda Saba. (Elle invoqua la Force pour replacer Izal sur son siège, puis pivota pour boucler son harnais de sécurité.) Préparez-vous au choc !

— Au choc ? Quel choc ? cria Danni Quee, s'emparant des boucles de son harnais. Vous allez l'éperonner ?

— L'éperonner ? (Saba laissa échapper une succession de sifflements saccadés. Même Wonetun ne put contenir son hilarité.) Danni Quee, vous êtes vraiment frappée !

Et c'est alors que Danni se souvint du bloc. Ce bloc de duracier que les Yuuzhan Vong n'avaient certainement pas détecté, trop occupés qu'ils étaient à annihiler les boucliers de la barge. Les deux tonnes de duracier avaient dû accélérer à un taux approchant la vitesse de la lumière. L'énergie de l'impact serait égale à la masse multipliée par la vélocité au carré, divisée par…

Danni était encore plongée en plein calcul lorsque tout l'espace environnant vira au blanc.

16

Le coufee tomba et le sanctuaire s'emplit alors d'une étrange odeur de sang extraterrestre. Une interminable et fluctuante mélopée s'éleva dans la salle. Tsavong Lah attendit que les prêtres se mettent réellement au travail, puis s'écarta du puits sacrificiel pour recentrer ses pensées sur l'attaque surprise qu'il planifiait.

— Vous ne souhaitez pas connaître la volonté de Yun-Yammka ? demanda Vergere, le regard toujours braqué sur l'esclave gémissant gisant sur l'autel.

— La volonté du Massacreur n'est pas un mystère. Comment l'accomplir... Ça, c'est une autre histoire. (Il fit un signe en direction des prêtres et du supplicié.) Ils le servent à leur manière. Je le sers à la mienne.

La bouche en forme de bec de Vergere s'entrouvrit et dessina ce que Tsavong Lah interpréta comme un sourire moqueur.

— Vous doutez de la fiabilité des prophéties de Vaecta ?

— Seuls les Dieux sont infaillibles. (Tsavong Lah regarda dans le puits et sourit en observant ce qui était en train de s'y produire.) Les prêtres sont des serviteurs loyaux, mais, tant qu'ils ne m'auront pas expliqué comment les *Jeedai* maîtrisent leur magie, je me sentirai toujours obligé de procéder à mes propres recherches.

— Vous surestimez vraiment trop les Jedi.

Vergere regarda à nouveau vers le puits sacrificiel et posa les yeux sur le malheureux esclave hurlant de douleur. La tête en forme de *T* de l'Ithorien se tourna dans sa direction. Son regard croisa brièvement celui de Vergere. Ses yeux s'opacifièrent et parurent soudain distants. Ses cris se calmèrent bien plus tôt que prévu et le supplicié sembla succomber à l'étrange tranquillité qui s'emparait des esclaves au moment de leur sacrifice. Un prêtre s'avança jusqu'à l'Ithorien et tenta, en vain, de raviver ses douleurs.

— Quel dommage pour l'invasion. (Le ton de Vergere était pareil à celui d'un gamin contrarié.) Les prêtres risquent certainement d'en prendre ombrage.

Tsavong Lah la regarda et constata que ses plumes semblaient s'être aplaties sous le coup de la déception. De temps en temps, Vergere lui paraissait appartenir encore plus à la race Yuuzhan Vong que le plus farouche de ses guerriers.

— C'est un escadron *Jeedai* qui a empêché l'invasion d'Arkania, dit-il, reprenant le fil de la précédente remarque de sa conseillère. Et ce sont bien deux *Jeedai* qui nous ont obligés à sacrifier New Plympto.

— Alors détruisez les convois de réfugiés de Talfaglio, dit Vergere. Cela les fera sortir de leur trou.

Tsavong Lah souleva un sourcil.

— Et je devrais donc sacrifier Nom Anor ?

— Ce ne serait pas vraiment un sacrifice.

Tsavong Lah laissa échapper un petit sourire.

— Pour une créature aussi modeste et effacée, tu éprouves de bien grandes ambitions.

Vaecta, au fond du puits sacrificiel, s'avança jusqu'à leur niveau et releva les yeux vers le Maître de Guerre. Femme âgée aux épaules voûtées et au visage parcheminé, elle ne prit pas la peine de s'incliner devant Tsavong Lah ou de croiser ses bras tachés de sang en travers de sa poitrine pour le saluer. Pendant un rituel, la grande prêtresse répondait uniquement au Seigneur Shimrra et mourrait – avec joie – plutôt que de se prosterner devant un autre.

— Le silence de cet esclave ne va pas plaire au Massacreur. Vous ne devriez pas lancer cette attaque.

— La décision m'appartient, dit Tsavong Lah en détournant les yeux.

— Le Seigneur Shimrra a été très clair à ce sujet, acquiesça-t-elle. Je crois également pouvoir vous annoncer que le Seigneur Shimrra a bien précisé que vous deviez appliquer la volonté des dieux dans tout ce que vous entreprenez.

Tsavong Lah conserva la tête tournée.

— Mais la décision m'appartient toujours.

Vaecta ne le contredit pas.

— Parfait. (Le Maître de Guerre posa de nouveau les yeux sur la prêtresse.) Vous allez demander à Yun-Yammka de punir les commandeurs qui ont laissé s'échapper cet escadron de *Jeedai*. Je vais ordonner à leurs successeurs de lancer une attaque éclair sur la planète et de se retirer très rapidement.

— Si vous taquinez ainsi Yun-Yammka, il va vous réclamer des vies en sacrifice, l'avertit Vaecta. Beaucoup de vies.

— Bien sûr. (Même si Tsavong Lah était persuadé que le dieu de la guerre comprendrait l'intérêt de sa ruse, il lui fallait cependant être prudent avec lui.) Je lui en offrirai huit mille.

— Vingt mille, ce serait mieux, rétorqua Vaecta.

— Va pour vingt mille.

Tsavong Lah tourna les talons et quitta le sanctuaire, réfléchissant déjà à la façon d'ajuster ses plans pour accommoder le rituel. Les sacrifices supplémentaires nécessiteraient une escorte complète, au lieu d'un simple vaisseau, ce qui causerait probablement des tiraillements dans son organisation déjà surchargée.

Vergere vint sautiller à ses côtés.

— Pourquoi accepter cela de Vaecta ? Même avec des renforts, la Nouvelle République ne peut pas tenir Arkania. Envahissez la planète et vous ferez passer la prêtresse pour une imbécile.

Tsavong Lah pivota vers Vergere.

— Tu remets mon jugement en question ? (Il leva une jambe, comme pour lui administrer un coup de pied.) Tu penses savoir, mieux que moi, comment on gagne des batailles ?

Vergere observa longuement la jambe en suspens, puis ébroua son plumage et fit un pas vers le Maître de Guerre.

— Si vous avez une meilleure idée, tout ce que vous avez à faire, c'est de nous en faire part.

Tsavong Lah eut toutes les peines du monde à s'empêcher de rire bruyamment.

— A toi ? Non, je ne pense pas. (Les commandeurs suprêmes et les hauts-préfets tremblaient à son moindre plissement de front. Pourtant, Vergere, ce vilain petit oiseau, parvenait à apaiser sa fureur, comme si celle-ci était sans importance.) Non, toi, je vais continuer à t'observer. Au moins, cela me distrait...

17

Lando essuya sa paume en sueur sur la jambe de son pantalon, puis, de sa main à présent un peu plus sèche, présenta son databloc au sous-officier de la section de Yuuzhan Vong qui venait de monter à bord du vaisseau. L'image représentait dix-sept jeunes Chevaliers Jedi rassemblés autour de la table de la salle à manger de la *Dame Chance*. Leurs assiettes avaient été garnies de thakitillo bien vert – Lando avait ordonné à ses cuisiniers de ne servir que les meilleurs mets au cours de ce voyage –, mais aucun des jeunes gens ne mangeait. La plupart, d'ailleurs, n'avaient pas touché à leurs cuillers.

— Ils ont l'air agités, annonça le sous-officier. (C'était un guerrier d'allure brutale, avec une frange de cheveux noirs. Il étudia le databloc à bout de bras, songeant qu'en gardant ses distances il ne serait certainement pas contaminé par l'appareil.) Vous êtes certain qu'ils ne sont pas au courant de notre venue ?

— Ce sont des Jedi, répondit Lando, feignant l'irritation face à une question aussi stupide. Ils peuvent sans aucun doute percevoir l'appréhension éprouvée par mon équipage. Mais je n'ai pas la prétention de savoir ce qui se passe dans leurs têtes. Tout ce que je peux vous dire, c'est que les hublots sont restés occultés pendant toute la durée du voyage.

Au bout de quelques instants, le sous-officier hocha la tête et se tourna vers son supérieur – non armé, mais paré d'une imposante cuirasse –, qui attendait de l'autre côté du sas d'accostage de la *Dame Chance.*

— *Eia dag* sabres laser, *Duman Yaght. Yenagh doa Jeedai.*

Le supérieur sortit du tunnel de transfert aux parois ourlées de rouge. Plus petit que son subordonné, il avait modifié son visage en un réseau strié de cicatrices profondes. Tout comme le sous-officier, il portait deux petits villips accrochés à ses épaules au lieu d'un seul, comme le dictait le règlement. Il s'arrêta devant Lando et le dévisagea, l'air impatient.

— Voici Fitzgibbon Lane, propriétaire du *Rêve Etoilé,* annonça le subalterne, employant le faux nom et la fausse identification sous lesquels Lando avait entrepris le voyage. C'est lui qui nous a adressé le message.

Lando se tourna vers le sous-officier, s'attendant à ce qu'il lui présente son supérieur. Lorsque le guerrier poussa un grondement gêné en baissant les yeux, Lando pivota vers le supérieur et attendit encore. Bien que se sentant très nerveux, Lando savait qu'il lui fallait traiter avec les Yuuzhan Vong sur un pied d'égalité.

Au bout de quelques instants, le supérieur prit la parole :

— Je suis Duman Yaght, commandeur de la *Mort Exquise.* Vous avez des *Jeedai* à me livrer ?

— A livrer à votre Maître de Guerre, en vérité, le corrigea Lando. (Interprétant la présence du commandeur comme un signe d'intérêt, il tourna le databloc en direction de l'officier Yuuzhan Vong et l'agita sous son nez comme un appât.) J'en ai dix-sept à mon bord.

Le subalterne lui adressa un regard noir et tendit la main pour maintenir l'instrument profane loin de son chef. Le commandeur l'en empêcha.

— Non. Je dois constater cela de mes propres yeux.

Duman Yaght étudia le moniteur vidéo. Anakin et quelques autres, l'air absents, étaient en train d'avaler quelques cuillerées de thakitillo. Le commando n'avait pas été averti de l'abordage des Yuuzhan Vong, d'une part parce que Lando tenait à ce que leurs réactions paraissent authentiques, mais également parce que leurs ennemis étaient apparus plus tôt que prévu. La *Dame*

Chance était en train de flotter dans le sillage d'une comète, attendant que l'ordinateur de bord finisse de calculer les dernières trajectoires du voyage, lorsque la navette ennemie avait surgi à la poupe. L'engin avait directement mis le cap sur l'écoutille d'accostage, déployant immédiatement son tunnel de transfert afin d'accélérer les procédures.

Lando n'avait pas eu le temps de prévenir Tendra avant que l'alarme de pont ait retenti pour signaler l'amarrage au niveau de l'écoutille. Il avait donc donné son autorisation à la pressurisation et s'était précipité jusqu'à la porte du sas. Là, il avait constaté que le subalterne manœuvrait déjà le verrou de l'extérieur. Un coup d'œil rapide à son databloc avait révélé à Calrissian qu'un vaisseau corail, de la taille d'une corvette, croisait à proximité de la queue de la comète pour couvrir la petite navette. Lando comprit alors que l'engin était passé en état d'alerte au moment où la *Dame Chance* avait franchi les limites du système. Il se reprocha son manque de vigilance, mais découvrit bien vite que la manœuvre en disait long sur l'impatience du commandeur Yuuzhan Vong.

— Satisfait ? demanda Lando. Je leur demanderais bien de vous faire une petite démonstration de lévitation, mais cela risquerait de leur révéler votre présence.

— Cela ne sera pas nécessaire. Leur nature nous a déjà été confirmée.

— Vraiment ? (Lando n'aimait pas beaucoup ce qu'il venait d'entendre, mais jugea préférable de ne pas chercher à en savoir plus.) Eh bien, si vous voulez les emmener, il vous faut libérer les otages de Talfaglio.

— Si je veux les emmener, je les emmène ! répondit Duman Yaght.

Lando leva son databloc et pressa une touche.

— Allons, allons, nous savons tous deux ce que ces dix-sept Jedi seront capables de faire dès qu'ils seront au courant. Ne m'obligez pas à relâcher ce bouton.

Le commandeur se rapprocha de lui.

— Et vous pensez que cela me fait peur ?

— Non, bien sûr que non. (Lando lui adressa un sourire

dédaigneux, bien plus confiant en apparence qu'il ne l'était réellement.) Même un rocher spatial comme la *Mort Exquise* pourrait détruire cette barge en trois secondes. Mais quel dommage… Plus de sacrifices à Yun-Yammka. Plus de Jedi supplémentaires livrés à votre Maître de Guerre.

— Des *Jeedai* supplémentaires ? (Les traits bleus sous les yeux de Duman Yaght semblèrent s'intensifier.) Vous pouvez m'en livrer d'autres ?

— Seulement si Talfaglio est épargnée. Je ne fais pas cela parce que je vous trouve sympathique, dit Lando. Si vous avez été capable de m'intercepter ici même, c'est que vous savez qui je suis. Vous connaissez donc mes compétences en matière de livraisons.

Duman Yaght baissa le menton en un vague hochement de tête.

— Oui, j'ai bien entendu votre message initial.

Dans le message en question, envoyé par les Spectres vers ce qui avait été identifié comme un poste d'écoute Yuuzhan Vong, Lando s'était fait passer pour un natif de Talfaglio, membre actif de l'organisation caritative de la Grande Rivière, montée par les Jedi. Il avait révélé suffisamment de détails mineurs d'opérations récentes pour endosser l'identité d'un pilote sans grande expérience. Puis il avait critiqué les Chevaliers pendant quelques minutes, révélant combien il était furieux que les membres de l'Ordre aient pu ainsi le trahir en autorisant la destruction de Talfaglio. Il avait terminé en fixant une date et un lieu de rendez-vous, promettant une belle récompense à quiconque viendrait le rencontrer.

Les yeux de Duman demeurèrent fixés sur le databloc. À l'écran, les Jedi étaient en train de discuter à voix basse.

— Vous devez savoir que je ne peux faire de promesses au nom du Maître de Guerre.

— Alors, allez donc en référer aux autorités concernées et venez me retrouver au point de rendez-vous que j'avais indiqué au départ, dit Lando. (La balle était désormais dans le camp des Yuuzhan Vong. Ils devaient avoir l'impression de lui forcer la main.) Je ne vous les livrerai pas tant que je n'aurai pas votre promesse.

Le Yuuzhan Vong réfléchit un moment.

— Inutile d'attendre jusque-là, dit-il, tapotant l'écran d'un ongle noirci. Vos *Jeedai* ont l'air nerveux. Laissez-moi les embarquer et nous verrons bien ce qui se passera. Le Maître de Guerre sera certainement intéressé. Ça, je peux vous le promettre.

— Je ne sais pas… dit Lando, ferrant la prise. Je ne vois pas comment vous allez réussir à maîtriser autant de Jedi à bord de ce petit caillou qui vous sert de vaisseau.

— Notre façon de traiter les esclaves ne vous regarde pas, dit Duman Yaght.

— Ça me regardera quand ils se seront échappés et lancés à ma poursuite, rétorqua Lando.

— Ils ne s'échapperont pas. Vous pouvez en être assuré.

— C'est cela… fit Calrissian d'un ton moqueur. (C'était gagné. Sa proie essayait de lui imposer des conditions. Il pouvait donc se permettre de prendre quelques risques. Il voulait savoir pourquoi Duman Yaght était sûr qu'il transportait des Jedi.) Peut-être que je devrais attendre un peu et me présenter au rendez-vous initialement convenu…

— Ce n'est pas une option qui s'offre à vous. (La voix de Duman Yaght restait très posée.) Vous pouvez me les livrer en sachant qu'ils seront effectivement amenés au Maître de Guerre. Ce sera à lui de décider si, oui ou non, cette marque de bonne volonté permettra d'épargner les réfugiés de Talfaglio. Ou vous pouvez relâcher la touche de votre appareil. Mais soyez assuré que, si nous mourons, un million de représentants de votre espèce mourront aussi.

Lando baissa les yeux et pinça les lèvres ; sa perplexité n'était pas feinte. La confiance de Duman Yaght en ses propres capacités à maîtriser les Jedi le préoccupait. Mais Calrissian avait poussé sa recherche d'informations aussi loin qu'il avait pu. Il avait la possibilité de relâcher le bouton du databloc et de déclencher l'alarme qui mettrait un terme à la mission. Il y perdrait certainement la vie, mais tous s'étaient préparés à cette éventualité. Le sas intérieur du pont de transfert se scellerait automatiquement, puis les charges de détonite, dissimulées autour du sas extérieur, exploseraient pour détruire la navette ennemie. Duman Yaght et son détachement seraient aspirés dans l'espace. La *Dame Chance* ferait prestement le tour de la comète et plongerait dans l'hyperespace avant que l'équipage de la *Mort Exquise* ne se rende compte de ce qui s'était passé.

Mais la mission serait un échec. D'autres Jedi seraient condamnés. Pourquoi ? Simplement parce qu'une déclaration de Duman Yaght mettait Lando Calrissian mal à l'aise ? Il secoua la tête, l'air résigné.

— Bon, puisque vous le prenez comme ça... (Ce n'était pas à lui d'annuler la mission. Trop de gens s'y étaient impliqués. Même si les enfants de ses meilleurs amis étaient en train de prendre un risque énorme.) Je ne suis pas un imbécile. Je connais les ficelles.

— Parfait, dit Duman Yaght. Alors, vous devez également savoir que la vie de vos compatriotes repose sur vos épaules. Je vais vous confier un villip. Ainsi, vous pourrez me contacter lorsque la prochaine livraison sera prête.

L'unique réponse de Lando fut un long soupir de dégoût.

— Inutile de produire de tels sons impolis. (Duman Yaght saisit Lando par la nuque en un geste de domination. Ou d'amitié. Ou les deux.) Vous allez voir, tout va très bien se passer entre nous deux.

Le Yuuzhan Vong fit signe à son subalterne et à son détachement d'avancer, mais Lando leur bloqua le passage.

— Non, attendez, dit-il. J'ai tout planifié. C'est mon vaisseau. On procède à ma façon. Sinon, autant alerter votre appareil pour lui dire d'armer ses canons volcans.

Le sous-officier le foudroya du regard, puis se tourna vers son supérieur, attendant les ordres.

— Faites ce qu'il dit, ricana Duman Yaght. C'est son vaisseau. On procède à sa façon.

Jacen n'avait perçu qu'une simple ondulation dans la Force. Tous les membres du groupe l'avaient ressentie, eux aussi. Puis la perturbation avait disparu. Il leva une autre cuillerée de thaki-tillo vert jusqu'à sa bouche, mais goûta à peine à la crème dessert qui était en train de fondre. Même sans remarquer la pâleur soudaine et les lekkus frissonnants d'Alema, il aurait deviné la poussée soudaine d'agitation affamée. Cilghal avait émis la théorie que les voxyns créaient une perturbation initiale afin de repérer leurs proies. Jacen se demanda si la raison n'était pas plus simple, s'il ne s'agissait pas d'une forme d'excitation bestiale à l'état brut.

Cette sensation était curieusement partagée par un grand nombre de camarades Jedi de Jacen. Les membres du commando avaient ouvert leurs esprits et leurs émotions à l'instant même où ils avaient senti la présence du voxyn. Jacen perçut l'impatience de Ganner, de Zekk, des Barabel, d'Eryl Besa et même de Raynar de détruire la créature. Les autres – Tahiri, Lowbacca, Tekli, Ulaha – avaient l'air surpris par la précipitation des événements. Alema Rar avait peur, plus d'elle-même que du monstre, d'ailleurs. Tenel Ka semblait faire preuve d'une détermination sinistre, Anakin paraissait s'inquiéter pour tout le monde et Jovan Drark bouillonnait d'impatience de se mettre en chasse. Pour les Rodiens, tout était un jeu.

Seule Jaina, dont Jacen – en raison de la gémellité qui les unis-sait – pouvait en permanence ressentir les émotions, avait l'air calme. Quoi qu'il se produise, signal d'alarme ou pas, voxyn ou pas, il leur faudrait faire face. Ou pas. Ils avaient scellé leur destin dans la Force et n'avaient d'autre choix que de suivre la voie qu'elle leur ferait emprunter. La sensation reposait sur un drôle de mélange, composé de batailles, de morts et de souf-frances ; la sérénité sinistre qui animait le soldat, à la fois chas-seur et proie, dans cet inévitable cataclysme.

Jacen leva une autre cuillerée de thakitillo jusqu'à sa bouche. Au-delà des parois de la salle à manger, il sentit la peur de l'équi-page, les appréhensions de Lando, la culpabilité de Tendra pendant qu'elle s'approchait de la porte. Et quelque chose d'inconnu. Il pressa sa langue contre son palais pour répartir la crème dessert dans sa bouche et goûta longuement à l'explosion aigre-douce résultant de la fonte de la substance.

La porte de la cambuse s'ouvrit en sifflant. Yarsroot, le cuisinier Ho'Din, pénétra dans la salle à manger en compagnie de son assistant humain. Tous deux tenaient un blaster dissimulé derrière leur dos. Il s'agissait d'un signal invitant à suivre le plan initial. Jacen projeta ses émotions aux autres Jedi, commençant par un simple lien psychique – comme le leur avaient appris les Barabel – jusqu'à atteindre un niveau de connexion bien plus intense. Il fusionna avec les membres du groupe, renforçant l'union jusqu'à ce qu'il ait l'impression qu'il était eux et qu'ils étaient lui. En tant que coordinateur de la fusion mentale du commando, il était presque obligé de confier son enveloppe corporelle à ses camarades. Ils avaient découvert, en s'entraînant, que Jacen pouvait se laisser absorber par les sensations et les émotions du groupe au point d'en oublier son corps.

La svelte femme de Lando entra dans la salle à manger par l'écoutille d'accès qui donnait sur la cabine principale. Elle tenait dans ses bras un puissant blaster G-9 d'allure redoutable. Zekk et Jovan se levèrent instantanément de table pour s'emparer de leurs sabres laser. Tendra décocha une rafale de rayons bleus paralysants, envoyant les deux Jedi et la rousse Eryl voler contre le mur. Comme prévu. Lowbacca et Krasov se levèrent à leur tour et furent immédiatement maîtrisés par les traits paralysants tirés par Yarsroot et son assistant. Comme prévu, également.

Ressentant l'impact de chaque tir par le truchement du lien psychique avec son équipe, Jacen poussa un gémissement. Il serait tombé de sa chaise si Tenel Ka ne l'avait pas retenu.

Ça, ils ne l'avaient pas prévu.

Tendra fit basculer la commande de son puissant blaster afin que l'arme tire en rafales des rayons mortels.

— Si quelqu'un d'autre bouge, ne serait-ce que pour regarder dans ma direction, je vous abats tous. (Elle jeta un bref coup d'œil à Ganner, attendant de lui qu'il joue son rôle de chef factice de l'expédition.) C'est clair ?

— Comme du transparacier, répondit Ganner, les yeux fixés sur le centre de la table. Faites ce qu'elle vous dit.

— Très bien. (Tendra fit signe à deux membres de l'équipage de la rejoindre dans la salle à manger.) Restez assis tranquillement et on ne vous fera aucun mal.

Les deux hommes d'équipage firent le tour de la table et décrochèrent les sabres laser des ceintures des Jedi présents. Puis ils les jetèrent dans le vide-ordures. M-TD, le droïde-traducteur de Lowbacca, subit le même sort, en dépit de ses protestations. Jacen perçut une onde de panique provenant d'Anakin et comprit qu'ils venaient de se heurter à leur premier problème. Le vide-ordures donnait toujours sur le sas d'évacuation dans l'espace et non sur la capsule qui devait contenir leurs armes. L'équipe avait prévu de procéder à la modification des conduits juste après le dîner. Jacen se concentra sur Jaina et transféra un peu du calme de la jeune femme vers Anakin. Il n'y avait plus rien à faire. Il fallait suivre la Force.

— Mais enfin, Tendra, qu'est-ce qui se passe ? demanda Ganner. (La question n'était pas prévue dans le scénario, mais Ganner avait deviné qu'il était opportun de la poser. Jacen venait de le sentir dans le lien psychique. Et Ganner devinait toujours ce qu'il fallait, quand il le fallait.) Ne nous sommes-nous pas comportés en bons invités à votre bord ?

— Les meilleurs, répondit Tendra. Sauf que Fitzgibbon n'aime pas les couards, c'est tout.

Jacen ne se rendit même pas compte que l'assistant de Yarsroot venait de le débarrasser de son sabre laser. Il vit son arme disparaître avec les autres dans le vide-ordures.

— Des couards ? demanda Ganner. Mais qu'est-ce que vous voulez...

— Talfaglio, se contenta de répondre Tendra. (Native de Sacrerai, planète voisine de Talfaglio, Tendra n'avait guère besoin de simuler sa colère.) Maintenant, fermez votre clapet et levez-vous. Il y a quelqu'un qui veut vous rencontrer. Qui veut tous vous rencontrer.

On en était revenu au scénario de départ. Jacen se sentit vaguement se lever et pivoter vers la porte. Tenel Ka se tenait derrière lui. Elle aurait donc à charge de veiller sur lui, son bras serait assez fort pour le soutenir. Tendra fit un pas de côté et fit signe au commando de passer la porte. Il leur faudrait remonter la coursive, passer devant les cabines des voyageurs et monter trois marches jusqu'au pont de transfert. Les lieux seraient peut-être surpeuplés. Dans les sas, les accès aux capsules de sauvetage, combien pouvait-il y avoir de Yuuzhan Vong ? Le voxyn serait-il là, lui aussi ? Probablement pas. Personne n'avait encore perçu sa présence.

Alema se mit à trembler. Elle n'avait pas peur des Yuuzhan Vong. Elle en avait tué des douzaines de ses mains et dupé des centaines d'autres. Non. Elle avait peur d'elle-même. Elle ne s'était pas préparée à retrouver un voxyn à bord du vaisseau de transit. Comment réagirait-elle face à l'un d'entre eux, sachant ce que ces créatures avaient fait à sa sœur ?

Jacen s'empressa de lui transmettre un peu des sentiments de Raynar, qui se remontait le moral depuis un petit moment en se disant que la Twi'lek avait déjà survécu à de nombreuses situations similaires. Après tout, c'était elle qui avait empêché les Yuuzhan Vong de s'emparer de New Plympto. Elle leur servirait d'exemple pour cette mission. Les lekkus d'Alema cessèrent de trembler. Jacen suivit alors les Jedi inconscients, transportés par lévitation par cinq de leurs partenaires. Ils passèrent devant la cabine de Lando avant de s'engager dans la coursive sur laquelle s'ouvraient les quartiers des passagers.

Une porte coulissa juste derrière Tenel Ka et quelque chose de contondant la frappa entre les omoplates. Jacen tomba à genoux et se sentit perdre connaissance. Il comprit alors que la sensation lui provenait du corps de Tenel Ka. Il invoqua la puissance des autres afin qu'ils les aident, tous deux, à ne pas s'évanouir. Lorsque sa vision s'éclaircit enfin, le jeune homme vit que le corridor était infesté de Yuuzhan Vong.

A la tête du commando, Ganner s'élança vers Lando.

— Espèce de sale traître...

L'extrémité d'un bâton Amphi s'abattit sur l'arrière de la tête du Jedi. Celui-ci sombra dans un puits noir d'inconscience avant même que Jacen ait eu le temps de demander au reste de l'équipe de l'aider à rester éveillé. Ce n'était pas prévu par le script. Mais c'était peut-être aussi bien.

Instant Trente : l'équipage se retire. Tendra et Yarsroot retournèrent au vaisseau, laissant le commando aux mains des Yuuzhan Vong. Il n'y avait que six gardes sur le pont de transfert, en compagnie de Lando. Les autres se trouvaient dans la coursive d'accès derrière Anakin, en train d'escorter les Jedi. Tesar Sebatyne, qui était deuxième dans la colonne, hésita quelques instants à emprunter le pont de transfert et baissa les yeux vers la forme inanimée de Ganner.

Un guerrier Yuuzhan Vong, à l'imposante carrure et au crâne surmonté d'une frange de cheveux noirs, empoigna le Barabel et le poussa vers la navette.

— Avancez ! Vous tous, avancez !

Anakin se retint de sourire et enjamba le corps de Ganner. Tesar avait joué son rôle à la perfection, obligeant les Yuuzhan Vong à ordonner aux membres du commando exactement ce que ces derniers avaient prévu de faire. Anakin suivit le Barabel jusqu'à l'autre bout du pont et alla négligemment se poster devant une armoire où étaient enfermées des armes. Tahiri et les autres Jedi les rejoignirent et se serrèrent suffisamment pour que l'équipe, mais guère plus, se trouve au complet dans cet espace confiné.

Jusqu'à présent, les événements se déroulaient plus ou moins comme prévu. Certes, leurs sabres laser avaient été propulsés dans l'espace, mais Tendra et Yarsroot avaient pris quelques « précautions » supplémentaires pendant l'échange de prisonniers, afin de laisser le temps aux droïdes de guerre de récupérer les armes. Anakin avait senti croître la confiance de l'équipe au fur et à mesure de leurs progrès. Le lien télépathique renforçait la détermination de chacun, il unissait le groupe dans un but commun, exactement comme l'avaient expliqué les Barabel. Jacen arrivait à parfaitement maintenir le niveau de connexion. Anakin avait senti la résolution d'Alema Rar se renforcer, il avait partagé la surprise de Tenel Ka lorsque celle-ci avait été frappée par-derrière. En cet instant, il percevait l'esprit de Lowie en plein bouleversement. A peine commençait-il à s'inquiéter de l'impact que pourrait avoir un Wookiee à moitié assommé sur le déroulement du plan qu'il sentit Jacen projeter son esprit pour réconforter leur ami pendant qu'il se réveillait. Tout allait bien se passer.

Une fois que l'équipage se fut retiré, Lando se tourna vers un Yuuzhan Vong couvert de cicatrices et fit un geste en direction d'une caisse de fibreplast posée devant l'écoutille d'une des capsules de sauvetage de la *Dame Chance*.

— Le commandeur de la *Mort Exquise* m'autoriserait-il à lui faire un petit cadeau ?

Il s'agissait d'une variation subtile sur les termes de l'instant trente et un, mais elle était nécessaire. Personne n'avait songé que le commandeur de la navette superviserait le transfert en personne. Cet officier était particulièrement zélé.

Le commandeur ennemi ne formulant aucune objection, Lando sortit plusieurs paires de menottes de la caisse. Anakin poussa un long soupir de relaxation, se servant d'une technique de détente Jedi, afin d'expurger la vague sensation d'anxiété qui venait de s'emparer de lui.

Lando présenta les menottes au commandeur.

— Un petit quelque chose, pour bien maîtriser vos prisonniers, Duman Yaght.

Celui-ci regarda les menottes de façon dédaigneuse.

— Qu'est-ce que c'est que ces horreurs ?

— Des entraves de poignet. (Lando manœuvra le mécanisme d'ouverture d'un des bracelets de métal pour l'exhiber fièrement à son interlocuteur.) Comme vous pouvez le constater, j'ai pensé à tout.

Duman repoussa les menottes.

— Nous disposons de nos propres systèmes d'entrave. (Il posa les yeux sur la forme inconsciente de Ganner. L'un des membres du commando, par le truchement de la lévitation, l'avait déposé au milieu du pont de transfert, avec les autres Chevaliers Jedi évanouis.) Des systèmes d'entrave aux vertus… pédagogiques.

Instant trente-deux : l'ennemi accepte l'offre. Anakin tourna discrètement la paume de sa main vers l'armoire où étaient enfermées les armes. Il projeta une onde de la Force et poussa le panneau de métal vers l'intérieur. Lando et les Yuuzhan Vong sursautèrent. Ils se tournèrent prestement en entendant le grincement produit par la torsion exercée sur le duracier. Ulaha ferma le sas de décompression près duquel elle se tenait, isolant du coup le reste de leurs ennemis dans la coursive d'accès.

Anakin arracha la porte de l'armoire et l'envoya heurter la tête de Duman Yaght. Un guerrier Yuuzhan Vong s'avança pour défendre son commandeur. Les autres, constatant que l'espace était trop réduit pour utiliser leurs bâtons Amphi, posèrent les mains sur leurs coufees. Le commando réagit immédiatement, à grand renfort de coups de pied et coups de poing, utilisant le lien télépathique à son avantage afin d'empêcher les ennemis, trop occupés à esquiver et à parer, de se servir de leurs armes.

Faisant appel à la Force, Anakin arracha les blasters de leur râtelier et les propulsa à travers le pont de transfert vers les mains d'une dizaine de Jedi. De l'autre côté du sas verrouillé commencèrent à résonner des sons étouffés et des coups métalliques, témoignant que le reste du détachement Yuuzhan Vong cherchait à rejoindre le pont de transfert. Tesar Sebatyne exécuta un demi-tour, faisant fouetter sa puissante queue de reptile contre les chevilles de Duman Yaght et du soldat qui s'était avancé pour défendre son supérieur. Les deux Yuuzhan Vong s'écroulèrent. Le Barabel baissa alors son blaster vers la tête du commandeur.

— Rappelez vos balafrés à la raison ! gronda-t-il.

Les yeux de Duman Yaght lancèrent des éclairs de fureur. Son subalterne, allongé juste derrière Tesar, tendit la main vers son coufee. Anakin voulut pousser un cri d'alarme, mais Jacen avait déjà perçu le danger de la situation. Il prévint Tesar au moyen d'une onde télépathique. Le Barabel pivota et donna un violent coup de talon, duquel s'était déployée une griffe, pour clouer la main du guerrier au plancher de duracier.

Le tumulte, de l'autre côté du sas, cessa brusquement. Anakin se dit que les événements survenus sur le pont de transfert venaient d'être rapportés aux officiers de la *Mort Exquise*. Il braqua son blaster vers le soldat blessé qui avait essayé de protéger Duman Yaght et commença un décompte silencieux. Les droïdes de guerre avaient besoin d'une diversion d'au moins trente secondes pour sortir de la trappe d'évacuation de la *Dame Chance* avec leur capsule d'équipement et s'amarrer au vaisseau ennemi. Le jeune homme aurait bien aimé pouvoir doubler ce délai, afin de leur assurer une marge de sécurité, mais soixante secondes lui paraissaient représenter une éternité.

Tesar prit tout son temps pour extraire son ergot de la main du soldat, puis appuya le canon de son blaster contre le visage de Duman Yaght.

— Dites à vos guerriers de baisser leurs armes, grogna le Barabel.

Duman Yaght surprit Anakin, et le reste du commando, en répondant par un sourire admiratif.

— Très impressionnant. La réputation des *Jeedai* n'est donc pas usurpée.

Tesar se contenta de répondre d'un sifflement perçant. En l'absence de l'union télépathique, Anakin aurait cru que le Barabel était perplexe. Mais, grâce à Jacen, il comprit en fait que Tesar gagnait un peu de temps.

Deux secondes plus tard, Tesar reprit la parole d'une voix rocailleuse :

— Ce Barabel attend votre reddition, pas des compliments.

— Alors, vous risquez d'être déçu, répondit Duman. Vous devez savoir qu'avant de laisser s'échapper dix-sept *Jeedai*, je détruirai ce vaisseau et tous ceux qui se trouvent à son bord. Moi y compris.

— Une petite minute, objecta Lando. (Il fit un pas en avant. Anakin, mentalement, venait de compter « huit ».) Il n'est pas nécessaire de…

— Silence ! Vous prétendez connaître les Yuuzhan Vong. Vous devez donc savoir que la mort ne nous fait pas peur. (Duman releva les yeux vers Tesar.) Je vous laisse cinq respirations…

Il se produisait quelque chose qu'ils n'avaient pas prévu. Désespéré à l'idée de contrecarrer les plans et de retarder la mission, Anakin s'avança jusqu'au commandeur Yuuzhan Vong. Il donna un coup de pied dans l'épaule de Yaght pour déloger les villips qui y étaient accrochés et les écrasa sous son talon.

— Cela ne vous sauvera pas la vie, dit le commandeur. Je dispose d'un villip personnel sur le pont de mon vaisseau. Il relaie toutes mes paroles. Trois respirations, ajouta-t-il, se tournant à nouveau vers Tesar.

Le décompte d'Anakin avait déjà dépassé la barre des dix secondes, mais le jeune homme comprit qu'il ne fallait pas sous-estimer les propos de leur ennemi. Leur ayant déclaré qu'il était prêt à mourir, mettre ses propos à exécution ne serait plus à présent pour lui qu'une question d'honneur. Anakin regarda la poitrine du Yuuzhan Vong se soulever et s'abaisser deux fois de suite.

Lando devait, lui aussi, être en train de l'observer car, après la deuxième respiration, il poussa un grondement de colère.

— Personne ne va détruire mon vaisseau, vous m'entendez ? (Il traversa le pont de transfert jusqu'au sas intérieur encore verrouillé.) Surtout quand il n'y a aucune raison de le faire.

Alema Rar lui barra le passage et pointa son blaster vers son visage. Lando continua d'avancer. Elle pressa la détente. Il y eut un claquement sonore, correspondant à la mise en service d'une mesure de sécurité. Alema poussa un cri et laissa tomber le blaster fumant.

Lando donna un coup de pied dans l'arme.

— Vous voyez ? J'ai pensé à tout. (Il arracha le blaster des mains de Raynar, manipula le verrouillage de la cellule énergétique, éjecta celle-ci, la retourna, la remit en place et ajusta le contrôle de l'arme. Il tira alors un rayon paralysant sur Tesar.) Cellules énergétiques à polarité inversée. Simple précaution d'usage quand vous avez l'intention de trahir une compagnie de Jedi.

Anakin et les autres s'empressèrent d'éjecter les cellules énergétiques de leurs blasters, mais même un Jedi ne pouvait être aussi rapide. Le protecteur de Duman Yaght tendit les jambes et exécuta une prise en ciseaux, faisant tomber Anakin. Ce dernier eut toutes les peines du monde à continuer son décompte alors qu'on le rouait de coups.

Les autres Yuuzhan Vong passèrent à l'attaque, brandissant leurs coufees pour arracher les blasters des mains de leurs adversaires. Duman Yaght rejoignit la mêlée. Il se rua sur Tahiri pour la catapulter contre l'écoutille d'une capsule de sauvetage. Blasters et cellules énergétiques volèrent en tous sens. La jeune femme jugea bon de ne pas résister et se laissa glisser contre le panneau jusqu'au sol.

Le commandeur se tourna vers Lando et lui indiqua le sas intérieur.

— Ouvrez-moi ça !

Lando fit un pas en avant et tendit la main vers le boîtier de commande. Anakin venait de compter vingt-cinq secondes. Les deux droïdes de guerre devaient avoir atteint la partie inférieure de la navette pour se chercher un point d'amarrage. Jacen perçut l'inquiétude de son jeune frère. Ulaha s'avança pour barrer la route à Lando. Elle étendit les très longs doigts de sa main et s'ouvrit à la Force.

Jacen fut le premier à crier. Anakin perçut une décharge de douleur chauffée à blanc et crut que son frère avait été frappé. C'est alors qu'il entendit Ulaha émettre un sifflement et qu'il la vit tituber. Le manche d'un coufee saillait entre ses omoplates. Une onde de choc parcourut le commando, comme une décharge électrique. Personne n'avait vu l'attaque se produire. La douleur soudaine les avait tous aveuglés. Anakin encaissa deux autres coups et sentit ses compagnons faiblir. Les corps commencèrent à tomber sur le plancher du pont de transfert.

A l'autre bout du passage, Ulaha était étendue face contre terre, souffrant beaucoup trop pour pouvoir crier. Ses ongles lacérèrent le sol de duracier. Lando se tenait au-dessus d'elle, ses yeux noirs remplis d'horreur, mais conservant sa prestance de joueur professionnel afin de ne rien laisser paraître de ses émotions. Instinctivement, il se mit à plier les genoux, dans l'idée de se pencher et d'arracher la dague plantée dans le dos d'Ulaha. Mais il se ressaisit, enjamba la Jedi blessée et ouvrit le sas intérieur.

Un autre poing s'abattit sur Anakin. Cette fois-ci, le coup fit sombrer le jeune homme vers les ténèbres de l'inconscience. Il en oublia son décompte, mais il devait bien en être à trente secondes. Il n'aurait guère le loisir de compter plus longtemps. Le sol se mit à résonner des pas lourds du reste du détachement Yuuzhan Vong qui se précipitait dans le tunnel de transfert. Anakin se ressaisit et invoqua la Force. Il projeta un blaster abandonné à la tête d'un de ses attaquants. Il reçut alors un autre coup violent et la pointe d'un coufee se posa contre son cou.

— Ça suffit, *Jeedai*, siffla le guerrier. Compris ?

Anakin n'osa même pas hocher la tête.

Duman Yaght aboya un ordre. Deux Yuuzhan Vong soulevèrent le corps d'Ulaha et l'emmenèrent dans le sas. La crosse du poignard dépassait toujours entre ses épaules. Un vide très familier s'empara d'Anakin. La même sensation qu'il avait perçue sur Sernpidal, lorsqu'il avait été obligé de faire décoller le *Faucon*, abandonnant Chewbacca derrière lui. Une terreur glacée l'envahit. Ils venaient à peine d'entrer en contact avec l'ennemi que l'un d'entre eux était déjà blessé. Peut-être que cette mission était trop difficile, finalement. Peut-être que tout le monde allait périr comme Chewbacca. Lowie, Tahiri, même Jacen et Jaina. Peut-être qu'il était responsable de tout cela.

Jacen lui adressa une onde mentale pour l'apaiser. Ce faisant, il lui fit partager les émotions du reste du groupe. Il y avait de la peur, de la colère, de la culpabilité. Anakin fut incapable de discerner qui ressentait quoi. Sauf dans le cas d'Alema Rar. Celle-ci semblait soulagée. Personne n'était encore mort et elle avait tenu le coup sans succomber à la panique. Pour elle, les choses semblaient plutôt bien se passer.

La voix de Duman Yaght résonna près des pieds d'Anakin :

— Je dois admettre, Fitzgibbon Lane, que je comprends pourquoi vous avez détruit leurs sabres laser. Imaginons qu'ils aient pu disposer de leurs armes… Eh bien, je suis ravi que vous ayez pris l'initiative de les désintégrer.

Deux Yuuzhan Vong obligèrent Anakin à se relever. Le jeune homme vit le commandeur, se tenant près de Lando, qui supervisait le transfert des prisonniers Jedi à bord de la navette. Anakin fixa Lando, se demandant s'il n'existait pas un moyen pour que ce joueur professionnel, au bagout si convaincant, trouve un moyen de garder Ulaha à bord de la *Dame Chance*.

Lando surprit le regard d'Anakin et le soutint pendant quelques instants, puis il se tourna vers Duman Yaght.

— Tout est une question de planification. Mais, pour la prochaine fois, j'aimerais être averti un peu plus tôt. Si nous les capturons pendant leur sommeil…

— Vous aurez un villip, l'interrompit le Yuuzhan Vong. C'est tout ce que je peux vous promettre.

Les gardes poussèrent Anakin dans le sas. Le jeune homme trébucha sur le seuil, mais tourna la tête pour regarder par-dessus son épaule. Il comprit qu'il n'existait aucun moyen pour que Lando parvienne à conserver Ulaha à son bord. Mais parfois Lando Calrissian réalisait des prouesses jugées impossibles. Il avait passé sa jeunesse à se jouer des agents impériaux et à duper les pires criminels de la galaxie. Il avait sauvé la mise à la famille Solo, parents et enfants, à plusieurs reprises, et cela même avant la naissance d'Anakin. Il semblait évident que Lando Calrissian parviendrait à se jouer d'un ambitieux officier Yuuzhan Vong.

Les regards de Lando et d'Anakin se croisèrent à nouveau. La peur et l'égarement se matérialisèrent alors dans les yeux du joueur invétéré. Puis Duman Yaght déclara quelque chose requérant l'attention de Lando et celui-ci fut obligé de tourner le dos au jeune Jedi.

18

Au lieu d'emprunter le corridor conduisant au pont promenade de l'*Aventurier Errant* – où deux douzaines d'étudiants de
l'Académie attendaient impatiemment de pouvoir démontrer
leurs talents à maîtriser la Force –, Luke et ses compagnons
suivirent Booster Terrik, tiré à quatre épingles, jusqu'à un tube
élévateur qui menait directement à la passerelle. Le destroyer
stellaire ne pouvait rester trop longtemps en orbite autour
d'Eclipse sous peine de révéler l'emplacement de la base secrète.
La dernière chose que souhaitaient tous les membres du groupe,
c'était bien de perdre du temps à regarder les informations du
réseau HoloNet. Malheureusement, ils venaient d'apprendre
que Nom Anor était sur le point de s'adresser au Sénat à propos
des otages de Talfaglio. Borsk Fey'lya avait insisté pour que
Wedge Antilles et Garm Bel Iblis soient tous deux présents.
Sans aucun doute, quelque chose allait se produire, quelque
chose de très important pour les Jedi.

Booster les mena jusqu'à l'arrière de la passerelle de commandement du navire. On avait installé un vieux projecteur holographique impérial au bout d'une table de conférence sur laquelle
traînaient datablocs, dessins scientifiques et feuilles de filmplast
couvertes de notes. En plus de Luke et de Booster, il y avait là
Corran et Mirax Horn, Han et Leia, R2-D2 et C-3PO, ainsi que
Ben, exprimant son mécontentement, niché au creux des bras
de Mara. Tionne et Kam Solusar se trouvaient sur le pont
promenade en compagnie de leurs étudiants, leur expliquant

que Maître Skywalker avait hâte de venir les voir et qu'il les rejoindrait très prochainement.

Luke ne savait pas encore comment Corran et Mirax Horn étaient parvenus à échapper aux voxyns sur Corellia. Leur récit avait été interrompu par l'annonce de l'apparition de Nom Anor au Sénat. Ils avaient cependant annoncé que leur évasion n'avait rien d'extraordinaire, mais qu'il leur fallait trouver un moyen de rembourser rapidement et discrètement les Services de Transports Corelliens pour les dégâts occasionnés à un taxi volant.

Ben s'agita de plus belle au fur et à mesure que le groupe se rassemblait autour de la palette de réception holographique. Normalement, il était le plus imperturbable des bébés, mais certaines fois il était impossible de le consoler. R2-D2 ajusta la réception du vieil appareil sur l'holofréquence du Sénat. Et Ben se mit à pleurer. Luke sentit Mara invoquer la Force pour le calmer. Cela ne servit pas à grand-chose. Il l'invoqua alors lui-même pour essayer de remédier au problème. Ben pleura encore plus fort. Mara poussa un long soupir et emmena le bébé dans la pièce voisine.

Leia l'intercepta au passage.

— Laisse-moi faire. Je ne suis pas obligée d'assister à tout ça.

Mara hocha la tête et passa l'enfant à sa belle-sœur. Ben se calma presque instantanément. Luke et Mara échangèrent un regard surpris, se sentant tous deux un peu peinés de ne pas avoir été capables de consoler leur fils, mais sachant également qu'il devait y avoir une autre raison pour expliquer ce calme soudain.

— Je pensais à Anakin, leur dit Leia, les yeux fixés sur le visage de l'enfant. Tout en observant Mara, j'étais en train de me dire que j'aurais tant aimé pouvoir le tenir plus souvent dans mes bras lorsqu'il avait l'âge de Ben.

Luke sourit et se tourna à nouveau vers la palette holographique. La caméra se rapprochait d'une silhouette familière dans la grande chambre de convocation.

Pour Viqi Shesh, Nom Anor avait l'air bien trop sûr de lui. Même si Fey'lya lui avait refusé le privilège de se présenter en

217

tenue complète de guerrier, l'exécuteur se tenait droit et hautain, sourd aux huées ou encouragements des sénateurs présents, son œil valide braqué sur le podium des hauts conseillers. Il portait une tunique étincelante de glistatoile vivante, presque aussi résistante aux tirs de blaster qu'une armure en crabe vonduun, mais d'allure beaucoup plus anodine. Un tissu parfaitement inoffensif aux yeux de ceux qui ignoraient le secret de ses fibres, capables de neutraliser les décharges énergétiques.

Nom Anor s'avança jusqu'au centre de l'estrade des orateurs et attendit que le silence se fasse. Viqi comprit immédiatement que l'attente serait longue. Après les déclarations publiques de Fey'lya à propos de son soutien aux Jedi, les sénateurs qui se rangeaient du côté de l'Ordre étaient contents d'avoir à attendre le signal du Bothan pour se calmer. Aucun n'aurait raté cette occasion de tourmenter un adversaire et Fey'lya n'avait pas l'intention de donner à Nom Anor la possibilité de s'amender. Il se pencha en avant, observant attentivement la salle depuis sa console de chef d'Etat et parla dans son microphone :

— Vous avez donc demandé à être entendu. (La voix amplifiée de Fey'lya résonna dans la Chambre et calma les cris des sénateurs.) Avez-vous l'intention de nous fournir des explications au sujet des otages de Talfaglio ?

L'orbite vide de Nom Anor sembla palpiter.

— Pas vraiment. Vous comprenez la situation. Je suis venu vous informer que le Maître de Guerre a décidé d'accorder un peu plus de délai aux Jedi pour qu'ils se rendent.

La salle tout entière explosa d'un cri de stupéfaction. Viqi fut au moins aussi choquée que le reste de ses confrères, car le Maître de Guerre n'était pas du genre à accorder de délai, surtout face aux menaces creuses de Fey'lya. Peut-être Nom Anor était-il en train de jouer à un de ces petits jeux dont il avait le secret ? Maintenant que Borsk Fey'lya soutenait ouvertement les Jedi, il était possible que l'Exécuteur cherche à passer un accord avec lui. Un tel plan devait rapidement être contrecarré, sinon Nom Anor pourrait prendre la place de Viqi sur le siège de Borsk Fey'lya lorsque les assassins dépêchés par Tsavong Lah passeraient enfin à l'attaque. Elle ne comprenait d'ailleurs pas pourquoi ceux-ci n'avaient pas encore agi. La plupart des occasions dont elle avait dressé la liste avaient déjà été manquées et, jusqu'à présent, aucun individu suspect n'avait été remarqué dans l'entourage du Chef d'Etat.

Sans attendre que le brouhaha cesse, Viqi activa son microphone.

— Comment expliquez-vous ce soudain éclair de conscience, Ambassadeur ?

Nom Anor conserva son attitude pleine de suffisance.

— Le Maître de Guerre a fini par comprendre qu'il était peut-être difficile aux représentants de la Nouvelle République d'exécuter ses ordres en un laps de temps aussi court. (Il marqua une pause et se détourna du podium des hauts conseillers pour observer les galeries.) La nuit dernière, un citoyen préoccupé par l'avenir de la galaxie nous a livré dix-sept jeunes Jedi…

Le grondement de colère qui monta de l'assemblée fut tel que le reste de la déclaration de Nom Anor fut absorbé par le bruit. Viqi se laissa aller contre le dossier de son fauteuil, aussi stupéfaite que tout le monde. Elle commença à se demander comment une chose pareille avait pu se produire. Aucun chasseur de primes de cette galaxie n'était à même de parcourir ainsi l'espace pour capturer dix-sept Jedi. Elle doutait d'ailleurs qu'une escouade complète de chasseurs de primes soit capable d'un exploit pareil.

Pour ramener le silence, Fey'lya fut obligé de faire éteindre les lumières de la salle. Il dut cependant attendre encore plusieurs minutes avant de pouvoir se faire entendre. Il déclara qu'il venait de demander au sergent en poste d'ordonner à ses droïdes de sécurité de faire sortir tout sénateur qui élèverait trop la voix. Lorsque la lumière revint, les oreilles du Bothan étaient couchées vers l'arrière. Une longue crête de poils était hérissée sur sa nuque.

— Je ne vous crois pas, dit-il.

Viqi fut tentée d'abonder dans ce sens, apparemment tout comme le reste des membres du Sénat. Un murmure parcourut l'assistance. Celui-ci manqua de se transformer en tumulte, mais les droïdes de sécurité contrôlèrent rapidement la situation en formulant de sévères avertissements concernant le niveau sonore.

Nom Anor émit un grognement dédaigneux.

— J'ai là une liste. (Il sembla consulter quelque chose qui ressemblait à une peau de serpent tannée.) Leur chef est Ganner Rhysode, déclara-t-il. Ses assistants semblent être Tesar Sebatyne et un Wookiee appelé Lowbacca.

Un grondement plaintif s'éleva de la tribune de la délégation Wookiee et un droïde de sécurité encaissa une gifle violente administrée par une grosse patte poilue.

— La Jedi Bith Ulaha Kore a été blessée en tentant de résister à sa capture. Et puis, je reconnais là également le nom de Solo…

— Solo ? s'étrangla Wedge Antilles. (Pour une raison que Viqi ne comprenait pas, il se tenait en compagnie de Garm Bel Iblis, derrière Borsk Fey'lya.) Vous avez capturé un Solo ?

L'assistance sombra dans un silence tel que la question suivante, posée par le Général Bel Iblis, aurait pu atteindre les rangées supérieures des tribunes sans l'aide du microphone de Fey'lya.

— Lequel avez-vous capturé ? Anakin ou les jumeaux ?

L'expression dédaigneuse disparut immédiatement du visage de Nom Anor.

— Des jumeaux ? (Il se força bien vite à recouvrer un ton hautain, mais, aux yeux de Viqi, son visage exprimait plus le dégoût qu'autre chose.) Nous détenons trois jeunes Solo.

Les deux généraux se regardèrent, l'air abattus. Les oreilles de Fey'lya tombèrent un peu plus, mais seule Viqi avait remarqué le subtil changement dans l'attitude de Nom Anor. Elle ignorait ce que la notion de gémellité pouvait signifier chez les Yuuzhan Vong, mais il paraissait évident qu'elle avait de l'importance. En s'y prenant bien, Viqi pourrait rabaisser Nom Anor aux yeux de Tsavong Lah en utilisant le manque d'informations de l'Exécuteur.

Elle se pencha en avant et dévisagea Nom Anor, comme pour le défier.

— Jaina et Jacen sont des jumeaux, Ambassadeur. Tout le

monde sait cela, ajouta-t-elle avec un petit sourire narquois en se redressant. Ce sont des jumeaux, tout comme leur mère est la sœur jumelle de Luke Skywalker...

L'œil valide de Nom Anor sembla rétrécir dans son orbite et l'Exécuteur foudroya Viqi du regard.

— Ce qu'ils sont n'a que peu d'importance. (Il s'obligea à se tourner à nouveau vers Borsk Fey'lya.) Ce que je suis venu vous dire, ce que Tsavong Lah souhaite que je vous dise, c'est que, en tant que Maître de Guerre, il n'est pas déraisonnable. Il est prêt à épargner les otages de Talfaglio tant que la Nouvelle République continuera de lui livrer ses Jedi...

— Jamais ! tonna Fey'lya en se levant de son fauteuil.

Nom Anor l'ignora et se tourna vers la tribune :

— Une quantité équivalente tous les...

Son microphone fut soudainement éteint et ses derniers mots n'atteignirent pas les membres de l'assistance.

Viqi se pencha sur son propre micro.

— Une quantité équivalente tous les dix jours standard. Vous avez tous le droit de le savoir, même si le Chef de l'Etat ne le souhaite pas.

Ses propos enflammèrent immédiatement l'assistance, créant un tel chaos que les droïdes de sécurité durent obliger certains sénateurs à évacuer la salle à grand renfort de leurs aiguillons électrifiés. Fey'lya pressa un bouton sur sa console avant de se lever. Sa voix était à présent transmise dans les haut-parleurs de la grande salle, mais également relayée à chacune des consoles individuelles.

— Ce que le Chef de l'Etat souhaite vous faire connaître, même si le Sénateur Viqi Shesh s'y oppose, c'est comment les Yuuzhan Vong usent de la diplomatie.

Mif Kumas, sergent chargé de la sécurité du Sénat, apparut soudainement en bordure du podium. Ses grandes ailes de Calibop battaient furieusement l'air pendant qu'il tentait, en compagnie de trois imposants droïdes de sécurité, de ramener l'ordre dans l'assistance. Fey'lya regarda dans la direction de Viqi et dévoila brièvement ses crocs. Elle comprit alors que si le chef de l'Etat était toujours vivant, ce n'était pas parce que les assassins de Tsavong Lah tardaient à agir, mais tout simplement parce qu'ils avaient échoué. Son sang se glaça. Cependant, elle garda tout son calme, se leva et se prépara à quitter le podium des hauts conseillers.

Fey'lya appuya sur un bouton de son tableau de contrôle et sa voix retentit directement dans le haut-parleur de la console de Viqi :

— Où comptez-vous aller, Conseiller Shesh ?

Viqi releva le menton et regarda le Bothan droit dans ses yeux violets avec autant d'assurance qu'elle pouvait se le permettre.

— Une affaire personnelle et urgente…

— Restez donc, dit-il avec un sourire malicieux. Ça ne prendra pas longtemps, et je suis certain que vous allez trouver cela des plus… enrichissants.

Face à la perspective d'être publiquement humiliée par les droïdes de sécurité de Kumas et tout en tentant de conserver un air innocent, elle regagna son siège, essayant de ne pas prêter attention aux regards soupçonneux des deux généraux tournés vers elle.

— Je souhaite que vous en finissiez vite.

— Mais certainement. En finir rapidement, n'est-ce pas là ce qu'il y a de plus sûr ? (Fey'lya appuya sur un bouton et sa voix retentit à nouveau dans les haut-parleurs. Il se tourna vers Nom Anor.) Récemment, un détachement d'espions Yuuzhan Vong a tenté de m'assassiner…

Un murmure parcourut l'assemblée. Viqi sentit son estomac se serrer. Il y avait fort à parier que son « affaire personnelle et urgente » serait très bientôt parfaitement vérifiable.

Fey'lya leva les mains.

— Il y en a sûrement certains parmi vous qui considéreront cela comme une astuce cynique visant à me faire gagner un quelconque avantage politique. Mais je vous assure que ce n'est pas le cas. (Il baissa les yeux vers Nom Anor, qui venait de remarquer que le Calibop et les trois droïdes de sécurité se rapprochaient de lui.) Mon seul désir est de bien faire comprendre à mes détracteurs, au sein de cette assemblée, la nature des individus auxquels nous faisons face actuellement. A cette fin, j'ai convoqué deux hommes qui pourront attester de la véracité de cette attaque, deux généraux dont l'honnêteté est au-delà de tout soupçon et qui – comme beaucoup d'entre vous le savent déjà – ne me portent pas vraiment dans leur cœur.

Il fit signe aux généraux de s'avancer. Wedge Antilles se pencha sur le micro.

— Une attaque a effectivement eu lieu.

— Malheureusement, ajouta le Général Bel Iblis, nous sommes à l'heure actuelle engagés sur des missions secrètes et nous ne pouvons vous révéler aucun détail. Mais tout s'est déroulé comme vous l'a dit le Chef de l'Etat Fey'lya. Il n'y a aucune ambiguïté possible.

Le murmure se transforma bientôt en une rumeur outrée. L'estomac de Viqi produisit un grondement si fort que son micro en relaya le son. Fey'lya se tourna vers elle.

— Sénateur Shesh ? demanda-t-il. Avez-vous quelque chose à nous dire ?

Le regard de Viqi sembla soudain lancer des vibrolames vers Fey'lya. Elle jeta un coup d'œil aux droïdes de sécurité. Ceux-ci flottaient à moins de cinq mètres en arrière de Nom Anor. Le seul fait de savoir qu'ils la maîtriseraient avant même qu'elle ait eu le temps de tirer l'empêcha de sortir le petit blaster qu'elle dissimulait dans ses vêtements.

— Qu'est-ce que vous voulez que je vous dise, Borsk ? Que je suis désolée ?

Fey'lya laissa échapper un sourire de triomphe.

— Une excuse n'est pas nécessaire, Sénateur Shesh. Je sais que vous aviez seulement en tête de sauver Kuat. (Il se tourna dans la direction de Nom Anor.) Et tant que vous reconnaissez votre erreur...

— Mon erreur ? s'étrangla Viqi, commençant à comprendre que son secret en était toujours un.

Peut-être que son contact avait été abattu pendant l'attaque. A moins que les espions Yuuzhan Vong ne soient suffisamment entraînés pour résister même aux plus convaincantes des méthodes d'interrogatoire modernes. Cela n'avait guère d'importance. Fey'lya devait être persuadé qu'il avait remporté le défi. Le *défi politique* qu'elle lui avait lancé. Il souhaitait la faire rentrer dans le droit chemin, rallier sa confiance à sa cause. Il n'avait pourtant aucune idée du jeu qui était en train de se jouer. Aucune idée du tout.

Viqi sourit et baissa la tête.

— Je reconnais mon erreur. (Elle se tourna ensuite vers Nom Anor.) On ne peut pas faire confiance aux Yuuzhan Vong, c'est tout.

— Ça alors ! déclara C-3PO pour lui-même. Avez-vous remarqué l'intérêt manifesté par Nom Anor lorsqu'on lui a annoncé que Jacen et Jaina étaient jumeaux ?

Personne, pas même Luke, ne daigna répondre au droïde. Leurs yeux étaient tous rivés au projecteur holographique. Fey'lya, rayonnant, était en train d'informer Nom Anor qu'il était en état d'arrestation. Luke fut cependant troublé de constater que le Yuuzhan Vong ne cherchait pas à protester en clamant son innocence. Il regardait le Bothan, comme si Fey'lya et lui-même partageaient les mêmes pensées.

— Bien entendu, il est impossible de savoir quelle importance peuvent avoir des jumeaux sur la culture Yuuzhan Vong, continuait de déblatérer le droïde de protocole. Mais, pour approximativement quatre-vingt-dix-huit pour cent des civilisations de notre galaxie, ils représentent la double nature de l'univers : le bien et le mal, la lumière et les ténèbres, l'homme et la femme. Lorsque les jumeaux sont en harmonie, alors l'univers est en harmonie...

Dans l'hologramme, Mif Kumas vola en battant des ailes jusqu'à Nom Anor, brandissant une paire de menottes. Les trois droïdes de protection se postèrent en triangle autour du Yuuzhan Vong. A la grande surprise de Luke, celui-ci tendit les bras et rapprocha ses poignets. Puis il saisit l'un de ses petits doigts et le cassa net. Des volutes de vapeur noire jaillirent de la blessure, entourant Nom Anor et Mif Kumas d'un miasme d'encre.

Ce qui se passait ne semblait pas conforme aux paramètres de programmation des droïdes de sécurité. Ils n'ouvrirent pas le feu avant que le Yuuzhan Vong plonge le moignon de son doigt dans la figure du Calibop éberlué. Luke vit les premiers rayons de blaster atteindre la tunique étincelante de Nom Anor et disparaître sans lui causer le moindre mal. Soudain, le Yuuzhan Vong et le sergent disparurent dans le nuage de ténèbres en expansion.

Ne prêtant guère attention à ce qui était en train de se passer dans la projection holographique, C-3PO continuait son exposé :

— ... quelle que soit la signification de la gémellité pour nos ennemis, j'ai bien peur que cela ne fasse que renforcer la vigilance de ceux qui ont capturé Jacen et Jaina. La réaction de Nom Anor nous suggère que...

— C-3PO ! aboya Leia, revenant dans la pièce avec Ben toujours endormi dans ses bras.

— Oui, Maîtresse Leia ?

— Ferme-la avant que ne me vienne l'envie de faire procéder à un effacement de tes banques de données.

— Effacer mes banques de données ? répéta C-3PO. Mais pourquoi donc aurais-je besoin qu'on efface mes banques de données ?

R2-D2 formula une suggestion.

— Mais enfin, je ne souhaitais pas alarmer Maîtresse Leia, objecta C-3PO. Je voulais simplement...

Han s'avança jusqu'au droïde, passa la main derrière sa tête et coupa l'interrupteur principal.

— Merci, dit Luke, sachant toutefois que Han avait pris la décision de faire taire C-3PO surtout pour Leia et pour lui-même.

La scène retransmise par l'hologramme était confuse, sombre. Et les choses ne semblaient guère s'arranger. Le nuage déclenché par Nom Anor emplit rapidement tout le champ de la caméra. Les droïdes de protection cessèrent de tirer faute de pouvoir repérer leur cible. L'opérateur de la caméra élargit l'image pour embrasser l'ensemble de la salle. Mais les fumerolles noires continuèrent de se propager et cette nouvelle vue fut à nouveau rapidement obscurcie en quelques secondes. La retransmission audio ne fut bientôt plus qu'un concert constitué de cris de panique, de quintes de toux et du fracas de pieds courant sur le plancher pour prendre la fuite.

Des parasites traversèrent le champ holographique. Le système anti-incendie et la ventilation de la salle entrèrent en action. L'image commença à s'éclaircir. Lorsque les couloirs et les balcons furent de nouveau visibles, des corps inanimés étaient étendus un peu partout, sur les marches, affalés sur les consoles de conférence, allongés en travers des rampes d'accès.

— Larve de Sith ! s'écria Corran. Il a éradiqué tout le Sénat !

— Seulement assommé, le corrigea Luke. (Il essayait toujours d'analyser l'étrange réaction de Nom Anor face aux accusations de Fey'lya. Luke savait bien qu'on avait réellement intenté à la vie du Chef de l'Etat puisque Han et Leia s'étaient justement trouvés là lorsque les assassins avaient attaqué. Pourtant, le Yuuzhan Vong avait réagi comme si tout cela n'était qu'une fiction politique.) Je crois qu'il n'a pas voulu détruire le Sénat. Ce type d'outrage ne pourrait que renforcer l'union de la Nouvelle République alors que les Vong cherchent justement à nous diviser.

Il parut vite évident que Luke avait raison. La caméra se braqua à nouveau sur le sol de la grande salle, là où le nuage avait été le plus dense. Des corps commencèrent à s'animer, des gorges sèches toussèrent, à la recherche d'air frais. Les ailes de Kumas se remirent à battre. Fey'lya et les autres conseillers se relevèrent péniblement pour avancer jusqu'à leurs consoles et aboyer des ordres qui n'avaient de sens que pour eux.

Les trois droïdes de protection gisaient inertes sur le sol. L'un d'entre eux était emberlificoté dans la tunique de soie étincelante que portait Nom Anor. En revanche, plus aucun signe de ce dernier.

— Il s'est volatilisé, observa Han. Il devait certainement avoir une de ces choses de grimage autour de la taille.

— Peut-être que la sécurité du palais a réussi à l'arrêter. (Leia se tourna vers Corran qui, en tant qu'ancien membre de la Sécurité Corellienne, avait plus d'expérience que quiconque à ce sujet.) Qu'est-ce que tu en penses ?

Au lieu de répondre, Corran se contenta de regarder Han avec des yeux chargés d'une infinie tristesse. Il contourna la table, Mirax sur ses talons, et écarta les bras.

— Han, Leia… Je suis désolé.

— Du calme, mon vieux, dit Han, faisant un pas en arrière, levant les mains devant lui pour éviter l'accolade de cet ancien officier de CorSec qui, quelques décennies auparavant, l'aurait plutôt pourchassé. Il y a quelque chose que tu dois savoir.

Corran s'arrêta, l'air perplexe autant que vexé.

Luke pouffa.

— Corran, si j'ai demandé aux Jedi de se rassembler ici, c'est qu'il y a une bonne raison. (Il se tourna vers Booster.) Mais tout ceci doit rester secret, ajouta-t-il. Très secret.

Booster écarta les bras et embrassa la passerelle du regard.

— Et à qui voudriez-vous que j'aille en parler ?

Luke expliqua la mission entreprise par Anakin et son commando. Il expliqua également comment, sur Eclipse, on essayait de former un groupe de Jedi capable de défendre les otages de Talfaglio.

— Est-ce que tu te souviens de ce que tu as dit à Jacen après la chute d'Ithor ? Qu'il viendrait bien un moment où les gens finiraient par souhaiter le retour de l'homme ayant causé la destruction de la planète…

— Maître, à cette époque, j'étais un peu, heu… déçu, dit Corran. Je ne voulais pas avoir l'air amer…

— J'en suis convaincu, le rassura Luke. Mais, Corran, ce moment tant souhaité est enfin arrivé. L'invasion a échappé à tout contrôle et les Jedi ont besoin de quelqu'un possédant ton expérience. Il faut apprendre à nos jeunes pilotes comment travailler en équipe, comment se battre et comment survivre.

Corran réfléchit quelques instants, puis adressa un regard interrogateur à Mirax.

— Et qu'est-ce qu'on peut faire d'autre ? demanda celle-ci, en désignant son père du pouce. Je ne vais pas passer ma vie à traîner dans les basques de ce vieux grincheux, quand même !

Booster la foudroya du regard et voulut riposter, mais il se contenta de lever les mains et de dire :

— Je me tairai, j'ai juré le secret. (Il regarda Luke.) Je suppose que tu vas avoir besoin d'un destroyer stellaire dans ta petite flotte, non ?

— Pas encore. Mais où pourrait-on le planquer ? (L'offre était pourtant fort tentante, mais Luke souhaitait encore garder les étudiants de son académie à l'abri.) L'Amiral Kre'fey a transformé l'ancien repaire de contrebandiers de Reecee en base de soutien. Je pense qu'il ne devrait pas y avoir de problème pour y accueillir un destroyer stellaire supplémentaire. Vous resteriez suffisamment près d'Eclipse pour rappliquer rapidement au cas où les choses s'envenimeraient.

Booster fixa Luke d'un regard acerbe.

— Je vois où tu veux en venir, petit gars.

— Tant mieux, répondit Luke en souriant. Je commençais à me demander si tu ne t'étais pas endormi.

19

L'assaut sur Arkania commença tout doucement. Quelques alarmes de détection lancèrent des avertissements, puis la voix soyeuse de la jeune femme chargée du contrôle tactique énuméra les coordonnées de la flotte d'invasion. Un cercle obscur, gros comme un ongle, apparut à l'endroit cité, bloquant l'éclat des étoiles distantes. La zone d'ombre se mit à grandir rapidement jusqu'à atteindre la taille d'une main humaine, puis d'une tête. Les étoiles réapparurent, clignotant inlassablement au fur et à mesure que les milliers de vaisseaux de corail yorik passaient devant elles.

Une nuée de points lumineux s'envola de la flotte, grossissant jusqu'à adopter la lueur d'un blanc bleuâtre si caractéristique des balles au plasma. Les projectiles passèrent sans encombre le barrage de mines spatiales – dont les cerveaux droïdes avaient été programmés pour les ignorer – avant de s'écraser contre les boucliers planétaires. Une volée de missiles au magma suivit. Un tonnerre de rayons laser à basse fréquence, en rafales, lancés pour intercepter les missiles par-delà le champ de mines, jaillit des toutes nouvelles plates-formes de défense fournies par les armureries de Balmorra. Lorsque l'un des rayons fit exploser une mine par inadvertance, les autres engins de protection orbitale modifièrent leurs positions afin d'offrir une couverture de défense maximale.

Finalement, ce qui ressemblait à une ceinture d'astéroïdes émergea dans la lumière bleutée du soleil d'Arkania. Des douzaines de gros vaisseaux de dégagement foncèrent sur les mines. Leurs proues acérées s'ouvrirent pour projeter des volées de leurres rocheux contre le bouclier protecteur. Le reste de la flotte se dispersa afin d'encercler la planète, crachant missiles au magma et grutchins contre les plates-formes de défense orbitale.

La voix soyeuse de la responsable du contrôle tactique résonna dans la console de communication de la barge d'assaut :

« Vaisseaux de soutien, prenez position derrière les plates-formes qui vous ont été assignées. Les turbolasers ouvriront le feu dans trois secondes. »

Le navire hors d'âge se glissa dans l'ombre des senseurs de la plate-forme allouée aux Chevaliers Errants. Les données qui s'affichaient sur le moniteur de Danni Quee chutèrent toutes à zéro. Elle aplatit violemment la paume de sa main contre la console.

— Et comment puis-je corréler les informations depuis cette position, hein ?

— Votre chance se présentera bientôt, Danni Quee. (La plate-forme qui les protégeait ouvrit le feu et ses turbolasers à pulsations variables illuminèrent les ténèbres extérieures de rayons colorés. Saba, assise dans son siège de commandement près de la proue, se tourna à moitié pour braquer un regard reptilien sur Danni.) Servez-vous de ces instants de répit pour vous calmer. Il est dangereux de partir au combat quand on est énervé.

— Mais je ne suis pas énervée !

— Pour moi, tu as bien l'air énervée, grogna Wonetun depuis le siège de pilote. Et ça pourrait causer la mort de quelqu'un. Calme-toi ou bien laisse tomber.

— J'ai perçu votre colère lorsque Mara est venue nous parler du plan d'Anakin, dit Saba. Peut-être auriez-vous souhaité l'accompagner ?

— Allons, Saba, je vous croyais plus fine que cela ! rétorqua Danni. Sinon, tous ces pièges à grutchins que vous avez installés n'auraient pas tenu aussi longtemps. Vous savez bien que le dernier endroit où j'aimerais me retrouver, c'est à nouveau dans une cellule de détention Yuuzhan Vong.

— Qui parle de s'énerver, ici, hein ? observa Wonetun d'un ton sarcastique.

— Elle en veut à Maître Skywalker. (Izal était assis dans la tourelle supérieure. Il passa sa longue langue sur la pâle croûte saline qui ornait ses lèvres.) Elle pense qu'il aurait au moins pu lui proposer de participer à la mission.

— Tu veux bien rester hors de mes pensées, s'il te plaît ? dit Danni en foudroyant le natif d'Arcona du regard.

— Ça se lit sur ton visage, pas dans tes pensées !

Danni n'en fut pas certaine. Izal pouvait être sacrément retors lorsqu'il abusait du sel. Mais, effectivement, elle ne pouvait nier l'irritation qu'elle avait ressentie.

— Il n'aurait pas dû se laisser convaincre par Anakin, dit Danni. Ces gamins n'ont pas idée de l'endroit où ils mettent les pieds.

— Les voxyns doivent être exterminés, dit Saba. Maître Skywalker a certainement pesé tous les risques.

— Maître Skywalker n'a jamais assisté à une séance de torture Vong ! aboya Danni en retour. Il n'a aucune idée de ce que cela peut être.

— Les membres du commando doivent s'emparer du vaisseau ennemi avant que ses occupants n'essaient de briser leur volonté, dit Saba.

— C'est cela… répondit Danni.

La puissante queue écailleuse de Saba frappa le sol.

— Et qu'est-ce que vous voulez qu'on fasse ? Qu'on leur cavale après ?

Une soudaine appréhension dans la Force rappela Danni à l'ordre. Le visage de Saba était si stoïque, si impénétrable, qu'il était facile de négliger le fait que la Barabel, elle aussi, pouvait éprouver des sentiments. Danni avait momentanément oublié que les apprenties et le fils de Saba faisaient partie du commando. Sachant que la Barabel ne comprenait pas vraiment le principe des excuses, voire qu'elle trouverait cela parfaitement déplacé, Danni ne chercha même pas à se justifier et se contenta de hocher légèrement la tête.

— Si on savait où ils se trouvent, Saba, ce serait exactement ce que je ferais, dit Danni. Oui, j'irais à leur recherche.

Saba la dévisagea de son œil noir pendant un long moment, jusqu'à ce que la voix du contrôle tactique résonne dans les haut-parleurs :

« Vaisseaux de soutien, déployez-vous. Concentrez vos actions sur vos zones respectives et restez près de vos plates-formes de défense. »

— Bon, commençons par accomplir notre travail, dit Saba, faisant un geste en direction de la batterie d'instruments de Danni. Savoir comment les yammosks communiquent ne nous sert à rien tant que nous ne comprenons pas leur langage. N'est-ce pas ce que vous avez dit ?

Sans attendre de réponse, la Barabel se retourna et ordonna à l'escadron de s'avancer. La colère de Danni était apaisée, mais la Force était chargée d'appréhension et de noirceur. Des sensations qui ne provenaient pas uniquement de Saba. L'échange de propos à bord de la barge d'assaut n'avait pas été retransmis sur les canaux de communication, mais les autres Chevaliers Errants pouvaient sans aucun doute percevoir l'anxiété de leur chef. Danni eut soudainement honte d'avoir ainsi exprimé sa colère. Elle en regretta d'autant plus ses paroles insensées. Au sein d'un escadron dont l'unité reposait sur la télépathie, de telles incartades émotives pouvaient effectivement causer la mort de quelqu'un. Danni concentra son attention sur ses instruments et se promit d'extraire des données de la bataille toutes les informations possibles. Ce serait là la seule forme d'excuse que Saba Sebatyne comprendrait.

Leur engin abandonna le champ protecteur des boucliers de la plate-forme. Curieusement, ils ne plongèrent pas au cœur d'un maelström de chasseurs spatiaux, ce à quoi s'attendait Danni, mais plutôt au beau milieu d'un entrelacs de missiles incandescents et de rayons laser. Après avoir forcé le champ de mines, les vaisseaux amiraux Yuuzhan Vong avaient stoppé leurs machines et déchargeaient leurs salves de balles de plasma et de missiles au magma contre les plates-formes de défense. L'une d'entre elles, un vieux modèle des chantiers navals de

Kuat équipé de turbolasers et datant de l'époque de la Rébellion, laissait échapper dans l'espace de longues traînées de liquide de refroidissement. Sur les autres fronts, le barrage ennemi se révélait étonnamment peu efficace.

L'assemblage hétéroclite de vaisseaux chargé de défendre Arkania – l'armée de la planète, des escadrons volontaires semblables à celui de Saba et un petit détachement d'intervention, envoyé précipitamment par la Nouvelle République dans l'espoir de retarder la progression de l'envahisseur – semblait en revanche fort bien tirer son épingle du jeu. Les plates-formes de Kuat, lentes mais très puissantes, parvenaient à disperser les appareils ennemis, empêchant ainsi les Yuuzhan Vong de se rassembler et d'organiser une frappe massive de la planète. Les plates-formes de Balmorra, plus petites et plus récentes, utilisaient leurs lasers à longue portée en rafales pour, d'une part, détruire les volées de missiles et, d'autre part, arroser les vaisseaux Yuuzhan Vong avec des tirs d'intensité variable. Lorsqu'un laser à basse fréquence touchait un corail yorik, un senseur détectait l'impact et déclenchait automatiquement la mise en route des puissants turbolasers à accumulateurs de l'une des plates-formes. L'arme décochait alors une série de rayons dévastateurs. Le système était aussi mortel qu'efficace et on ne comptait plus les épaves d'appareils ennemis tourbillonnant à la dérive dans l'espace.

Ce que Danni ne vit pas, en revanche, fut l'essaim de coraux skippers habituellement lancé à l'assaut des plates-formes. Elle vérifia ses instruments et constata que toutes les données avoisinaient le zéro.

— Mais qu'est-ce qu'ils attendent pour attaquer ? marmonna Wonetun. J'aperçois des skips sur l'écran de mon détecteur. Il y en a des nuées et des nuées.

— Peut-être ont-ils peur des plates-formes, dit Saba.

— Non, annonça Danni, soudainement soulagée. Ils n'ont pas l'intention d'attaquer. Il s'agit d'une feinte.

— D'une feinte ? (Saba se tourna dans son siège pour dévisager Danni.) Vous ne pouvez pas affirmer une chose pareille.

— Vraiment ? (Danni fit un geste en direction de son

panneau de contrôle. Tous les indicateurs de ses instruments semblaient stagner au-dessus du point mort.) S'ils se préparaient réellement à attaquer, les yammosks devraient être en train de s'agiter dans tous les sens, non ?

Saba quitta son fauteuil et vint se pencher par-dessus l'épaule de Danni pendant un très long moment.

— Cela n'a aucun sens, dit-elle enfin. Ils pourraient remporter la victoire avec seulement la moitié de leurs effectifs.

— Oui, mais à quel prix ? demanda Danni. Peut-être que leurs ressources ne sont pas aussi illimitées que nous le pensons.

Saba médita les paroles de sa coéquipière pendant quelques instants, puis se tourna vers Wonetun.

— Calculez un itinéraire pour regagner Eclipse.

— Mais… et les Yuuzhan Vong ? demanda Wonetun. Ils ne vont pas nous laisser…

— Les Yuuzhan Vong sont sur le point de battre en retraite, dit Saba. Ils veulent économiser leur flotte pour autre chose. Et nous devons absolument rapporter cette information à Maître Skywalker.

20

La cloison-valve se rétracta pour s'ouvrir et Nom Anor pénétra dans la chaleur étouffante de la salle de la Gloire. Le Maître de Guerre, enfoncé dans son trône de la Connaissance à une trentaine de mètres de là, était à peine visible au milieu de tous les insectes de feu qui réchauffaient la pièce de leurs abdomens écarlates. Certaines de ces créatures voletaient tout doucement à travers la salle, d'autres voyaient leurs appendices lumineux s'éteindre ou se rallumer. Mais, pour la plupart, les insectes flottaient sur place, représentant chacun le dernier emplacement connu des vaisseaux dans l'espace ou bien une concentration d'appareils plus petits. Pour un œil non exercé, la vision n'avait aucun sens, mais, pour un observateur attentif, il était possible d'identifier la fonction de chacun des insectes au seul battement de ses ailes : bourdonnement grave pour les vaisseaux Yuuzhan Vong, grondement sec pour ceux de la Nouvelle République, vibration soutenue pour les autres engins impériaux et sifflement aigu pour le reste de la flotte infidèle.

Le bourdonnement des forces d'invasion, concentrées au centre de la pièce, semblait entouré par le crissement des infidèles. Vue comme cela, la situation semblait bien précaire. Mais une odeur âcre monta aux narines de Nom Anor alors qu'il traversait la nuée d'insectes de feu, représentant les appareils ennemis, assemblés près de l'entrée de la salle. Et cela le rassura. La puanteur témoignait d'un manque d'organisation et de préparation au combat, assurant ainsi aux Yuuzhan Vong une victoire rapide et facile. Le succès de l'Exécuteur, grâce à son action destinée à diviser encore davantage le Sénat de la Nouvelle République, avait dû grandement contribuer à l'intensité de cette odeur. Cela ne faisait aucune doute, et c'était certainement pour cela que le Maître de Guerre lui avait ordonné de venir lui faire son rapport dès son retour. Enfin, c'était ce que Nom Anor osait espérer. Toute autre raison serait bien trop horrible à imaginer.

Nom Anor passa la zone des infidèles et traversa la colonne d'invasion Yuuzhan Vong. Là, l'odeur aigre de la confusion laissa la place à un parfum d'organisation et de détermination. Au lieu de virevolter de manière confuse, comme cela était le cas dans la section de la pièce où se trouvaient les insectes représentant les vaisseaux républicains, les créatures s'écartaient au passage de l'Exécuteur avant de revenir sagement reprendre leur place.

En s'approchant du centre de la salle, Nom Anor vit plus distinctement le Maître de Guerre sur son trône de la Connaissance. Recroquevillé sur six pattes puissantes, le siège était un peu plus petit qu'un landspeeder infidèle et envoyait en permanence des instructions aux insectes de feu par l'intermédiaire de ses centaines d'antennes aux extrémités étincelantes.

Le Maître de Guerre lui-même était assis au centre du trône, reposant dans une sorte de conque neurologique. Sa tête était hérissée de capteurs sensitifs pareils à des vers, ses mains disparaissaient dans des poches de contrôle reposant sur les bras du fauteuil, de part et d'autre de son corps. Nom Anor n'avait jamais pris place sur un trône de la Connaissance, mais il savait qu'un occupant talentueux pouvait partager une telle symbiose avec la créature que cela lui permettait d'embrasser d'un seul coup d'œil toute situation stratégique. Chaque bourdonnement d'insecte de feu identifiait non seulement la classe et le nom du vaisseau représenté, mais également l'état de l'appareil et l'estimation de son potentiel d'efficacité au combat. De subtiles variations d'odeur suggéraient l'état du moral du capitaine et de son équipage. Les nombreuses estimations avaient été affinées au fil des ans au moyen de formules chimiques complexes, de renseignements puisés au cours de batailles passées et d'informations provenant directement de la situation tactique générale. Même si Nom Anor n'en avait jamais fait part à haute voix, il avait constaté que les estimations semblaient toujours au plus haut en faveur des Yuuzhan Vong et au plus bas pour les appareils des infidèles.

La foule habituelle d'apprentis, de subalternes et de scribes s'écarta pour laisser le passage à Nom Anor. Seuls les apprentis et les subalternes croisèrent leurs bras en travers de leur poitrine pour le saluer. Un amalgame de devins et d'analystes militaires avait été assemblé afin de collecter des informations sur les capacités de l'ennemi et de relayer ce qu'ils savaient à la multitude d'insectes de feu. Chacun d'entre eux était également prêtre d'un des nombreux dieux auxquels les Yuuzhan Vong vouaient un culte. Techniquement, ils dépendaient tous de Vaecta, la grande prêtresse du *Sunulok*, plutôt que du Maître de Guerre. Aucun ne manquait d'ailleurs d'insister sur ce point précis dès que l'occasion se présentait. Nom Anor savait pertinemment que cette façon de procéder déplaisait considérablement à Tsavong Lah, mais, tout du moins aux yeux de ceux qui baignaient constamment dans la religion, cette précaution était nécessaire pour éviter que toute autre divinité symbolique ne se retrouve en position d'infériorité par rapport à Yun-Yammka le Massacreur.

Essayant de ne tirer aucune conclusion du manque d'enthousiasme qui se lisait dans les yeux de ceux qui se trouvaient autour de lui, Nom Anor s'arrêta devant le trône de la Connaissance et se frappa la poitrine en guise de salut.

— J'arrive directement de la baie d'accostage, mon Maître.

Tsavong Lah baissa la tête vers lui depuis son curieux perchoir. Ses yeux et sa bouche étaient à peine visibles sous la multitude de capteurs sensoriels.

— Comme on te l'a ordonné. Parfait.

Nom Anor sentit sa bouche s'assécher. Aucun mot de bienvenue, aucun début de félicitations.

— Je suis désolé d'avoir mis tant de temps à rejoindre la

flotte. Mon retour a été retardé par quelques difficultés rencontrées au départ de Coruscant.

— Ce n'est pas évident d'échapper à l'attention des défenses planétaires lorsqu'on les a à ses trousses, j'en suis sûre, dit Vergere d'une voix fluette. (Elle joua des coudes dans la foule de subalternes et apparut entre deux scribes.) Il faut que je vous félicite pour votre évasion. Très ingénieuse.

— Oui, l'organisation permet beaucoup de choses. (Nom Anor eut bien du mal à contenir la colère dans sa voix. Il était persuadé que Vergere se trouvait derrière la tentative d'assassinat de Borsk Fey'lya. Il avait analysé le problème sous tous ses angles et avait conclu que, de tous ceux qui trempaient dans cette affaire, Vergere était certainement celle qui en tirerait le meilleur parti.) Je suis tout simplement désolé d'avoir dû vous décevoir.

— Pourquoi serais-je donc déçue par votre évasion ? (Vergere écarta les bras.) La valeur de vos actions pour notre cause est connue de tous.

Il avait beau être accoutumé aux jeux de la politique, Nom Anor trouva cependant que la subtile moquerie de cette créature à moitié païenne dépassait les bornes. Non seulement elle avait entravé le déroulement de sa mission, et manqué de le faire emprisonner, mais voilà que maintenant elle le ridiculisait aux yeux de son maître et de ses pairs.

— Inutile de jouer les modestes, Vergere, dit Nom Anor, luttant pour conserver une voix glacée et imperturbable, même si toute sa colère était suffisamment tangible à présent pour déclencher un murmure perplexe dans les rangs de l'assistance. Il nous faut applaudir votre ingéniosité. Je n'aurais jamais imaginé qu'un simple animal de compagnie serait capable de tant d'astuce, pour ne pas dire d'audace.

Si Vergere avait été une Yuuzhan Vong, les propos de Nom Anor auraient suffi à déclencher un affrontement sanglant. Mais la petite créature se contenta de redresser ses antennes.

— Est-ce que vous me blâmez pour ce qui s'est passé au Sénat ?

— Tentative ambitieuse pour éliminer un rival, commenta Nom Anor. Que la tentative d'assassinat ait réussi ou non, ce n'est plus un problème. Les infidèles et le Maître de Guerre considèrent que j'en suis seul responsable. (Il porta son attention sur Tsavong Lah.) Le fait que je sois revenu doit prouver à la fois mon dévouement à la Grande Doctrine et ma certitude que le Maître de Guerre ne prêtera pas attention à des ruses aussi primitives.

Le bec de Vergere s'ouvrit et tout le monde crut qu'elle allait pousser un cri. Mais elle se retint et sembla se calmer.

— Ne m'accusez pas de vos échecs sur Coruscant. Cela ne peut que vous donner encore plus l'air d'un…

— Assez.

Le Maître de Guerre n'avait pas élevé la voix, mais son seul timbre avait suffi à faire taire Vergere. Et à lui sauver la vie. Si elle avait terminé sa phrase par le mot *imbécile*, Nom Anor aurait été dans son droit en massacrant la créature immédiatement. On n'en aurait d'ailleurs pas attendu moins de lui.

— L'assassinat de Borsk Fey'lya – enfin, la tentative d'assassinat – n'a que peu d'intérêt pour moi. (L'ombre d'un sourire se dessina sur les lèvres de Tsavong Lah. Il manipula quelque chose dans l'une des poches qui se trouvaient sur les bras de son fauteuil. Les pattes du trône se déployèrent, permettant au Maître de Guerre de venir s'entretenir avec ses interlocuteurs au même niveau qu'eux.) Avant ton arrivée, Nom Anor, nous discutions de la pâle tentative d'intimidation de nos troupes par le Général Bel Iblis en évoquant cette histoire de *Jeedai* jumeaux. Comment a-t-il bien pu avoir une idée pareille ?

Nom Anor savait ce que Tsavong Lah voulait entendre, mais il n'était pas assez stupide pour mentir au Maître de Guerre. Surtout pas avec Vergere, non loin de là, prête à sauter sur la moindre occasion.

— J'ignore comment Bel Iblis prépare ses plans.

— Alors, essaie de deviner, dit Tsavong Lah. Je te l'ordonne.

Nom Anor sentit une boule se former dans sa gorge. Les insectes de feu, momentanément dispensés des ordres du trône de la Connaissance, se mirent à fondre sur le groupe. Un simple contact avec leur abdomen incandescent était encore plus douloureux qu'une piqûre de leur dard, mais c'était un prix à payer pour attester de son dévouement. Les membres de l'assistance ne se risquèrent pas à faire le moindre geste, sauf pour chasser de leurs yeux les bestioles nuisibles. Seuls les scribes demeurèrent parfaitement de marbre.

— Mon Maître, les humains sont très différents des Yuuzhan Vong. Chez eux, les jumeaux ne sont pas aussi exceptionnels que chez nous, dit Nom Anor. (Au cours de toute l'histoire Vong, on n'avait recensé que de très rares naissances de jumeaux. Cela ne se produisait que lorsque les dieux le souhaitaient. Mais, à chaque fois, l'un des jumeaux avait assassiné l'autre pendant leurs jeunes années, avant de croître en un chef puissant capable de sortir l'Empire d'une crise grave. Le Seigneur Shimrra en personne avait massacré son frère dans son enfance. Par la suite, il avait acquis la maturité lui permettant de deviner l'emplacement de la nouvelle galaxie que les Vong étaient en train de conquérir.) Chez les humains, la naissance de jumeaux n'a rien d'une faveur des dieux.

— Vous affirmez donc que les enfants Solo sont réellement des jumeaux ? (Le scribe qui venait de poser la question était Kol Yabu, de la Flamme Eternelle. Un « moitié-moitié » dont le corps horriblement brûlé avait été reconstruit par les laborantins Vong afin d'apparaître masculin d'un côté et féminin de l'autre. En tant qu'apôtre de la Flamme Eternelle, Kol Yabu vénérait les jumeaux Yun-Txiin et Yun-Q'aah, un frère et une sœur, dieux de l'amour et de la haine, représentant toutes les choses qui s'opposaient.) Vous admettez que Jacen et Jaina Solo sont bien frère et sœur, que ce sont donc des jumeaux *Jeedai* ?

Nom Anor essaya de déglutir, mais trouva sa salive aussi sèche que de la poussière d'os.

— Je n'admets rien, Scribe. (Il se tourna vers Tsavong Lah et décida que c'était peut-être aussi bien que le visage du Maître de Guerre disparaisse en partie derrière la nuée étincelante d'insectes de feu.) Notre espion, Viqi Shesh, prétend que les deux Solo sont des jumeaux, que leur mère et leur oncle le sont également. Peut-être faudrait-il lui reposer la question, à elle, concernant la tactique du Général Bel Iblis.

Tsavong Lah évita le regard insistant du moitié-moitié et posa les yeux sur Nom Anor.

— Viqi est soit un traître à son peuple, soit un agent double infidèle. Je ne lui accorde aucune confiance.

— Et, sur ce point précis, nous ne devons faire confiance qu'à l'opinion d'un Yuuzhan Vong, acquiesça Vergere. (A l'inverse des autres, elle n'était pas entourée d'un essaim d'insectes de feu. Peut-être parce qu'elle ne cessait d'ébrouer ses plumes pour maintenir les petites créatures affamées en respect.) Nom Anor se trouvait sur Coruscant. Il a sûrement trouvé le temps de se renseigner sur un sujet aussi important avant de prendre la fuite.

Nom aurait voulu clamer qu'il n'en avait pas eu le temps, mais il savait bien qu'il était préférable de ne pas tomber dans le piège que lui tendait Vergere. Décidant que son seul salut résidait dans la surprise, il inspira profondément et regarda le Maître de Guerre droit dans les yeux.

— Un certain nombre d'informations confirment ce que prétend Shesh, mon Maître, et je doute qu'elles soient toutes fausses. Même en allant fouiller aux sources les plus obscures, je n'ai rien trouvé qui soit en contradiction avec ses propos. (Lorsque les insectes de feu commencèrent à s'envoler du visage du Maître de Guerre, Nom Anor se dit que son unique espoir de rédemption résidait à présent dans une stratégie risquée.) Clairement, la bonne fortune nous a souri lorsque le nommé Jacen nous a échappé sur Duro.

Le trône de la Connaissance trembla et fit un bond en avant, sans aucun doute en réponse aux poings qui venaient de se serrer dans les poches de ses accoudoirs.

— Dis-moi pourquoi.

La voix du Maître de Guerre était grave et rude. Il n'aimait pas beaucoup qu'on lui remémore comment Jacen s'était servi de sa sorcellerie de Jedi, un an auparavant, pour lui arracher un pied et empêcher le sacrifice de Leia Organa Solo.

Nom Anor inspira profondément et se tourna vers Kol Yabu.

— Comment Yun-Txiin et Yun-Q'aah considéreraient le sacrifice d'un seul des jumeaux ?

Le moitié-moitié réfléchit pendant quelques instants.

— Les Jumeaux Divins ne réclament aucun sacrifice, simplement l'équilibre parfait.

— Ce n'est pas ce que l'Exécuteur t'a demandé, dit Tsavong Lah, foudroyant le prêtre du regard. Réponds clairement ou bien je m'adresserai à l'un des scribes.

Les poches sous les yeux de Kol Yabu pâlirent. En général, il – ou elle, Nom Anor n'avait jamais eu l'occasion de se faire une idée précise – répondait directement à Vaecta. Mais une telle requête du Maître de Guerre ne pouvait pas être ignorée.

— *Offensés* ne serait peut-être pas le bon mot pour décrire leur état d'esprit. Mais, assurément, la Grande Danse serait déséquilibrée.

— C'est bien ce que je pensais, dit Tsavong, hochant la tête après avoir médité la réponse.

— Si je puis me permettre une suggestion, dit Nom Anor, déterminé à exploiter la situation, peut-être que le Seigneur Shimrra serait satisfait si nous lui sacrifions les jumeaux Jedi. On pourrait les obliger à se battre entre eux, tout comme le Seigneur Shimrra combattit jadis son propre frère, tout comme les dieux l'ordonnent aux jumeaux depuis les débuts de l'histoire Yuuzhan Vong.

Tsavong Lah se rassit dans son trône de la Connaissance et réfléchit. Puis :

— Ce serait un merveilleux cadeau pour Yun-Yuuzhan, n'est-ce pas ?

Aucun scribe n'osa répondre, car seul le Seigneur Shimrra était à même de communiquer avec Yun-Yuuzhan, le tout-puissant dieu cosmique.

— Ils ne se battront jamais, dit Vergere, toujours prête à rabaisser Nom Anor. Ces deux-là sont aussi proches l'un de l'autre qu'un pilote et son corail skipper.

Nom Anor n'eut pas le temps de la contredire.

— Alors, nous devrons d'abord briser leur volonté, c'est tout, dit Tsavong Lah. Et je pense que Nom Anor devrait s'arranger pour que les images du combat soient retransmises à la Nouvelle République.

— A vos ordres, Grand Maître de Guerre. (Nom Anor s'autorisa un petit sourire malicieux en direction de Vergere.) Rien ne pourra davantage démoraliser les Jedi, j'en suis certain.

21

Une voix nasillarde de Bith poussa un gémissement angoissé quelque part dans la soute frigorifiée de la *Mort Exquise*. Jaina comprit que la pauvre Ulaha venait encore une fois d'être livrée aux mâchoires d'un voxyn. Tout comme les autres membres du commando, Jaina était assise face à un mur de corail yorik rouge, inconfortablement courbée vers l'avant, les épaules coincées entre ses jambes au niveau des chevilles, les poignets liés au sol par une masse gélatineuse de gelée blorash. Elle était à peine habillée et très sale, mais elle souffrait trop pour réellement s'en soucier. Elle aurait tellement aimé qu'il ne fasse pas si froid. Elle ne cessait de frissonner et ses tremblements ne faisaient qu'amplifier la douleur qu'elle ressentait dans tout son corps.

Ulaha cria de nouveau. Alema Rar, assise à côté de Jaina dans la même position, marmonna quelque chose entre ses lèvres tuméfiées. Jaina, qui avait du mal à rassembler ses pensées depuis que le voxyn lui avait lacéré le visage, se remémora soudain l'importance de leur travail en équipe et ouvrit ses émotions au reste de ses compagnons. Immédiatement, elle sentit Jacen rassembler les ondes mentales pour former une seule entité. Il demanda à chacun de faire preuve de confiance et de solidarité afin de pouvoir diriger un peu d'énergie vers leur amie qui était en train de souffrir.

Tous, à l'exception de Ganner, retenu prisonnier dans une autre partie du vaisseau parce que les Vong pensaient toujours qu'il était le chef du commando, avaient subi au moins une fois une séance de torture visant à briser leur volonté. Pourtant, Duman Yaght continuait à s'acharner sur Ulaha, laissant à peine le temps à la jeune Bith de plonger dans une transe Jedi curative avant de la tourmenter à nouveau. La malheureuse Ulaha avait été tant de fois traînée au milieu de la soute que les autres, quand venait leur tour de passer à la question, essayaient de faire volontairement durer les séances pour lui permettre de récupérer. Jaina se rappela vaguement qu'elle était parvenue à leur tenir tête avant que Duman Yaght, fou de colère, ne la pousse devant la gueule du voxyn. L'onde de choc comprimée du cri de l'animal lui avait fait perdre connaissance.

Lorsque les cris d'Ulaha se calmèrent, Duman Yaght prit la parole :

— Alors, on s'habitue à la bave, hein, grosse tête ? (Sa torture préférée était de maintenir les blessures béantes d'Ulaha sous les mâchoires dégoulinantes de bave acide du voxyn.) On va essayer quelque chose de nouveau...

Ulaha poussa un hurlement. Jaina se démena pour tenter de regarder par-dessus son épaule. Elle ne put qu'apercevoir Anakin, Jacen et quelques autres qui tentaient de faire de même. Entendre un proche pousser des cris sans savoir ce qui lui arrivait représentait certainement pour elle ce qu'il y avait de pire dans les séances de torture. Elle sentit l'esprit de Jacen chasser ces préoccupations pour projeter le plus d'ondes apaisantes possible vers Ulaha. Les cris de celle-ci se firent soudain moins viscéraux. Duman Yaght perçut ce changement. Il percevait toujours les changements.

— Inutile de me dire où je peux trouver la base *Jeedai*, déclara le Yuuzhan Vong. Contente-toi d'admettre qu'une telle base existe.

Les hurlements d'angoisse d'Ulaha montèrent vers les aigus. Cette fois-ci, Jacen parut incapable de soulager la détresse de la jeune Bith. Jaina regarda de l'autre côté, où gisait Eryl Besa – le corps paralysé, les yeux écarquillés –, victime d'un choc foudroyant causé par un coup de la queue du voxyn. Aucun membre du commando ne connaissait l'existence de ce genre d'attaque jusqu'à ce que Duman Yaght se décide à en faire l'essai sur Eryl. Au bout de quelques instants, Jaina parvint à croiser le regard de l'autre femme et haussa l'un de ses sourcils.

Eryl, perplexe, plissa le front, puis sembla comprendre et secoua faiblement la tête. Fille d'un pilote fanatique de courses spatiales, Eryl avait été conçue et enfantée lors d'un long voyage intergalactique. Elle avait passé une bonne partie de ses tendres années à arpenter toutes les régions cartographiées de la galaxie. Au cours de ces années de voyage, elle avait développé le talent de pouvoir deviner à n'importe quel moment, grâce à la texture de la Force, l'endroit où elle se trouvait dans la galaxie. Sa mission consistait donc à alerter Anakin au moment où ils auraient franchi la limite des lignes Yuuzhan Vong, là où ils risqueraient moins de se heurter à un champ de mines ou à un vaisseau de surveillance. Malheureusement, la traversée de la zone de combat semblait prendre plus de temps que ce qu'ils avaient imaginé. Probablement, comme le suspectait Jaina, parce que Duman Yaght cherchait à obtenir de l'avancement en rapportant à ses maîtres l'emplacement de la base Jedi.

— Quel mal y a-t-il à l'admettre ? demandait Duman Yaght. Les Yuuzhan Vong connaissent déjà l'existence de cette base. Tu n'as qu'à admettre ce que nous savons déjà et tu pourras te reposer. Tu pourras dormir d'un sommeil réparateur…

— Il… n'y… a… pas… de… base…

— Non, ne mens pas. (La voix de Duman Yaght demeura effroyablement calme.) Donne-moi donc ta main. Je vais te parler de nos neuropoisons.

Un sifflement terrifié s'échappa involontairement des cavités nasales d'Ulaha. Mais elle ne dit rien. Jaina imagina que le commandeur Yuuzhan Vong devait être en train de maintenir la main de la jeune Bith au-dessus des piquants sensitifs qui se dressaient sur le dos du voxyn. Cilghal avait découvert, avant leur départ, que les épines en question étaient enduites d'une puissante neurotoxine. L'antidote existait, il se trouvait d'ailleurs dans leur capsule d'équipement, mais il n'avait jamais été testé. Pas plus que tous les sérums et antivenins qu'elle-même et Tekli s'étaient administrés avant le départ du commando.

— Ta peau est si douce. La moindre éraflure suffira à injecter le poison, dit Duman Yaght. Nos laborantins prétendent que l'effet diffère d'une espèce à une autre. Certains sujets sont pris de convulsions et plongent dans un coma agité de décharges douloureuses. D'autres s'affaiblissent d'heure en heure, devenant incapables de respirer ou de déglutir. Il arrive même d'ailleurs qu'ils se noient dans leur propre salive.

Dans le silence qui suivit, la douleur et la frayeur d'Ulaha devinrent encore plus tangibles dans le tissu de la Force. Jaina ouvrit son esprit à ces deux sensations, espérant apaiser les souffrances de sa camarade en tentant d'absorber ses craintes. Mais la terreur qu'elle ressentit l'empêcha de continuer. Les membres de l'espèce d'Ulaha n'étaient pourvus que d'un seul poumon et le coup de coufee que la jeune femme avait reçu à bord de la *Dame Chance* avait traversé sa cavité pulmonaire. Ça, plus le neuropoison à combattre... Jaina *souhaita* alors qu'Ulaha admette l'existence d'Eclipse. C'était plus fort qu'elle, elle ne voulait pas que sa compagne d'infortune meure.

A peine avait-elle formulé cette pensée qu'elle perçut des sentiments similaires de la part des autres membres du commando. Jaina savait bien que persuader Ulaha de reconnaître l'existence de la planète secrète serait une première étape dans la tentative de briser sa volonté. Mais quelle importance ? L'équipe de choc s'emparerait très bientôt du vaisseau ennemi. Et, ainsi, Ulaha serait toujours en vie. Sa pensée déclencha chez Alema une sensation de panique et une certaine stupeur chez les Barabel. Mais le sentiment général du groupe ne faisait plus aucun doute. Ils étaient tous d'accord.

— Grosse tête, tu dois bien réfléchir avant de me répondre, dit Duman Yaght. C'est peut-être ta dernière chance. Est-ce qu'il y a bien une base *Jeedai* ?

Dis-lui ! voulut crier Jaina.

— Vous connaissez... la réponse... éructa Ulaha.

— Désolé, grosse tête, cette réponse ne me suffit pas.

Dis-lui !

— Oui ! sanglota Ulaha.

Le groupe poussa mentalement un soupir de soulagement.

Alema eut l'air très préoccupée et les Barabel semblaient fort tristes.

— Oui, quoi ? demanda Duman Yaght.

— Oui, la base Jedi existe ! dit Jaina, criant face au mur. Elle l'admet ! Foutez-lui la paix, maintenant !

— Jaina, la ferme ! siffla Alema. Il essaie de briser sa…

Mais son invective fut soudainement interrompue par un craquement sinistre. Jaina se pencha et vit l'extrémité contondante d'un bâton Amphi Yuuzhan Vong se balancer au-dessus du corps inanimé de la Twi'lek. Il y eut alors une décharge de colère dans les rangs des Jedi, mais Jaina ne ressentit que de la culpabilité. Son propre empressement avait incité Alema à parler alors qu'elle n'aurait pas dû le faire.

Duman Yaght prononça quelques mots dans sa langue. Un garde jeta de petits insectes ressemblant à des scarabées à côté des chevilles et des poignets de Jaina. Les bandeaux de gelée blorash lâchèrent leur prise sur la jeune femme et glissèrent pour emprisonner les insectes. Le garde obligea Jaina à se redresser et il la poussa vers le centre de la salle, là où le commandeur maintenait toujours la main d'Ulaha au-dessus de l'arête dorsale du voxyn. La peau de la jeune Bith, d'ordinaire très pâle, semblait à présent presque translucide tant elle avait perdu de sang. Elle était si faible qu'un guerrier Yuuzhan Vong devait la maintenir debout. Les autres membres de l'équipe, en haillons, étaient assis en rang face au mur de la petite soute. Seul Ganner, dont on arrivait de temps en temps à percevoir la présence vers la proue du navire, manquait à l'appel.

Duman Yaght étudia Jaina et lui demanda :

— Tu me crois incapable de tenir parole ?

Jaina posa les yeux sur la main d'Ulaha.

— Ça reste à prouver.

Le commandeur parut surpris par le ton de défi de la jeune femme. Il se ressaisit et poussa un petit rire.

— Très bien. Alors, c'est toi qui décides.

Il annonça quelque chose au garde qui maintenait Ulaha. Celui-ci ramena la Jedi blessée auprès de Tekli, puis il l'allongea sur le dos, au lieu de l'attacher dans la même position inconfortable que les autres membres du groupe.

— La femelle Bith peut se reposer et se soigner, dit Duman Yaght en souriant à Jaina. Mais c'est toi qui vas déterminer pour combien de temps.

Jaina se sentit soudain nauséeuse et terrifiée, mais elle s'obligea à relever la tête et à faire un pas en avant sans qu'on ait eu besoin de la forcer. De chaleureuses sensations d'encouragement et de confiance émanèrent alors des autres Jedi afin de la préparer à mieux supporter la torture. Elle était à peu près persuadée que Duman Yaght n'irait pas jusqu'à laisser le voxyn la tuer. Il lui répétait sans cesse combien elle aurait une place de choix lors du Grand Sacrifice. Elle eut donc toutes les raisons de penser, dans la mesure où ses compagnons la soutenaient mentalement, qu'elle pourrait faire gagner à Ulaha suffisamment de temps afin de pouvoir plonger dans une transe curative et stabiliser au moins son poumon perforé.

Mais la confiance en elle de Jaina n'était pas assez forte pour l'empêcher de trembler en s'approchant de son tortionnaire. Seule la Force lui avait permis de ne pas sangloter comme une gamine la première fois que les Yuuzhan Vong avaient tenté de briser sa volonté. Cette nouvelle séance serait pire, bien pire. Le commandeur Duman Yaght n'admettait pas qu'elle ait pu ainsi le défier. Il disposait de tant de moyens de la blesser sans la laisser mourir. Il y avait tant de parties de son corps qu'il pouvait arracher, casser ou ponctionner.

Une pulsation toute fraîche de confiance redonna un peu de courage à Jaina. Elle sentit Jacen lui relayer les sensations des autres : la volonté d'Anakin de la maintenir en vie, l'admiration de Zekk pour son courage, la faible gratitude d'Ulaha et la calme assurance de Tekli, confirmant que toute blessure pouvait être soignée. Elle s'arrêta devant Duman Yaght et le regarda bien en face.

— J'espère que vous ne vous attendez pas à ce que je vous dise merci.

Elle sentit son estomac se serrer lorsque le commandeur la saisit par la nuque.

— Pas besoin...

Il la conduisit devant la tête du voxyn. Même si la sensation de faim malfaisante de la créature brouillait toujours la Force avec ses pulsions carnassières, le monstre semblait parvenir à contrôler ses instincts. Il tremblait d'excitation, conservant ses horribles yeux jaunes fixés sur son maître, attendant les ordres. Duman Yaght s'arrêta à un mètre de sa gueule et fit tourner Jaina de telle sorte qu'elle puisse voir les gouttes de bave à l'odeur fétide s'écouler entre les crocs du voxyn et éclabousser le sol en produisant de la fumée. Jaina déglutit. Son dos tout entier était couvert de brûlures grandes comme le pouce, là même où les gouttes de salive acide étaient tombées lors de sa précédente séance de torture. Elle commença à s'agenouiller.

La main de Duman Yaght se serra autour de son bras pour l'obliger à se relever.

— Non, j'ai une autre idée. (Il la fit s'écarter du voxyn et la conduisit près du mur où étaient attachés ses frères.) Choisis !

— Quoi ? (Jaina sentit le choc de l'ordre non seulement au creux de son estomac, mais également dans la sensation indignée qui nimbait à présent la Force.) Il faut que je choisisse quoi ?

— C'est toi qui décides, Jaina Solo. Qui sera le prochain ? (Il administra un coup de pied dans les reins d'Anakin avant de s'en prendre à Jacen.) Ton frère ou bien ton jumeau ?

— Tous les deux sont mes frères. (Elle était si choquée qu'elle ne comprit pas immédiatement que Duman Yaght connaissait désormais sa relation avec Jacen.) Je ne choisis aucun d'entre eux. Je me choisis, moi !

Duman Yaght secoua la tête.

— Non, non, non, ce n'est pas ce que je te demande. Tu dois choisir Anakin ou Jacen. (Sur ce, il leur donna de nouveaux coups de pied, arrachant à chacun un gémissement involontaire.) Choisis l'un d'eux, ou bien je serai obligé de soumettre à nouveau Ulaha à la question. Le Maître de Guerre est au courant de ses blessures, alors personne ne s'en offusquera si jamais elle venait à mourir. C'est toi qui contrôles, maintenant, Jaina Solo.

Jaina sentit la colère monter en elle. Elle voulut se précipiter sur Duman Yaght pour l'écorcher vif, mais ses frères lui communiquèrent leur désapprobation par l'intermédiaire de la Force. Chacun d'eux acceptait d'être choisi. Même sans le lien émotionnel qui unissait le groupe, elle serait parvenue à percevoir cela chez ses frères. Sans parler du lien si particulier qu'elle partageait avec Jacen. Elle sentit que, pour lui, il n'était pas seulement question d'accomplir un noble geste de sacrifice. Il avait de bonnes raisons de croire qu'il était le seul choix qui s'imposait. Jaina se dit que l'une de ces bonnes raisons devait résider dans le fait qu'Anakin aurait besoin de toutes ses facultés quand viendrait le moment de s'échapper. Un moment qui ne tarderait pas à venir, espérait-elle. Mais elle n'arrivait pas à se décider, car les ondes mentales envoyées par ses frères n'étaient pas assez puissantes pour lui permettre de lire clairement leurs pensées.

— Alors, ton choix ? demanda Duman Yaght.

— Vous ne pouvez pas me demander une chose pareille. (Elle songea qu'en tant que catalyseur du lien psychique, Jacen était au moins aussi important qu'Anakin pour l'équipe. Elle ne pouvait pas se décider à laisser l'un d'eux se faire torturer. Anakin était un héros de la guerre, un chef aux yeux de tous. Mais, pour Jaina, il serait toujours le petit frère, quelqu'un dont il fallait prendre soin, qu'il fallait protéger. Et Jacen avait toujours été son meilleur ami, la personne qui la comprenait le mieux quand Jaina ne parvenait pas à se comprendre elle-même, une présence qui l'enveloppait presque comme une seconde peau. Comment pouvait-elle choisir l'un d'entre eux ? Elle détourna les yeux de Duman Yaght.) Je ne peux pas choisir.

— Non ? (Sa main se serra sur l'arrière de son cou et il commença à l'entraîner à sa suite.) Quel dommage pour la femelle Bith.

Anakin, se déboîtant le cou, parvint à tourner la tête vers eux.

— Jaina, tu peux choisir ! (Il avait appuyé ses propos de tout le poids de la Force, pas pour la conforter, mais pour bien lui faire sentir qu'il s'agissait d'un ordre.) Tu peux me choisir !

Jaina sentit sa connexion au reste du groupe faiblir

251

soudainement, car Jacen était en train de se concentrer. Il se tourna vers son frère cadet.

— Anakin…

— Tais-toi, Jacen. (Anakin continuait de dévisager sa sœur.) Jaina, choisis !

Duman Yaght la regarda, dans l'expectative.

— La femelle Bith va probablement mourir, de toute façon, tu le sais ?

Jaina ferma les yeux.

— Anakin, dit-elle. Prenez Anakin.

Duman Yaght fit signe au garde qui se trouvait près des deux frères. Puis il dit quelque chose au soldat qui se tenait près de la membrane gélatineuse qui scellait la porte de sortie. Le soldat caressa la membrane. Celle-ci se rétracta et le Yuuzhan Vong disparut dans la soute voisine, affichant un léger sourire d'impatience.

Au lieu de ramener Jaina à sa place face au mur, Duman Yaght l'obligea à rester à ses côtés alors qu'on était en train d'attacher Anakin sur le sol, face contre terre. Le commandeur fit signe à son monstre domestiqué de s'avancer et commença à donner des ordres. Pendant les quinze minutes qui suivirent, Jaina fut forcée d'assister à la scène.

Maintenu conscient par l'action mentale des membres du commando, Anakin ne poussa pas le moindre cri. Duman Yaght finit même par faire claquer sa langue d'admiration.

— Il encaisse bien la douleur, ton frère, dit le commandeur. Peut-être qu'on pourrait essayer quelque chose de nouveau, hein ?

Il aboya un ordre et le voxyn leva une patte au-dessus du dos d'Anakin. Les griffes acérées étaient enduites d'une substance visqueuse et verte, le vecteur du rétrovirus, comprit Jaina, qui foisonnait entre les coussinets des pattes de l'animal.

— C'est de la peur que je lis dans tes yeux, Jaina Solo ? demanda Duman. Alors, il n'est pas nécessaire que je te parle des fièvres. Tu sais ce qui arrivera à ton frère si la créature le griffe, non ?

— Vous ne voudriez pas décevoir vos prêtres. (Tout en

parlant, Jaina concentra son esprit sur les autres, partageant avec eux l'incertitude que ses paroles dissimulaient. Le vaccin que leur avait confié Cilghal n'avait pas été testé. Il pouvait peut-être les aider à lutter contre certaines maladies, mais elle n'était pas vraiment enchantée à l'idée de l'expérimenter aux dépens de son frère.) Surtout si ceux-ci vous ont promis une belle place dans les tribunes lors de notre sacrifice.

— Exact, mais imagine un peu quelle place ils me donneront si je leur révèle dans quelle région la base *Jeedai* se situe, dit Duman Yaght. Je ne me trouverai qu'à quelques gradins du Maître de Guerre, suffisamment prêt pour que tu puisses discerner de la gratitude dans mon regard.

Une sensation de défi submergea Jaina. Elle provenait sans aucun doute d'Anakin, et Jacen s'était empressé de la lui relayer.

— J'ai bien peur qu'il ne vous faille assister au sacrifice depuis le dernier rang, rétorqua Jaina.

La main de Duman Yaght se serra sur sa nuque.

— Tu crois que je ne suis pas capable de donner l'ordre ?

Il siffla de façon stridente et le voxyn balafra le dos d'Anakin de ses griffes acérées. Jaina ressentit le choc dans la Force, mais, curieusement, son frère réussit à ne pas crier.

— Tu surestimes la valeur de ton frère, dit Duman Yaght. Les prêtres seront satisfaits si je me contente de revenir avec toi et Jacen. C'est vous, les jumeaux, après tout.

Il avait prononcé le mot « jumeaux » comme s'il s'agissait d'une sorte de secret d'Etat. Il y avait là quelque chose que Jaina ne comprenait pas, mais cela n'avait guère d'importance. D'une façon ou d'une autre, elle et Jacen finiraient bien par décevoir Duman Yaght et les prêtres.

Le garde qui était sorti de la soute apparut de nouveau à la porte. Duman Yaght ordonna à deux de ses soldats d'appliquer des bandes de gelée blorash aux deux pattes postérieures du voxyn afin de maintenir la créature en place. Ils placèrent Anakin hors de portée de l'animal et lui attachèrent un pied au sol.

Quelque chose de différent était en train de se produire et Jaina n'aimait pas beaucoup cela.

— Qu'est-ce que vous manigancez ? Vous voulez qu'on joue à la barbichette ?

Duman Yaght sourit de toutes ses dents.

— Quelque chose comme ça, oui…

Il adressa un signe de tête au garde qui se trouvait à la porte. Celui-ci fit un pas de côté et souleva la membrane pour laisser entrer une chose qui ressemblait à un petit arbre. La plante, à peu près aussi grande qu'un Wookiee, était dotée d'une épaisse couronne de feuillage. Au centre de son tronc s'ouvrait une cavité garnie d'une sphère vitreuse et noire, qu'elle tourna dans la direction du commandeur. Duman Yaght indiqua le centre de la soute et l'arbre s'y rendit en rampant sur trois de ses racines noueuses.

Lorsque la plante approcha de lui, le voxyn tendit une langue fourchue comme pour goûter à l'air ambiant. Les épines sensitives de son arête dorsale se hérissèrent et le monstre donna l'impression de vouloir se recroqueviller sur lui-même. L'arbre n'était plus qu'à sept mètres de lui lorsque le voxyn parut atteint d'un accès de folie furieuse. Il se mit à siffler bruyamment et à labourer le sol en essayant de se détacher de son entrave. La créature semblait avoir perdu toute intelligence, se comportant comme une bête sauvage plutôt que comme le terrible prédateur que les Jedi avaient appris à redouter.

L'arbre continua d'avancer et, lorsqu'il eut franchi deux mètres supplémentaires, Jaina perdit tout contact psychique avec le reste du commando. Elle projeta une onde de la Force et ne sentit plus rien. Puis, alors que l'arbre s'approchait toujours et que ses compagnons essayaient tant bien que mal de se retourner pour trouver la cause de cette rupture brutale du lien mental, Jaina aperçut une silhouette reptilienne accrochée à l'arrière du tronc. Celle-ci cherchait sans nulle doute à se cacher du vorace prédateur qui se démenait pour se libérer et l'attraper.

— Un ysalamiri, dit Jaina à voix haute. (Elle était un peu surprise car, d'ordinaire, les ysalamiris parvenaient à créer un vide dans la Force plus important que celui qu'elle était en train de percevoir.) Et qu'est-ce que vous allez en faire ?

— Bonne question. (Duman Yaght fit un signe au garde qui avait fait rentrer l'arbre mouvant dans la salle.) Montre-lui !

Le soldat s'avança et détacha l'ysalamiri de son perchoir. Les griffes en hameçon de la créature arrachèrent des lambeaux d'écorce de l'arbre, produisant une sorte d'ondoiement douloureux dans les feuilles. Avec son épine dorsale saillant de sa colonne vertébrale chétive et ses plaies rougeâtres balafrant ses flancs lisses, l'ysalamiri avait l'air presque mort. Le voxyn s'excita de plus belle, impatient de dévorer cette friandise. Il tendit sa longue langue en direction du soldat qui, très délicatement, déposa le lézard sur les épaules d'Anakin.

L'ysalamiri alla se nicher au creux du dos d'Anakin et s'y accrocha. Le voxyn tirait sur son entrave, manquant presque de s'arracher une patte.

— Nos laborantins ne comprennent pas pourquoi, mais les ysalamiris rendent les voxyns complètement fous, dit Duman Yaght. Ils en perdent tout sens commun, toute retenue. Au cours d'expériences similaires, on a constaté que les voxyns n'hésitaient pas à déchiqueter leurs propres pattes pour se ruer sur ces petits lézards.

— Où voulez-vous en venir ?

— Tu sais très bien où je veux en venir, dit Duman Yaght. Tôt ou tard, le voxyn perdra suffisamment la raison pour tuer tout sur son passage afin de manger.

Jaina ne pouvait détacher les yeux de son frère, couvert de sang. Dans la capsule d'équipement, le commando disposait de méthodes pour chasser les ysalamiris. Mais seuls Anakin et Ganner étaient habilités à activer les droïdes de guerre et à leur demander de mettre tel ou tel équipement en service. Si tous deux venaient à mourir, alors les droïdes se mettraient automatiquement en marche et partiraient à la recherche d'éventuels survivants du commando. Ce n'était pas tout à fait la solution que Jaina envisageait dans l'immédiat.

— Dans quelle région se trouve la base *Jeedai* ? demanda Duman Yaght. Prends tout le temps que tu veux pour répondre, je ne suis pas pressé.

Jaina détacha enfin les yeux d'Anakin. Elle comprenait, à présent. En livrant si régulièrement Ulaha au voxyn pendant tout ce temps, Duman Yaght n'avait pas tenté de briser la volonté de la jeune Bith. Il avait tenté de briser la volonté du groupe. Et Jaina avait été la première à faire preuve de faiblesse. Son corps lui paraissait soudainement trop petit pour contenir toute la culpabilité, toute la déception qu'elle éprouvait vis-à-vis d'elle-même. Lando les avait effectivement prévenus et Jaina ne l'avait pas écouté.

Sans regarder son tortionnaire, elle demanda :

— Est-ce que vous libérerez Anakin si je réponds ?

— Si c'est ce que tu souhaites, répliqua Duman Yaght. Je te rappelle que c'est toi qui es aux commandes.

— Dans le Noyau, déclara Jaina. (Techniquement, c'était vrai, car le seul moyen d'atteindre la base était d'emprunter une courte hyperroute qui passait en bordure du Noyau Profond.) Mais cela ne devrait pas vous surprendre.

Duman Yaght hocha la tête.

— Cela confirme ce que nos scribes ont suggéré. (Il fit un signe au garde et ce dernier décrocha l'ysalamiri du dos d'Anakin avant de le jeter en pâture au voxyn.) Ne jamais refuser sa récompense à un tueur.

— Je tâcherai de m'en souvenir, dit Jaina. (Le voxyn engloutit sa proie et le lien dans la Force se matérialisa à nouveau. Elle sentit les ondes de soutien émanant de ses compagnons.) Et mon frère ?

— Bien sûr. Il te suffit de me dire qui sera le suivant...

Jaina sentit son cœur se serrer. Elle s'attendait à quelque chose de similaire et savait qu'il n'y avait qu'une seule réponse possible.

— Moi.

— Impossible.

— C'est mon dernier mot.

— Alors Anakin va rester à sa place. Peut-être même qu'il va mourir.

— Vous aviez dit que vous le libéreriez, dit Jaina. Je pensais que les Yuuzhan Vong avaient le sens de l'honneur.

Les cernes bleus soulignant les yeux du commandeur s'assombrirent. Mais il se tourna vers le garde d'Anakin et fit un signe de tête.

— Va l'attacher avec les autres et ramène la femelle Bith.

Jaina sentit alors un torrent d'émotions conflictuelles jaillir du groupe. Certains avaient peur pour Ulaha, d'autres soutenaient la volonté de Jaina de tenir tête aux tortionnaires. Au milieu de tout cela, Jacen perçut une onde qui dominait toutes les autres : la détermination et le calme d'Anakin. Il avait un plan. Cette simple pensée lui donna la force de rester silencieuse.

A trois mètres du mur, Anakin se libéra de la poigne de son garde, cria pour ordonner à Ulaha de se réveiller et bondit pour la rejoindre. Il s'agenouilla à côté d'elle et chuchota de façon frénétique à son oreille. Les yeux dépourvus de paupières d'Ulaha continuaient de fixer le plafond de manière vague, mais une sensation de ruse dans la Force indiqua aux membres du commando qu'elle était un peu plus alerte qu'elle n'en avait l'air. Anakin parvint à murmurer une demi-douzaine de mots avant que le bâton Amphi d'un des gardes s'abatte sur sa tête. Il sombra calmement dans l'inconscience ; tous les efforts confondus des membres de l'équipe ne parvinrent pas à le ranimer.

Le garde attacha le jeune homme évanoui avec des bandes de gelée blorash. Puis il libéra Ulaha et, tenant toujours son bâton Amphi d'une main, traîna la jeune Bith jusqu'au centre de la soute. Le voxyn essaya de se tourner vers eux, mais se rendit compte qu'une de ses pattes arrière était toujours entravée. Il se calma et observa la scène d'un de ses yeux jaunes. La créature semblait avoir recouvré le contrôle d'elle-même, mais sa faim insatiable brûlait toujours dans la Force avec la puissance d'un rayon de blaster.

Trop faible pour se tenir debout, Ulaha était agitée de tremblements. Elle ne souhaitait apparemment pas détacher ses yeux du sol. Lando avait déclaré qu'ils auraient à accomplir des actes en désaccord avec leur conscience, mais Jaina n'aurait jamais cru qu'un de ces actes aurait consisté à rester là, à ne rien faire, pendant que les Yuuzhan Vong massacraient l'un d'entre eux.

— Le choix t'appartient, Jaina. (Duman Yaght tordit son visage balafré en une parodie de sourire.) Un nom ou une vie.

Dans la Force, Jaina projeta son esprit vers Eryl Besa, espérant obtenir la confirmation qu'ils avaient franchi la frontière des lignes ennemies, qu'ils pouvaient enfin activer les droïdes de guerre et en finir avec tout ceci. Mais rien ne vint. Elle baissa la tête. Il n'y avait qu'un seul moyen de corriger son erreur, une seule façon de s'opposer à cette séance visant à briser la volonté du groupe. Mais Jaina ne pouvait pas se résoudre à laisser Ulaha mourir, à prononcer les paroles qui entraîneraient sa mort.

Elle ne releva pas la tête.

— C'est mon dernier mot.

— Comme tu le voudras.

Le ton moqueur de Duman Yaght la fit se sentir profondément humiliée. Jaina avait cédé. Et tout le monde le savait. La voix faiblissante d'Ulaha monta jusqu'à elle, empreinte d'une sensation de honte assez semblable à celle éprouvée par Jaina.

Jaina… Tu ne dois pas… Ne les laisse pas se servir de moi…

Elle fut réduite au silence par une gifle violente.

— Le nom, Jaina, exigea Duman Yaght. Qui sera le prochain ?

Jaina releva enfin les yeux et vit qu'Ulaha avait toutes les peines du monde à se tenir debout. Elle semblait presque suspendue au bras du garde qui la soutenait et qui maintenait une de ses mains au-dessus des épines sensitives de l'arête dorsale du voxyn.

Ulaha se tourna vers Jacen.

— Donne-moi la force… s'étrangla-t-elle.

— Silence ! dit le soldat en la secouant.

La Force se nimba alors d'encouragements, de soutien… Et de quelque chose d'autre. Quelque chose d'électrique, de brutal, comme l'éclair d'un rayon paralysant. Soudain, Ulaha rassembla ses jambes sous elle. L'étrange énergie continua d'affluer dans la Force et Ulaha se sentit devenir de plus en plus résistante à chaque instant. Elle baissa la main… en direction des épines sensitives, obligeant le garde à s'arc-bouter pour l'empêcher de s'empaler ainsi.

Jaina fut prise de nausées. Etait-ce là le plan d'Anakin ? La colère qui émanait de Jacen indiquait clairement ce qu'il en pensait. Jaina ne pouvait pas croire que son petit frère était capable d'ordonner à quelqu'un d'aller volontairement à la mort, surtout avec le décès de Chewbacca pesant encore si lourdement sur sa conscience.

Ulaha était trop faible pour pousser sa main jusqu'au bout. Elle sembla renoncer... pour s'emparer du coufee de son geôlier et lui en planter la lame dans la gorge. Une cascade de sang jaillit. Avec une dextérité inhabituelle pour quelqu'un souffrant de telles blessures, Ulaha fit pivoter le guerrier et l'envoya heurter, de plein fouet, la queue du voxyn.

Les épines se cassèrent contre l'armure de crabe vonduun du garde. Duman Yaght hurla un ordre, et une demi-douzaine de soldats Yuuzhan Vong se précipitèrent. Le voxyn entrouvrit sa gueule pour crier. Jaina devina que tout était fini pour Ulaha. Au même instant, Jacen relâcha son emprise sur le lien psychique pour projeter son esprit en direction du voxyn, lui suggérant que l'attaque d'Ulaha n'était qu'une diversion et que ses véritables adversaires étaient les guerriers Yuuzhan Vong. C'était un pari aussi audacieux que désespéré, un pari qui pouvait mettre fin à la mission pour peu que Duman Yaght comprenne alors que les Jedi s'étaient joués de lui. Et Jaina se dit qu'elle n'en attendait pas moins de la part d'un Solo.

Le voxyn tourna la tête et vomit une bulle de mucus verdâtre sur le guerrier le plus proche. Le soldat Yuuzhan Vong fit encore quelques pas en grondant, hurlant et se débattant pour se débarrasser de l'acide qui commençait à le ronger. Ulaha profita de la confusion pour plonger en avant et planter le coufee entre les yeux du voxyn.

La créature s'écroula et commença à se tortiller. Les convulsions cessèrent lorsque la jeune Bith fit tourner la lame de son couteau dans la plaie. Un sang violacé s'écoula de la blessure, se transformant au contact de l'air en une vapeur brune. Ulaha tituba, porta les mains à son visage, fit encore un pas et tomba à la renverse.

Les gardes encore vaillants s'arrêtèrent en bordure de la

fumée. Duman Yaght hurla un ordre. Un guerrier lança une boule de gelée blorash sur le coufee, ce qui boucha la plaie. Un autre se couvrit le nez et la bouche et se précipita pour ramasser Ulaha. Elle laissa le garde l'entraîner loin du nuage toxique.

Un sifflement familier s'éleva de l'autre extrémité de la soute. Les trois Barabel ricanaient de façon hystérique, le cou dévissé, la tête rejetée en arrière, leurs yeux reptiliens chargés de fatigue.

Jaina s'autorisa un petit sourire, puis posa à nouveau les yeux sur Duman Yaght.

— Peut-être disposez-vous d'un autre voxyn pour qu'on puisse encore s'amuser…

Le Yuuzhan Vong baissa la tête et, à la grande surprise de la jeune femme, se mit à sourire à son tour.

— Non. Ce serait idiot, n'est-ce pas ? Je comprends maintenant pourquoi le Maître de Guerre est si déterminé à vous détruire, vous autres *Jeedai*. (Il fit signe à deux gardes de s'approcher et il précipita Jaina entre leurs bras.) Sache qu'on a fini de jouer, Jaina Solo. Si tu tentes quoi que ce soit, les conséquences en seront fatales.

— Peut-être, dit Jaina en souriant à nouveau. Mais pour qui ?

Sa réponse déclencha une sensation d'inquiétude chez plusieurs de ses camarades, mais Jaina comprit, en voyant les cernes de Duman Yaght s'assombrir encore plus, qu'elle avait dit exactement ce qu'il fallait. Le commandeur tourna les talons et ordonna au cartographe stellaire de calculer un cap plus direct vers leur point de rendez-vous.

22

Il aurait été plus simple d'emmener un plateau jusqu'au mess des officiers et de commander le petit déjeuner auprès d'un des générateurs militaires de nourriture, mais Mara avait décidé de cuisiner des crêpes-poussière et des naussices, une spécialité de Tatooine, sur le simple thermobloc du quartier d'habitation alloué à la famille Skywalker. Même en de meilleures circonstances, Mara n'avait rien d'un cordon bleu. Elle avait réussi à carboniser les crêpes poudreuses et les naussices, mais elle se refusait à admettre son échec. Aller chercher le petit déjeuner signifiait qu'il fallait ouvrir la porte. Et ouvrir la porte signifiait qu'il fallait renouer contact avec le reste de la base Eclipse. Or, après une nuit complète passée en compagnie de son époux – chose très rare, d'autant plus que Ben avait dormi sans interruption –, Mara voulait garder Luke encore quelques minutes de plus auprès d'elle.

R2-D2 sifflota quelque chose depuis l'autre côté du comptoir de la cuisine, puis décida d'afficher un message d'urgence sur le moniteur vidéo du plan de travail.

— Non, il n'y a pas de raison d'alerter l'équipe d'urgence, dit-elle.

R2-D2 formula une objection.

— Non, je ne cuisine pas, je me contente de… cuire les aliments, gronda Mara. Et si tu fais la moindre réflexion, j'ordonne qu'on efface tes banques de données, c'est clair ?

R2 lança un trille plaintif et se tut.

Mara baissa les yeux vers les naussices, au centre de sa poêle à frire improvisée, et les vit se transformer petit à petit en morceaux de charbon. Luke choisit cet instant pour sortir de la salle de bains, passant une tunique propre par-dessus ses cheveux mouillés.

— Ça sent bon ! (Il lança un petit morceau de naussice noircie dans sa bouche, se retint de faire la grimace et hocha la tête en signe d'approbation.) Exactement comme on les faisait à la maison.

— Vraiment ? fit Mara, peu convaincue. Moi qui pensais que la seule raison pour laquelle tu avais quitté Tatooine, c'était pour rejoindre la Rébellion et sauver la galaxie…

— Non, c'était à cause de la cuisine, dit Luke, faussement sérieux.

Il se servit une crêpe poudreuse d'aspect caoutchouteux et commença à mâcher. Il leva les yeux au ciel, laissant comprendre que c'était aussi bon qu'une assiette de thakitillo vert. Désarmée, comme toujours, par l'imperturbable bonne humeur de Luke, Mara éclata de rire et se pencha par-dessus le comptoir pour embrasser son mari.

Pour les autres occupants d'Eclipse, il était peut-être cet énigmatique Maître Jedi, dernier espoir d'une galaxie en péril, mais, pour elle, il était un époux gentil et attentionné. Il était cet humble cultivateur d'humidité qui avait découvert en Mara des qualités qu'elle-même ne discernait pas. Même en sachant tout ce qu'elle avait commis au service de Palpatine, tous ces mensonges proférés et toutes ces vies supprimées, Luke l'avait acceptée, d'abord comme une collègue, puis comme une amie et, finalement – lorsque Mara avait compris que la Force les attirait tous deux vers un type de relation que l'Empereur Palpatine n'avait pas imaginé –, comme amante et épouse.

Elle détacha ses lèvres de celles de son mari et sourit.

— Pour la nuit que nous venons de passer…

Luke jeta un coup d'œil de l'autre côté de la pièce, là où Ben dormait encore dans son berceau, surveillé par une version récente du même droïde-nounou qui s'était occupé d'Anakin et des jumeaux lorsqu'ils étaient petits. Il n'eut pas besoin d'expliquer ce à quoi il pensait. Mara prit sa main et l'entraîna vers la chambre à coucher. Ils avaient presque atteint la porte lorsque R2-D2 siffla pour attirer leur attention. Mara ne prit même pas la peine de se retourner.

— Pas maintenant, R2…

Le droïde siffla de nouveau, puis relaya une transmission en direct, provenant du hangar principal, jusqu'à l'écran vidéo du salon. Mara aperçut l'*Ombre* et le *Faucon*, parqués avec une douzaine d'autres gros vaisseaux, à l'autre bout de l'immense soute caverneuse. Des techniciens allaient et venaient, manœuvrant des barges d'assaut pour faire un peu de place aux nouveaux appareils qui arrivaient. La zone centrale rassemblait les soixante-dix nouveaux chasseurs Ailes-X XJ3 que l'amiral Kre'fey affectait à Eclipse en procédant à des rotations d'appareils au sein de sa propre flotte. L'assortiment hétéroclite de vaisseaux constituant l'escadron de Saba Sebatyne et les chasseurs défraîchis des Apôtres de Kyp Durron reposaient au premier plan, sans surveillance, dans un inaccessible enchevêtrement de matériel.

L'image s'agrandit sur une zone qui séparait les Ailes-X récentes des autres chasseurs stellaires. Là, Corran Horn était entouré de pilotes appartenant aux Apôtres de Kyp, aux Chevaliers Errants et aux Shockers. Ce dernier escadron, officiellement celui d'Eclipse, était constitué à parts égales de Jedi inexpérimentés et de pilotes vétérans non-Jedi connaissant l'espace comme leur poche. Les trois chefs – Kyp Durron, Saba Sebatyne et le non-Jedi Rigard Matl – parlaient tous en même temps pendant que Corran Horn, l'air impatient, regardait désespérément en direction de la caméra holographique installée dans le plafond.

Luke soupira et se tourna vers Mara.

— Ça t'ennuie ?

— Ça m'ennuiera encore plus si nous ne remportons pas cette guerre, dit-elle. Corran est peut-être du genre rigide et moralisateur, mais ce n'est pas dans ses habitudes d'appeler à l'aide sans raison. R2, branche-nous le son, tu veux ?

263

La voix impatiente de Kyp Durron résonna dans le haut-parleur :

« ... ne comprends pas ce qu'on attend. Peut-être que Danni va trouver un moyen de brouiller les ordres des yammosks, mais peut-être que non. En attendant, les Yuuzhan Vong ont capturé Anakin et les autres. (Comme tous les pilotes qui n'étaient pas basés sur Eclipse de façon permanente, Kyp ne savait pas que la capture du commando était une ruse.) Pendant que nous perdons notre temps, ils sont conduits à l'intérieur des lignes ennemies.

— Nous irons à leur secours lorsque Maître Skywalker nous dira qu'il est temps d'y aller, répondit Corran. En attendant, on reste là et on attend les ordres.

— Les ordres ? éructa Kyp. On n'est pas à l'armée, Corran. Un Jedi n'attend d'ordres de personne quand ses amis risquent d'être sacrifiés par un adversaire...

— C'est possible. Mais un Jedi ne se précipite pas au combat sans un minimum de préparation, intervint Rigard. (Ancien pilote de TIE-fighter, affichant une figure couturée presque aussi effrayante que celle d'un Yuuzhan Vong, Rigard détestait profondément la guerre. Pourtant, il avait participé – dans un camp, dans un autre et parfois dans les deux – à presque tous les conflits majeurs survenus depuis la Rébellion.) Nous attendons de disposer de plus d'éléments que les simples recherches de Danni sur les modulations gravifiques. Nous ne voulons pas nous braquer sur quelque chose sans que tout soit vraiment prêt.

— C'est justement cette notion de se braquer sur quelque chose qui inquiète cette Barabel, dit Saba Sebatyne, s'adressant directement à la caméra holographique, indiquant par là claire-ment qu'elle voulait parler à Luke en personne. Cette Barabel pense que lorsque quelqu'un tend le bras trop loin, il a des chances d'y laisser une main... »

— Et merde ! siffla Luke entre ses dents, proférant à voix haute un juron que Mara n'avait pas entendu depuis le temps où Jacen et Jaina s'entraînaient à l'académie. Encore un coup de Kyp...

— On ferait mieux de descendre les rejoindre, dit Mara, se

penchant par-dessus le plan de travail pour saisir son comlink. Je préviens Corran qu'on arrive.

Mara et Luke s'habillèrent et, après avoir demandé au droïde-nurse de les prévenir dès que Ben se réveillerait, ils se rendirent à la baie hangar. Ils avaient dû passer des combinaisons thermiques, car le système de refroidissement de la base fonctionnait à présent beaucoup trop bien, au point que les coursives menaçaient à tout instant de se couvrir de verglas.

Remontant couloirs et passages, Mara sentit un curieux déséquilibre se produire chez Luke. Même si leur union psychique n'était pas assez forte pour lui permettre de lire en permanence ses pensées, elle devina qu'il était à nouveau en train de lutter intérieurement contre les difficultés liées à son double rôle de chef de guerre et de chef de famille. En ces temps troublés où les Jedi avaient le plus besoin de lui, Luke craignait que la guérison de Mara, aussi mystérieuse que le mal qui l'avait atteinte, ne soit qu'une rémission. En ces temps troublés où lui-même avait besoin de se trouver auprès d'elle, d'apprendre à devenir un bon père, il devait se démener pour maintenir l'unité au sein de la faction Jedi et trouver le moyen le plus judicieux de la diriger sans trop de heurts.

Ils tournèrent dans une coursive et remontèrent le passage qui menait au grand sas étanche fermant la baie hangar. Mara prit la main de Luke.

— Skywalker ? Il y a des fois où j'ai sérieusement envie de te coller une claque.

— Ah oui ? dit-il, pas vraiment surpris, en se tournant vers elle.

Mara fit un vague geste de la main en direction du hangar devant eux.

— Tout ce que tu fais pour les Jedi, je te signale que tu le fais aussi pour nous. (Elle appuya sa paume contre la commande de l'écoutille et l'iris du sas s'ouvrit en sifflant.) La Force est puissante chez Ben. Je sais que tu l'as remarqué, toi aussi.

— Exact, répondit Luke en hochant la tête.

— Alors les Jedi doivent gagner cette guerre, dit Mara. Si nous perdons, où Ben pourra-t-il trouver refuge, hein ?

Luke s'arrêta et Mara sentit le déséquilibre qui le perturbait fondre comme neige au soleil. Il lui fit signe de passer l'écoutille.

— Je n'avais pas vu les choses sous cet angle…

— Bien sûr que non. Tu es trop altruiste. (Elle pénétra dans le hangar.) Mais moi, non. Est-ce que tu vas enfin te décider à ramener Kyp et Saba dans le droit chemin ou bien faut-il que je le fasse ?

Elle sentit Luke sourire derrière son dos.

— Il vaut mieux que je m'en charge. Ce ne serait pas très correct de les laisser ainsi à ta merci !

— Correct ? répéta Mara. Qu'est-ce qui peut bien te faire penser que je m'inquiète de ce qui est correct ou non ?

Ils sortirent du sas et empruntèrent un passage dégagé qui conduisait au groupe de pilotes. Danni Quee venait de les rejoindre, certainement convoquée dès que Saba avait appris que Luke arrivait. Convaincue que les membres du commando ne résisteraient pas aux tentatives des Yuuzhan Vong pour briser leur volonté, la Barabel n'avait cessé, depuis le retour des Chevaliers Errants d'Arkania, d'implorer le Maître Jedi pour qu'il lance une mission de sauvetage. Luke se devait d'agir, craignant que Saba ne prenne l'initiative d'organiser la mission en question et d'emmener avec elles les membres de son escadron, mais il voulait aussi obtenir la confirmation des renseignements fournis par Danni.

Corran s'écarta, cédant sa place à Luke face à l'assemblée.

Skywalker prit un ton légèrement irrité pour s'adresser directement à Corran :

— Eh bien, Corran, qu'est-ce qui se passe ? Pourquoi n'êtes-vous pas en train d'analyser les données des exercices de ce matin ?

Les yeux de Corran trahirent une certaine surprise face au ton sévère de Luke, mais l'homme se ressaisit.

— Maître Skywalker, nous avons interrompu nos exercices plus tôt que prévu, lorsque la *Dame Chance* est entrée dans le système. Elle devrait arriver prochainement ici.

Luke entendit Han et Leia qui approchaient. D'un rapide coup d'œil, il envoya Mara les intercepter. La détermination qu'il perçut chez elle lui confirma qu'elle allait faire exactement ce qu'il attendait d'elle. Il continua de dévisager Corran.

— Je ne comprends pas. (Sa voix était toujours posée, mais ferme.) Si Lando a des ennuis, qu'est-ce que vous faites encore ici ?

Saba Sebatyne fit un pas en avant.

— Ce n'est pas de la faute du Jedi Horn, Maître Skywalker. Cette Barabel a interrompu l'exercice.

Luke souleva un sourcil et attendit.

— Cette Barabel veut savoir comment ça s'est passé.

— Comment *quoi* s'est passé ? demanda Kyp, complètement ignorant du rôle que Lando avait joué dans la prétendue capture d'Anakin et de son équipe. Vous auriez intérêt à me dire ce qui se passe, sinon je rassemble les Apôtres et je m'en vais.

Luke s'avança vers Kyp.

— Comment veux-tu qu'on t'explique quoi que ce soit alors que tu ne tiens pas en place, hein ?

Kyp fronça les sourcils, puis jeta un coup d'œil à ses pilotes par-dessus son épaule.

— Qu'est-ce que tu veux dire ? Qu'on ne peut pas nous faire confiance ?

— Ce n'est pas une question de confiance, répondit Luke.

Il laissa sa phrase en suspens et continua à observer Kyp pendant que Mara, Han et Leia les rejoignaient. Personne ne parla et les deux époux Solo braquèrent également les yeux sur Durron. Finalement, Kyp évita le regard de Luke et se tourna vers Saba.

— Saba a l'air au courant de toute cette histoire, se plaignit-il. Et pourtant, elle aussi a l'air de ne pas tenir en place.

— Saba a le droit de savoir. Son fils est aux côtés d'Anakin, dit Luke. Tout comme ses apprenties.

Kyp réfléchit quelques instants avant de s'adresser à la Barabel :

— On n'est pas obligés de l'écouter, tu sais. On peut partir nous-mêmes à leur recherche.

— Non, mon vieux, tu ne peux pas, dit Han en secouant la tête. (Solo tendit un doigt en direction des portes blindées.)

C'est sûr, tu peux t'en aller avec tes Apôtres, si ça te chante. Mais tu ne peux pas partir à la recherche d'Anakin et des jumeaux. Pas si l'amitié a un peu de sens pour toi, en tout cas.

Kyp afficha un regard perplexe et choqué.

— Mais ce sont tes enfants, Han. Tu devrais déjà être parti à leur recherche !

— Je veux qu'ils reviennent vivants, dit Han. Et ça ne risque pas de se produire si tu décides de les pister.

— Ça dépendra de ce que Lando Calrissian aura à nous raconter, intervint Saba. Pour peu qu'il ait appris, par l'intermédiaire de son villip, que la tentative de briser leur volonté a fonctionné…

— Il n'y aura pas de mission de sauvetage, déclara Luke. (Il vit Han se raidir et sentit le désarroi de Leia dans les ondes de la Force. Mara les avait cependant bien préparés et aucun d'entre eux ne montra le moindre signe d'inquiétude.) Le commando doit réussir ou échouer tout seul. Pour peu que nous sachions où aller les chercher, nous serons trop occupés ici même à d'autres tâches.

— Un commando ? (Kyp se tourna vers Han dans l'espoir d'obtenir des éclaircissements.) Quelles autres tâches ?

— Désolé, Kyp, faut demander à Luke. (Joueur invétéré, Han savait comment passer la main.) Il y a trop de choses en jeu pour que je puisse prendre la parole sans y avoir été invité.

Kyp se tourna à nouveau vers Luke.

— Est-ce que tu as découvert la raison de cette attaque feinte sur Arkania ? Est-ce que nous allons pouvoir enfin tenir tête aux Yuuzhan Vong ?

Luke dut lutter pour conserver un visage impavide.

— Je ne sais pas si « nous » allons faire quoi que ce soit. (A ces mots, la *Dame Chance* apparut aux portes de la baie. Des techniciens firent manœuvrer le dernier vaisseau qui se trouvait dans le passage, le *Gentleman Croupier* appartenant à Tendra Risant Calrissian.) Si tu veux participer, tu dois me faire une promesse.

Kyp poussa un soupir exaspéré.

— Quel genre de promesse ?

— Un vœu d'allégeance. De quelle autre promesse

pourrait-il s'agir ? demanda Han, presque sur le ton de la colère. Tu dois jurer d'obéir à Luke et de faire exactement ce qu'il te dira de faire. Si tu ne te sens pas prêt, tu peux t'en aller tout de suite. (Il marqua une pause, histoire de se calmer.) Il serait peut-être temps pour toi de commencer à te comporter en Chevalier Jedi.

Sous le coup de la réprimande, les yeux de Kyp étincelèrent. Luke songea un instant que Han était peut-être allé un peu loin, mais apparemment, comme à son habitude, Solo avait su correctement se servir des cartes qu'il avait en main. Le regard de Kyp s'adoucit sensiblement, à croire que la remarque de Han l'avait calmé.

Durron se tourna vers ses pilotes.

— Vous en pensez quoi, vous autres ? On se joint aux Jedi et on joue le jeu de la marine spatiale ?

— Tu sais bien ce qu'on en pense, bourdonna un pilote insectoïde Verpine. (A sa grande honte, Luke se rendit compte qu'il ne connaissait pas son nom.) Tant qu'on va casser du Yuuzhan Vong…

Kyp regarda les autres membres de son escadron. Lorsqu'ils eurent fini d'exprimer des sentiments analogues, il se tourna vers Han et hocha la tête.

— C'est bon, on promet.

— Pas à moi, vieux, dit Han en faisant un geste en direction de Luke. C'est lui le patron, ici.

Le visage de Kyp s'empourpra sous l'effet de la colère. Mais il ravala sa fierté et s'adressa à Luke :

— Vous avez notre promesse, Maître Skywalker. Nous resterons tant que vous aurez besoin de nous.

— Et vous obéirez aux ordres ? intervint Corran Horn.

— Si vraiment il le faut, dit Kyp en faisant la grimace.

— Il le faut, dit Luke. (Il vit la *Dame Chance* se diriger lentement vers son bras d'accostage et se tourna vers Saba Sebatyne.) Et les Chevaliers Errants ?

— Bien sûr, si les Jedi ont réellement l'intention de livrer bataille à l'envahisseur, dit Saba. Vous avez donc deviné quelles motivations le Maître de Guerre cache derrière la feinte d'Arkania ?

— Nous y travaillons toujours, dit Luke. Mais nous allons effectivement aller livrer bataille aux Yuuzhan Vong. Je n'aurais jamais osé risquer la vie de votre fils et de vos apprenties si ce n'était pas le cas.

23

Un grondement de Wookiee résonna dans la soute frigorifiée de la *Mort Exquise*. Avec précaution, Anakin se dévissa le cou pour regarder autour de lui. Lowbacca et beaucoup d'autres demeuraient hors de vue derrière un petit bosquet d'arbres, contenant tous des ysalamiris, que les Yuuzhan Vong avaient installé dans la salle. Il put cependant apercevoir Jaina et Eryl en face de lui, ainsi que Jovan et les Barabel, le long du mur perpendiculaire. Toujours attachés au sol par les poignets, avec les coudes entre les genoux, ils étaient tous en train de s'agiter pour tenter de soulager les douleurs qui leur parcouraient le dos et les jambes. Les Barabel semblaient souffrir plus que les autres de la situation. Leurs queues puissantes avaient été tendues derrière eux et la pointe ancrée dans le sol avec de la gelée blorash.

Anakin regarda vers Zekk et Jacen. Il souleva un de ses sourcils. Zekk hocha la tête impatiemment, mais Jacen ferma les yeux et détourna la tête. Incapable d'imaginer ce qui troublait l'humeur variable de son frère – et ne souhaitant pas forcément le savoir –, Anakin baissa le menton vers son aisselle gauche.

— Activez l'évasion ! chuchota-t-il.

Il sentit une petite brûlure lorsque l'implant cutané relaya l'information. Puis un pied lourd martela le sol derrière lui. Anakin se recroquevilla et encaissa le coup – auquel il s'attendait – sur ses épaules endolories.

— Tais-toi, *Jeedai*, fit le garde. Encore un mot et je te remplis la bouche de gelée blorash.

Incapable de dire combien de temps les droïdes de guerre mettraient pour passer à l'action, incapable même de s'assurer qu'ils étaient toujours amarrés au vaisseau, Anakin fixa le sol devant lui. Le garde le surveilla encore pendant une trentaine de secondes, puis regagna son poste.

Quelques minutes plus tard, une série de coups sourds et distants retentirent vers la proue du vaisseau. De la soute voisine monta une détonation un peu plus forte, immédiatement suivie du mugissement d'une décompression accidentelle accompagné des cris des créatures et du fracas des équipements aspirés par le vide intersidéral. Au fond de la soute, dans le dos des Jedi, les portes membranes s'incurvèrent dangereusement vers l'extérieur, mais elles tinrent bon, s'opacifièrent et se rigidifièrent pour devenir aussi solides que des panneaux de duracier.

Le subalterne aboya quelque chose en langage Yuuzhan Vong. Comme aucune réponse ne montait du villip accroché à son épaule, il envoya deux gardes en reconnaissance vers l'avant et en affecta huit à la surveillance des Jedi. Il emmena les deux derniers à l'arrière de la soute. Anakin sut qu'à cet instant précis CYV 2-1S devait être en train de surveiller les alentours pendant que 2-4S s'occupait de sceller la brèche dans la coque au moyen d'une mousse spéciale de réparation d'urgence, incorporant leur capsule d'équipement à la paroi du vaisseau Vong. Le jeune homme observa les deux gardes avec attention. Ceux-ci attendaient certainement un ordre en provenance de leurs villips d'épaules.

Le subalterne colla sa tête tout contre la porte. Un canon blaster ouvrit le feu de l'autre côté de la membrane opaque et sa tête, réduite à l'état de bouillie noirâtre, éclaboussa les alentours. Anakin sentit ses tympans siffler lorsque la pression des deux soutes s'équilibra. Les deux gardes accompagnant le subalterne furent prestement réduits à l'état de pulpe fumante par des rafales stroboscopiques de laser.

Les autres Yuuzhan Vong tendirent la main vers leurs scarabées paralysants et leur bâton Amphi. Certains voulurent se tourner et s'en prendre au commando, mais ils furent abattus par une volée de rayons verts, tirés par 2-1S qui venait de faire irruption dans la soute. Une mince croûte de gel s'était formée à la surface de son armure de métal, refroidie par le vide de l'espace, et ses photorécepteurs semblaient embués. Anakin eut soudainement peur que le droïde ne soit obligé de marquer une pause afin de stabiliser sa température. Au lieu de cela, 2-1S activa son antigel thermique et abattit deux autres ennemis qui tentaient de se mettre à l'abri. Il leva son autre bras et commença à déloger les ysalamiris des arbres au moyen de son aiguillon électrorayonnant (en option sur ce modèle de droïde.)

Le garde d'Anakin hurla quelque chose à propos des *Jeedai* et se tourna pour s'en prendre au jeune homme. Il fut coupé en deux par un torrent de feu nourri. La salve balaya le mur, trancha un arbre à ysalamiri et démembra un autre Yuuzhan Vong qui allait se jeter sur Jacen. Dans le même temps, 2-1S s'avança dans la soute, encaissa deux scarabées paralysants en pleine poitrine et carbonisa deux autres Vong – qui se trouvaient aux côtés de Jaina – avec son aiguillon électrorayonnant. Il n'échappa à personne que le droïde était tout particulièrement en train de protéger les trois enfants Solo – une modification de programmation que Lando avait intentionnellement omis de signaler –, mais aucun membre de l'équipe ne sembla vouloir s'en formaliser.

CYV 2-4S pénétra dans la soute sur les talons de son compère, un bras tirant des rayons de son canon blaster, l'autre décochant roquette après roquette. Il transperça un Yuuzhan Vong qui s'apprêtait à décapiter Jovan Drark, puis en mit un autre – qui voulait s'en prendre à Tekli – en morceaux au moyen d'un petit missile téléguidé.

Seul Tesar eut à se défendre physiquement. Il arracha sa queue à l'emprise de la gelée blorash et, abandonnant la pointe, fouetta les jambes d'un guerrier qui se trouvait près de lui. Le Yuuzhan Vong retomba lourdement. Il leva cependant son bâton Amphi vers le thorax de Tesar. Mais son bras fut immédiatement cloué au sol par la queue de Bela, elle aussi privée de sa pointe. Krasov mit fin à cet assaut en écrasant l'extrémité de sa queue – débarrassée de pointe elle aussi – contre la trachée du soldat.

— Surprise ! gronda Tesar.

Cette remarque déclencha une crise d'hilarité chez les trois Barabel. Tesar se servit de la pointe blessée de sa queue pour ouvrir la pochette de ceinture d'un des guerriers Yuuzhan Vong. Il envoya ensuite des volées de petits insectes vers les bandes de gelée blorash qui entravaient encore les autres Jedi.

Anakin regarda vers l'autre bout de la soute, en direction de 2-1S.

— Surveille la porte ! ordonna-t-il.

Un scarabée atterrit juste à côté de sa cheville. D'autres vinrent se poser entre lui et Jacen. Ils furent bientôt libres. Il demanda à un groupe de récupérer les armes et les équipements encore contenus dans la capsule, ordonna à un deuxième de disposer des ysalamiris et conseilla aux autres Jedi d'évaluer leurs conditions physiques respectives avant d'aller s'occuper d'Ulaha. Puis il rejoignit enfin 2-1S, qui montait la garde devant la membrane translucide, surveillant le long corridor d'accès à la soute.

— Ton rapport ?

— Monsieur, nous sommes en avance de quinze secondes sur le plan prévu. CYV 2-4S a réussi à percer la coque avec dix grenades à gaz coma. L'information sur leur efficacité n'est pas encore disponible. Trois voxyns ont été détectés dans une soute à l'arrière et attaqués au moyen de détonateurs thermiques de classe C. Les analyses postexplosion ne détectent aucun signe de vie.

— Et le vaisseau proprement dit ? demanda Anakin. (Tekli apparut à ses côtés. Sa longue trompe boudinée de Chadra-Fan se tordait en remuant pour asperger de produits antiseptiques et anti-inflammatoires le dos blessé d'Anakin. Il hocha la tête pour la remercier, mais ne détourna pas son attention de 2-1S.) Avez-vous réussi à en répertorier la configuration interne ?

— Monsieur, nous sommes à bord d'une corvette d'assaut et de patrouille. Longueur cent vingt-deux mètres, équipage estimé à quatre-vingt-dix-huit personnes, déclara le CYV. Les sondages aux ultrasons nous signalent qu'il s'agit d'une conception à deux niveaux, avec ponts et quartiers les uns à la suite des autres, donnant sur un palier unique. Quatre coursives principales de circulation, trois soutes sur l'arrière, passerelle de commandement à la proue, plus un réseau conséquent de conduites que nous n'avons pas réussi à dénombrer.

Anakin jura intérieurement. Ces fameuses conduites faciliteraient la tâche de leurs ennemis et leur permettraient de se déplacer à bord sans se faire remarquer. Les Barabel le rejoignirent, les bras chargés d'armes, d'équipements divers et de combinaisons intégrales relativement volumineuses.

— Le CYV 1-1A a récupéré ça dans le conduit à ordures, dit Tesar, tendant son sabre laser à Anakin.

Anakin referma la main sur la crosse et le cristal lambent lui signala la présence des Yuuzhan Vong, une fureur indistincte provenant de l'avant du vaisseau.

Bela indiqua un gros déchet encore gelé accroché à la poignée de l'arme.

— Tu vas manger ça ?

— Heu, non, pas vraiment.

Anakin décolla le morceau et accrocha l'arme au harnais d'équipement que lui tendait Tesar. Les Barabel échangèrent un regard reptilien dénué de la moindre expression. Krasov ramassa le lambeau de gelée et le partagea équitablement en trois. Anakin leva les yeux au ciel et se choisit un pistolet blaster ainsi qu'une demi-douzaine de grenades paralysantes parmi l'arsenal que transportait Tesar. Puis il demanda au groupe de se rassembler. Tahiri, qui s'était proposée pour remplacer Tekli aux soins, s'empressa de lui appliquer des bandelettes au Bacta sur le dos.

Bela distribua des combinaisons à ceux qui n'en étaient pas encore pourvus et, quelques instants plus tard, les membres du commando étaient tous parés de ce même uniforme brun qui conférait aux Chevaliers Jedi une allure assurément intimidante. Les combinaisons servaient également d'armures légères, constituées du même mélange de molytex et de fibres quantiques qui rendait les armures de laminanium des droïdes CYV si impénétrables. En un éclair, les combinaisons pouvaient se pressuriser. Elles avaient été conçues pour servir de complément aux tenues spatiales d'urgence sur Eclipse, mais elles étaient parfaitement mobiles et pouvaient être hermétiquement scellées.

Anakin divisa son commando en deux équipes : assaut et soutien. Puis il exposa son plan. Après avoir accordé à tous un peu de temps pour méditer et, grâce à la Force, se remettre de leurs meurtrissures, il demanda à chacun d'ouvrir son esprit.

Jacen s'appliqua à consolider le lien mental et Anakin perçut une certaine hésitation chez son frère, un manque d'assurance qui envoyait des réverbérations désagréables à tous les membres du commando. Il regretta immédiatement de ne pas avoir obligé Jacen à rester avec Lando, mais ravala son irritation et se concentra sur les tâches à accomplir. Il ne fallait pas que l'équipe perçoive son ressentiment par le lien émotionnel. Il lui fallait absolument éviter une diversion mentale de ce genre.

Anakin passa un masque respirateur sur son nez et sa bouche, puis attacha sa capuche amovible au col de sa combinaison afin de se protéger la tête. Les autres firent de même. Anakin fut si impressionné par la vision de son groupe prêt au combat que cela le requinqua.

— Impeccable ! s'exclama-t-il. Mettons-nous au travail.

Une trappe s'ouvrit dans l'épaule de CYV 2-1S et deux grenades paralysantes furent éjectées dans la coursive. Il enjamba ensuite le seuil de la porte membrane. Des scarabées vinrent aussitôt s'écraser contre son armure de laminanium. Il les anéantit prestement d'une rafale de rayons de blaster et s'avança, les Jedi sur ses talons. L'intérieur du vaisseau ressemblait à une caverne fangeuse, avec des cercles de lichen bioluminescent accrochés aux parois, des volutes de gaz coma flottant dans l'air ; des cavités, débarrassées de leurs membranes de scellement, béaient tous les deux mètres.

Anakin progressait, sabre laser dans une main, blaster dégainé dans l'autre. Derrière lui avançait Tesar Sebatyne, tenant à deux mains un gros canon blaster B-100. Venaient ensuite Alema Rar et le reste de la section d'assaut. Jacen se trouvait au milieu, en compagnie de Tenel Ka, suivi par une Tahiri indignée – qui aurait préféré avancer en tête avec Anakin – ainsi que par Bela et

Krasov. 2-4S fermait la marche, se chargeant de couvrir Lowbacca, lui-même occupé à découper les conduites des murs à la perceuse laser afin d'y déposer des mines-fléchettes. Jaina était restée en arrière, avec Ulaha et le reste de l'équipe de soutien, surveillant les autres coursives avec de petits canons blaster.

Avançant doucement vers la passerelle de proue, Anakin et les autres découvrirent que le gaz coma avait bien fait son travail. Des Yuuzhan Vong inconscients gisaient en travers des portes-valves, recroquevillés dans leurs cellules de repos, affalés sur leurs consoles de travail, sur les nodules des boucliers ou bien dans les tourelles de tir. Quelques soldats avaient apparemment eu le temps de s'emparer de leurs gnulliths – l'équivalent Yuuzhan Vong des masques respirateurs –, car l'un d'entre eux était allongé sur le sol, ayant succombé aux effets du gaz anesthésiant avant d'avoir pu ajuster la chose sur son visage.

L'équipe d'assaut ne fut attaquée qu'une seule fois. Anakin perçut la présence d'un ennemi derrière une porte-valve à moitié ouverte. Le temps de se tourner pour alerter son équipe, un guerrier équipé d'un masque gnullith fit irruption et décocha deux scarabées paralysants dans les épaules de Bela. Les projectiles rebondirent sans dommage contre le textile blindé de la combinaison. La Barabel, imperturbable, arracha leur attaquant à sa cachette et l'empala sur le sabre laser de sa sœur.

Approchant de la proue, la section d'assaut perdit le contact avec la Force. Il devait sans aucun doute y avoir des ysalamiris dans les environs. Anakin perdit également le contact avec les Yuuzhan Vong, le cristal lambent de son sabre laser ne fonctionnant que baigné dans la Force. Il espérait simplement que l'arme réagirait à nouveau normalement par la suite.

Dix mètres plus loin, la coursive se terminait sur une paroi verticale le long de laquelle gisait un guerrier Yuuzhan Vong inconscient, comme cloué au mur. L'étrange vision ne surprit personne. Comme tout bon concepteur de vaisseau, l'ennemi avait rationalisé l'espace disponible à bord, utilisant les basals dovins pour concentrer la gravité là où on en avait le plus besoin. Depuis la coursive, la cloison ressemblait à un mur vertical.

Mais il se transformerait en plancher au moment où l'équipe s'avancerait et poserait un pied dessus.

Un grondement étouffé fit trembler le corridor derrière eux. 2-1S prit la parole :

— 2-4S nous signale des détonations de mines dans les conduites principales d'évacuation. Les sondages à ultrasons nous indiquent que l'agent catalyseur serait un voxyn, blessé, mais capable de se mouvoir.

— Un voxyn ? demanda Anakin derrière son masque respirateur. Mais je croyais que 2-4S les avait désintégrés…

— Il y avait zéro virgule huit pour cent de chances de survie, annonça 2-1S. 2-4S a conclu à une probabilité de deux survivants et…

— Ne me dis rien, l'interrompit Anakin en levant une main. Je n'ai pas besoin de le savoir.

Il empoigna son communicateur pour prévenir Jaina de la présence du voxyn et envoya 2-4S surveiller les conduites qui passaient à proximité de la section de sa sœur. Il demanda ensuite à 2-1S d'enclencher ses capteurs et de procéder à un balayage complet du pont.

— Onze guerriers conscients attendent au niveau inférieur. Ils se trouvent dans une cabine adjacente à la cloison que nous avons là, rapporta le droïde. L'analyse tactique nous suggère qu'il peut s'agir d'une embuscade en cours de préparation.

— Sans blague ? dit Anakin, morose. Et Ganner ?

— La triangulation de son implant cutané le positionne à cinq mètres sur tribord, en train d'avancer. La résonance acoustique nous indique la présence de plusieurs gardes. Données vitales satisfaisantes. Son pouls et sa respiration indiquent qu'il est en train de dormir.

— Assommé par le gaz coma, mais toujours en train de se déplacer… songea Anakin à voix haute. Ils doivent être en train de se déplacer de cabine en cabine en perforant les parois. Sinon, l'équipe de Jaina les aurait repérés.

— Et ils disposent d'un ysalamiri. (Alema Rar posa une main sur l'épaule d'Anakin et parla si doucement que le jeune homme fut obligé de se pencher pour l'entendre à travers le masque :)

Les Yuuzhan Vong pensent que nous avons un point faible qu'ils peuvent utiliser contre nous.

— Contre nous ? (Anakin fixait de façon presque hypnotique les grands yeux pâles de la Twi'lek.) Tu veux dire, un appât ?

Elle hocha la tête. Anakin s'écarta d'elle et alluma son sabre laser. Prenant bien soin de ne pas plonger la lame jusqu'à la garde, il ficha son arme dans le sol et commença à découper un trou circulaire. Il n'avait pas de plan bien établi. Sa seule idée était d'éviter l'embuscade. En outre, se laisser prendre au piège ne sauverait pas la vie de Ganner.

Le corail yorik était bien plus facile à couper que le duracier. Malheureusement, il craquait bruyamment en fondant. Anakin fit la grimace, pensant que cela risquait de gâcher l'effet de surprise.

Jacen vint se poster à côté d'Anakin.

— On peut savoir ce que tu fais ? (La déception se lisait sur son visage et Anakin savait que les autres s'en étaient rendu compte.) Nous devrions aller au secours de Ganner.

— Non, nous devons d'abord éliminer ceux qui veulent nous tendre un piège, dit Alema. C'est plus important.

— Plus important que quoi ? demanda Jacen. Anakin ne peut pas passer son temps à sacrifier la vie des autres pour atteindre ses objectifs. Cette façon d'agir conduit vers le Côté Obscur.

— Sacrifier qui ? demanda Anakin, sans relever la tête de son travail de découpage. Mais de quoi parles-tu ?

— D'abord Ulaha, ensuite Ganner, dit Jacen. Tu as dit à Ulaha d'attaquer le voxyn, et maintenant te voilà prêt à abandonner Ganner.

L'accusation frappa Anakin presque physiquement. Son sabre laser lui échappa et creusa un profond sillon dans le sol. A la fois furieux et blessé, le jeune homme foudroya son frère du regard.

— Comment peux-tu croire une chose pareille ? demanda-t-il. Ulaha a désobéi aux ordres. Je voulais qu'elle révèle le nom de la base à Duman Yaght. Je ne lui ai pas demandé de l'attaquer !

Jacen sentit le rouge lui monter aux joues. Il entrouvrit la bouche et demeura incapable de dire quoi que ce soit pendant un long moment.

— Anakin, je… je suis désolé, finit-il par balbutier. Quand Ulaha est passée à l'attaque, j'ai pensé… Enfin, j'ai cru que…

— Je sais ce que tu as cru, dit Anakin. (Même si le remords de son frère se lisait clairement sur son visage cramoisi, aucune excuse ne semblait pouvoir effacer le doute qui avait pu planer concernant le rôle d'Anakin. Jacen avait été prompt à envisager le pire, tout comme leur père l'avait fait, lors de la mort de Chewbacca. Anakin ramassa son sabre et le plongea à nouveau dans le sol.) Allez, laisse-moi tranquille, tu me retardes.

Jacen voulut répondre, mais Tenel Ka le saisit par le bras et l'obligea à faire quelques pas en arrière.

— Tu ne peux pas résoudre ce conflit maintenant, Jacen. Il va falloir que tu attendes encore un peu.

Avec l'aide d'Alema, Anakin termina de découper le plancher en ne laissant que quelques millimètres d'épaisseur. Il activa alors son comlink pour prévenir Jaina de ce qu'ils allaient faire. Elle et 2-4S étaient occupés à traquer le voxyn blessé dans les canalisations, mais elle prit la peine de s'arrêter quelques instants pour alerter Zekk et Raynar, leur demandant de ne pas ouvrir le feu lorsque des silhouettes apparaîtraient au niveau de leur coursive.

Bela et Krasov, à coups de pied, firent sauter ce qui restait du plancher, puis se glissèrent en rampant par l'ouverture et disparurent l'une après l'autre. La détonation cinglante et étouffée de leurs blasters monta du trou. Alema plongea ensuite dans l'ouverture, la tête la première. Vint ensuite Anakin, sabre laser dans une main, grenade à fragmentation dans l'autre. Arrivé de l'autre côté, il ralentit et atterrit sur ce qui lui sembla être le plafond.

Le sifflement des rayons de blaster et le chuintement des scarabées volants obligèrent Anakin à se plaquer contre le mur. Luttant pour retrouver son sens de l'orientation, il enclencha la touche d'armement de sa grenade. Un trio de soldats était embusqué à l'extrémité de la coursive, leurs armures de crabe vonduun criblées d'impact par les tirs à répétition des deux sœurs Barabel.

Les scarabées paralysants jaillirent par la porte qui s'ouvrait au niveau des soldats. D'autres fusèrent de la cloison elle-même. Deux gardes affectés à la passerelle, affublés de gnulliths, étaient retranchés derrière le mur, tirant par une brèche aux rebords fondus. Anakin n'aperçut aucune trace de Ganner. Mais il s'y attendait.

Il fit un signe de tête à l'intention d'Alema, postée dans la coursive, le long du mur opposé. Elle arma sa grenade. Tous deux jetèrent leurs explosifs simultanément en direction de la cabine où se terraient les Vong. Deux éclairs étincelants se produisirent, suivis d'une secousse stupéfiante. Une langue de flammes jaillit par la porte de la coursive, accompagnée d'une puanteur de chair carbonisée.

Appelant silencieusement les autres à le suivre, Anakin partit à la charge à travers le rideau de feu. Une volée de scarabée paralysants s'écrasa contre le mur. L'un d'entre eux toucha le jeune homme en pleine poitrine et le fit tomber à la renverse. Bela et Krasov chargèrent à leur tour, arrosant les cloisons du feu de leurs puissants blasters. Alema se trouvait derrière elles. Au passage, elle aida Anakin à se relever. Il avait du mal à respirer et se dit qu'il avait certainement des côtes brisées. Fort heureusement, le blindage de sa combinaison lui avait épargné la douleur d'une plaie ouverte. Il activa son communicateur.

— 2-1S, occupe-toi de la cloison !

Le droïde apparut à l'extrémité de la coursive et se précipita vers son objectif, qui se trouvait à la perpendiculaire d'Anakin. Les gardes de la passerelle lui jetèrent des nuées de scarabées volants et tirèrent des rafales de grenaille au magma, qui créèrent des trous gros comme le pouce dans le blindage du CYV. Celui-ci lança une contre-attaque, avec des rayons de blaster à détection de cible et des décharges électriques. Les tirs ennemis cessèrent.

Une volée sporadique d'insectes paralysants fondit sur 2-1S depuis le pont où Ganner avait été repéré précédemment. Le droïde les ignora, tomba à genoux entre les cratères fondus, puis décocha une série de tirs vers le pont. Anakin envoya Alema et les deux sœurs Barabel prêter main-forte au droïde, puis retourna vers le trou qu'il avait percé dans le sol et se glissa de l'autre côté.

Tesar et Lowbacca se trouvaient dans la cabine avant, attaquant une porte blindée avec des pains élastiques de détonite. Au moment où Anakin s'approchait, le Barabel et le Wookiee se plaquèrent contre le mur, et Lowbacca alluma la charge de la pointe de son sabre laser. Il y eut un craquement sec, une pluie d'éclats, l'air se chargea de fumée, mais la porte n'avait pas cédé. Tesar s'écarta de la cloison et fonça vers le panneau de corail yorik. Il sauta, les pieds en avant.

La porte vola dans la cabine adjacente, heurta quelque chose de volumineux et déclencha une volée de jurons Yuuzhan Vong. Tesar réduisit le soldat au silence d'une rafale de son puissant blaster et Lowbacca chargea à sa suite. Anakin alluma son sabre laser et… entendit le son déjà trop familier d'un voxyn éructant une vomissure acide.

Anakin concentra ses pensées sur Lowbacca. Il ne se voyait pas retourner auprès de sa famille Wookiee pour annoncer qu'un autre de ses membres était mort à ses côtés. Un jet de mucus brun jaillit dans le champ de vision d'Anakin et alla s'écraser contre une cloison. De l'intérieur de la cabine monta un grondement sauvage de Wookiee et le crépitement aigu d'un sabre laser découpant quelque chose. Soudain, un hurlement spectral de douleur retentit, un cri se modulant petit à petit pour se transformer en attaque sonique.

Le puissant blaster de Tesar mugit à nouveau. Et le cri cessa brusquement. Anakin passa le pas de la porte et se retrouva dans une vaste salle de garde. Un voxyn, criblé d'impacts fumants, se tortillait pour ramper jusqu'à une brèche de la cloison arrière. La chose avait perdu une queue et deux pattes postérieures, mais conservait encore assez d'agilité et de vitesse pour éviter les rayons de blaster.

Une douzaine de Yuuzhan Vong, assommés par le gaz coma, gisaient à terre. Deux autres étaient encore debout, leurs visages dissimulés sous des gnulliths, bâton Amphi en main, en planque derrière le tronc en partie déchiqueté d'un arbre à ysalamiris. Tesar désintégra l'arbre moribond d'un bref coup de blaster. Les deux soldats Yuuzhan Vong passèrent à l'attaque.

Le Barabel fit volte-face et redressa le canon de son arme. Il perça un trou béant dans la plaque thoracique de l'armure du premier soldat, qui fut précipité contre le mur. Anakin intercepta le second guerrier, laissant le champ libre à Lowbacca pour tenter d'arrêter le voxyn qui prenait la fuite.

Le Yuuzhan Vong essaya de plaquer Anakin contre la cloison. Son bâton Amphi se transforma en fouet et la tête bardée de crocs acérés du serpent fusa vers les yeux du jeune Jedi. C'était une tactique éculée, presque honteuse. Anakin fit semblant de tituber, puis s'accroupit pour parer l'attaque avec sa lame étincelante.

Le serpent eut un mouvement de recul. Anakin planta sa main sur le sol, exécuta un balayage des jambes et frappa le Yuuzhan Vong au niveau des genoux. Le guerrier poussa un cri et s'écroula sur le sol avec la lourdeur d'un sac rempli de cailloux. Le bâton Amphi attaqua de nouveau. Anakin le bloqua, envoya voler l'arme au loin et plongea sa lame dans la gorge de son ennemi.

Pendant que la tête du Yuuzhan Vong roulait à terre, Anakin se retourna vers le mur du fond et aperçut Lowbacca tenant une autre patte de voxyn. Le grognement de déception du Wookiee lui signala clairement que la créature était tout de même parvenue à s'échapper. Mais Anakin fut heureux de constater que son partenaire était toujours vivant. Le jeune Jedi se releva et, comme il le craignait, ne découvrit aucun signe de Ganner dans la pièce.

Un frisson glacé lui descendit le long de la colonne vertébrale. Il comprit que sa perception des Yuuzhan Vong, amplifiée par le cristal de son sabre, était enfin revenue. Puis il sentit l'esprit de Jacen se mêler à ses pensées. Mais il y avait une autre sensation, la faim insatiable d'un voxyn, blessé et furieux, rôdant quelque part dans les canalisations. Ils devraient le pourchasser plus tard, une fois qu'ils se seraient emparés du vaisseau. Faisant fouetter son sabre laser par l'ouverture de la porte pour éviter d'être abattu par l'un des siens d'un coup de canon laser miniature, Anakin fit signe à Lowbacca et à Tesar de le suivre. Ils s'avancèrent dans la coursive.

La voix de Jaina retentit alors dans le comlink :

— Qu'est-ce que je perçois, là ? Ça ne peut pas être le voxyn. 2-4S et moi l'avons tué. J'ai son cadavre sous les yeux.

— Surveille bien les canalisations, dit Anakin, résistant à la tentation de prévenir 2-1S et de lui demander de retarder un peu la mise à feu de son détonateur thermique. Il y en a un autre.

Il se tourna vers la cloison et vit 2-1S, agenouillé en travers de la porte-valve, décochant une série de rafales intimidante, mais non mortelle, vers la passerelle. Personne ne riposta. L'armure du droïde était criblée d'impacts et fumait de la tête aux pieds, avec plusieurs cratères, gros comme le poing, là où les Yuuzhan Vong avaient concentré leurs attaques. Anakin se plaqua au sol à côté du droïde et du reste de la section d'assaut. La présence des Yuuzhan Vong était forte sur la passerelle, mais la sensation était encore trop brumeuse pour lui permettre d'en déterminer le nombre exact.

CYV 2-1S se tourna vers lui.

— Position protégée. Mais l'ennemi détient un captif – le Jedi Rhysode – sur la passerelle. (Ses photorécepteurs étaient fêlés et couverts de sécrétions laissées par les scarabées volants.) Nous avons actuellement deux minutes et onze secondes d'avance sur le programme.

— Bien sûr que nous sommes en avance. Tu t'attendais à autre chose ? (Anakin avait voulu donner l'impression d'employer le même ton goguenard que son père, mais une douleur fulgurante, provenant de sa côte cassée, l'obligea presque à couiner les deux derniers mots. Il se tourna vers la passerelle.) Tu n'as pas bonne mine, 2-1S. Je crois qu'il serait mieux qu'on finisse sans toi.

— Affirmatif, répondit le droïde. Systèmes de capteurs instables.

Craignant de déclencher un piège en passant la porte-valve et en pénétrant sur le pont, Anakin rampa jusqu'à l'ouverture entre les cratères fondus et risqua un œil à l'intérieur. Par-delà la porte gisaient un grand nombre de Yuuzhan Vong, la plupart endormis, assommés par le gaz coma. Certains portaient des masques gnulliths sur le visage. Les respirateurs avaient sans doute été placés par leurs camarades, animés des meilleures intentions, ignorant cependant qu'il était nécessaire de prendre un antidote pour sortir de la torpeur causée par le gaz. Une poignée de guerriers étaient également recroquevillés dans d'étranges postures, morts, leurs blessures fumant encore des coups fatals de blaster qu'ils avaient reçus.

La capuche de commandement, utilisée pour diriger le vaisseau, pendait à quelques centimètres du visage comateux et pâle du pilote. Des gants d'interface neurologique, employés pour contrôler les différents systèmes de l'appareil, toujours portés par des Yuuzhan Vong endormis, reposaient sur les manettes de commande. Anakin fut déçu de découvrir que le siège du capitaine était vacant et que personne ne gisait dans un rayon de trois mètres autour de lui. Apparemment, Duman Yaght avait échappé au gaz coma.

— On dirait bien qu'il ne va plus se passer grand-chose, ici, dit Anakin, s'adressant à Tesar, à Lowbacca et au reste de la section d'assaut. Mais soyez prudents. Ce serait stupide d'abattre Ganner par erreur.

— Tu en es sûr ? demanda Tahiri, ce qui déclencha quelques rires chez leurs camarades.

Anakin sourit.

— Oui, pour l'instant ! ajouta-t-il.

Il alluma son sabre laser et sauta la tête la première à travers la brèche fondue de la cloison. Il sentit alors qu'on l'attaquait et releva sa lame pour parer le coup. Le scarabée paralysant se volatilisa en produisant un sifflement aigu. Anakin pivota vers l'origine du tir, faisant un pas en avant pour protéger ceux qui le suivaient.

— Très impressionnant, *Jeedai*.

Anakin se tourna vers la voix et découvrit Duman Yaght, portant un gnullith, installé derrière une console. Il tenait devant lui le corps inanimé de Ganner et appuyait la lame d'un coufee sur sa gorge.

— Ah, vous voilà, dit Anakin en inspectant la passerelle. Et tout seul, apparemment.

— Posez vos armes, ordonna le commandeur. Et votre chef vivra assez longtemps pour rencontrer le Maître de Guerre.

D'un coup de pouce, Anakin éteignit son sabre laser, puis, alors qu'il était rejoint par Tesar et Lowbacca, dégaina son blaster.

— Vous ne savez rien de Ganner, pas vrai ? demanda le jeune homme. Qu'est-ce qui vous fait penser qu'il est si important pour nous ?

— Vous êtes venus à sa rescousse, n'est-ce pas ? (Duman Yaght recula de quelques pas, se servant de Ganner comme d'un bouclier pour se protéger des trois Jedi.) Nous vous avons étudiés, vous autres *Jeedai*, et vous avez tendance à faiblir lorsque la vie de l'un d'entre vous est en jeu.

— Pas tant que ça. (Anakin leva son blaster en direction de la tête du commandeur. Tesar en fit de même avec son arme imposante.) Mais je vous propose un marché. Si vous acceptez de vous rendre, nous vous laissons partir, vous et le reste de votre équipage, à bord de la navette.

Les yeux de Duman Yaght se durcirent.

— Et déshonorer la Maison Yaght ? (Il fit glisser son coufee le long de la gorge de Ganner, produisant une traînée ensanglantée de deux centimètres de long.) Les Yuuzhan Vong ne se rendent pas.

— Vraiment ?

Anakin invoqua la Force et l'utilisa pour détourner le coufee du cou de Ganner. Ecarquillant les yeux, le Yuuzhan Vong essaya en vain de ramener sa lame vers la gorge de son captif. Puis il grogna quelque chose et laissa tomber le couteau.

Lorsque son autre main se tordit et chercha à se lever, sa tête se volatilisa dans un torrent convergent de feu laser.

— Par la queue tranchée de ce Barabel ! tonna Tesar en balançant son puissant blaster par-dessus son épaule afin de récupérer le corps de Ganner. C'est vrai qu'ils ne se rendent pas !

24

Nom Anor n'arrivait toujours pas à croire que Vergere soit parvenue à convaincre le Maître de Guerre de perdre du temps à apprendre les règles d'un jeu des infidèles. Il ne comprenait d'ailleurs toujours pas comment elle avait réussi à survivre à un tel affront. Pourtant, elle était bien là, assise en face de Tsavong Lah, étudiant la copie d'un jeu de dejarik – avec plateau et pions en forme de petits monstres animés – fournie par les laborantins Vong. Le Maître de Guerre ne disposait plus que d'une paire de monnocks et d'un minuscule savrip mantellien, alors que son animal de compagnie emplumé avait encore dans son jeu un puissant faucheux kintan et trois limaces k'lor. Même si Nom Anor n'avait jamais été un grand amateur de ce jeu, il avait été fréquemment amené à le pratiquer – dans sa version holographique – au cours de son séjour dans la galaxie. Sans être un expert, il était à même de reconnaître un maître. Et, dans ce jeu, Vergere, sans aucun doute, en était un.

— Si les stratèges de la Nouvelle République étaient les seuls à pratiquer ce jeu, cela ne vaudrait pas la peine d'essayer de l'apprendre, commenta Vergere. Or, il m'a été maintes fois suggéré que le dejarik était jadis considéré comme un excellent exercice par les Chevaliers Jedi.

Ce qui expliquait donc pourquoi elle était parvenue à convaincre le Maître de Guerre de se livrer à ce blasphème, comprit Nom Anor. Tsavong Lah était prêt à tout, du moment que cela l'aidait à combattre les Jedi.

— Les stratégies sont bien plus subtiles qu'elles ne le paraissent, Nom Anor, dit Tsavong Lah sans détourner les yeux du plateau de jeu. (La remarque surprit l'Exécuteur, qui pensait que le Maître de Guerre était bien trop absorbé par son jeu pour avoir noté qu'il était observé.) Et un guerrier doit connaître l'esprit de son ennemi.

— Ce jeu est très populaire à travers toute la galaxie, répondit Nom Anor. J'y ai moi-même joué plusieurs fois.

— Vraiment ? (Tsavong Lah détacha ses yeux du plateau.) Alors peut-être pourrais-tu me donner des indices sur l'itinéraire que vont emprunter Jacen et sa sœur pour rentrer chez eux.

— Chez eux ? demanda Nom Anor, perplexe. (La *Mort Exquise* avait plus d'un jour de retard, mais de tels délais n'étaient pas inhabituels pour les patrouilleurs. Ceux-ci opéraient en territoire ennemi et devaient sélectionner leur itinéraire avec la plus grande prudence.) J'ignorais qu'ils s'étaient échappés.

— Ah oui ? (Tsavong Lah reporta son attention sur l'échiquier dejarik. Il fit avancer son savrip entre deux des limaces k'lor de Vergere.) Intéressant. Je croyais que cela sauterait aux yeux de tout bon joueur de dejarik.

Une bouffée de colère monta aux poches oculaires de Nom Anor.

— Le dernier rapport du suprême commandeur prétend que Duman Yaght contrôle la situation. Est-ce que vous avez reçu une communication dont j'ignorerais l'existence ?

— Pas encore. (Tsavong Lah sourit, constatant que Vergere envoyait son faucheux pour terrasser le savrip. Profitant de la manœuvre, il glissa son petit monnock dans la case vacante et attaqua le faucheux par-derrière. Tirant tout l'avantage de cette attaque surprise en deux temps, le Maître de Guerre se trouva alors en position d'assaillir une limace k'lor. Il adressa un sourire à Vergere.) Mais figure-toi que le fonctionnement de l'esprit des *Jeedai* m'apparaît de plus en plus clairement. Ils vont se tenir tranquilles, et puis passeront à l'action lorsque leurs geôliers auront trop gagné en confiance.

Vergere répondit au sourire par un petit coassement bien à elle.

— Ils vont attaquer, c'est sûr. Mais pas là où nous les attendons. (Au lieu d'avancer une deuxième limace k'lor pour protéger la première, elle déplaça la pièce de deux cases en direction du côté adverse de l'échiquier.) Dans les vidéos de dejarik que j'ai vues, on appelle ce coup « la prise mortelle du faucheux kintan ». C'est imparable.

Ses trois limaces k'lor étaient à présent disposées à angle droit. Chacun des monnocks était coincé entre deux des monstres de Vergere. Peu importait la limace que l'un des deux monnocks attaquerait en premier, les deux autres gastéropodes pourraient immédiatement riposter en prenant l'adversaire à revers. Cette contre-attaque surprise piégerait le dernier monnock sans espoir d'évasion. Le Maître de Guerre évalua la situation d'un seul coup d'œil. Ses poches oculaires devinrent dangereusement noires lorsqu'il comprit comment Vergere l'avait manœuvré.

— Je vois ce que tu veux dire… (Il balaya l'échiquier d'un revers de la main et se leva. Il marcha jusqu'à l'une des lentilles s'ouvrant sur l'espace et admira la nuée de petits vaisseaux aux reflets noirs qui croisaient à proximité du *Sunulok*.) Alors, ils se sont joués de nous. Mais dans quel but ?

— Le mode de pensée des Jedi n'est pas si différent du nôtre, dit Vergere. (Elle inspecta la liste des images holographiques sur son moniteur, sélectionna l'un des monstres miniatures et projeta sa représentation tridimensionnelle sur l'échiquier.) Ils vont concentrer leur attaque sur ce qu'ils craignent le plus.

Tsavong Lah se détourna du hublot et, apercevant l'image d'un rancor, seul au milieu du plateau, hocha la tête.

— Je suppose qu'il est préférable d'envisager le pire. (Il se tourna vers Nom Anor.) Tu vas embarquer sur le *Ksstarr* et rejoindre immédiatement le *Baanu Rass*.

Nom Anor hocha la tête ; il n'avait pas besoin d'explications. Actuellement en orbite autour de la planète Myrkr, le *Baanu Rass* était le plus imposant des vaisseaux-mondes croisant dans la galaxie. En raison de son cerveau malade, devenu incapable de contrôler sa gravitation – les laborantins métamorphiques avaient dû utiliser des basals dovins pour y créer une pesanteur artificielle –, le *Baanu Rass* était aux trois quarts abandonné. L'endroit était idéal pour le programme de clonage de voxyns qui s'était, jusqu'à présent, révélé si efficace contre les Jedi.

— Et les *Jeedai* ?

— Fais ce qui est nécessaire. Mais les jumeaux Solo ont été promis au Seigneur Shimrra. Tu dois absolument nous les ramener vivants.

— A vos ordres.

La sensation qui emplit alors le cœur de Nom Anor était plus proche du triomphe que de la joie. Certes, le Maître de Guerre s'était montré fort tolérant à propos des événements survenus sur Coruscant. Mais il n'avait pas non plus puni Vergere pour avoir essayé de saboter sa mission. Nom Anor croisa les poings en travers de sa poitrine et recula vers la porte, songeant que s'il réussissait dans cette tâche, cela lui permettrait certainement d'obtenir la préfecture d'un secteur.

— Maître de Guerre, je crois qu'il s'agit d'une erreur. (Vergere avait parlé doucement, afin d'obliger Nom Anor à admettre qu'il les espionnait au cas où lui viendrait l'idée de la contredire.) Etant donné que votre réputation auprès du Seigneur Shimrra est en jeu, ne croyez-vous pas plus sage d'envoyer quelqu'un faisant preuve d'un peu plus de doigté ?

Nom Anor retint sa langue, juste à temps, et continua de reculer vers la porte, les oreilles tendues pour écouter la réponse du Maître de Guerre.

— Si tu fais allusion aux événements de Coruscant, je sais ce qui s'est passé, dit Tsavong Lah. Nom Anor n'est pas à blâmer. Il a très bien fait de revenir auprès de nous.

Nom Anor, plus surpris que furieux, entendit cependant Vergere insister :

— Nous devons aussi prendre en compte la débâcle d'Elan et des Brigades de Paix, et son échec contre Mara Jade Skywalker. Nom Anor a affronté les Jedi plusieurs fois sans obtenir de résultats réellement concluants.

La porte-valve s'ouvrit derrière l'Exécuteur, mais il préféra ne pas bouger, ne sachant s'il devait quitter la salle. Tsavong Lah se tourna pour lui faire face.

— Tu comprends ce qui est en jeu, Nom Anor ? Certes, les paroles de Vergere sont marquées par votre rivalité, mais il faut tout de même admettre une certaine vérité dans ce qu'elle avance. Si tu n'as pas confiance en ton succès, dis-le maintenant et nous chercherons ensemble une autre solution.

— Il n'y a pas de raisons de s'inquiéter, Maître de Guerre. (Nom Anor comprenait parfaitement ce qui était en jeu : son avenir professionnel, et probablement sa vie.) Comme je constate que vous êtes à même de déchiffrer les manigances de Vergere, je n'ai plus aucun doute.

Le visage de Tsavong Lah s'assombrit.

— Pourquoi ? Tu en avais avant ?

— Mon Maître, je ne voulais pas dire que je doutais de vous. Je voulais simplement avouer que je doutais de mes capacités à comprendre vos méthodes.

Tsavong Lah lui fit signe de s'approcher.

— Et peux-tu me dire, exactement ce que tu ne comprenais pas ? (Le ton du Maître de Guerre était fort sec.) Et ne t'avise pas de m'insulter à nouveau en me mentant.

Nom Anor inspira profondément et revint se poster près de l'échiquier dejarik.

— Mon Maître, les êtres de cette galaxie pratiquent également un autre jeu qui s'appelle le sabacc. Dans ce jeu, les cartes peuvent changer de valeur du tout au tout. (Il foudroya sa rivale du regard.) Vergere est restée captive des infidèles pendant plusieurs semaines et je vous rappelle qu'elle doit encore nous fournir une explication satisfaisante concernant son évasion.

— Les scribes sont satisfaits, répondit Vergere. Ainsi que tous les prêtres de Yun-Harla.

— C'est qu'ils ne connaissent pas encore Han Solo, déclara Nom Anor sans quitter Tsavong Lah du regard. Ce n'est pas son genre de laisser un ennemi s'échapper.

— Il ne m'a pas laissée faire quoi que ce soit ! répondit Vergere. Il y a encore des choses que vous ignorez sur moi.

— Et ils se trouvaient au milieu d'une bataille déclenchée par tes soins, ajouta Tsavong Lah. Plus important, Vergere a appris bien plus de choses au cours de sa captivité que la pratique du dejarik. Ses informations ont permis de sauver des milliers de vaisseaux et nous avons détruit trois flottes de la Nouvelle République parce qu'elle avait deviné leurs intentions.

— C'est un petit prix à payer pour rester en grâce auprès de vous. (La réponse jaillit de la bouche de Nom Anor avant même qu'il ne se rende compte qu'elle s'était formulée dans son esprit.) Je n'ai certainement pas voulu dire que Vergere était une traîtresse…

— Bien sûr que non, dit Tsavong Lah. Tu as voulu dire que je manquais de discernement pour déterminer si elle l'était ou pas.

Nom Anor ferma les yeux.

— Je ne me permettrais pas de dénigrer ainsi…

— Tu viens juste de le faire ! rétorqua Tsavong Lah. Mais ce n'est pas ce qui me préoccupe le plus.

Le Maître de Guerre demeura silencieux pendant quelques instants, jusqu'à ce que Nom Anor daigne de nouveau ouvrir les yeux.

— Non, ce qui m'inquiète le plus, c'est que tu sois assez idiot pour croire que je n'ai pas remarqué ton manège. (Tsavong Lah étudia l'Exécuteur pendant un long moment.) Cette nouvelle mission est encore plus importante que toutes celles que j'ai pu te confier jusqu'à présent. Je pense qu'il serait sage que tu emmènes un conseiller avec toi.

Ayant déjà mis en doute le discernement du Maître de Guerre, Nom Anor préféra ne pas réitérer l'expérience immédiatement.

— Si le Maître de Guerre considère que c'est sage…

— Le Maître de Guerre le considère effectivement. (Tsavong Lah se tourna vers Vergere et lui parla d'une voix aussi sèche que celle qu'il avait employée pour s'adresser à Nom Anor :) Tu vas accompagner Nom Anor.

Les plumes de Vergere se hérissèrent.

— En tant que conseillère ? s'étrangla-t-elle. Mais on ne peut pas donner de conseil à une limace k'lor ! Ça ne marchera jamais !

— Il vaudrait mieux que ça marche. (Tsavong Lah leur adressa à tous deux un sourire sinistre.) J'en ai assez de cette jalousie entre vous deux. A partir d'aujourd'hui, vous réussissez ou vous échouez. Ensemble.

25

— Mais qu'est-ce qui a bien pu me passer par la tête quand Ulaha s'est mise à attaquer ? demanda Jacen. (En dépit de sa colère, il parla le plus bas possible, pour éviter de déranger Ulaha et les quatre Jedi – plongés en pleine transe curative – qui reposaient dans des cosses couchettes Yuuzhan Vong.) J'ai cru qu'Anakin lui avait ordonné de... D'ailleurs, je ne suis pas le seul à avoir pensé cela !

— Effectivement, acquiesça Tenel Ka. (Elle était assise, recroquevillée dans la cosse, tout contre lui. Son épaule était appuyée sur celle de Jacen de façon plus que confortable. Ils avaient gardé leurs sabres laser à portée de main. Le voxyn cavalait toujours en liberté dans les canalisations du vaisseau. Autant ne prendre aucun risque.) Mais tu es son frère. Ce qui peut passer pour une erreur aux yeux des autres devient une remise en cause pour toi. Et puis, le fait que tu aies douté des conseils de Lando ne t'aide pas.

— Les joueurs et les espions sont bien placés pour se passer de morale, répondit Jacen. Ce n'est pas le cas des Jedi. C'est trop facile. Nos pouvoirs nous conduisent vers un destin funeste et nous ne sommes pas les seuls à en souffrir lorsque le pire se produit.

— Toujours exact, dit Tenel Ka. Jacen, est-ce que tu te rappelles mon premier sabre laser ?

— Comment pourrais-je oublier ? répondit le jeune homme, se demandant dans quelle direction allait la conversation.

(Tenel Ka avait commis l'erreur de construire son sabre laser trop précipitamment. Un cristal de mauvaise qualité avait causé la détérioration de l'arme pendant un entraînement au duel contre Jacen. La lame du jeune homme avait tailladé le bras gauche de son adversaire. Une première leçon bien douloureuse pour ceux qui devaient supporter le poids d'être habité par un immense pouvoir.) Pendant très longtemps, je me suis senti responsable de cet accident. Je m'en sens toujours responsable, d'ailleurs, mais en partie seulement. Mais je ne vois pas le rapport que cela peut avoir avec Anakin et moi.

— Cet accident n'était pas de ta faute, mais de la mienne, dit Tenel Ka, se frappant la poitrine pour bien insister sur ce point. Ce que je prenais pour de la confiance en mes aptitudes au combat était en fait de l'arrogance. Et c'est pourquoi j'ai construit un sabre laser qui s'est révélé défectueux.

— De l'arrogance... répéta Jacen. (Il avait beau essayer, il ne voyait toujours pas comment son erreur ressemblait à celle de Tenel Ka.) Et ?

— Tu crois que tu es le seul Jedi parmi nous à comprendre les dangers du Côté Obscur ?

— Bien sûr que non. La plupart d'entre nous ont eu des problèmes avec l'Académie des Ombres. Et puis Zekk est même... (Jacen laissa sa phrase en suspens, comprenant où Tenel Ka voulait en venir. Anakin connaissait les dangers du Côté Obscur au moins aussi bien que tous les autres. Le croire capable d'ordonner à Ulaha d'attaquer ainsi, c'était douter de son jugement. Voire plus. C'était douter de l'essence même de son caractère. Jacen secoua la tête, soudain rongé par la culpabilité et le regret.) C'était une erreur. Une grave erreur.

— Effectivement. (Tenel Ka lui administra un gentil coup d'épaule.) Pas la peine de bouder. Tu me plairas toujours comme tu es.

Jacen sentit un vide se creuser au fond de son estomac.

— Tu crois qu'il est très en colère ?

Tenel Ka leva les yeux au ciel, puis s'empara d'une canette de lotion au Bacta. Elle s'extirpa de la couchette cosse pour aller inspecter ses camarades blessés.

— Je plaisantais, Jacen…

— Ah ! dit celui-ci, saisissant son sabre laser et la suivant de près. Je crois que tu as encore beaucoup à apprendre en matière de plaisanterie.

Elle le regarda par-dessus son épaule.

— En fait, je l'ai trouvée plutôt bonne, pas toi ? (Elle s'approcha d'Ulaha, qui respirait difficilement, même en pleine transe curative, et souleva sa couverture.) Fais-lui confiance pour te pardonner, Jacen, et les choses rentreront dans l'ordre.

Elle passa de la lotion sur les blessures d'Ulaha. Ce n'était pas aussi efficace qu'une immersion dans une cuve, mais c'était le maximum qu'ils pouvaient faire pour elle.

Sur le pont inférieur, un cerveau de ciblage Yuuzhan Vong était ouvert sur une table de la salle de garde. Du liquide nutritif dans lequel il baignait montait une puanteur d'algues pourries. Niché au creux d'une coquille à peine plus grosse qu'un poing humain, l'organe était un véritable enchevêtrement de filaments et de nodules emprisonnés dans la masse gélatineuse d'une conque neurologique. Jaina trouvait que la structure de l'ordinateur biologique était des plus stupéfiantes. Lowbacca, lui, était absorbé par la dissection de la chose, se servant d'un petit nécessaire d'outils en acier stérilisé, coupant ici, poussant là, émettant un grognement de satisfaction à chaque fois qu'il découvrait de nouvelles connexions. Enfin, il inséra un nodule entre deux filaments de longueur égale, puis gronda de joie en voyant le globe oculaire pédonculé, qui pendait jusqu'alors sur le devant de l'étrange ordinateur, se redresser et se braquer sur Jaina.

Lowbacca gronda une question. M-TD, récemment récupéré dans la capsule d'équipement, traduisit :

— Maître Lowbacca vous demande d'avoir l'obligeance de faire le tour de la table.

Jaina, qui comprenait bien le langage Wookiee, savait parfaitement que Lowbacca ne s'était pas exprimé de façon aussi éloquente. Elle s'exécuta. L'œil suivit sa progression en pivotant sur son pédoncule et en se servant d'une sorte de tige de contrôle, poussant de l'arrière de la conque, pour faire pivoter le cerveau de ciblage en même temps que lui.

— Lowie, je crois que tu devrais consulter, dit Jaina en riant. Tu es vraiment un grand malade !

Lowbacca gronda d'un rire bien à lui, puis rapprocha la conque à l'aide de ses grosses mains poilues. Il glissa deux électrodes en forme d'aiguillons à l'intérieur. Détournant les yeux du cerveau de ciblage, Jaina aperçut Zekk qui attendait avec, en main, le piège photonique habituellement monté sur les systèmes de capteurs de leur capsule d'équipement.

— Il ne restait plus beaucoup de film détecteur dans le kit à droïde, dit-il. Peut-être qu'on pourrait prendre une feuille réactive de ce truc et la couper en bandes minces.

— Ça vaut le coup d'essayer.

Jaina traversa la salle de garde jusqu'à l'endroit où était installé 2-1S, occupé silencieusement à réparer son armure de laminanium tout en procédant à une vérification de ses systèmes internes. Depuis qu'ils s'étaient réveillés de leur transe curative, Jaina, Zekk et Lowbacca avaient travaillé sans discontinuer pour aider le droïde de guerre à se réparer. Mais 2-1S avait toujours l'air de s'être trouvé du mauvais côté d'un turbolaser. Ils avaient remplacé ses photorécepteurs abîmés avec une paire de rechange qui se trouvait dans le nécessaire de réparation fourni par Lando. Mais plusieurs scarabées paralysants avaient réussi à pénétrer profondément le blindage de son crâne, détruisant circuits imprimés et modules de détection au-delà de toute réparation possible. Heureusement, Zekk – qui avait passé une bonne partie de sa vie à travailler comme ferrailleur dans les sous-sols mal famés de Coruscant – était doué d'un réel talent, épaulé par la Force, pour dénicher du matériel. Jusqu'à présent, il avait récupéré des pièces capables de se substituer aux senseurs à infrarouges et à ultrasons et, apparemment, de quoi remplacer les analyseurs gamma du droïde.

Jaina prit la fine pellicule de film sensible du piège photonique et se dirigea vers 2-1S.

— Qu'est-ce que tu penses de ça pour ton système gamma ?

CYV 2-1S posa ses photorécepteurs sur le film.

— Affirmatif, crachota-t-il. (Sa voix, chargée de parasites, était devenue une version presque spectrale de celle de Lando, mais, pour l'équipe, c'était le cadet de leurs soucis.) Doublez l'épaisseur.

— Et Zekk marque un autre point ! dit Jaina. (Elle pivota sur ses talons et se retrouva nez à nez avec l'intéressé, regardant directement dans ses yeux aux multiples nuances de vert. Un sentiment bien plus profond que l'amitié émanait de la façon dont il soutint le regard de la jeune femme. Jaina attendit un moment, espérant que Zekk détournerait les yeux. Comme cela ne se produisait pas, elle lui tendit la pellicule sensible.) Tiens-moi cela pendant que vais chercher de quoi le couper.

Ayant remarqué la déception qui venait d'obscurcir le visage de Zekk, Jaina fit bien attention de conserver une expression aussi neutre que possible en allant chercher le lasicutter. Sa réaction ne venait pas du fait qu'elle n'éprouvait aucun sentiment pour Zekk. Quelques années auparavant, elle avait d'ailleurs eu du mal à détacher ses pensées de lui. Mais, avec le temps, ses sentiments avaient évolué, passant du béguin à quelque chose ressemblant de façon étonnante à ce qu'elle éprouvait pour ses propres frères. C'était de l'amour, assurément, mais pas de l'amour physique. Rien à voir avec ce qu'elle avait ressenti à bord du *Tafanda Bay* lorsque Jag Fel, ignorant Borsk Fey'lya et son entourage, avait insisté pour venir se présenter à elle.

A cette époque, la tête lui avait tourné, mais elle n'était alors qu'une gamine écervelée. Elle n'avait aucune idée aujourd'hui de l'endroit où ce Jag Fel pouvait bien se terrer, quelque part dans cette galaxie. Elle ne savait pas, non plus, si elle aurait la chance de le revoir un jour. Si elle espérait éprouver à nouveau le choc émotionnel qu'elle avait ressenti à ce moment, elle aurait largement dépassé l'âge de Mara avant de…

— Jaina ? demanda Zekk en agitant le morceau de film sensible sous le nez de la jeune femme. Tu vas le couper ou pas ?

— Oui, oui, bien sûr, dit-elle, détournant la tête pour ne pas montrer qu'elle rougissait. Il faut que je prenne les mesures. Qu'est-ce que j'ai fait de l'hydropince ?

A quelques mètres de là, rampant dans les eaux noirâtres des conduits d'évacuation de la *Mort Exquise*, Tesar Sebatyne entendit le sifflement caractéristique d'une large créature essayant de reprendre son souffle. Il leva immédiatement son bouclier improvisé de duracier et se servit de la Force pour le repousser dans l'étroite canalisation. Il y eut un bruit étouffé d'éructation et un crépitement aigu lorsque l'acide atteignit le bouclier, puis un claquement sonore lorsque le panneau de duracier heurta la tête du voxyn.

Poussant un ricanement grinçant, Tesar invoqua la Force pour repousser le bouclier et le monstre un peu plus loin dans le conduit. Lorsque la créature gronda et tenta de glisser son groin par l'une des brûlures à l'acide pratiquées dans le panneau, Tesar leva son pistolet blaster et tira un simple rayon. Le museau de la bête explosa, envoyant alentour des flots de sang noir et remplissant la canalisation de vapeurs toxiques. Tesar siffla sous son masque respirateur et ouvrit à nouveau le feu.

Le voxyn hurla et, après avoir tenté de forcer à nouveau le bouclier improvisé, battit en retraite dans la canalisation. Tesar matérialisa l'image de la bête dans son esprit et la projeta vers ses compagnes de portée, insistant sur les mouvements et les caractéristiques physiques de l'animal.

Quelques instants plus tard, Bela lui répondit en lui envoyant l'image du scintillement corporel du monstre. Comme la plupart des Barabel, elle était capable de discerner les choses dans le spectre de l'infrarouge et pouvait pourchasser une proie en se fiant à la seule chaleur qu'elle émettait. Elle projeta une sensation de danger imminent. Tesar comprit qu'il lui fallait dégager rapidement. Il recula de deux mètres et se glissa dans une canalisation secondaire.

Il compta trois lents battements de cœur reptilien avant qu'une série de détonations sourdes ne résonnent à travers les parois de corail yorik. Le conduit s'illumina sous l'action des canons portatifs de ses compagnes de portée, disposés à angle droit à l'intersection suivante. Tesar fut obligé de fermer les yeux. Le cri strident du voxyn trancha l'air humide comme la lame d'un sabre laser, puis baissa d'un ton et commença à fluctuer.

Tesar se demanda si elles avaient raté leur coup. Comment était-ce possible ?

Le sentiment d'irritation projeté vers lui par ses congénères lui signala qu'il n'en était rien. A travers ses protections d'oreilles, il détecta, tout près de lui, un changement brusque d'intensité dans le cri du voxyn. Il aplatit les mains sur ses conduits auditifs pour lutter contre l'impact particulièrement déstabilisant de l'onde de compression sonore. Il ressentit alors une profonde et violente vibration au creux de son estomac, mais partagea également l'excitation de ses compagnes de portée, toujours occupées à larder leur proie de rayons mortels. Par son sang froid de reptile, comme il aimait chasser en leur compagnie !

Finalement, les canons miniatures se turent et Tesar sentit ses protections auditives se rouvrir. Il glissa sa langue sous son masque respirateur et sentit, à travers les filtres, une odeur d'ozone et de corail yorik carbonisé. Il sentit également une odeur cuivrée d'antiseptique qu'il reconnut immédiatement comme celui qu'on utilisait pour anéantir les effets toxiques du sang du voxyn.

Mentalement, il projeta une question vers ses deux sœurs. La réponse qu'il reçut fut des plus vagues. Même si Tesar ne pouvait pas exactement percevoir les actions de ses compagnes de portée dans la Force, il sut d'instinct – parce qu'il avait vécu toute sa vie à leurs côtés – qu'elles finiraient par allumer un bâtonnet lumineux afin de confirmer les informations que leur donnait leur vision infrarouge. Une image d'écailles fumantes lui vint à l'esprit, puis il aperçut une patte de voxyn déchiquetée par les blasters.

Soudain, la voix d'Anakin s'éleva dans son comlink :

— Tesar ? Qu'est-ce qui se passe ?

Un claquement de mâchoires retentit près de l'embouchure de la canalisation. Tesar se raidit. Il remonta une main le long de sa poitrine pour saisir le comlink accroché à son cou, tout en commençant à ramper en marche arrière dans le conduit. La progression fut lente car le canal secondaire était à peine plus large que les épaules de Tesar. De plus, le Barabel rampait en sens contraire de ses propres écailles : en dépit de l'épaisse combinaison intégrale, les murs rugueux ne cessaient d'en accrocher les pointes, ce qui rendait le mouvement particulièrement difficile.

Le tête du voxyn apparut à l'angle du conduit, une silhouette chauffée à blanc dans le spectre des infrarouges, à moins de deux mètres devant lui.

— Tesar ? demanda Anakin. Comment ça se passe, de ton côté ?

Tesar ouvrit le feu sur le voxyn et vit ses rayons ricocher contre sa carapace. Bon sang, qu'il aurait aimé être paré d'écailles aussi solides ! Le créature se rétracta et sa tête disparut derrière l'angle de la paroi. Des volutes rosâtres de condensation, se propageant à l'embouchure de la conduite, révélèrent que son museau n'était pas très loin.

Tesar parvint enfin à se saisir de son comlink.

— Tu nous as demandés de nous occuper du voxyn, non ?

— Et ?

— Et d'appeler à l'aide si... (Les nuées roses disparurent.) Heu... Continue de me parler, tu veux ?

Il arracha son comlink et le lança au loin dans la canalisation. La voix distante d'Anakin continuait de demander au Barabel des explications sur ce qui était en train de se produire. Soudain, un museau déchiqueté apparut à l'embouchure et noya le petit instrument de communication sous une douche acide peu puissante. Tesar s'arrêta de bouger et, utilisant la Force pour projeter sa voix le plus loin dans la conduite, cria aussi fort que possible.

Il reçut immédiatement une approbation de la part de Krasov et, par son intermédiaire, perçut la panique d'Anakin. Il devait toujours être à l'autre bout du comlink, à supplier Tesar de lui exposer la situation.

Ce qui amusait beaucoup Bela car Tesar la sentit ricaner. Il comprit, sans avoir besoin de regarder, qu'elle était en train de ramper dans la canalisation principale, sabre laser au poing, juste derrière le voxyn. Krasov était en train de la suivre, pointant le canon de son puissant blaster T-21 à répétition au-dessus de l'épaule de sa sœur. Le voxyn se traîna devant l'ouverture de la conduite secondaire, se servant de ses griffes pour s'accrocher aux parois de corail yorik. Tesar ne vit pas les blessures de la créature dans le spectre infrarouge, mais le monstre se déplaçait très lentement et avec une grande lassitude. Il marqua une pause devant le petit cratère causé dans le sol par son précédent jet d'acide. Puis, ne découvrant pas la victime escomptée, releva la tête et regarda dans la petite canalisation.

Tesar reprit son chemin en marche arrière, décochant des rayons laser vers la tête de l'animal. Bon nombre d'entre eux rebondirent, mais certains percèrent cependant son épaisse carapace. Sans grand effet, pourtant. Ne perdant pas de temps à lancer une autre de ses attaques soniques, le voxyn s'engagea dans la conduite, ses pattes blessées le tirant en avant plus vite que le Barabel ne pouvait battre en retraite. Pour la toute première fois, les écailles de Tesar se hérissèrent sous l'action de la peur. Son adversaire avait apparemment appris de ses erreurs passées.

Là, j'ai un problème, songea-t-il.

Il perçut l'inquiétude de ses compagnes de portée et les entendit faire du bruit dans la canalisation principale afin d'attirer l'attention du voxyn. Trop finaude pour succomber à une telle ruse, la chose parvint jusqu'à environ un mètre de Tesar et éructa. Ses réserves d'acide devaient être épuisées, ou ses canaux de sécrétion bouchés, car rien ne vint. Tesar tira à bout portant et sentit monter une odeur de chair brûlée.

Le voxyn essaya de bondir en avant et sa gueule se referma sur le canon du blaster Merr-Sonn du Barabel. Celui-ci pressa la détente et poussa un grondement de douleur. Les systèmes de sécurité de l'arme avaient détecté que le canon était bouché et enclenchèrent l'interruption d'urgence de la cellule énergétique. Abandonnant le blaster dans la gueule du voxyn, Tesar rampa de plus belle, pressant son dos contre le plafond du conduit dans l'espoir futile de libérer sa main pour atteindre son sabre laser.

La lame blanche de Bela s'activa quelque part derrière le voxyn, mais la silhouette de la créature obstruait complètement le conduit et seuls quelques épars rayons lumineux parvinrent à passer. La bête bondit. Tesar sauva son masque respirateur grâce à un bref mouvement de recul, puis il lança ses mains devant lui et ses griffes déchirèrent le groin blessé du monstre.

Le voxyn continua de ramper, faisant claquer sa mâchoire en direction des mains qui le muselaient. Appuyant sa tête contre la paroi, Tesar laissa filer un sentiment de triomphe vers ses compagnes de portée.

Une patte puissante se déploya vers lui, des griffes enduites de poison s'agrippèrent au tissage de molytex de la combinaison de Tesar, manquant presque de la transpercer. A son sentiment de triomphe, le Barabel ajouta aussitôt celui d'urgence.

Le bourdonnement de la lame de Bela se fit plus précis, puis fut soudainement englouti dans le claquement sec d'une explosion de détonite. Un poids inattendu pesa brusquement sur le dos de Tesar et la canalisation fut alors illuminée de la nuée verte des lichens bioluminescents qui éclairaient les coursives intérieures de la *Mort Exquise*. Tesar jeta un coup d'œil à la masse de chair carbonisée et de crocs cassés qui servait encore de gueule au voxyn. Puis il se sentit soudain s'élever à travers la paroi supérieure de la canalisation. Quelqu'un, par le truchement de la lévitation, était en train de l'attirer vers la cabine qui se trouvait juste au-dessus de lui.

Le voxyn criblé d'impacts de blaster passa entre ses jambes. Des parties entières de son corps avaient disparu et les moignons de ses quatre pattes postérieures traînaient, inertes, à sa suite.

— Espèce de crâne de bantha ! Il s'échappe ! jura Tesar en relevant la tête. (Il découvrit les grands yeux bleus de Ganner Rhysode, l'un des plus grands et des plus séduisants Jedi humains qu'il ait jamais rencontrés.) Maintenant il va être deux fois plus difficile à tuer !

— La chasse est terminée, mon cher camarade à écailles, dit Ganner, déposant doucement Tesar dans la coursive avant de se pencher par l'ouverture. Sortez par ici, les filles. Anakin nous attend sur le pont.

Dans la cabine voisine, Raynar Thul se réveilla de sa transe curative. Face à lui, il découvrit le dos nu d'Eryl. Elle venait de se relever et était en train de s'étirer au bord de la couchette se trouvant de l'autre côté de l'étroit passage ouvert entre les deux cosses. Sa peau était laiteuse, couverte de taches de rousseur. On n'y devinait que les vagues traces de brûlures à l'acide et de griffures auxquels ils étaient tous habitués depuis qu'ils s'étaient lancés à la poursuite des voxyns. Alors que certains étaient encore plongés dans leurs transes et que d'autres essayaient de comprendre comment le vaisseau ennemi fonctionnait, Eryl et Raynar avaient passé beaucoup de temps ensemble, à discuter et à se passer de la lotion au Bacta sur leurs blessures respectives. Il avait le souvenir lointain d'un long et délicieux baiser, juste avant qu'ils ne s'écroulent tous deux dans leurs couchettes. Le souvenir était si imprécis que Raynar se demanda si ce n'était pas qu'un rêve.

Eryl baissa les bras et, regardant par-dessus son épaule, découvrit qu'il était en train de l'observer. Au lieu de se couvrir, elle se contenta de sourire et de lui demander :

— De quoi j'ai l'air ?

Raynar, bouche bée, serra précipitamment la mâchoire et fit claquer ses dents.

— Heu, bien… finit-il par balbutier. (Peut-être que ce baiser n'était pas qu'un rêve, après tout.) Non, en fait tu es superbe…

Eryl fronça les sourcils et se tordit le cou pour essayer de regarder son dos. Puis elle éclata de rire et, toujours sans se couvrir, enchaîna :

— Je te parlais de mes blessures, mon petit bonhomme. Tu crois que ça cicatrise ?

— Oh, heu, oui, dit Raynar, qui aurait donné beaucoup pour disparaître de nouveau dans la couchette et replonger dans sa transe curative. C'est ce que je voulais dire.

Eryl lui adressa un regard dubitatif.

— C'est cela, oui… (Elle s'empara de sa combinaison.) Mais c'est pas grave. Après toutes ces séances d'application de lotion au Bacta, je crois que les anatomies de chacun n'ont plus de secrets pour personne au sein de cette équipe.

— Non, c'est vrai, dit Raynar.

Pourtant, en attrapant sa propre combinaison, Raynar dut lutter pour masquer sa déception. Eryl avait peut-être un ou deux ans de plus que lui, mais se faire traiter de « petit bonhomme » lui avait remis les idées à l'endroit quant à l'impression erronée qu'il s'était faite de leur relation.

Tekli releva la tête, à quelques couchettes de là dans le dortoir, la fourrure brune en bataille et les yeux gris pétillant de malice. Elle boucla son harnais d'équipement de survie.

— Bien dormi ? demanda-t-elle.

— Oui, très bien, répondit Raynar. Et toi ?

— Pas mal du tout. (Elle leur adressa un sourire puis haussa brusquement les sourcils. Le vaisseau venait d'être parcouru d'une subtile vibration.) On doit être en train de sortir de l'hyperespace.

Raynar et Tekli se tournèrent ensemble vers Eryl. Celle-ci ferma ses grands yeux verts et invoqua la Force. Elle les rouvrit quelques instants plus tard. Elle avait l'air encore plus jeune et plus innocente qu'auparavant.

— Il faudrait que je voie le champ d'étoile pour en être certaine, mais, oui, je pense que c'est bon, dit-elle. Nous venons d'atteindre Myrkr.

26

La *Mort Exquise*, qui avait pénétré le système en trombe, perdit en vélocité à l'approche du puits gravitationnel de Myrkr. La planète, d'abord une tête d'épingle verdâtre dans le champ étoilé, grossit jusqu'à devenir un disque émeraude gros comme un ongle. Anakin ne se rappelait pas si Myrkr avait ou non une lune, mais la lueur perlée qui flottait en orbite était bien trop intense pour provenir d'une étoile et bien trop stable pour n'être qu'une illusion d'optique. Il se tourna vers la station des senseurs, derrière laquelle Lowbacca était assis. Le Wookiee avait passé une combinaison pressurisée sur sa tenue en molytex. Sa tête disparaissait sous une capuche de commandement et ses mains puissantes étaient enfouies au fond de gants de contrôle.

— Lowie ? Tu as quelque chose ?

Le Wookiee grogna une réponse que M-TD, flottant au-dessus de l'épaule de son maître, traduisit par :

— Maître Lowbacca déploie tous les efforts possibles et vous assure qu'il vous informera dès qu'il sera parvenu à un résultat.

Anakin savait parfaitement ce qu'avait répondu Lowbacca, mais il ne fit aucune remarque à propos du caractère ampoulé et franchement édulcoré de la traduction. Peu de gens connaissaient le langage des Wookiees au sein du commando et M-TD insistait sur le fait que son rôle était de s'assurer que les membres de l'équipe comprennent Lowbacca aussi bien que lui les comprenait.

Lowbacca gronda une courte remarque. M-TD ajouta :

— Il souhaite également rappeler que les fréquentes requêtes d'informations ne font que perturber sa concentration.

— Je sais, dit Anakin. Désolé.

Le commando était parvenu assez rapidement à maîtriser toutes les commandes de la *Mort Exquise*. Ils avaient, avant la mission, étudié toutes les données disponibles sur les appareils Yuuzhan Vong et s'étaient même entraînés sur une barge d'assaut capturée. Cependant, les senseurs demeuraient un problème. A mille lieues des technologies orientées vers l'extérieur traditionnellement employées par la Nouvelle République, les Yuuzhan Vong rassemblaient leurs informations en analysant les infimes distorsions que la gravité des objets distants créait dans la structure spatio-temporelle même du vaisseau. Dans la mesure où les meilleurs experts de la galaxie s'arrachaient toujours les cheveux à essayer de comprendre les bases de la technologie Yuuzhan Vong, il n'était pas surprenant que Lowbacca ait du mal à manipuler les batteries de senseurs, même avec Tahiri à ses côtés pour lui servir de conseillère.

Lorsque Anakin se tourna à nouveau vers Myrkr, la planète avait grossi pour devenir un disque couvert de nuages de la taille de la tête d'Ulaha. La tache grise flottant en orbite avait également considérablement grossi.

— C'est vraiment une lune, dit Anakin. (A cette distance, il ne pouvait pas s'attendre à ressentir quoi que ce soit par le biais du cristal lambent. Mais il reconnaissait ce qu'il était en train de voir.) Une lune Yuuzhan Vong.

Lowbacca poussa un grondement victorieux et M-TD traduisit :

— Maître Lowbacca pense également qu'il s'agit d'un vaisseau-monde Yuuzhan Vong. (Lowie grogna et gronda encore quelques instants et le droïde traducteur ajouta :) Il y a plusieurs corvettes en orbite autour de ce vaisseau-monde, dont le diamètre est exceptionnellement large, environ cent vingt kilomètres.

C'était aussi grand que la première Etoile Noire. Anakin poussa un petit sifflement, puis projeta les ondes de la Force vers le petit disque gris dans le lointain. Il n'était pas du genre à éliminer systématiquement toute coïncidence, mais il n'en était pas moins suffisamment soupçonneux pour considérer également les coïncidences avec précaution. Il ressentit aussi un tiraillement déjà bien trop familier. L'agitation sauvage du voxyn. Mais il y avait quelque chose d'autre, une autre présence animée de terreur, de souffrance... et de surprise.

Une perception claire, précise, nullement brumeuse. Une perception Jedi, pas Yuuzhan Vong.

Anakin ne se rendit pas compte qu'il s'était étranglé de stupeur, jusqu'à ce qu'une main vienne lui secouer le bras. Alema lui demanda ce qui n'allait pas. Sans répondre, il continua à se concentrer sur le vaisseau-monde. La présence lui renvoya une réponse. La terreur et la souffrance étaient toujours là, mais il y avait également une sensation de pitié. Pas pour elle-même, comprit le jeune homme, mais pour lui. Il obligea son cœur à se remplir d'émotions réconfortantes, essayant de projeter une aura de confiance et d'espoir, sachant pourtant que la Force ne serait peut-être pas suffisante pour convoyer le message qu'il souhaitait transmettre. La présence parvint à maintenir le contact pendant quelques instants, puis disparut brusquement, se fermant à Anakin sans lui donner la moindre possibilité de savoir si, oui ou non, les sentiments qu'il avait projetés avaient atteint leur cible.

— Anakin ? demanda Tahiri en frappant dans ses mains.

— Il y a des Jedi, là-bas, dit-il. Avec les voxyns.

— Eh bien, voilà qui met un terme au plan A. (Le plan A prévoyait que l'équipe s'introduirait en secret dans le centre de clonage, le détruirait au moyen de missiles au baradium et profiterait de la confusion résultant de l'explosion pour s'assurer que la reine était bien morte avant de prendre la tangente.) Il va falloir envisager autre chose.

— Bien sûr, dit Alema. (Se tenant à côté du siège de commandeur, face à Tahiri, elle posa une main sur l'épaule d'Anakin et se tourna vers lui.) Mais si nous renonçons à notre meilleur plan, nous courons le risque de perdre plus de Jedi que nous ne pourrons en sauver.

Jacen émergea sur le pont et leva les yeux au ciel en entendant la remarque de la Twi'lek.

— Alema, je crois qu'Anakin est parfaitement conscient de ce qui est en jeu dans le cas présent.

— Jacen, je peux me débrouiller, dit Anakin, faisant de son mieux pour éviter d'avoir l'air irrité. Et il n'est pas nécessaire, non plus, de me bassiner avec le Côté Obscur. Je suis parfaitement au courant de ce qui risque d'arriver.

— Anakin, je voulais simplement dire que…

— Est-ce que tu ne devrais pas être à ton poste de combat, là ? demanda Anakin, interrompant délibérément Jacen. (Il adressa un regard dénué de la moindre ambiguïté à Alema et à Tahiri.) Est-ce que tout le monde ne devrait pas être à son poste de combat ?

Jacen sentit le rouge lui monter aux joues. Tahiri plissa les yeux. Tous trois regagnèrent les places qu'on leur avait assignées, laissant Anakin seul avec ses pensées. C'était l'un de ces moments contre lesquels Lando les avait mis en garde. Un de ces moments au cours desquels n'importe quelle décision exprimée par Anakin semblerait la plus mauvaise. Mais Lando ne disposait pas de la Force pour le guider et Anakin avait encore besoin de quelques minutes avant de décider quoi que ce soit. S'il attendait un petit peu, peut-être que les choses se décanteraient. Cela se passait presque toujours comme ça.

Jaina manœuvra la *Mort Exquise* pour positionner le vaisseau en vecteur d'approche. Les rebords de l'énorme disque vert de Myrkr commencèrent à glisser en travers des hublots à bâbord du pont. De l'espace, en tout cas, il n'y avait aucun signe d'activité de transformation Yuuzhan Vong à la surface de la planète. La sphère ressemblait toujours à ce monde forestier nimbé de vapeur dépeint dans tous les atlas holographiques.

Le vaisseau-monde, en revanche, était en train d'obstruer rapidement la vue par la verrière principale. Petit à petit, il était passé de la taille d'une assiette de banquet kuati à celle d'une table de conférence du haut commandement. Un petit halo d'étoiles scintillantes laissait présumer la présence d'une émanation de chaleur, et des cercles marbrés de brun et de gris commençaient à se dessiner à la surface crevassée du planétoïde.

S'attendant à ce que le villip qui se trouvait en face de lui s'anime pour les héler, Anakin fit signe à Tahiri de s'approcher. Puis il s'empara de l'unité de camouflage prévue dans son harnais d'équipement et se retrancha derrière l'image préenregistrée d'un guerrier Yuuzhan Vong. Impossible de savoir si les tatouages et scarifications du soldat holographique convenaient à un commandeur de corvette. La quantité de modifications corporelles semblait plausible, mais les services d'espionnage de la Nouvelle République suaient toujours sang et eau pour comprendre la signification de chaque motif.

Lowbacca gronda un avertissement depuis la console des senseurs, informant Anakin qu'un trio de corvettes Yuuzhan Vong venait d'apparaître de l'autre côté de la planète Myrkr et que les engins avaient adopté une formation d'escorte derrière la *Mort Exquise*. Anakin ordonna à Jaina de continuer comme si de rien n'était. Le visage de sa sœur disparaissait sous la capuche de pilote qui permettait de communiquer avec l'ensemble des systèmes du vaisseau, mais Anakin perçut son appréhension. Ignorant tout de la procédure d'atterrissage sur une base Yuuzhan Vong, ils avaient opté pour une approche ouverte, estimant qu'une erreur de procédure serait certainement moins inquiétante pour leurs ennemis qu'une progression furtive.

Jaina fit rouler le vaisseau sur tribord et mit le cap sur les lignes sombres des engins en orbite qui striaient la surface du vaisseau-monde. Celui-ci emplissait à présent complètement la verrière de la passerelle. Anakin demanda à Ulaha de brancher les caméras holographiques et d'enregistrer un maximum d'informations concernant le terrain dans son databloc. Apparemment, le très long voyage d'une galaxie à une autre avait causé pas mal de dégâts au massif engin spatial. Quelques crevasses noircies, aux bords acérés, signalaient des failles dans sa coque extérieure. L'ensemble du planétoïde ressemblait à un assemblage hétéroclite de poussière grise et de corail yorik. En un réseau épars, des quantités de routes de service couraient à sa surface, convergeant occasionnellement vers des intersections en étoiles ou disparaissant dans la gueule obscure de quelque portail donnant sur l'intérieur.

Le vaisseau-monde ne les avait toujours pas hélés. Anakin sentit sur sa nuque quelques picotements attestant d'un danger imminent. Aucune base de la Nouvelle République ne laisserait ainsi un vaisseau approcher de si près sans entrer en contact avec lui. Jaina avait réussi à maintenir la distance qui les séparait des autres appareils et elle longeait à présent la courbe du planétoïde. Un complexe de monts coniques apparut à l'horizon, saillant de la coque extérieure, un peu à tribord de la longue colonne de vaisseaux qu'ils étaient en train de suivre. Même à l'œil nu, Anakin vit que ces constructions émergeaient de la surface en bordure d'un puits noir grand comme une ville.

— Ulaha ? Agrandis-moi cette section, tu veux ? dit-il. Qu'est-ce que ça donne ?

Ulaha fit pivoter ses caméras holographiques sur le complexe et augmenta la puissance des zooms.

— On dirait une sorte d'astroport, siffla-t-elle. (Même si la jeune Bith se sentait considérablement mieux suite à sa transe curative, elle était toujours faible et très pâle.) Il y a une sorte de grand puits entouré de nombreux portails d'accès. J'ai l'impression que ce sont des quais de chargement.

— Abandonnés ?

— Non, vides, le corrigea Ulaha. Pas de vaisseau en vue, mais les aires d'atterrissage sont couvertes de conteneurs de fret... et de cages...

Anakin projeta les ondes de la Force sur la structure. Il ne parvint pas à percevoir la sensation de douleur qu'il avait ressentie auparavant, mais la faim vorace du voxyn était plus puissante que jamais. Le picotement sur sa nuque se transforma en brûlure et, remarquant que leur vecteur d'approche actuel s'écartait du complexe, il comprit pourquoi le vaisseau-monde ne les avait pas encore hélés.

— Ils sont en train d'essayer de nous piéger. Jaina, mets le cap sur ce complexe immédiatement ! (Anakin activa son comlink.) Ganner ? Toi et Tesar, préparez les missiles. Attendez les coordonnées de ciblage. Message à tous : vérifiez vos combinaisons pressurisées. Ça va secouer.

Jaina fit pivoter l'appareil et Lowbacca émit un grondement.

— Ciel ! couina la voix de M-TD dans le petit objet pendu au cou d'Anakin. Maître Lowbacca signale la présence d'un croiseur…

— J'avais compris ! l'interrompit Anakin.

Dans le lointain, au-dessus de l'horizon, une sorte d'œuf en corail yorik fit son apparition. En flottant, il vint se poster entre la *Mort Exquise* et ce complexe qu'Anakin avait à présent bien identifié comme étant un accès au centre de clonage. Lowbacca leur signala que les corvettes venues de Myrkr étaient en train de rompre la formation et d'accélérer. La demi-douzaine de vaisseaux qu'ils avaient suivis jusqu'à présent étaient en train de converger vers le croiseur. Lorsque M-TD essaya de leur relayer cette information en Basique, Anakin tendit la main et le désactiva.

L'un des petits villips installés à côté du plus gros destiné d'ordinaire à héler les vaisseaux se retourna soudain comme un gant et adopta l'apparence d'une grossière tête de Yuuzhan Vong au front orné de mèches broussailleuses.

— *Gadma dar*, Ganner Rhysode !

Anakin se tourna vers Tahiri pour obtenir la traduction, mais le petit villip s'adressa soudain à lui en Basique avant même que la jeune femme puisse répondre.

— Appuyez sur le villip principal, *Jeedai*, afin que nous puissions communiquer.

— Jaina, dit Anakin avant d'obéir. Conserve le même cap. Lowie, braque les collimateurs de ciblage sur le croiseur et envoie les coordonnées à Ganner et à Tesar.

Le Yuuzhan Vong s'impatienta :

— *Jeedai*, c'est la sphère de cuir qui se trouve à côté de celle qui vous parle actuellement…

Anakin appuya sur le villip en question. Au lieu de se retourner, l'objet s'entrouvrit en son centre et déploya vers lui un court tentacule terminé par un œil noir. Le Yuuzhan Vong – ou plutôt le villip le représentant – souleva un sourcil et commença à s'exprimer dans sa propre langue. Puis il se ravisa et sourit.

— Très bien, Ganner Rhysode, je constate que nous ne sommes pas les seuls à utiliser des systèmes de grimage.

Ne voyant aucune raison de reprendre son ennemi sur son erreur, Anakin conserva son camouflage holographique.

— Je suppose que vous n'appelez pas uniquement pour prendre de nos nouvelles, capitaine.

— *Commandeur*, le corrigea l'officier. Il est de mon devoir de reprendre ce vaisseau que vous nous avez volé.

— Volé ? demanda Anakin. Nous vous l'avons juste emprunté. Nous vous le rendrons quand nous aurons fini.

Le villip du commandeur se figea pendant un instant, puis il fronça les sourcils.

— J'ai bien peur qu'il ne nous faille vous le reprendre dès maintenant. Rendez-vous au matalok qui se trouve juste devant vous et vous serez le seul à subir les conséquences de... la mauvaise utilisation... de la *Mort Exquise*.

Anakin jeta un coup d'œil par la verrière et vit un ovoïde à peu près aussi long que son bras. La distance entre les deux vaisseaux ne devait guère excéder la douzaine de kilomètres et pourtant le croiseur n'avait pas encore ouvert le feu. Peut-être que son commandeur nourrissait le rêve de livrer en personne les dix-sept Jedi à Tsavong Lah. A moins qu'il ne soit persuadé que son croiseur n'avait pas grand-chose à craindre d'un vaisseau aussi petit que la *Mort Exquise*.

Lowbacca grogna pour signaler que douze coraux skippers, et autant de corvettes, venaient de prendre position près du centre de clonage.

— Ce serait futile d'obliger mon matalok à vous attaquer, *Jeedai*, l'avertit le commandeur. Mon piège est bien tendu et le Maître de Guerre a bien spécifié que les otages de Talfaglio auraient à subir les conséquences d'un échange de feu.

— Vraiment ? (Anakin ouvrit ses émotions au reste du groupe afin qu'ils se tiennent prêts pour ce qu'il avait l'intention d'entreprendre.) Je vois que je n'ai pas le choix.

En espérant que, de son côté de la galaxie, Luke était prêt à passer à l'action, Anakin décrocha son sabre laser de sa ceinture et, pressant le bouton d'activation d'un coup de pouce, trancha le villip en deux.

— En avant toute, Jaina. (Il alluma son communicateur.) Ganner, vise le croiseur. Programmez une mise à feu de proximité. Vous pouvez tirer dès que vous le sentez.

— Missile tiré.

La réponse parvint à Anakin avant même qu'il ait fini de donner ses instructions. Mais, lorsque le missile apparut par la verrière, Anakin comprit que Ganner avait parfaitement deviné ce qu'il comptait faire. Le commando avait établi un lien psychique presque automatiquement, pour ne pas dire inconsciemment, dès que le combat avait été perçu comme inévitable.

L'apparition inattendue du missile sembla plonger les Yuuzhan Vong dans la confusion pendant quelques secondes. Une nuée de boules au plasma s'éleva à la rencontre du projectile, obligeant le cerveau droïde de ce dernier à lancer ses programmes de contre-mesure. La fusée détourna une partie de son énergie vers ses déflecteurs et continua vers sa cible en exécutant une série de vrilles destinées à se jouer des tirs ennemis. Anakin n'eut pas besoin de dire à sa sœur de contourner leur objectif. Le baradium était la substance qui entrait dans la composition de ces armes dévastatrices qu'étaient les détonateurs thermiques. Le missile transportait suffisamment de ce matériau pour détruire une section d'assaut dans son intégralité.

Les artilleurs Yuuzhan Vong essayèrent en vain pendant quelques secondes d'abattre le missile qui tourbillonnait vers eux. Ils confièrent alors la suite des opérations aux équipes chargées des boucliers de protection. Un trou noir apparut à environ cinq cents mètres du croiseur et aspira le missile pour l'anéantir.

Dès que la fusée détecta la présence de l'anomalie, son cerveau droïde activa le laser de guidage pour mesurer la distance le séparant de sa cible. Calculant que quatre-vingt-dix-huit pour cent de la masse se trouverait dans le diamètre de son explosion, l'ordinateur déclencha la mise à feu des mille kilos de baradium. Le croiseur disparut dans une sphère aveuglante qui évoqua, l'espace de quelques secondes, un soleil d'un kilomètre de diamètre.

La *Mort Exquise*, atteinte par l'onde de choc, se mit à trembler.

— On fait quoi, maintenant ? demanda la voix de Ganner dans le comlink. On passe au plan D ?

— En quelque sorte. (Anakin regarda en direction du centre de clonage et vit une douzaine de traînées de coraux yoriks converger vers les bâtiments. Leurs ennemis semblaient vouloir économiser leur énergie et il devenait évident qu'ils n'ouvriraient pas le feu sur la *Mort Exquise* tant que l'appareil ne se trouverait pas à bout portant. Dans la mesure où les corvettes d'escorte devaient toujours se trouver derrière eux, la stratégie semblait des plus raisonnables.) Bon, voilà ce qu'on va faire…

A peine Anakin eut-il décrit son plan qu'Ulaha lui tendit son databloc.

— Qu'est-ce que tu veux que j'en fasse ?

— C'est moi qui dois rester à bord du vaisseau, dit-elle.

Anakin sentit soudain que sa sœur était au moins aussi inquiète que lui.

— San vouloir te vexer, Ulaha, dit Jaina, je pense que tu n'es pas de taille…

— Peut-être pas, mais je sais piloter et la *Mort Exquise* n'a rien d'un chasseur stellaire… (Elle posa le databloc dans la main d'Anakin.) Comme prévu, ton plan affiche une probabilité de succès de vingt et un pour cent, avec une projection de disparition des effectifs de l'équipe de quatre-vingt-dix pour cent. Sans moi pour couvrir votre opération au sol, les probabilités de succès passent à quinze pour cent.

— A ce point ? (Anakin ne voulut même pas connaître le taux de mortalité.) Bon, d'accord, contente-toi de larguer la navette de 2-1S et de décamper. Tu as besoin de quelque chose ?

Ulaha réfléchit quelques instants avant de déclarer :

— Si vous en avez le temps, j'aimerais bien récupérer une bonne longueur de ce tube en métal qu'on a dans le nécessaire de réparation des droïdes. Laissez-le dans la coursive.

— Tu peux compter sur nous. (Anakin voulut la prendre

dans ses bras, lui serrer la main, faire *quelque chose*. Mais la décision de la jeune Bith semblait irrévocable. Il envoya Jaina rejoindre le reste de l'équipe, qui était en train de s'assembler dans la soute principale. Puis il marqua une pause à la porte-valve et regarda derrière lui.) Pas d'héroïsme, Ulaha. c'est un ordre. Tu te contentes de larguer 2-1S et tu décampes.

Elle hocha la tête.

— D'accord, Anakin. Il n'y a que cela à faire, de toute façon. (Elle reporta son attention sur la planche de bord et s'empara de la capuche de commandement.) Maintenant, dépêche-toi. Chaque minute de retard réduit les probabilités de succès de cette mission de zéro virgule deux pour cent.

Ressentant soudain un grand creux et une immense solitude tout au fond de lui, Anakin dévala les coursives jusqu'à la soute. Là, les Jedi étaient déjà en train de charger leur matériel et d'embarquer à bord de cinq capsules de matériel Yuuzhan Vong. Il déposa, comme prévu, la section de tube dans la coursive à l'attention d'Ulaha, scella la porte de la soute et rejoignit les autres.

Zekk était en train de s'occuper du chargement avec Tesar, Ganner, Jovan et Tenel Ka.

— Tu es sûr qu'il y a assez de détonateurs thermiques ? grogna le Barabel. Il va nous falloir beaucoup de détonateurs pour les voxyns.

— Vous en avez quatre caisses, dit Zekk, refermant la porte de la capsule.

— Seulement quatre ? demanda le Barabel.

Zekk secoua la tête et verrouilla la fermeture de la capsule avec une bande de gelée blorash. Il fit signe à Anakin de rejoindre Raynar, Eryl et Tahiri dans une autre capsule.

— Nous sommes les derniers. J'ai cru bon de séparer les familles et de disperser le matériel.

Il n'était pas nécessaire de justifier de telles précautions. Anakin hocha la tête, passa la capuche de sa combinaison pressurisée et se glissa à l'intérieur de la capsule, à côté de Tahiri et face à Raynar et Eryl. Zekk pénétra dans l'étroit logement juste derrière Anakin, alluma un bâtonnet lumineux et scella la capsule de l'intérieur. La *Mort Exquise* continua sa progression, sans rencontrer la moindre résistance, pendant ce qui leur parut durer une éternité. Dans le lien mental, Anakin sentit l'anxiété d'Ulaha céder petit à petit la place à la stupéfaction.

— Ils viennent à notre rencontre, mais ils n'ouvrent pas le feu, lança Ulaha dans le communicateur. Là, ils sont en train de se disperser et des tentacules d'entrave sont en train de se déployer du nez de certains de leurs vaisseaux.

— Ils veulent toujours essayer de nous capturer vivants ! s'étrangla Anakin. Pourquoi prendre de tels risques ?

— Ils ne sont pas de notre galaxie, grogna l'une des sœurs Barabel dans son micro. Autant ne pas essayer de comprendre leurs motivations.

La *Mort Exquise* vira brusquement sur bâbord, puis recouvra son cap initial avant de piquer violemment du nez et de se cabrer comme le ferait un chasseur stellaire.

— On doit commencer le largage, annonça Ulaha. (Le vaisseau se mit à trembler.) Ils nous balancent de plus en plus de tentacules d'entrave.

— Zone de parachutage à deux kilomètres du spatioport, cap au un-vingt-deux, annonça 2-1S depuis sa navette. Effet de surprise maintenu et relativement élevé.

Anakin donna le feu vert et Ulaha lança la *Mort Exquise* en chandelle, ce qui fit craquer toutes ses structures de corail yorik. De la dernière capsule de la rangée, 2-4S utilisa son canon blaster pour percer dans la paroi une baie de largage improvisée. La soute se dépressurisa dans un hurlement terrifiant. La capsule d'Anakin, la cinquième, glissa sur le sol de la soute en direction de l'ouverture.

— Largage des leurres ! annonça 2-4S.

Anakin sentit que sa capsule avançait de plus en plus vite.

— Capsule un larguée ! (Il y eut un moment de silence et puis 2-4S reprit la parole :) Un tentacule ennemi a intercepté la capsule leurre.

Anakin retint son souffle. Il avait espéré que le leurre exploserait en touchant le sol, mais, du moment que les Yuuzhan Vong étaient persuadés que le vaisseau larguait des bombes et non pas des conteneurs chargés d'équipement et d'hommes, tout allait bien.

Une volée de parasites retentit dans les comlinks. Puis la voix à peine audible de 2-1S s'éleva :

— Leurre détruit. Sérieux dégâts causés à l'appareil ennemi.

Les Barabel sifflèrent d'excitation sur le canal de communication.

— Capsule deux, larguée ! annonça 2-4S. Capsule trois…

Anakin n'entendit pas le reste de la phrase car un grincement terrible retentit dans le conteneur au moment où celui-ci franchissait les rebords de la soute et tombait dans le vide. Il sentit son estomac se retourner et les cinq occupants de la capsule flottèrent alors en apesanteur.

— 2-4S largué ! annonça le droïde de guerre.

Tahiri saisit le bras d'Anakin et Eryl se mit à égrener un compte à rebours à voix haute. Anakin s'ouvrit aussi complètement que possible à la Force, attentif à toute émotion lui suggérant que les autres avaient été appréhendés par l'un des tentacules d'entrave ou bien détruits par une décharge de plasma. Il ne perçut que des appréhensions similaires aux siennes. Sauf pour les Barabel, dont les émanations psychiques correspondaient à l'équivalent d'un énorme « youpi ! ».

Finalement, Eryl annonça :

— Quinze secondes… Top !

Selon les calculs, enfin normalement, ils ne devaient se trouver qu'à mille mètres de la surface du vaisseau-monde. Anakin freina leur descente avec la main invisible de la Force, ralentissant suffisamment pour que tous cessent de flotter à l'intérieur de l'habitacle. Les droïdes de guerre avaient estimé qu'une décélération correspondant à une fois et demie la gravité standard serait indécelable par leurs ennemis. D'autre part, cela leur donnerait un pourcentage de survie au crash de quatre-vingt-dix-neuf pour cent.

Anakin demeura silencieux pendant toute la descente. Il aurait tant souhaité pouvoir observer la surface, percevoir l'atmosphère presque inexistante qui les entourait. Après quelques secondes, il décida qu'ils devaient avoir atteint leur objectif et s'empressa de ralentir complètement leur descente. Le choc terrible de l'impact au sol les catapulta les uns contre les autres. Ils connurent quelques secondes d'apesanteur supplémentaire lorsque la capsule rebondit. Puis elle exécuta une série de tonneaux, dont Anakin perdit le compte, et s'immobilisa, laissant ses occupants dans un inextricable enchevêtrement.

Anakin invoqua la Force pour soulever ses compagnons tout autour de lui, puis alluma son sabre laser et fit sauter la bande de gelée blorash qui fermait l'ouverture. A peine avait-il ouvert une brèche grosse comme le poing que Zekk et les autres activèrent des grenades à retardement qu'ils jetèrent, en faisant appel à la Force, par l'ouverture. Deux secondes plus tard, une boule de feu explosa à une cinquantaine de mètres au-dessus d'eux.

Espérant que l'explosion serait suffisamment réaliste vue de loin, Anakin termina d'ouvrir la capsule et mit le pied dans un cratère poussiéreux de corail yorik mort aux teintes brunes. Mesurant à peine trois mètres de profondeur, le sillon atteignait presque trois cents mètres de long et cent mètres de largeur. Il ne s'agissait probablement pas d'un cratère dû à un impact, mais d'une sorte de cicatrice résultant d'une erreur passée. A quelque distance de là, juste en face d'Anakin, reposait la carcasse éventrée d'une autre capsule d'équipement. De minuscules silhouettes allaient et venaient autour de sa base. L'un des Jedi sentit la présence d'Anakin et lui fit un salut de la main. Puis tous les occupants se mirent à courir dans la direction du jeune homme. Quelques instants plus tard, la capsule disparut dans l'étincelante gerbe de feu causée par un détonateur thermique.

L'attention d'Anakin fut brusquement attirée par un mouvement furtif dans le ciel. Il releva la tête juste à temps pour voir une petite forme non identifiée suivre une trajectoire parabolique et sortir de son champ de vision avant de disparaître dans une terrifiante explosion. Imaginant soudain qu'ils faisaient à présent l'objet d'un bombardement Yuuzhan Vong, Anakin faillit se jeter à terre. Mais il se ravisa en voyant l'armure noire au camouflage étoilé d'un droïde de guerre de la série CYV-S de Tendrando Armements émerger du nuage de fumée et courir vers lui à une vitesse ahurissante.

Anakin demanda à Eryl et à Raynar de vider leur propre capsule. Il envoya Zekk faire le tour du cratère en éclaireur, puis s'accorda quelques instants de réflexion pour renouer le lien psychique lui permettant de contacter le reste de l'équipe. Il perçut quelques nausées, quelques bosses et plaies, mais son commando semblait intact. Exactement comme l'avaient prévu les droïdes de guerre.

Le jeune homme sortit ses macrobinoculaires et les pointa vers l'espace. En l'absence de traînées bleues, attestant de l'emploi de propulseurs ioniques, pour repérer les vaisseaux, il lui fallut un moment pour retrouver l'emplacement de la bataille spatiale. Les combats s'étaient à présent déportés au-dessus des cieux de Myrkr. CYV 2-1S venait juste de quitter l'appareil encore piloté par Ulaha. La petite navette noire et bosselée du droïde plongea en vrille vers le vaisseau-monde et la *Mort Exquise* mit le cap sur l'espace profond.

A la déception d'Anakin, les Yuuzhan Vong n'avaient que partiellement mordu à l'hameçon. Des coraux skippers et quatre corvettes entouraient la navette de 2-1S, déployant des tentacules d'entrave pour tenter de stopper l'appareil. Heureusement, les autres Vong s'étaient lancés à la poursuite de la *Mort*.

Un bruit de pas lourds se produisit à côté d'Anakin et celui-ci entendit Ganner parler sur le canal de communication :

— Nous sommes prêts à partir, Anakin. On a les coordonnées du spatioport. D'après les capteurs de 2-4S, ils ne se sont pas encore rendu compte que nous sommes ici.

Anakin baissa ses macrobinoculaires et tourna les talons. Il aurait préféré rester et obtenir confirmation que 2-1S et Ulaha avaient bien réussi à s'échapper. C'était le moins qu'il puisse faire pour eux. Mais il savait également que la jeune Bith et le droïde de guerre auraient insisté pour qu'il se mette en route. Chaque minute supplémentaire de retard réduisait les probabilités de succès de la mission de zéro virgule deux pour cent.

Le commando venait de parcourir cinq cents mètres lorsque la voix métallique de 2-4S retentit dans le canal de communication :

— 2-1S signale un taux de survie proche de zéro. Optimisation...

Une boule de feu orangée éclata dans le ciel et la détonation noya les derniers mots du droïde dans une tempête d'interférences. Anakin pointa ses macrobinoculaires juste à temps pour voir un trio de corvettes ennemies disparaître dans un nuage blanc de poussière de corail yorik. Le quatrième engin, une vague tête d'épingle à cette distance, se mit à dériver en spirale, ayant échappé au contrôle de son pilote.

— Taux de perte optimisé, conclut 2-4S.

— Efficacité maximale, dit Anakin en hochant la tête.

Tous savaient, après les séances d'entraînement avec 1-1A, qu'il s'agissait là du meilleur hommage qu'on puisse rendre à l'un des droïdes de Lando. Plusieurs Jedi répétèrent le compliment. Ils continuèrent d'avancer vers le spatioport, utilisant la Force pour maîtriser le nuage de poussière qui se soulevait sous leurs pieds et qui ne cessait de se propager dans l'atmosphère dénuée d'oxygène.

Quelques minutes plus tard, 2-4S détecta l'approche de deux coraux skippers. Le commando se dissimula dans le nuage de poussière et attendit. Les deux engins passèrent à basse altitude et procédèrent à un ratissage de la zone du crash des capsules. Ils n'étaient supposés découvrir que quatre immenses cratères dus à une explosion de baradium, suggérant que la *Mort Exquise* n'avait finalement largué que quatre bombes au ciblage mal calculé. Avec un peu de chance, ils retourneraient vers leur base en se moquant de l'incompétence de leurs ennemis. Mais, en attendant, les Jedi se devaient de rester patients.

Bien que personne ne le formulât clairement, toutes les pensées étaient tournées vers Ulaha, seule à bord de la *Mort Exquise*, avec cinq corvettes et une nuée de skips aux trousses. Dans le lien psychique, la jeune Bith était de plus en plus distante, mais Anakin sentit qu'elle était absorbée par la tâche qui lui incombait. Elle était épuisée, elle souffrait, mais elle n'avait pas peur. Elle était en paix, en parfait équilibre avec elle-même. Osant espérer qu'une telle preuve de tranquillité signifiait qu'elle était parvenue à s'échapper, Anakin ressortit ses jumelles dès que les vaisseaux de recherche eurent disparu. Il fouilla les ténèbres à la recherche de la *Mort Exquise*. Une tâche impossible. Même en regardant dans la bonne direction, Ulaha et ses poursuivants étaient bien trop loin pour être détectés par les macrobinoculaires.

Le commando reprit sa marche. La présence d'Ulaha faiblit de plus en plus avant de disparaître complètement. Anakin devina, à la poussée soudaine d'anxiété dans le lien mental, qu'une même terreur venait d'envahir l'esprit de tous les Jedi présents.

— Est-ce qu'elle est… commença Tahiri.

— Non, l'interrompit Jacen. On l'aurait senti.

— Peut-être qu'elle a sauté dans l'hyperespace, dit Anakin. 2-4S ?

— Négatif, annonça le droïde. La *Mort Exquise* se trouve toujours à portée des senseurs.

C'est alors qu'une musique s'éleva. Une mélodie entêtante, qui envahit Anakin jusque dans son esprit. La mélopée n'avait rien de lugubre, elle était plus apaisante que triste, et probablement l'un des plus beaux airs que le jeune homme ait jamais entendus. Il se retourna et vit que les autres regardaient tous vers le ciel, la tête légèrement penchée pour mieux écouter. Des larmes perlèrent aux yeux de certains à travers leurs masques de protection.

— *Mort Exquise* et poursuivants en décélération, rapporta 2-4S. L'analyse suggère que le vaisseau a été appréhendé par des tentacules d'entrave.

Personne ne sembla écouter le rapport.

— J'aimerais… commença Jaina avant de se taire. (La mélodie s'envola et gagna de l'énergie.) J'aimerais bien pouvoir enregistrer ça.

— Oui, dit Jacen. Je suis certain que Tionne aimerait bien récupérer l'enregistrement pour ses archives… C'est une triste perte pour les Jedi…

Anakin ne parvint pas à déterminer, à la voix plutôt atone de son frère, si Jacen venait d'émettre une critique ou bien s'il se contentait de dire à voix haute ce que tout le monde pensait tout bas. La capture de la *Mort Exquise* et d'Ulaha ne faisait plus aucun doute. Même si la jeune Bith survivait à l'abordage d'une section d'assaut, elle n'endurerait pas à nouveau les souffrances d'une séance de torture.

La musique reprit son refrain d'ouverture, mais avec plus de puissance, sans la moindre tristesse. Elle monta en un robuste crescendo…

Et dans le silence brutal, Tahiri avala de travers.

27

Dans la faible lueur planétaire qui émanait de la surface d'émeraude de Myrkr, les tiges aplaties de senalak évoquaient plus des stalagmites de glace que le plus infranchissable des systèmes de sécurité qu'Anakin ait jamais vus. Les tiges rigides montaient à hauteur des genoux et n'étaient pas plus épaisses qu'un doigt. Jovan Drark invoqua la Force et creusa, avec un doigt invisible, un profond sillon à travers le champ. Les extrémités bleues et émoussées de senalak déployèrent alors des branches d'un mètre de long, couvertes d'épines. Les tiges épineuses fouettèrent le vide pendant quelques instants, cherchant certainement à entraver, capturer, voire tuer, ce qui avait bien pu troubler leur repos.

Si Alema ne les avait pas mis en garde à propos de ce piège, les membres du commando auraient entamé la traversée du champ sans la moindre précaution. Dans la mesure où ils avaient échappé de justesse au piège qu'on leur avait tendu à bord de la *Mort Exquise*, Anakin commença à se demander si lui-même et les autres étaient réellement prêts pour cette mission. Ulaha leur avait annoncé cinquante pour cent de chance de réussite et, au vu de ce qu'il rencontrait, le jeune homme se dit que la tendance ne risquait pas de s'améliorer. Il commençait même à se demander si se lancer sur la piste de la reine voxyn avait été une si bonne idée que cela.

— Anakin, il faut bien que quelqu'un la tue, cette reine voxyn. Tu ne nous facilites pas les choses en adoptant une attitude si négative, lança Tahiri. (Elle rampa jusqu'à lui. Ses cheveux blonds dépassaient en touffes de son masque de protection.) Bon, les Vong ont voulu nous piéger et tu as parfaitement maîtrisé la situation. Maintenant, ils nous croient morts.

— Désolé. Je croyais avoir gardé ces pensées pour moi.

— Tu avais gardé ces pensées pour toi, dit Tahiri en levant les yeux au ciel. Mais je te connais comme si je t'avais fait, Anakin…

Le dernier morceau de senalak succomba sous l'action du bélier invisible déployé par Jovan et le groupe se retrouva en bordure du spatioport. En fait, il s'agissait d'un trou de trente mètres de profondeur et d'un kilomètre de large. Il était entouré d'un péristyle à colonnades scellé derrière une membrane transparente, accessible par un anneau de portes-valves hermétiques. Au sol, une vingtaine de berceaux d'amarrage d'allure biomécanique étaient géométriquement alignés, tous recouverts d'une sorte de carapace rétractable et de taille à accueillir des corvettes.

Tout près du commando, le dernier appareil de secours à revenir de la bataille spatiale était en train de se poser sur son berceau. Les deux moitiés de la carapace se refermèrent sur sa coque bosselée. Même si Anakin et les autres n'avait pas eu l'occasion d'observer la bataille en détail lors de leur progression sur la surface crevassée du vaisseau-monde, le flot continu d'engins de secours en provenance de l'espace leur avait signalé que leurs camarades avaient bien tenu tête aux Yuuzhan Vong. Ils avaient cependant bien deviné l'issue de l'affrontement. 2-1S avait envoyé un dernier rapport de situation à 2-4S avant d'exploser et tous avaient perçu la mort d'Ulaha. Deux raisons qui avaient certainement contribué à « l'attitude négative » d'Anakin.

A environ cinq kilomètres du puits d'atterrissage se dressaient les hautes structures en forme de termitières qu'ils avaient eu le loisir d'observer depuis l'espace. Anakin n'eut pas besoin d'y projeter les ondes de la Force pour comprendre qu'il s'agissait là de l'endroit où étaient gardés les voxyns. Il sentit clairement leur faim insatiable en provenance de cette direction. Quant au prisonnier Jedi, c'était une tout autre affaire.

Impossible de percevoir sa présence – était-ce un homme ? une femme ? un groupe ? – même en se concentrant au maximum.

— Des ysalamiris ? demanda Alema. (La Twi'lek rampa jusqu'à Anakin, contournant Tahiri pour que l'épaule de sa combinaison pressurisée touche celle du jeune homme.) S'ils retiennent un Jedi prisonnier, ils vont avoir besoin d'ysalamiris.

Anakin ne fut pas autrement surpris de constater que la Twi'lek avait anticipé ses pensées. Pendant la chute précédant le crash, le commando s'était retrouvé dans une telle harmonie que, l'espace d'un instant, il avait semblé qu'ils puissent partager toutes leurs pensées.

— Je ne crois pas qu'il soit mort, dit Tahiri. Je me rends compte qu'à cet instant précis on ne sait pas qui il est exactement, mais je suis intimement convaincue que nous devrions tout de même le savoir...

Anakin n'en était pas aussi certain, mais il n'y avait, de toute façon, qu'un seul moyen de le découvrir. Il se tourna vers les autres afin de leur demander de préparer les phéromones d'accouplement ysalamiri que Cilghal leur avait fournies. Il fit la grimace en constatant que Jacen était déjà en train de serrer la capsule à l'intérieur de son propre gant.

— Ça devient bizarre, tout ça... dit-il. Tesar aurait pu au moins grogner quelque chose, non ?

Sous le masque, les yeux de Jacen lui sourirent.

— Mets-toi à ma place et tu comprendras ! (Il devint soudainement plus sérieux et une aura de détresse sembla émaner de lui.) Anakin, avant de commencer, je voudrais...

— Pas maintenant, Jacen, dit Anakin, détournant le regard. (La dernière chose qu'il souhaitait faire, c'était bien de vexer son frère, mais il avait vu ce qui pouvait se passer, à la station de Centerpoint, lorsqu'il écoutait Jacen.) Il faut qu'on fasse ça à ma façon...

— Je sais. Je voulais seulement...

— Je t'en prie...

Anakin lança la capsule à l'autre bout du puits d'atterrissage, là où une équipe d'entretien véhiculait du matériel à proximité d'un sas ouvert. Dans la lueur verdâtre de Myrkr, il perdit rapidement le petit objet de vue, mais il le sentit pénétrer dans la valve intérieure et s'arrêter. Quelques minutes plus tard, l'équipe d'entretien termina son travail et ses membres regagnèrent, ensemble, l'intérieur du bâtiment. Anakin voulut dire aux autres de se tenir prêts, mais il se ravisa. Ils étaient prêts.

La valve extérieure était tout juste en train de se refermer lorsque 2-4S annonça :

— Vaisseau en approche. Frégate ennemie.

Cela signifiait que l'arrivée de l'appareil était imminente. Aussi perfectionnés soient-ils, les droïdes de guerre de la série CYV ne disposaient pas des ressources nécessaires pour les détections spatiales à longue portée. La nouvelle déclencha comme une décharge de danger, sous forme de sueur froide, le long de la colonne vertébrale d'Anakin. Mais il refusa de précipiter les choses. Tant qu'il ne savait pas avec exactitude où était enfermé le prisonnier Jedi, le seul fait de pénétrer dans le spatioport ne ferait que réduire les chances de survie du malheureux et du reste du commando.

Finalement, des cris perçants s'élevèrent des colonnades situées à environ un tiers de la distance qui séparait le commando de l'extrémité la plus éloignée du puits. Plus d'une douzaine de Yuuzhan Vong coururent en tous sens, trébuchant, hésitant, essayant de rattraper quelque chose. L'un des guerriers s'empara d'une petite silhouette gesticulante, puis retira les mains brusquement et se mit à donner des coups de pied à la créature. Les ysalamiris avaient de petites dents pointues.

Il ne fallut pas longtemps pour que tous les yeux – tout au moins tous les yeux visibles derrière la membrane transparente – se braquent sur l'incident. Anakin recula du bord du puits et se releva. Lorsqu'il se retourna pour ordonner aux autres d'activer leur camouflage holographique, il se trouva face à une longue rangée de personnages évoquant des guerriers Yuuzhan Vong.

— Bon, je suppose que vous connaissez tous le plan ?

— On va droit sur la réserve des ysalamiris, répondit Bela. A moins qu'il ne s'agisse de Krasov.

— Et on revient...

— Pour s'emparer d'une des navettes de sauvetage, termina Ganner. Tout est prêt, les Jedi. 2-4S et moi, nous allons couvrir votre descente.

— Eh bien, c'est parti...

Anakin activa son propre camouflage holographique et sauta dans le puits. Il glissa le long de la paroi et se servit de la Force pour amortir son atterrissage. Ne percevant aucune alarme chez les Yuuzhan Vong par l'intermédiaire du cristal lambent, il fit face à une porte assez grande pour laisser passer un rancor. Un réseau de tunnels sombres et de portes encore plus sombres se dessinait à peine par-delà les membranes translucides de la porte-valve. Il perçut la présence de quelques Yuuzhan Vong, quelque part dans l'obscurité, mais la sensation était trop trouble pour lui indiquer si ceux-ci s'inquiétaient de sa présence soudaine ou bien s'ils avaient tout simplement repéré sa venue.

Alema, Tesar et les autres finirent par le rejoindre. Sachant que la Twi'lek était la plus expérimentée pour franchir les lignes ennemies, il lui fit signe de conduire les autres jusqu'au sas. Anakin continua de surveiller le puits. De l'endroit où il se trouvait, l'aire d'atterrissage paraissait encore plus grande que lorsqu'il l'avait observée depuis le haut des parois. Dans la luminosité verdâtre, l'agitation qui régnait à l'autre bout du puits se caractérisait par une masse d'ombres allant et venant derrière les parois transparentes. Les silhouettes se trouvant dans les corridors les plus proches étaient difficiles à discerner, ne se distinguant que brièvement lorsque l'une d'entre elles passait devant l'une des appliques murales de lichen bioluminescent. Seule la navette de sauvetage, reposant entre les deux mâchoires biomécaniques de son berceau d'atterrissage, demeurait bien distincte.

Au moment où Anakin terminait son inspection, Ganner et 2-4S le rejoignirent sur le sol de l'aire d'atterrissage. Ils suivirent les autres membres du groupe jusqu'au sas. A l'intérieur, ils ôtèrent masques de protection et respirateurs, les laissant pendre autour de leurs cous. Ils conservèrent leurs micros de trachée et leurs écouteurs pour pouvoir communiquer le plus discrètement possible. Anakin prit la tête et avança dans le péristyle à une allure suffisamment mesurée pour ne pas trop attirer l'attention. Les cellules énergétiques de leurs camouflages holographiques ne pouvaient leur donner que deux minutes de parfaite fiabilité avant de nécessiter un remplacement.

En approchant de la navette de sauvetage, ils passèrent devant une rampe qui conduisait à un niveau technique, grouillant d'agitation, situé directement sous l'aire d'atterrissage. Un guerrier Yuuzhan Vong sans armure remonta la rampe en faisant de grands gestes à leur intention et en les appelant dans sa propre langue. Une décharge d'inquiétude parcourut le commando. Elle fut rapidement apaisée par Jacen qui concentra le lien psychique et l'attention de tout le monde sur Alema, qui était parvenue à conserver une attitude détachée. Le Yuuzhan Vong atteignit la porte et déclara quelque chose sur un ton très insistant.

La voix de Tahiri résonna dans tous les écouteurs et suggéra la réponse qu'on attendait d'eux. Ganner, de tous le plus à même d'imiter la voix Yuuzhan Vong, s'écarta du groupe et fit face au balafré.

— *Pol dwag, kane a bar.*

— *Kanabar ?* demanda le Yuuzhan Vong.

Il y eut une courte pause, le temps pour Tahiri de formuler une réponse, et Ganner déclara :

— *Dwi, kane a bar !*

— *Yadag dakl, ignot !*

Le Yuuzhan Vong leva les bras en un geste fort impoli, puis fit demi-tour et disparut au bas de la rampe.

— Qu'est-ce qui s'est passé ? demanda Anakin.

— Ganner l'a traité de fiente d'asticot, dit Tahiri. Je lui ai dit de répondre *kanabar*, pas *kane a bar*.

— *Kane a bar*, c'est mieux ! gronda Tesar. Comment dit-on « raclure d'écaille » en Yuuzhan Vong ?

La question déclencha une vague de sifflements hilares chez les deux sœurs Barabel et Anakin leur ordonna de remettre leurs plaisanteries à plus tard. 2-4S signala que le vaisseau ennemi en approche était bien une frégate et qu'il était à présent en orbite autour du vaisseau-monde. Anakin ressentit un picotement dans sa nuque, mais ne céda pas à la panique. Avec une corvette en orbite, il leur faudrait chronométrer avec exactitude leur évasion.

Ils atteignirent enfin le portail obscur qui conduisait à l'endroit où étaient gardés les ysalamiris. Anakin sut immédiatement qu'ils avaient vu juste car une puanteur flottait dans l'air, mélange de corps pas lavés, de sang tourné et d'autres choses répugnantes. A peine avaient-ils fait trois pas dans le corridor que le lien psychique disparut. Le jeune homme constata que dans la coursive devant eux se dressait un alignement d'arbres marcheurs, similaires à ceux qu'ils avaient observés à bord de la *Mort Exquise*. La plupart portaient des griffes cassées encore fichées dans leurs troncs, mais quelques spécimens servaient toujours de perchoirs à des ysalamiris. Deux guerriers Yuuzhan Vong se tenaient derrière un comptoir de corail yorik à quelques mètres de là, tressant adroitement une sorte de cordage vivant au bout d'un fouet, ignorant complètement les cris d'angoisse qui montaient des profondeurs du corridor.

Anakin s'approcha et les deux guerriers cessèrent leurs travaux manuels. Ils croisèrent les poings en travers de leurs poitrines.

— *Remaga corlat, migan yam* ? demanda le plus grand des deux.

Anakin ne répondit rien et avança droit vers le corridor.

— *Remaga corlat* ? demanda à nouveau le grand garde, décrochant son bâton Amphi de sa ceinture et s'avançant pour bloquer le passage au jeune homme.

La réponse d'Anakin fut sèche, pour ne pas dire injurieuse :

— *Kane a bar !*

Les yeux boursouflés du guerrier Yuuzhan Vong eurent l'air plus surpris que furieux. Il baissa son bâton Amphi en direction de la poitrine d'Anakin.

— *Yaga ?*

Anakin leva la crosse de son sabre laser et pressa le bouton de mise en marche. La lame écarlate transperça la gorge du guerrier et ressortit par sa nuque, manquant de peu le deuxième soldat qui se trouvait juste derrière. Le second Yuuzhan Vong fit un pas en arrière et ouvrit la bouche pour pousser un cri d'alarme. Mais il fut interrompu par le sifflement caractéristique de la lame argentée du sabre laser d'Alema qui venait de lui couper la tête.

Anakin désactiva son camouflage holographique et donna ses ordres. Il envoya Jacen, Ganner et 2-4S surveiller l'entrée du corridor et demanda à Jaina, Eryl et Raynar d'éliminer les derniers ysalamiris. Il emmena tous les autres à sa suite dans le tunnel, en direction des hurlements torturés. Ils en atteignirent le coin et, jetant un coup d'œil pour s'assurer que la voie était libre, Anakin se retrouva face à la plaque thoracique d'une armure Yuuzhan Vong en crabe vonduun.

Le soldat poussa un cri de stupéfaction et leva son bâton Amphi. Trop tard. Le jeune Jedi avait plongé son sabre dans la gorge de son adversaire. Il donna un coup de pied dans le corps inanimé pour le repousser dans la pièce et entendit le bourdonnement si caractéristique de scarabées paralysants volant dans sa direction. Il plongea à terre, roula sur l'épaule, essayant d'inspecter la salle tout en se déplaçant. Il y avait un arbre à ysalamiris dans un coin, deux silhouettes attachées au mur du fond, bras et jambes écartés, ainsi que deux autres sur sa droite. Il se releva avec son sabre laser en parade haute, puis se coucha de nouveau, entendant les rayons du mini-canon laser de Tesar mugir au-dessus de sa tête.

L'arbre à ysalamiris vola en échardes et Anakin sentit son contact avec la Force se renouer lorsque les lézards furent désintégrés à leur tour. Il entendit à nouveau le vrombissement des scarabées et invoqua la Force pour guider sa lame afin de parer l'attaque. Puis il pivota brusquement vers l'endroit présumé du tir et découvrit un Yuuzhan Vong en train de le charger, bâton Amphi en main. Avant que le jeune homme puisse dévier le coup, un tir décoché par le canon de Tesar envoya voler le guerrier contre le mur opposé. Alema se précipita et plongea sa lame argentée dans l'armure brisée du soldat.

Il ne restait plus qu'un seul Yuuzhan Vong. Il était plus grand que la plupart, mais également plus mince. Son visage spectral arborait quelque chose de féminin et une variété de crochets et hameçons saillaient de ses huit doigts, de ses poignets et même de ses coudes. Une laborantine, chargée des métamorphoses. Anakin se redressa et se dirigea vers elle, mais un réseau de lignes énergétiques étincelantes crépita tout autour d'elle avant même qu'il ait pu faire deux pas. Il se dit qu'il devait probablement s'agir d'une sorte de bouclier personnel, mais il la vit écarquiller les yeux et proférer quelque chose de furieux.

Anakin concentra alors ses pensées sur le réseau énergétique et y décela les ondes familières de la Force, mais plus froides, plus ténébreuses. Il regarda vers le mur du fond, où les deux prisonniers étaient toujours enchaînés les bras en croix, saignant abondamment par une profusion de blessures. L'un d'entre eux, une femme de forte stature avec des cheveux sombres et des yeux qui l'étaient encore plus, était en train de regarder la laborantine, articulant silencieusement des mots qu'Anakin ne comprenait pas.

La Yuuzhan Vong essaya de se débattre dans la toile d'énergie et ne parvint qu'à se trancher trois doigts. La femme d'allure sinistre sourit et le réseau se resserra autour de la laborantine, commençant à lentement entamer sa chair.

Anakin fut soudain envahi par une sensation d'erreur, de haine, de colère… d'horreur. Cette femme n'était pas en train de réagir par nécessité – ce qu'on attendrait de tout prisonnier en temps de guerre –, mais par pure vengeance et soif de sang.

— Non, vous ne pouvez pas faire ça ! dit Anakin en se tournant vers elle.

Elle l'ignora et la Yuuzhan Vong poussa un cri de terreur. Du sang commença à s'écouler sur le sol. Et puis quelque chose d'autre. Anakin découvrit qu'il s'agissait de cubes de chair découpés dans le corps de la laborantine.

— Arrêtez !

Anakin leva la crosse de son sabre et fit un pas en avant pour appuyer son ordre. Mais le cri de la Yuuzhan Vong cessa brusquement, cédant la place à une sorte de craquement mouillé. Lorsqu'il se retourna, le jeune homme vit le corps de la Yuuzhan Vong éparpillé sur le sol en petits cubes parfaitement symétriques. L'odeur était aussi répugnante que la vision et Anakin dut lutter pour ne pas vomir.

C'est alors que la voix de Jacen s'éleva dans ses écouteurs :

— Petit frère ? La frégate vient d'envoyer une navette vers la surface.

— Heu… d'accord, d'accord, marmonna Anakin. Tiens-moi… au courant.

Il y eut une pause.

— Quelque chose ne va pas ? demanda Jacen.

— Non, tout va bien, répondit Anakin. Juste une surprise. Je vous raconterai plus tard.

Un clic de confirmation lui parvint dans le comlink. Anakin se tourna et découvrit Alema, près du mur du fond, en train de libérer la sinistre femme de ses liens de gelée blorash.

— … une technique vraiment fascinante, était en train de susurrer la Twi'lek. Vous pensez que vous pourriez me l'apprendre ?

— Non, tu ne l'apprendras pas, dit Anakin. Cette attaque était cruelle. Inutilement cruelle.

Alema se tourna vers lui, ses yeux pâles de Twi'lek aussi froids et durs qu'un lac d'Hothan.

— Tu me sermonneras sur la cruauté lorsque tu auras vu de tes yeux un voxyn brûler la chair du visage de ta propre sœur ! (Elle se retourna vers la femme, à présent libérée de ses entraves.) Qui te dit que je n'ai pas envie d'être cruelle ?

La femme plus âgée lui adressa un sourire encourageant.

— Il n'y a rien de mal à vouloir se venger. C'est une noble émotion. Une puissante émotion.

— Des propos bien caractéristiques d'une Sœur de la Nuit, dit Zekk, pénétrant à son tour dans la salle. (Son regard passa de la femme au jeune homme toujours attaché au mur.) Salut, Welk…

Welk, un humain à cheveux blonds, d'un ou deux ans plus âgé qu'Anakin, durcit son regard en apercevant Zekk.

— Salut… Traître…

— Vous vous connaissez, tous les deux ? demanda Anakin.

Zekk hocha la tête.

— De l'Académie des Ombres. Welk y fut le meilleur apprenti de Tamith Kai. Après la mort de Vilas, bien entendu.

— Après que tu l'as tué, le corrigea Welk en foudroyant Zekk du regard. Zekk était le plus noir de tous les Chevaliers, notre chef, jusqu'à ce qu'il trahisse le Second Imperium sur Yavin Quatre.

Anakin fronça les sourcils à cette pensée. Il avait été bien trop jeune pour participer à la défense de l'Académie lorsque les Jedi Noirs de Tamith Kai l'avaient attaquée. Bon nombre de Chevaliers présents dans le commando – y compris son frère et sa sœur, Lowbacca, Tenel Ka et Raynar – s'étaient vaillamment battus. Ils ne seraient pas très contents d'apprendre qu'ils étaient en train de risquer leur peau pour sauver l'un de leurs anciens adversaires.

Tesar, qui n'avait même jamais eu l'occasion de se rendre sur Yavin Quatre, fut le premier à exprimer son mécontentement :

— On a risqué nos vies pour sauver des Jedi Noirs ? (Le Barabel leva son mini-canon vers les deux prisonniers.) On va régler ça rapidement...

— Du calme, Tesar, dit Anakin, obligeant le Barabel à baisser son arme. (Il se tourna vers la sinistre femme.) Est-ce qu'il y a encore des Jedi qui...

— Mais nous sommes des Jedi ! répondit-elle. (Même si le sang continuait à s'écouler par la centaine de plaies qu'elle avait sur le corps, la douleur ne semblait guère perturber cette femme plus qu'elle ne perturberait un guerrier Yuuzhan Vong.) Mais pour répondre à ta question : il n'y en a plus de vivants. Nous sommes ceux dont vous avez senti la présence à votre arrivée dans le système.

— De toute façon, il n'y a pas de mal à jeter quand même un coup d'œil. (Anakin fit un signe de tête à Tesar et à ses deux compagnes de portée.) Soyez prudents.

— Fais comme tu le sens, jeune Solo, dit la femme en souriant. Mais il n'est pas nécessaire de douter de notre parole. Nous serions très heureux de vous aider à détruire les voxyns.

— Comment savez-vous que...

— Vous n'êtes certainement pas venus jusqu'ici pour nous

sauver, non ? (Laissant Welk attaché au mur, elle se dirigea vers la porte.) A propos, mon nom est Lomi Plo. Peut-être que je pourrais commencer par te raconter ce que nous connaissons de cet endroit...

Anakin leva un sourcil perplexe.

— Vous seriez prête à cela sans la moindre monnaie d'échange ? Qu'est-ce qui vous dit que nous n'allons pas vous abandonner ici ?

Lomi le dévisagea froidement.

— Alors qui serait le plus obscur d'entre nous, hein, Anakin ?

Anakin se demanda comment elle pouvait bien connaître son identité. Ses réflexions furent troublées par une annonce dans ses écouteurs :

— Anakin ? On a des problèmes. (C'était la voix de Ganner.) Cette navette qui vient de se poser ? Tu ne croiras jamais qui est à son bord...

— Effectivement, tu ne le croiras jamais ! ajouta Jacen. Mais on dirait bien que c'est Nom Anor !

28

Talfaglio apparaissait en plein centre de la verrière du cockpit du *Faucon Millennium*, un point de feu à trois années-lumière de distance. Cela signifiait que la lumière qui parvenait aux yeux de Han avait été créée trois ans auparavant, avant que les Jedi ne deviennent une espèce menacée et que les Yuuzhan Vong ne fassent tomber une lune sur la tête de Chewbacca. N'étant pourtant pas du genre à s'appesantir sur le passé, Han Solo aurait tout donné pour remonter ce rayon de lumière orangée à travers le temps, pour pouvoir ajouter une personne de plus aux milliers de gens qu'il avait sauvés, ce jour fatal sur Sernpidal. Il était enfin arrivé à ne plus s'accuser – ni lui, ni qui que ce soit d'autre – de la mort de Chewie. Il avait même dépassé le stade où il souhaitait ne pas avoir sauvé qui que ce soit ce jour-là. Il voulait seulement revoir son ami. Il voulait seulement que la galaxie soit aussi sûre pour ses enfants qu'elle l'avait été pour lui, une galaxie où un homme et son épouse pourraient aller se coucher le soir en étant à peu près sûrs de retrouver leur planète en un seul morceau le matin venu.

Mais c'était peut-être trop demander.

Leia, recroquevillée dans le siège de copilote du *Faucon* adapté à la taille d'un Wookiee, ouvrit les yeux et se redressa. Il n'y avait aucune trace de confusion ou d'incertitude dans ses actions. Elle n'avait pas dormi – pas vraiment – depuis qu'Anakin et son commando étaient partis pour Myrkr. Han non plus, d'ailleurs. Elle passa son harnais de sécurité par-dessus ses épaules et commença à en ajuster les boucles.

Han enclencha des routines de vérification automatique afin de chauffer les circuits du *Faucon*.

— Qu'est-ce qui se passe ? Tu as senti quelque chose en provenance de Luke ?

— Non, pas de Luke. (Leia ferma les yeux, essayant d'atteindre ses enfants d'une façon que Han ne comprendrait jamais.) D'Anakin et des jumeaux. Ils sont passés à l'action. Ils vont au-devant du danger. (Elle marqua une pause avant d'ajouter :) Tout comme nous, d'ailleurs.

Han tendit la main vers l'intercom, mais se rappela soudainement qui était supposé se charger des canons. Il regarda par-dessus son épaule. Comme il s'y attendait, les Noghri se tenaient tranquillement à l'arrière du cockpit.

— Prenez les tourelles. Et dites à C-3PO de s'amarrer à quelque chose, annonça-t-il. On va filer un coup de main à Lando et aux Chevaliers Errants pour cette chasse au yammosk. Donc, dès que Corran nous aura donné le feu vert, ça risque de chauffer.

Les deux Noghri inclinèrent la tête et s'engouffrèrent dans la coursive d'accès. Han les regarda s'éloigner, un petit peu perturbé par cette ombre qui se dessinait dans leurs yeux noirs à chaque fois qu'un combat allait être livré. Mais il était tout de même content qu'ils soient là. Au cours des quinze dernières années, les Noghri avaient sauvé la vie de Leia à maintes reprises, bien plus qu'il ne pouvait lui-même y prétendre. Il n'arrivait toujours pas à comprendre ce qui lui était arrivé à la mort de Chewbacca, il n'arrivait pas à comprendre pourquoi le deuil de son ami l'avait poussé à s'éloigner de Leia et des enfants.

— Rappelle-moi un de ces jours de remercier ces gars, dit-il.

— Tu l'as déjà fait, répondit Leia. Au moins une douzaine de fois.

Han lui adressa un sourire malicieux.

— Ouais, peut-être, mais ils ne répondent jamais « y a pas de quoi » !

Pour la première fois depuis plusieurs jours, Leia éclata de rire. Soudain, la voix de Corran Horn retentit dans le haut-parleur de la console de communication :

— Debout là-dedans ! Nos détecteurs à longue portée ont repéré une flotte d'assaut Yuuzhan Vong en train de pénétrer le système de Talfaglio.

Leia tendit la main et arma la sécurité de décompression de la combinaison de combat de Han.

— J'ai peur, Han…

— Moi aussi. (Han tendit à son tour la main et rabattit la visière de protection du casque de son épouse.) Mais qu'est-ce qu'on peut faire ? Ils sont adultes, à présent. Ils doivent mener leur propre combat.

Le commandement d'Eclipse était parvenu à affecter des pilotes sur cinquante de ses nouveaux chasseurs Ailes-X XJ3, et plus de la moitié d'entre eux étaient des Jedi. Deux douzaines de Jedi supplémentaires s'occupaient des barges d'assaut et des autres appareils de soutien. Dans la mesure où Luke s'apprêtait à risquer la vie de plus de la moitié des Chevaliers de la galaxie et de la plupart des Maîtres sur une seule opération, il aurait probablement dû être nerveux. Il ne l'était pas. La Force était avec eux tous, se manifestant d'une façon qu'il n'avait jamais éprouvée. C'était une présence si tangible qu'il pouvait presque la voir scintiller contre le velours étoilé du cosmos.

Ne rêvasse pas, Skywalker.

La voix de Mara était si claire dans l'esprit de Luke qu'il lui fallut un instant pour comprendre qu'elle ne s'était pas adressée à lui par l'intermédiaire du canal de communication. Il regarda vers l'Aile-X de son épouse, flottant à proximité, son empennage en S touchant presque le sien. Il voulut lui dire qu'il n'y avait pas de raison de s'inquiéter, que, aujourd'hui, Ben ne perdrait pas ses parents. Mais une telle pensée aurait impliqué une vision de l'issue des combats qu'il cherchait délibérément à éviter. Si la Force souhaitait lui montrer le futur, soit. Si ce n'était pas le cas, autant avoir confiance et prendre les choses telles qu'elles se présentaient. Quoi qu'il en soit, lancer cette attaque était la seule chose à faire. Il le sentait bien.

Et moi aussi, ajouta Mara.

Luke souleva un sourcil. Grâce à leur lien psychique, chacun d'eux pouvait en général percevoir ce que l'autre ressentait et il n'était pas rare qu'ils s'envoient des pensées à demi formulées. Mais il y avait aujourd'hui quelque chose de nouveau. Les réflexions de Luke s'étaient à peine matérialisées au niveau de sa conscience que Mara avait réussi à les capter. Peut-être que la présence de tant de Jedi si puissants permettait de concentrer la Force, la focalisant de la même façon qu'un nuage de gaz peut donner naissance à une étoile.

— Je dirais plutôt comme une lentille servant à faire converger les rayons lumineux, dit Mara. C'est certainement en raison de la présence de tant de Jedi, tous braqués sur un seul et même objectif.

— Impressionnant. (Luke ajouta à son commentaire sibyllin une question mûrement réfléchie afin de tester les limites de leur lien mental. Lorsque la seule réponse qui lui parvint fut une vague sensation de curiosité, il annonça à voix haute :) Je me demande si l'ancien Conseil des Jedi arrivait à concentrer la Force de cette manière…

— Ça leur aurait probablement permis d'y voir plus clair pour certaines choses. Peut-être ont-ils découvert des inconvénients à cela…

Luke perçut un rare moment de gêne chez son épouse lorsque l'esprit de Mara passa brusquement du lien mental qui les unissait à quelque chose de plus charnel. Il se retrouva à espérer en même temps qu'elle que personne d'autre n'avait capté cette sensation.

Et si quelqu'un l'avait captée, il eut en tout cas la jugeote de ne pas en faire part.

Souriant à la fois intérieurement et extérieurement, Luke posa les yeux sur son écran tactique et vit la flotte ennemie avancer sur le système de Talfaglio. L'approche mesurée, songea-t-il, n'avait certainement rien à voir avec la peur de rencontrer des mines spatiales ou bien de tomber dans une embuscade. Non. Il devait probablement s'agir d'une méthode destinée à saper totalement le moral des otages en les laissant contempler leur propre destin funeste en train d'avancer inexorablement vers eux. La flotte comprenait quatre croiseurs, un vaisseau de guerre, un porte-skips et vingt frégates. Le vaisseau de transport devait contenir au moins deux cents coraux skippers et les cinq plus gros engins étaient certainement escortés par leurs propres escadrons.

Aïe, songea Mara.

Luke n'était pas très inquiet. Les Jedi étaient là pour briser le blocus et permettre aux convois de réfugiés de prendre la fuite, pas pour détruire la flotte. Il y avait cependant un aspect de la mission qui nécessitait une modification. Il demanda à R2-D2 d'ouvrir un canal de communication.

— Ici Fermier. (Son nom de code avait été choisi par Mara.) Opération Passage Protégé toujours prévue, mais je détecte beaucoup d'hostilité pour l'Opération Yammosk. Je répète, Opération Yammosk...

— Une petite minute, Fermier, dit Corran. (En tant que coordinateur de la bataille, il se trouvait à bord du cargo des Chevaliers Errants, le *Joyeux Drille*, à espionner les canaux subspatiaux pour suivre la progression des senseurs de Talfaglio.) On a de la compagnie, en sortie d'hyperespace.

— De la compagnie ? (Le cœur de Luke ne se serra pas. Rien dans la Force n'indiquait le moindre indice d'embuscade.) Qui ça ?

— Un vieux Rogue, déclara la voix familière de Wedge Antilles.

— Et un vieux Rebelle.

Cette voix était tout aussi familière, mais Luke ne la reconnut que lorsque R2-D2 procéda à un scanner d'analyse et l'identifia comme appartenant au Général Garm Bel Iblis. Luke modifia les réglages de son écran tactique pour les concentrer sur l'espace environnant. Il détecta deux destroyers stellaires qui lui étaient inconnus – et que le transpondeur identifia comme le *Mon Mothma* et l'*Elegos A'Kla* – en train de prendre position à l'arrière de la flotte. Chaque appareil était accompagné d'un croiseur et de deux frégates et leurs soutes vomissaient des escadrons entiers d'Ailes-X XJ3 et d'Ailes-E dans l'espace.

— Messieurs, soyez les bienvenus, dit Luke dans son micro. Mais, si je puis me permettre une question…

— On était en pleine mission de patrouille dans le secteur, l'interrompit Bel Iblis.

— Si près de Talfaglio ? (La question venait de Mara. Après toutes ces années passées au service de Palpatine, elle avait appris à se méfier des cadeaux inattendus.) Je ne vous crois pas…

— Un de vos anciens employeurs nous a recommandé cette route, dit Wedge. (Il faisait référence au célèbre Talon Karrde, ancien roi de la contrebande et du commerce de l'information, espion à ses heures. Personne ne pouvait jamais réellement savoir ce qui se tramait sous le crâne de Talon Karrde.) Il nous a suggéré que nous aurions peut-être ici des chances de tester nos nouvelles armes.

— C'est bien possible. (Luke ne prit pas la peine de demander comment Karrde avait pu avoir vent de l'heure et du lieu de leur opération. Karrde protégeait toujours ses sources.) Le commandement va vous exposer le plan.

— Karrde nous l'a déjà exposé, dit Bel Iblis. On pensait vous laisser créer une percée, puis prendre position en tir croisé de part et d'autre du corridor d'évasion. Ensuite, on reprendrait la tête, mais nous ne sommes pas sûrs de la manière dont le nouveau matériel va se comporter…

— Et tout ceci doit apparaître comme une opération montée par les Jedi, termina Luke, devinant les intentions de son interlocuteur. (Il y avait apparemment quelqu'un qui se donnait du mal pour redorer le blason des Chevaliers aux actualités holographiques.) Merci, en tout cas.

— Nous sommes prêts à affecter un escadron pour soutenir les Chevaliers Errants au cours de la mission. Les Rogue, par exemple, proposa Wedge. Il est préférable qu'ils n'apparaissent pas sur les retransmissions de l'HoloNet, de toute façon.

Même si le lien qu'il entretenait avec sa sœur n'était pas aussi fort que celui qu'il partageait avec Mara, Luke sentit une vague de soupçon en provenance de Leia. Toute cette opération commençait à porter la marque de Borsk Fey'lya. Ce qui souleva automatiquement la question de ce que le Chef de l'Etat attendait en retour et des doutes sur l'identité de ceux qui pouvaient être au courant de l'opération. Une bataille toute simple était en train de prendre des allures de plus en plus compliquées. Mais l'offre de Wedge était bien trop généreuse pour être refusée.

— Siffleur ? Qu'est-ce que tu en penses ? demanda Luke. Tu veux toujours essayer de choper ce yammosk ?

— Plus que jamais, répondit Saba. Ce serait même un honneur que de chasser aux côtés du colonel Darklighter.

— Bon, vous deux, arrangez-vous entre vous pour les détails, dit Luke. A tous les autres, vérifiez vos coordonnées de saut et n'hésitez pas à désintégrer tout ce que vous rencontrerez et qui ressemblerait de près ou de loin à un rocher. Contrôle ? Quand vous voulez...

— Ici Contrôle, dit Corran. Transmission immédiate des coordonnées des routes d'évasion de Talfaglio. Escadron Apôtres, hyperespace à mon signal. Trois, deux, un, top !

Les Apôtres de Kyp filèrent en avant dans un éclair de traînées ioniques bleutées et disparurent dans l'hyperespace. Luke changea à nouveau les réglages de son écran tactique pour afficher les environs de Talfaglio. Une minute plus tard, il vit l'escadron pénétrer dans le système et foncer vers les signaux lumineux jaunes représentant les appareils Yuuzhan Vong retenant les vaisseaux des otages en orbite. Le puits gravifique de la planète Talfaglio les empêcherait d'émerger en plein champ de bataille, mais Luke savait que Corran avait besoin de quelques minutes pour calculer avec précision l'arrivée de leur propre flotte.

Les Apôtres s'approchèrent du blocus et Kyp ordonna à son escadron de resserrer la formation. Les vaisseaux plongèrent sur le croiseur léger le plus proche. Une demi-douzaine de corvettes Vong abandonnèrent leurs postes pour défendre le plus gros vaisseau et de longues langues de plasma se mirent soudainement à jaillir du croiseur lui-même. Sur l'écran, les Apôtres semblèrent fusionner en un seul et même témoin lumineux et continuèrent d'avancer. Les pilotes tanguaient et viraient comme un seul homme, se remplaçant régulièrement à la tête de la formation pour présenter en permanence un front de boucliers à pleine puissance face à leurs ennemis.

L'escadron de Kyp commença à décocher des rayons laser bleutés sur le croiseur léger. D'autres corvettes ennemies foncèrent alors sur les Apôtres, abandonnant les positions de défense qu'elles occupaient dans le blocus. Jusqu'ici, tout allait bien. Les Yuuzhan Vong semblaient penser qu'il s'agissait encore d'une opération isolée, d'une tentative désespérée de sauver les réfugiés condamnés.

Une paire de torpilles à proton fusa de l'escadron d'Ailes-X et disparut presque instantanément, avalée par les boucliers du croiseur. Il y eut un nouvel échange de laser et de rayons au plasma, suivi d'une décharge de parasites causée par l'explosion d'une bombe furtive Jedi. Il s'agissait d'une variante d'une tactique régulièrement utilisée par Kyp pour faire passer ses torpilles à travers les défenses ennemies. Les bombes furtives étaient en fait des torpilles à proton sans gaz propulseurs et chargées de baradium. Elles étaient équipées de détonateurs standard de proximité et guidées jusqu'à leur cible par le truchement de la Force. Ces projectiles étaient bien plus puissants que les torpilles ordinaires, et difficiles à détecter au cours d'un combat.

L'escadron de Kyp désintégra le croiseur au moyen de deux autres torpilles protoniques, puis traversa en trombe le champ de débris, laissant croire à ses adversaires qu'il s'apprêtait à prendre la fuite. Un flot continu de vaisseaux de réfugiés commença à quitter l'orbite, profitant de la brèche causée par l'attaque. Il ne fallut que très peu de temps aux Yuuzhan Vong pour se ressaisir. Des vaisseaux de patrouille se précipitèrent pour resserrer les liens du blocus.

— Contrôle ? Il est temps de porter l'estocade, annonça Luke dans son micro.

— Bien compris, Fermier. (Corran donnait l'impression d'être gêné à chaque fois qu'il devait prononcer le nom de code de Luke.) Forces d'intervention de la Nouvelle République, escadrons des Shockers et des Sabres, préparez-vous à sauter aux coordonnées qui vous ont été assignées à mon signal.

L'escadron Sabre était celui de Luke. Il était constitué de lui-même, de Mara, de sept vétérans non-Jedi et d'une demi-douzaine de jeunes pilotes Jedi récemment recrutés. Leur mission était de couvrir les actions de l'escadron des Shockers, constitué de pilotes plus expérimentés, pendant que celui-ci s'en prenait à la flotte d'assaut ennemie.

— Trois, deux, un, top !

Luke poussa la commande des gaz et regarda les étoiles s'étirer en longues lignes convergentes.

— Sois prudent, p'tit gars ! lança Han dans son communicateur. On vient juste de finir d'élever trois Jedi. On n'a pas besoin que tu nous en colles un quatrième.

— Han ! C'est...

Le point orange de Talfaglio disparut dans la brume dépourvue de couleurs de la route hyperspatiale et la remarque de Leia fut perdue dans la brusque procédure du saut. Luke sentit la présence de Mara juste derrière lui, occupée à procéder calmement à des vérifications de dernière minute de ses circuits de préchauffage, tout en conservant son attention sur la bataille à venir. Il n'avait pas été nécessaire de discuter de l'utilité de voler côte à côte au combat. Luke et Mara constituaient une équipe à un point que même Han et Leia ne pouvaient comprendre. Et ils avaient constaté à plusieurs reprises que chacun d'eux améliorait ses chances de survie lorsque l'autre était présent.

Le flou hyperspatial s'estompa, les lignes des étoiles se figèrent et Talfaglio apparut par la verrière du chasseur de Luke. Un petit croissant orangé flottant près du disque brillant du soleil écarlate du système. La flottille avait sauté aussi près que possible du puits gravifique de Talfaglio, mais la bataille était encore loin et n'était pour l'instant qu'un faible maillage de rayons laser et de traînées de plasma, illuminant les ténèbres à l'autre bout de la planète. La flotte d'assaut ennemie n'était, pour l'instant, pas encore visible à l'œil nu, mais Luke la repéra très rapidement sur son écran tactique. Certains vaisseaux avaient déjà procédé à un micro-saut, franchissant les lignes Jedi afin de s'attaquer à la route d'évasion empruntée par les convois de réfugiés.

Rigard Matl emmena ses Shockers vers le blocus à une vitesse proche de celle de la lumière, sa tactique d'assaut de prédilection, qui avait donné son nom à son escadron. Les Sabres perdirent suffisamment de vélocité pour assumer leurs positions de défense. L'écran tactique montra les destroyers stellaires de la Nouvelle République en train de ralentir le long de la voie d'évasion des réfugiés. Ils avaient chacun gardé comme escorte une frégate et deux escadrons de chasseurs stellaires à courte portée. Le reste de la flottille fonça vers Talfaglio à la suite des Sabres.

Par sa verrière, Luke vit la bataille grandir, d'un petit assemblage de rayons lumineux jusqu'à atteindre la taille d'une lune, striée de traînées de plasma et d'éclairs de laser. Les vaisseaux du blocus étaient toujours en train de se resserrer autour des Apôtres de Kyp, vomissant du feu sur l'escadron de toutes les directions. Les Apôtres allaient et venaient à l'intérieur du périmètre de combat, partageant leurs boucliers déflecteurs et n'utilisant leurs lasers que contre les grutchins et les missiles au magma. Il n'y avait que neuf Ailes-X visibles. Luke invoqua la Force et repéra les trois pilotes manquants éparpillés sur le champ de bataille, seuls, effrayés, abandonnés dans l'espace dans leurs combinaisons pressurisées. Il ordonna à R2-D2 d'envoyer un message aux équipes de sauvetage et essaya de ne pas penser à ce qu'il adviendrait des malheureux s'ils étaient soudain touchés par un tir de plasma perdu ou une traînée ionisée de réacteur.

Le vaisseau de blocus le plus proche quitta son poste et vint à la rencontre des Shockers. Ceux-ci décochèrent un essaim de torpilles à proton et continuèrent leur progression. Les projectiles atteignirent leurs cibles presque instantanément. Deux corvettes explosèrent, leurs équipes chargées des boucliers n'ayant pas eu le temps de réagir face à l'arrivée des missiles. Huit vaisseaux de plus éjectèrent des cadavres et des débris dans l'espace lorsque les détonateurs de proximité se déclenchèrent juste à côté de leurs coques. Et les Shockers réussirent leur percée. Ils traversèrent la zone défendue par les Apôtres et gagnèrent le versant opposé du blocus en pleine déconfiture.

Luke emmena son escadron dans la faille créée par les Shockers. Ils ne gaspillèrent pas d'énergie à essayer de modifier leurs compensateurs d'inertie. Les basals dovins des corvettes étaient suffisamment costauds pour aspirer leurs boucliers. Deux appareils ennemis se dressèrent soudain en travers de leur chemin. Luke largua une bombe furtive. Il volait beaucoup trop vite pour ouvrir ses ailerons en position d'attaque. Il se servit de la Force pour guider le projectile en direction du deuxième vaisseau. Bien entendu, il n'avait pas eu besoin de dire à Mara qu'elle devait se charger du premier. Luke savait intimement qu'elle emploierait la même tactique. Une seconde plus tard, des détonations simultanées de charges à proton déchiquetèrent les parois des deux corvettes.

Wow ! pensa Mara.

Le basal dovin d'une autre corvette s'agrippa aux boucliers de Luke. Un signal d'alarme retentit dans son cockpit. Mara manœuvra pour rapprocher son chasseur et le protéger, histoire de laisser le temps à R2-D2 d'enclencher les systèmes de secours. Le troisième membre de leur formation défensive, le jeune Tam Azur-Jamin, détruisit l'attaquant avec l'une de ses propres bombes furtives.

— Merci, Silencieux ! lança Luke dans son micro.

Tam fit cliqueter son émetteur, une réponse bien volubile pour ce réticent Jedi au nom de code évocateur, et les trois chasseurs mirent le cap sur la zone où Kyp était encerclé. Des douzaines de convois de réfugiés commençaient déjà à quitter l'orbite de Talfaglio, leur désir forcené de s'échapper leur donnant suffisamment de courage pour traverser le champ de bataille. Se déplaçant toujours à une vitesse proche de celle de la lumière, les Sabres dépassèrent un trio d'Ailes-X appartenant aux Apôtres.

La voix surexcitée de Kyp Durron retentit sur le canal tactique :

— On est juste derrière toi, Fermier !

— Négatif, Chasseur de Tête, négatif, ordonna Luke. (Si Kyp s'était rendu compte qu'il avait déjà perdu trois pilotes, le ton de sa voix ne le trahissait pas.) Tu as déjà perdu trois gars. Reste ici et protège les réfugiés.

— Protéger ? Mais nous sommes les plus expérimentés pour...

— Chasseur de Tête, l'interrompit Luke d'un ton sévère. Tu as tes ordres.

Il y eut un moment de silence et Kyp répondit :

— Bien compris.

La frustration de Kyp flotta un moment dans la Force comme l'odeur âcre d'une mauvaise brûlure au blaster. Luke fut troublé par le manque persistant de compassion du chef des Apôtres. Si Kyp devait un jour...

Skywalker ! La pensée de Mara explosa tel un cri dans la tête de Luke. *On est en plein combat, là !*

Désolé.

Une intuition suggéra à Luke de larguer trois bombes furtives. Il s'exécuta. Il s'abandonna totalement à la Force et le déroulement de la bataille sembla alors continuer au ralenti. Un trio de corvettes à coque noire fonçait vers eux selon trois vecteurs convergents, emplissant l'espace de missiles au magma et de grutchins. Luke continua de voler en ligne droite et sentit une question se formuler dans l'esprit de Mara. La question se transforma en approbation lorsque, détournant une onde de la Force, il envoya un missile au magma frapper un grutchin de plein fouet.

Luke ressentit alors le besoin de protéger sa proue. Il ordonna à R2-D2 de dévier toute l'énergie des boucliers déflecteurs sur l'avant de l'appareil. Une petite tache rouge jaillit d'un des nodules de la corvette la plus proche et, étant donné la vitesse de l'escadron, se transforma rapidement en boule de plasma. Son champ de vision complètement bloqué, Luke ferma les yeux et fit mentalement appel au reste de l'escadron, utilisant leurs perceptions pour guider la bombe furtive jusqu'à sa cible. Par l'intermédiaire des yeux de ses équipiers, il vit l'éclair aveuglant produit par l'explosion de son projectile. Son Aile-X tressaillit lorsque la boule de plasma s'écrasa contre ses boucliers avant.

Luke perçut alors une sensation d'inquiétude dans cette partie de son cœur qu'il allouait à son épouse. La sensation fut bientôt suivie d'un vif éclair de reproche.

La prochaine fois, essaie d'esquiver !

R2-D2 siffla un avertissement et coupa le générateur de bouclier en pleine saturation pour lui permettre de refroidir. Luke se glissa entre Mara et Tam, plus pour rassurer sa femme que pour se rassurer lui-même. Il se sentait tellement investi par sa mission qu'il aurait pu continuer à se battre sans boucliers déflecteurs. Ils traversèrent une zone où dérivaient d'autres épaves de corvettes. Apparemment, Luke n'avait pas été le seul dans son escadron à s'en prendre aux vaisseaux du blocus. Ils gagnèrent les limites du périmètre de l'embargo et suivirent les Shockers de l'autre côté de Talfaglio.

La flotte d'assaut ennemie avança ses frégates pour former un écran de défense, préférant ne pas gaspiller ses coraux skippers, espérant bien les lancer plus tard pour reprendre le corridor d'évasion avant la fin des hostilités. Avec huit escadrons de chasseurs stellaires de la Nouvelle République, deux croiseurs et quelques frégates à ses côtés, Luke chargea sur l'ennemi tout en demandant des tirs de soutien à longue portée.

Les croiseurs et frégates de la Nouvelle République strièrent les ténèbres cosmiques d'éclairs de turbolaser. L'ennemi répondit par des boules au plasma et des missiles au magma. Les escadrons Jedi continuèrent d'avancer, se reposant sur leurs aptitudes à piloter, leur intuition face au danger et leur partage des boucliers déflecteurs pour se frayer un chemin à travers le feu nourri. Deux Shockers firent demi-tour après avoir échappé de justesse à une destruction totale. L'un des coéquipiers de Luke perdit l'un de ses ailerons suite à une attaque de grutchins et fut obligé de s'éjecter dans l'espace. Les Shockers attaquèrent de plein fouet l'écran de protection formé de corvettes ennemies.

Et l'Aile-X de Rigard Matl disparut dans une boule de feu.

Les Shockers rompirent la formation. Les chasseurs

s'éparpillèrent au petit bonheur dans toutes les directions, leurs pilotes complètement déboussolés par la perte soudaine de leur chef. Luke projeta ses pensées jusqu'au cœur de la boule de feu et perçut, l'espace d'un instant, une insupportable sensation de brûlure. Puis il ressentit un calme étrange, une présence familière. Il se concentra sur ce calme si particulier et obtint la confirmation de ce qu'il suspectait déjà : Rigard avait survécu à l'explosion en s'éjectant juste à temps.

Luke voulut transmettre la bonne nouvelle au reste de l'escadron, mais la voix de Rigard, chargée de parasites, crachota sur le canal d'urgence :

— Ressaisissez-vous, Shockers ! (Il semblait blessé, mais confiant.) Vous me faites honte, là...

Sa voix disparut dans un crépitement lorsque la section d'assaut dépassa la portée limitée de l'unité de communication de la combinaison pressurisée. Les Shockers, penauds, se rassemblèrent prestement et s'organisèrent en trois trios de défense avant de reprendre leur avancée. La Force était vraiment avec eux, aujourd'hui. Les Jedi, pour l'instant, ne recensaient aucune perte.

Le noyau dur de la flotte Yuuzhan Vong se trouvait à présent devant eux, une demi-douzaine d'énormes rochers en corail yorik réfléchissant les rayons du soleil écarlate de Talfaglio. Le porte-skips et l'un des croiseurs étaient en train de prendre position juste derrière le principal vaisseau de guerre. Les trois autres croiseurs se placèrent devant lui et larguèrent leurs escadrons de skips. Luke envoya, par l'intermédiaire de R2-D2, les coordonnées du croiseur de poupe aux destroyers stellaires républicains afin de relayer les informations à Saba par canal subspatial. Il brancha alors son micro pour s'adresser aux Shockers et aux Sabres :

— Laissez tomber les skips. Réglez vos compensateurs d'inertie au maximum de leur puissance et foncez au travers des escadrons. Concentrez-vous sur le porte-skips. (De tous les vaisseaux de la flotte d'assaut, l'appareil de transport représentait le plus grand danger pour les convois de réfugiés et les membres des escadrons de la Nouvelle République.)

Laissons-leur croire que nous en avons après le croiseur qui se trouve à gauche, et puis nous déploierons tous nos missiles sur notre véritable cible dès que l'angle de tir sera suffisamment dégagé.

Alors que les équipiers des escadrons renvoyaient leurs messages de confirmation, les croiseurs ennemis apparaissaient déjà, losanges noirs de corail yorik longs comme le bras. Des nuées de boules de plasma jaillirent de leurs nodules et vinrent exploser contre les boucliers des Ailes-X qui ne cessaient d'alterner leurs positions. Les premiers skips plongèrent à leur tour dans le feu de la bataille.

— Séparez-vous en trios, ordonna Luke. Faites tout le nécessaire pour économiser vos boucliers.

La première vague de coraux skippers fut bientôt à portée de tir. Les engins ennemis lancèrent leurs projectiles au plasma et déclenchèrent les perturbations visant à aspirer les boucliers de leurs adversaires. Deux d'entre eux se volatilisèrent en croisant accidentellement la ligne de mire d'un de leurs propres alliés. Les Ailes-X franchirent la barrière initiale, progressant toujours à une vitesse proche de celle de la lumière. Une vélocité bien trop élevée pour permettre aux skips de faire demi-tour et de se lancer à leur poursuite. Les Shockers mirent le cap sur le croiseur de gauche. Le capitaine Yuuzhan Vong engagea son engin dans un virage serré, tentant désespérément de présenter son flanc aux assaillants afin d'utiliser toute la puissance de ses basals dovins et de ses nodules d'artillerie.

R2-D2 informa Luke qu'ils venaient d'arriver à portée de torpilles à proton du porte-skips. Mais le vaisseau de guerre amiral se trouvait toujours entre eux et la cible. Les armes du flanc du croiseur entrèrent en action, emplissant les ténèbres de nuages étincelants d'énergie pure et d'ouragans de feu jaillissant en spirales.

— A tous les trios, rompez les formations ! ordonna Luke.

Il esquiva sur la droite, vérifia son écran tactique, découvrit que le vaisseau amiral protégeait toujours le porte-skips, lui-même en train de mettre le cap sur le corridor d'évasion des réfugiés.

Luke serra les dents de colère, puis sentit une idée germer dans l'esprit de Mara.

— Vas-y, Mara, tu as le champ libre.

— A tous les pilotes, concentrez votre feu sur le croiseur, ordonna Mara. Lancez toutes vos torpilles à proton et retournez à couvert.

Dans la brève période d'hésitation qui suivit l'ordre de Mara, un grutchin s'accrocha à l'Aile-X d'un des Shockers et commença à en dévorer l'aile. Le pilote, un vétéran, fit sauter la verrière de son cockpit et s'éjecta dans l'espace. Le chasseur stellaire explosa.

— Exécution ! gronda Mara.

Les échappées bleues des traînées ionisées de plusieurs douzaines de torpilles fusant vers le croiseur strièrent les cieux. Une ligne d'anomalies gravifiques se matérialisa sur le flanc de l'appareil ciblé et engloutit la plupart des projectiles. Mais il fut instantanément évident que les systèmes de défense du croiseur Vong étaient saturés.

Une longue queue de flammes blanches apparut derrière l'un des moteurs du chasseur de Mara. L'Aile-X exécuta un tonneau pour s'écarter du champ de bataille. Luke suivit immédiatement, éprouvant une soudaine inquiétude jusqu'à ce qu'il sente son épouse invoquer la Force. Il comprit alors ce qu'elle était en train de faire.

Belle feinte. La remarque ne venait pas de Luke, mais de Tam, toujours occupé à superviser les boucliers du trio.

— C'est Izal qui t'a appris ça ? demanda-t-il à voix haute.

Oui, songea Mara. Luke la sentit un peu perplexe à l'idée que Tam était à même de partager leurs pensées.

— Ça fait longtemps que tu écoutes nos conversations mentales à Luke et à moi ?

Le jeune homme leur adressa l'équivalent psychique d'un haussement d'épaules. *Ce n'était pas dans mes intentions…* Le père du jeune Durosien – le Jedi Daye Azur-Jamin – avait disparu sur Nal Hutta près d'un an auparavant. Depuis ce temps, Tam – jeune navigateur recruté comme pilote de chasseur – avait eu toutes les peines du monde à empêcher les

351

pensées des gens en sa présence de pénétrer son esprit. *Il faut dire aussi que, tous les deux, c'était un peu comme si vous étiez en train de… CRIER.*

L'échange psychique avait peu duré. Juste assez pour que les salves de torpilles à proton de l'escadron atteignent le croiseur ennemi. Un éclair aveuglant engloutit le trio et l'écran tactique de Luke se couvrit de parasites. R2-D2 s'employa immédiatement à contrer les décharges électromagnétiques de l'explosion.

Le nuage étincelant de Force qui traînait dans le sillage des moteurs de Mara prit soudain la forme d'un immense globe entourant les trois chasseurs.

— Allez, les gars, coupez vos subluminiques.

Luke appuya sur le bouton, ce qui déclencha un sifflement inquiet de la part de R2-D2.

— Tout va bien, R2, expliqua-t-il. Ça fait partie du plan de Mara.

R2 répondit d'un trille très sec. Luke vérifia la traduction sur son moniteur.

— Bien sûr que tu n'es pas au courant de ce plan. Il n'a pas été exposé sur les canaux ordinaires de communication.

R2-D2 émit un grincement dubitatif.

— Fais-moi confiance, R2. Il y a bien un plan.

— Bon, il est temps d'agir, lança Mara. Suivez-moi.

Luke sentit son épouse rassembler les ondes de la Force. Il vit alors son Aile-X, moteurs éteints, s'élever lentement à l'intérieur du globe lumineux. Il la suivit immédiatement et regarda derrière lui pour vérifier si Tam en faisait autant. Mara laissa alors la sphère lumineuse dériver en spirale. Constatant qu'ils avaient réussi à ne pas attirer l'attention des Yuuzhan Vong, elle désintégra mentalement l'anomalie en un éclair final de lumière aveuglante.

Luke releva les yeux et vit qu'ils se trouvaient à moins de mille mètres sous la silhouette bardée de pointes du porte-skips. Des escadrons entiers de skips étaient encore attachés à ses quinze bras de largage. Le grand vaisseau de guerre, toujours en amont du transporteur, ne semblait pas avoir, non plus, remarqué la présence des trois appareils républicains.

Luke voulut féliciter Mara pour sa stratégie, mais elle l'interrompit :

— Tu t'attendais à quoi, Skywalker ? Le subterfuge est ma spécialité.

R2-D2 lança un signal d'alarme et afficha un avertissement concernant les senseurs de leurs adversaires.

— Je sais qu'ils peuvent nous détecter, répondit Luke. Mais cela sèmera la confusion chez eux pendant au moins une seconde. Et une seconde, c'est tout ce dont nous avons besoin.

Mara largua ses bombes furtives, puis invoqua la Force pour les projeter en direction du monstrueux vaisseau. Les projectiles de Tam suivirent juste derrière. Luke était encore en train de lâcher ses propres missiles lorsque se produisit la première explosion, au niveau de l'anneau central du porte-skips.

Danni se sentit soulevée dans son harnais de sécurité. Luttant pour conserver son petit-déjeuner dans son estomac, elle se demanda alors si la révision complète de la barge d'assaut avait été une si bonne idée que cela. Chaque soudure avait été vérifiée par les droïdes de maintenance de la base Eclipse et la structure inspectée par des ingénieurs spatiaux. Wonetun leur avait déclaré qu'il pouvait piloter le lourd appareil aussi facilement que s'il s'agissait d'un chasseur stellaire et avait programmé les compensateurs d'inertie sur quatre-vingt-douze pour cent. Le Brubb lança l'engin dans un virage au vecteur si serré que Danni sentit son sang quitter l'extrémité de ses doigts. Elle ferma les yeux très fort, pensant que ses globes oculaires allaient bientôt jaillir de leurs orbites. Cette révision, ce n'était vraiment pas une bonne idée, songea-t-elle. Quelque chose craqua dans la trappe technique qui se trouvait sous ses pieds. Pas une bonne idée du tout.

Un éclair distant illumina le hublot de proue. Danni rouvrit les yeux et vit les sphères immaculées des explosions de trois torpilles à proton se volatiliser en une fraction de seconde. Les Chevaliers Errants avaient surgi de l'hyperespace bien au-delà du plan orbital de Talfaglio. La barge avait roulé sur elle-même avant de fondre sur la zone de combat, donnant l'impression de plonger la tête en bas. Une autre explosion de proton illumina les ténèbres, détruisant l'anneau central du vaisseau de transport Vong. Les bras de largage, arrachés à la coque, tourbillonnèrent dans l'espace. Des coraux skippers en flammes se mirent à dériver dans toutes les directions.

— Ah, Maître Skywalker. Il a l'air d'apprécier la partie de chasse, dit Saba. (Elle ajusta un collimateur de visée sur son œil et balaya le hublot de proue avant de le braquer sur un croiseur Yuuzhan Vong qui avançait au milieu des débris.) Voici notre petit vaisseau timide, Danni. Vérifions s'il contient bien ce que nous cherchons…

Danni relaya l'information de ses senseurs vers le collimateur. Une douzaine de flèches indiquant des perturbations gravifiques apparurent et se mirent à danser sur l'écran.

— Affirmatif, annonça Danni. Il y a bien un yammosk à son bord.

— Pas pour longtemps, siffla très fortement Saba. (Elle transmit les coordonnées aux Rogue et au reste des Chevaliers Errants.) Voici notre cible. Faites bien attention à son gros protecteur.

Le vaisseau amiral ennemi se trouvait juste devant le croiseur du yammosk, vomissant des salves continues de balles de plasma et de missiles de magma vers la flottille de la Nouvelle République, qui lui coupait la retraite. Heureusement, le *Mon Mothma* et l'*Elegos A'Kla* avaient eu rapidement raison du barrage dressé par les Yuuzhan Vong et étaient tous deux en train d'accélérer pour soutenir le reste de la flotte républicaine.

Un torrent de données sautillantes attira les yeux de Danni sur son moniteur holographique.

— Ils nous ont repérés.

Quinze éclats de corail yorik, de forme oblongue, jaillirent du croiseur et vinrent à leur rencontre. Leurs nodules d'artillerie lancèrent du feu de plasma et des missiles au magma dans toutes les directions. Danni eut l'impression que leur appareil venait de plonger à travers une étoile.

Wonetun lança la barge d'assaut dans un tourbillon furieux et suivit le reste de l'escadron dans la bataille. Izal Waz enclencha la mise à feu des quatre turbolasers de sa batterie. Danni empoigna les bras de son fauteuil, essayant d'accompagner du mieux qu'elle pouvait les évolutions démentes que Wonetun imposait à l'engin, heurtant à chaque nouvelle inversion les boucles de son harnais de sécurité. Les flèches des signaux gravifiques de son écran holographique s'affolèrent.

— Préparez les leurres et les missiles à fragmentation !

— Parés !

La réponse venait de provenir à la fois du *Faucon Millennium* de Han Solo et de la *Dame Chance* de Lando Calrissian, qui volaient juste derrière la barge d'assaut, l'un au-dessus de l'autre.

— Ailes-X, préparez vos torpilles, dit Saba. Ne visez que le croiseur. Ignorez les skips.

— Chevaliers Errants parés ! annonça Drif Lij dans son micro.

La communication était plus particulièrement destinée aux Rogue, plus qu'à l'escadron de Saba. La Force était si dense que les Chevaliers Errants pouvaient percevoir la détermination de tous leurs collègues pilotes. Les Rogue, eux, devaient s'en tenir à des méthodes de communication plus conventionnelles.

— Rogue parés, confirma Gavin Darklighter.

La voix de Luke Skywalker s'éleva sur le réseau tactique :

— Les Shockers et les Sabres se regroupent sous le croiseur. Nous n'avons plus de torpilles, mais nous émettrons des interférences dès que le vaisseau de guerre commencera à lancer ses skips.

— Merci, Fermier, répondit Saba.

Soudain, toutes les données affichées sur l'écran de Danni tombèrent à zéro.

— Le yammosk s'est calmé. (Elle releva la tête et vit le croiseur en train de virer de bord pour présenter son flanc aux appareils en train de l'attaquer par le haut. Comment pouvait-il disposer d'une puissance de feu supérieure à celle de tous les appareils réunis pour l'attaquer ? Une question à laquelle Danni ne parvenait pas à répondre.) Il va se passer quelque chose...

— Oui. Le vaisseau de guerre est en pleine décélération et il largue ses skips, ajouta Wonetun.

— Nous les avons convaincus de rester et de livrer bataille, dit Saba. (Elle ouvrit un canal sur le réseau tactique.) Ici Siffleur…

— Non, ce n'est pas cela, l'interrompit Danni. (Elle ferma les yeux, faisant appel à une vieille technique Jedi de concentration pour l'aider à mieux analyser ses données, à comprendre comment les éléments s'assemblaient entre eux. Ils se trouvaient trop près de Talfaglio pour exécuter un micro-saut. Avec deux destroyers stellaires en approche pour soutenir les appareils de la Nouvelle République, le yammosk avait dû se rendre compte qu'il n'y avait plus aucun espoir de mettre le cap sur le corridor d'évasion. Elle brancha son propre micro sur le canal tactique.) Ils vont quand même tenter un micro-saut pour s'écarter de la bataille.

Saba tourna un regard très reptilien vers Danni.

— Les Yuuzhan Vong ne détalent pas.

La voix inquiète de Corran Horn s'éleva à son tour sur le réseau tactique :

— A toutes les unités, rompez la formation. (Le *Joyeux Drille* se trouvait bien au-dessus du plan orbital de la planète, se servant de ses capteurs à longue portée pour superviser la bataille.) Ils vont essayer de vous éperonner au passage…

— Contrôle, donnez-nous une minute, dit Wedge Antilles. Il y a quelque chose que nous aimerions tenter de notre côté. Siffleur, demandez à votre escadron de lancer ses missiles.

Saba n'eut pas besoin qu'on le lui dise deux fois. Elle donna l'ordre. Les cercles brillants d'une vingtaine de traînées de propulsion strièrent les cieux et semblèrent soudain se démultiplier à l'infini lorsque les leurres se déployèrent à leur tour.

Le croiseur termina son virage et commença à accélérer. Toutes les données de l'écran de Danni montèrent vers le maximum et les flèches signalant les courants gravifiques se braquèrent sur la flottille de la Nouvelle République. L'appareil de détection claqua et crépita, émettant alors un nuage de fumée âcre, avant de s'éteindre définitivement. Danni appuya sur l'interrupteur d'urgence, mais elle comprit, à l'odeur de circuits brûlés, qu'il était trop tard pour sauver le précieux calculateur. Elle se tourna vers Saba pour répondre à la question qu'elle sentait venir.

— Surtension gravifique. Quelque chose a saturé les circuits.

— Apparemment.

Saba retroussa ses lèvres crénelées et émit un sifflement strident avant de se tourner vers la proue. Wonetun continuait d'exécuter des tonneaux en direction de l'ennemi et le croiseur vers lequel ils fonçaient semblait rebondir d'un bord à l'autre de la verrière du cockpit. L'engin avait cessé de tirer et semblait pivoter autour de l'axe de son étrave. La première vague de missiles le rejoignit. Les traînées ionisées se mirent à converger précipitamment, indiquant que les systèmes de guidage des projectiles modifiaient en permanence les caps de ciblage pour ajuster les trajectoires.

Danni se dit alors qu'il s'agissait d'une curieuse tactique d'esquive venant des Yuuzhan Vong. C'est alors que la deuxième vague de projectiles s'approcha du croiseur sans rencontrer la moindre opposition et explosa contre sa coque.

— Désarmez les missiles ! cria Danni. (Elle se pencha vers l'écran tactique de Saba et se rendit compte que le puissant vaisseau de guerre était en train d'échapper au contrôle de ses pilotes.) Désarmez-les tout de suite, nous risquons de désintégrer le yammosk !

— Tu as intérêt à ne pas te tromper à ce sujet, l'avertit Saba, transmettant immédiatement son code de désactivation. Sinon cette Barabel te dévorera le bras !

Danni eut l'impression que Saba ne bluffait pas.

— J'en suis certaine.

Le croiseur se cassa en trois morceaux et des corps furent éjectés dans l'espace. La salve suivante de missiles convergea vers l'appareil, heurta la coque et n'explosa pas. Danni osa respirer à nouveau. Elle ouvrit un canal de communication avec le *Mon Mothma*.

— Général Antilles, l'un de vos vaisseaux ne serait-il pas, par hasard, un Interdictor ?

— Cette information est classée secrète, obtint-elle en guise de réponse. Mais nous pouvons imaginer avec une certaine confiance que, dans la situation actuelle, nous souhaiterions bien qu'ils exécutent leur micro-saut...

Pendant que le Général Antilles était en train de répondre, la flottille de la Nouvelle République ouvrit le feu de tous ses lasers sur l'engin ennemi, réduisant ses défenses à néant afin de pouvoir l'aborder. Luke, Mara et le reste des chasseurs de la base Eclipse s'écartèrent de la zone et filèrent vers l'arrière pour escorter les convois de réfugiés jusqu'à la sortie du système.

Maintenant que leurs cibles semblaient inoffensives, Wonetun rétablit la course de la barge d'assaut sur une trajectoire plus rectiligne. Han et Leia, Lando et Tendra, respectivement à bord du *Faucon* et de la *Dame Chance*, vinrent se ranger à ses côtés.

Saba se tourna dans son fauteuil pour faire face à Danni.

— On sait maintenant pourquoi ton équipement a explosé ?

Danni hocha la tête. La technologie dite d'Interdiction n'avait rien de très nouveau. Les impériaux s'en servaient déjà pendant la Rébellion pour projeter des puits gravifiques artificiels au milieu de la flotte rebelle afin d'empêcher les appareils de s'enfuir. Ce qui était nouveau, en revanche, c'était que les destroyers stellaires républicains n'étaient pas supposés être équipés des dômes de projection jadis installés sur les vaisseaux Interdictors. En surprenant les Yuuzhan Vong et en faisant coïncider leur attaque avec la tentative de micro-saut de l'adversaire, ils avaient réussi à mettre les deux vaisseaux de guerre ennemis en déroute.

Danni ouvrit un canal vers la *Dame Chance*.

— Parieur ? Vous pouvez envoyer vos droïdes à bord du croiseur ? J'aimerais rapidement savoir s'il reste quelque chose de notre yammosk.

Lando envoya un signal de confirmation.

— Le yammosk est là, Danni Quee, tu peux en être sûre, dit Saba. Instantanément congelé par le froid cosmique et prêt à être embarqué par nos soins. (Elle se frappa la cuisse d'un grand revers de la main et siffla pour une raison que seul un Barabel pourrait comprendre. Puis elle se tourna pour regarder Wonetun amener leur barge juste derrière la *Chance* et le *Faucon*.) La Force est avec nous, aujourd'hui.

29

La venue de Tsavong Lah n'était pas rare à la Grande Mastication – c'était ainsi que les officiers avaient baptisé avec affec-
tion leur mess à bord du *Sunulok* – et il comprit que la soudaine
vague de silence pesant qui tomba sur la salle n'était pas causée
par sa seule présence, mais par l'arrivée d'une autre personne. Il
ne se retourna pas pour voir de qui il s'agissait. Cela aurait
impliqué qu'il était curieux, ce qui n'était pas du tout son genre.
Le Maître de Guerre continua d'observer le plat rempli de
yanskacs qu'il avait devant lui. Ses yeux étaient fixés sur un
appétissant spécimen doté d'une arête dorsale épineuse de près
de huit centimètres. La créature sembla soudain comprendre
qu'on était en train de la regarder et releva sa queue en position
d'attaque, mais elle ne fit aucun mouvement pour s'enfouir au
milieu de ses congénères, comme les vieux et sages yanskacs
avaient l'habitude de le faire. Ce spécimen semblait digne de lui,
une authentique créature de Yun-Yammka.

Les voix les plus proches de Tsavong Lah se turent et il y eut
un bruit de pas juste derrière le Maître de Guerre. Il leva un bras,
signalant au nouvel arrivant d'attendre. Puis il plongea la main
dans le plat et saisit le yanskac par les épines de sa queue. Au lieu
de se tortiller pour tenter de s'échapper, la chose se cabra et
planta son arête dorsale dans les doigts du Maître de Guerre.
Deux aiguillons heurtèrent les os de ses phalanges et un autre se
logea juste au niveau de l'articulation avant d'y injecter son

venin. Une décharge se répercuta tout au long du bras de Tsavong Lah jusqu'à son épaule. La douleur était exquise.

Les épines toujours plantées dans ses doigts, le Maître de Guerre se leva et marcha jusqu'au comptoir de service. Là, il brava les pinces acérées de la créature pour l'éviscérer, puis il la jeta dans le brasier, toujours vivante, afin qu'elle cuise à l'étouffée dans ses propres écailles. Il jeta les entrailles sur le sol à l'intention des kaastoags, ces petits animaux nécrophages chargés du nettoyage, et ceux-ci se disputèrent la pitance à grands coups de tentacules et de dards. C'étaient là les cadeaux que les dieux accordaient aux individus les plus forts : le combat, la douleur, la vie, la mort. Tsavong Lah nettoya ensuite son coufee dans une jarre de venogel et en passa le tranchant sur la paume de sa main afin d'en sanctifier la lame. Il tourna alors les talons pour faire face au nouvel arrivant.

— Oui ? (A sa grande surprise, il constata qu'il ne s'agissait pas d'un messager, mais de l'une de ses ravissantes assistantes chargées des communications, qui affichait d'honorables brûlures noires lui barrant les joues.) Tu peux parler, Seef.

Seef leva un poing et se frappa l'épaule opposée en guise de salut.

— Des nouvelles de Talfaglio, Maître de Guerre.

Au lieu de continuer son rapport, elle adressa un regard nerveux à tous les officiers présents à la Grande Mastication.

— Je suppose que les *Jeedai* ont fini par se montrer. (Un craquement d'écailles signala à Tsavong Lah que son yanskac était cuit à point. Il sortit son repas des flammes à mains nues – aucun officier du mess n'aurait d'ailleurs jamais imaginé se servir des pincettes en os mises à disposition à côté du brasier – puis décortiqua la queue en arrachant sa peau écailleuse.) Combien de réfugiés ont-ils sauvés ?

— Tous, chef vénéré, enfin presque tous. (Seef baissa les yeux vers le sol.) Le blocus est tombé, notre flotte est en déroute.

— En déroute ? (Tsavong Lah saisit le yanskac par son arête dorsale et mordit dedans à pleines dents. La chair était ferme et piquante, elle avait été transformée par les laborantins afin de présenter des vertus savoureuses et nutritionnelles.) Tu en es certaine ?

Seef dégaina son coufee et en présenta la crosse à son supérieur.

— J'ai honte d'être porteuse d'une telle information, mais les rapports des sentinelles sont très clairs. Ils nous ont attaqués avec une flotte bien plus importante que nos espions ne nous l'avaient laissé entendre. Ils ont également utilisé des armes que nos laborantins essaient toujours d'analyser. (Elle baissa les yeux, désireuse de ne pas offenser encore plus le grand Maître de Guerre par son regard en lui annonçant la dernière information, particulièrement désastreuse :) De plus, leurs destroyers stellaires ont été à même de capturer un de nos vaisseaux principaux, le *Lowca*.

— Intact ?

— Tout comme, j'en ai bien peur, répondit Seef.

— Intéressant. Il faut que j'aille voir cela de mes propres yeux.

— Les chilabs mémoriels des sentinelles viennent de nous être envoyés par le premier transport, Maître de Guerre.

— Et ceci ne sera pas nécessaire, dit Tsavong Lah en repoussant la crosse du coufee. Je m'attendais à ce genre d'action.

— Vraiment ? demanda Seef, plus intriguée que soulagée.

— Les *Jeedai* se sont finalement laissé emporter par leurs émotions. (Même s'il avait travaillé en préparation de ce moment depuis la chute de Duro, il se sentait étrangement déçu par ses ennemis. Il les avait considérés comme de bien plus vaillants adversaires que cela, à même de ne pas se laisser manipuler aussi facilement.) Seef, tu vas demander aux scribes de vérifier si les dieux sont en faveur de deux attaques massives. L'une contre Borleias et l'autre contre Reecee.

— Contre Reecee ? demanda un maître tacticien qui se tenait debout juste à côté de lui. Vous éviteriez ainsi les chantiers navals de Bilbringi ?

— Pour le moment. (Tsavong Lah posa le plat d'une main contre le dos de Seef et la poussa gentiment vers la sortie. Puis, il arracha les deux pinces de son yanskac et leva les bras suffisamment haut pour que tous les officiers présents à la Grande Mastication puissent les voir.) Il est temps de préparer nos propres pinces, mes braves guerriers.

Il rapprocha les deux pinces l'une de l'autre.

— Il est temps de préparer le plan d'invasion de Coruscant.

30

Hâve, les lèvres fines, le nez fracturé en plusieurs endroits, un globe de plaeryin à peau noire saillant d'une orbite oculaire reconstituée, Nom Anor était sans aucun doute le Yuuzhan Vong le plus reconnaissable de toute la galaxie. Tout au moins pour les Jedi. La créature couverte de plumes qui sautillait à ses côtés était en revanche plus étonnante. Dépassant à peine en hauteur le niveau d'un bassin humain, se tenant sur des jambes aux articulations inversées, elle possédait des oreilles effilées, des antennes torsadées et de délicates moustaches qui bordaient une large bouche simiesque. Jacen n'avait jamais vu de créatures de ce genre et, pourtant, il ressentait la désagréable impression qu'il aurait dû en connaître l'existence.

Arrivée à mi-chemin de la rampe, là où Ganner avait accidentellement insulté le guerrier Yuuzhan Vong près de la navette de sauvetage, la chose s'arrêta et tourna la tête dans la direction du jeune homme. Même s'ils étaient séparés par deux épaisseurs de membranes translucides et distants d'une bonne centaine de mètres, elle sembla le regarder directement dans les yeux. La créature soutint son regard suffisamment longtemps pour envoyer un frisson glacé courir le long de l'épine dorsale de Jacen. Elle sourit d'un air entendu et se remit à sautiller en direction de Nom Anor.

— Cette chose ne peut pas nous avoir repérés, chuchota Ganner juste derrière Jacen. (En dépit de sa propre affirmation, il fit un pas en arrière dans l'obscurité.) Elle a regardé dans notre direction totalement par hasard.

— Elle a senti notre présence, dit Jacen, baissant ses macrobinoculaires. Et, pire que tout, elle a perçu notre appréhension.

Il s'abstint d'ajouter que la créature s'était manifestée dans la Force. La surprise qui émana soudainement de Ganner suggéra qu'il en était, lui aussi, arrivé à la même constatation.

— Qu'est-ce qui ne va pas, vous deux, hein ? demanda Jaina en les rejoignant près du portail. On a l'impression que vous venez d'entendre la voix de l'Empereur ! Ne me dites pas qu'une poignée de Yuuzhan Vong vous fiche la trouille ?

— Il y en a plus qu'une poignée. (Jacen passa ses macrobinoculaires à sa sœur. Ses émotions semblaient curieusement déconnectées, comme c'était souvent le cas à l'approche d'une bataille, mais Jacen s'abstint du moindre commentaire. Lorsque les premiers insectes paralysants commençaient à fuser dans tous les sens, elle était toujours la plus fiable et la plus déterminée de tous les Jedi présents. Ignorant totalement la compagnie de Yuuzhan Vong en train de se rassembler autour de l'appareil de Nom Anor, le jeune homme lui fit braquer ses jumelles sur la chose évoquant un oiseau.) Non, en fait c'est l'animal de compagnie de Nom Anor qui m'inquiète. Je pense que cette chose a senti ma présence dans la Force.

Jaina étudia la drôle de petite créature.

— Tu en es certain ?

— Non, pas *certain*, clarifia Jacen. Mais presque sûr.

— Moi aussi, acquiesça Ganner. Ce sourire…

— Mmh… dit Jaina, fronçant les sourcils et réfléchissant. Et cette emplumée, elle ne vous rappelle pas quelqu'un ?

— Je n'arrête pas de me dire que oui, dit Jacen. Le problème, c'est que je n'ai jamais rien vu de pareil.

— Ah, pardon, dit Jaina. J'oubliais que les services d'espionnage avaient récemment cessé de partager leurs informations avec Tonton Luke. J'ai vu quelques hologrammes très intéressants à ce sujet quand j'étais chez les Rogue. Et je peux vous dire qu'il s'agit de Vergere.

— Vergere ? s'étrangla Jacen.

Vergere était impliquée dans l'un des premiers attentats montés par les Yuuzhan Vong pour éliminer les Jedi. Mais c'était également elle qui avait confié à leur père les larmes curatives qui avaient permis à Mara d'échapper au triste sort que lui réservait sa maladie. A ce jour, les dissensions persistaient. Personne ne savait si Vergere était une alliée ou une ennemie, si elle était un simple familier des assassins ou bien un agent double agissant pour son propre compte.

— Soit il s'agit de Vergere, soit il s'agit d'une autre créature de la même espèce, dit Jaina. Et si elle a réussi à percevoir ta présence dans la Force, nous pouvons imaginer qu'elle est plus qu'un simple animal de compagnie pour nos adversaires.

Ganner hocha la tête.

— Mais elle était là, à signaler notre position à l'Exécuteur…

— Je n'en suis pas si sûr, dit Jacen. Si elle était vraiment notre ennemie, pourquoi alors aurait-elle sauvé la vie de Mara ? Pourquoi n'a-t-elle pas encore déclenché l'alarme et lancé les Vong à nos trousses ?

— Peut-être que nous avons mal perçu, suggéra Ganner. Peut-être qu'elle n'a pas senti notre présence.

— Mais moi j'ai senti la sienne, insista Jacen.

Leur discussion fut interrompue par l'arrivée d'Anakin et du reste de l'équipe d'assaut. Les deux Jedi Noirs, Lomi et Welk, les accompagnaient. Ils portaient à présent leurs propres sinistres armures et étaient couverts de pansements au Bacta fournis par Tekli. Jacen eut soudain honte de souhaiter que le groupe ait connu leur identité avant que son frère ne décide de leur porter secours. Il se dit qu'ils auraient très bien pu les sauver, *après* avoir tué la reine voxyn.

Ganner passa ses macrobinoculaires à Anakin. Nom Anor et Vergere venaient d'atteindre leur destination. Le Yuuzhan Vong sans armure qui avait intercepté le commando quelques instants auparavant apparut sur la rampe et commença à s'entretenir avec Nom Anor. Vergere s'interposa et sembla formuler un commentaire particulièrement sec. Le Vong se raidit, heurta son épaule de son poing pour le saluer, et l'inclut dans la conversation.

Anakin tourna les macrobinoculaires vers les troupes rassemblées près de la navette de Nom Anor.

— Combien…

— Trop nombreux pour qu'on les attaque, l'interrompit Jacen.

Anakin l'ignora et se tourna vers Ganner. Plus déçu qu'irrité par la réaction de son frère, Jacen ravala sa fierté et conserva le silence. Après tout, Anakin avait demandé une information, pas une recommandation.

— J'ai dénombré cent quatre guerriers, dit Ganner. Probablement trois pelotons et un officier superviseur.

L'expression d'Anakin ne changea pas, mais Jacen perçut une rare montée d'anxiété chez son frère. Le premier plan avait déjà échoué et le deuxième donnait l'impression de sérieusement prendre l'eau. Il fit de son mieux pour apaiser les appréhensions de son cadet, l'empêchant ainsi d'influencer les autres à travers le lien psychique.

Lomi vint se poster à côté d'Anakin.

— On peut s'échapper par le terrain d'entraînement. Il y a aussi une sortie par le complexe de laboratoires.

Jacen vit immédiatement le visage de Welk pâlir et il sentit sa terreur dans la Force.

— C'est quoi, ce terrain d'entraînement ? demanda Jacen.

— C'est là que les Yuuzhan Vong dressent les voxyns à nous chasser, expliqua Lomi. (Elle plissa les yeux, visiblement peu enchantée à l'idée d'être ainsi questionnée.) Ce sera dangereux, mais moins que par le spatioport.

— Et nous connaissons le terrain bien mieux que les entraîneurs, dit Welk. (En dépit de sa peur, il voulait soutenir son mentor, probablement parce qu'elle le terrifiait plus que les voxyns.) Les voxyns ne devraient pas nous poser trop de problèmes, surtout si nous sommes si nombreux.

— A moins que les étudiants de Skywalker ne soient pas à la hauteur de leur réputation, dit Lomi, toisant Anakin de façon méprisante. A toi de choisir, jeune Solo.

— Notre réputation est méritée, se contenta de répondre Anakin.

Le guerrier Yuuzhan Vong sans armure qui se trouvait avec Nom Anor indiqua le bas du péristyle, vers le quartier de détention, là où se cachait le groupe.

— Je doute qu'il soit en train de leur indiquer les toilettes, dit Ganner. Les choses risquent de devenir dangereuses…

— Pas dangereuses, juste intéressantes, répondit Anakin. (Il recula dans l'ombre du portail, puis fit signe à Lomi d'avancer en direction des quartiers de détention.) Montrez-nous le chemin.

Zekk s'approcha de lui.

— Mais, Anakin, qu'est-ce que tu fabriques ?

Jacen fit de son mieux pour tempérer l'inquiétude et l'indignation qui étaient en train d'envahir le lien mental, mais les sentiments de Zekk étaient bien trop puissants. Ils se répercutèrent à tous les membres du groupe, déclenchant animosité et ressentiment chez Raynar et Eryl ainsi qu'une sensation bien plus forte de la part des Barabel.

Anakin regarda à nouveau vers le terrain d'atterrissage, où Nom Anor et Vergere étaient en train de s'adresser à leurs troupes.

— On ne va pas pouvoir traverser le spatioport. Il faut suivre Lomi jusqu'au terrain d'entraînement.

— Mais c'est une Sœur de la Nuit ! insista Zekk. On ne peut pas lui faire confiance. On ne peut même pas l'emmener avec nous !

— Zekk, nous n'avons pas le choix, dit Jacen. (Il était bien trop content de pouvoir enfin soutenir une décision de son frère. Peut-être que cela aiderait à convaincre Anakin de lui pardonner son erreur à bord de la *Mort Exquise*.) Les abandonner ici reviendrait à les tuer.

— Pire ! dit Lomi, ouvrant la marche et passant devant les cellules de détention. Je doute que vous disposiez de sabres laser supplémentaires. A moins que vous n'ayez un ou deux blasters de trop…

— J'ai dit qu'on avait besoin de vous, dit Anakin. Pas qu'on vous faisait confiance.

— Comme tu veux, répondit Lomi en souriant d'un air rusé.

Elle s'engouffra dans un corridor tellement encombré d'arbres à ysalamiris que Jacen eut l'impression de traverser une des jungles de Yavin Quatre. Le lien psychique fut brutalement rompu lorsqu'ils abordèrent une zone où les petits lézards n'avaient pas subi l'influence des capsules de phéromones. Puis le corridor se transforma en une gorge de corail yorik si étroite que même Tekli fut obligée de progresser de côté. Si les murs n'avaient pas été recouverts d'une sorte de moisissure humide et glissante, Lowbacca n'aurait certainement pas pu pénétrer dans le tunnel.

A l'autre bout, le passage débouchait sur une forêt éparse d'arbres à l'odeur amère, aux ramages tombants et aux feuilles effilées comme des lames. A travers ce feuillage, Jacen vit qu'ils venaient d'entrer dans une sorte de canyon – une centaine de mètres de large et cinquante mètres de profondeur – dont le « ciel » était constitué de lichens étincelants accrochés au plafond au-dessus des arbres.

Lomi marqua une pause.

— Gardez vos armes à portée de main. Les dresseurs travaillaient ici avec une meute lorsque vous avez débarqué. Ils nous ont fait sortir en catastrophe. Les voxyns peuvent être planqués n'importe où.

Jacen regarda en direction de l'étroite gorge de corail yorik qu'ils venaient d'emprunter.

— Pourquoi ne seraient-ils pas revenus vers le quartier de détention ?

— Les moisissures, expliqua Lomi. Elles les empêchent de s'accrocher aux murs et le passage est trop étroit pour qu'ils puissent s'y glisser de côté.

Ils attendirent quelques instants, le temps pour Lowbacca et Ganner d'installer une paire de mines de détonite dans le corridor, puis ils reprirent leur route. Jacen parvint à rétablir le lien psychique et fut frappé par la discorde qui régnait dans le groupe. Avec les événements qui se retournaient contre eux et la perspective d'une embuscade de voxyns, les émotions semblaient échapper à tout contrôle.

Lomi guida le commando le long d'un chemin, puis changea

de direction à une intersection que Jacen n'avait même pas entrevue à travers les feuillages. Les arbres semblèrent alors plus denses et plus sombres, leurs branches étaient drapées de longues barbes de mousse frémissante. Ils avaient à peine franchi une cinquantaine de mètres qu'un craquement étouffé retentit derrière eux, bientôt suivi du fracas distant d'un éboulis de rochers.

— Détonation des mines confirmée, rapporta 2-4S. Estimation des pertes incalculable à cet instant précis.

— On s'en était douté, déclara Tahiri.

Lomi, toujours en tête, les entraîna dans les méandres de la forêt et les sarcasmes de Tahiri se firent plus fréquents au fur et à mesure que les arbres devenaient plus sombres et plus grands. Deux coraux skippers passèrent au-dessus d'eux. Ils montèrent en chandelle vers le plafond avant de faire demi-tour et de plonger vers la cime des arbres.

— Présence détectée ! annonça 2-4S.

Lomi emmena le commando dans une fissure qui s'ouvrait le long d'un marais aux eaux verdâtres où flottaient les troncs décharnés d'arbres abattus.

— 2-4S, occupe-toi de l'intersection, ordonna Anakin.

— Affirmatif, répondit le droïde.

Une petite centaine d'ondoiements se produisirent à la surface de l'eau lorsque les blasters du droïde entrèrent en action et retentirent dans le canyon.

— Vaisseau de tête détruit, annonça 2-4S dans les comlinks du groupe.

Les détonations continuèrent pendant une ou deux secondes jusqu'à ce que leur son soit couvert par le crépitement d'une décharge de plasma. A travers les branchages, Jacen vit le disque sombre du corail skipper rejoindre l'embouchure du canyon, ses flancs déversant alentour une inquiétante vapeur noire.

— Respirateurs ! cria-t-il.

La plupart des membres du commando étaient déjà en train d'ajuster leurs masques de protection sur leurs visages. Les deux Jedi Noirs échangèrent un regard désespéré. Lomi se tourna vers Anakin et tendit la main.

— J'ai besoin d'un masque !

— Vous n'avez qu'à retenir votre respiration, dit Zekk d'un ton méchant.

— Et qui nous servira de guide si elle meurt, hein ? demanda Alema.

La Twi'lek lança son propre masque à travers le marais, utilisant la Force pour le faire tomber juste entre les mains tendues de Lomi. C'est alors que le mugissement des fusées de propulsion de 2-4S retentit au carrefour. Jacen se retourna pour voir le droïde s'élever au-dessus du marais, debout sur une colonne de feu jaune, tirant de toutes ses armes en direction de la proue du corail skipper. Le pilote ennemi contre-attaqua en décochant deux balles de plasma vers le thorax du droïde. Le CYV 2-4S disparut dans une tornade d'éclairs blancs. Il était cependant parvenu à dévier son vol pour se jeter contre le corail skipper en déclenchant ses charges d'autodestruction.

L'engin et le droïde furent simultanément désintégrés dans un éclair aveuglant. La vision de Jacen fut momentanément troublée et l'onde de choc le fit tomber dans l'eau à la renverse. Il fut rattrapé par la main solide de Tenel Ka. Après l'avoir aidé à se redresser, elle lui déclara quelque chose qu'il n'entendit pas à cause des bourdonnements qui retentissaient dans ses oreilles. Mais il devina le sens de ses propos par le truchement du lien psychique : son masque respirateur ne lui servirait pas à grand-chose tant qu'il le tiendrait à la main.

Jacen ajusta les courroies autour de sa tête, plus que perturbé par l'annihilation de 2-4S. Non seulement le droïde s'était comporté comme un camarade valable et respecté, mais, à présent que lui et 2-1S étaient détruits, le commando était terriblement fragilisé. Leurs protecteurs partis, ils seraient obligés de se débrouiller seuls.

Lorsque les taches lumineuses qui flottaient devant ses yeux disparurent enfin, Jacen aperçut un nuage de fumée huileuse qui dévalait le canyon dans leur direction. Derrière cette fumée stagnait la nuée noirâtre déversée par le corail skipper au moment de sa destruction par 2-4S. Il se tourna pour prévenir les autres et vit Anakin qui était déjà en train de faire signe au groupe d'avancer. C'est alors qu'il ressentit la familière perturbation dans la Force, témoignant de la présence d'un voxyn droit devant eux.

— Par le sang des Sith ! s'exclama Tahiri, empoignant son sabre laser d'une main et son blaster de l'autre. Quand est-ce que les choses vont s'arranger ?

Une forêt de sabres laser surgit soudainement des mains des membres du commando.

— En route, ordonna Anakin. Restons en avant de ce nuage jusqu'à ce qu'il se disperse.

Les Barabel insérèrent leurs protections spéciales dans leurs oreilles et tombèrent à plat ventre. Ils glissèrent à la surface de l'eau, se servant de leurs puissantes queues pour se propulser. Les autres membres de l'équipe protégèrent également leurs conduits auditifs et avancèrent dans l'eau à la suite des compagnons de portée, certains tenant des sabres laser, d'autres des blasters, d'autres encore les deux.

Ils avaient progressé d'une vingtaine de mètres lorsque de sinistres gargouillements se produisirent dans l'eau entre les arbres, juste devant eux. Jacen perçut soudain une sensation de surprise émanant de Bela. Il se tourna dans sa direction et voulut pousser un cri d'alarme, mais découvrit que les membres du commando étaient déjà en train de la rejoindre en s'éclaboussant abondamment.

La Barabel surgit de l'eau comme une fusée. Son corps s'aplatit contre un tronc d'arbre tout proche et elle grimpa précipitamment dans ses branches. Derrière elle jaillit le museau plat d'un voxyn. Sa gueule crénelée s'entrouvrit, prête à vomir un flot d'acide. Une tornade de rayons de blasters convergea vers la tête du monstre. La plupart rebondirent sans effet sur ses écailles, mais certains parvinrent à brûler les zones sensibles qui se trouvaient autour de ses yeux et de ses ouïes. Ganner et Alema bondirent et tranchèrent la tête de la créature avec leurs sabres laser. Le reste, fumant, disparut dans les eaux verdâtres du marais.

— Je vous l'ai trouvé, votre voxyn ! cria Bela en descendant de son arbre.

Les trois Barabel se mirent à siffler d'hilarité sous leurs masques respirateurs. Soudain, la nuée sombre les rattrapa et de petites gouttelettes de condensation noire commencèrent à tomber dans l'eau.

— Alema ! Welk ! Sous l'eau ! cria Jacen.

Alema avait déjà plongé avant même qu'il ait eu le temps de terminer sa phrase. Mais Welk, qui n'était pas uni au groupe par le lien mental, fut plus lent. Perplexe, il regarda autour de lui pendant quelques instants, puis sembla finalement comprendre ce qui était en train de se produire et coula sous la surface. Il remonta immédiatement, inconscient et flottant sur le ventre.

Lomi invoqua la Force pour le ramener à lui, puis maintint son corps hors de l'eau pendant que Tekli l'examinait.

— Non, ça va, il respire… dit la Chadra-Fan. Je pense que c'est…

Elle laissa sa phrase en suspens car elle venait, ainsi que tous ceux unis par le lien mental, de percevoir une panique soudaine chez Alema.

— Tu penses quoi ? demanda Lomi, ne sachant pas ce qui venait de se passer. Est-ce qu'il va s'en tirer ou bien dois-je…

Elle fut interrompue par le son caractéristique d'un liquide immédiatement porté à ébullition. Le sabre laser d'Alema venait de s'allumer sous l'eau. La Twi'lek jaillit de la surface du marais dans une tornade de vapeur. Elle se servit de la Force pour exécuter un saut périlleux arrière au-dessus de la tête de Ganner.

— Un autre voxyn ! cria Alema en désignant la surface de l'eau du doigt. Il m'a attrapée par…

Elle retomba dans l'eau à plat dos. Ganner et Bela allumèrent aussitôt leurs sabres et commencèrent à reculer tout en battant l'eau devant eux. Jacen se concentra pour atténuer les sentiments négatifs qui imprégnaient le lien mental afin de lui conserver toute son efficacité au combat. Anakin fit appel à la Force pour soulever Alema et la faire flotter dans l'air jusqu'à Tahiri.

— Occupe-toi d'elle. (Anakin indiqua le coin de forêt où les coraux skippers les avaient repérés la première fois.) Emmène Lomi et Welk. Attendez-nous sur la terre ferme.

— Moi ? (Tahiri, oubliant momentanément la Twi'lek, laissa couler cette dernière. Elle invoqua immédiatement la Force pour la ramener à la surface de l'eau.) Mais pourquoi moi ?

— Parce que mon frère te le demande ! dit Jacen. (Il tendit la main vers l'endroit où Alema avait coulé, ramena le sabre laser de la Twi'lek à lui et le colla dans les mains de la jeune femme.) Ce n'est pas le moment de discuter, Tahiri.

— Mais je ne discute pas, rétorqua cette dernière. J'aime pas qu'on me donne des ordres comme si j'étais une gamine.

Sur ce, elle fit signe à Lomi et Welk de la suivre, agrippa le corps d'Alema et retourna en direction du canyon. Jacen alluma son propre sabre laser et avança pour rejoindre les autres qui s'étaient lancés derrière le voxyn. Il vit les trois Barabel se disperser dans le marais, emportant avec eux des grenades à fragmentation. Apparemment, ils avaient une bien meilleure idée.

— Tout le monde en arrière ! ordonna Anakin, approuvant le plan des Barabel avant même qu'il soit formulé. Et surveillez bien ces arbres. Il ne faudrait pas que quelqu'un s'en prenne un sur la tête.

Les Barabel lancèrent leurs grenades à l'unisson, agissant de façon convergente depuis les zones les plus éloignées vers lesquelles le voxyn avait pu se retrancher. A chaque nouvelle colonne d'eau saillant vers le ciel, Jacen ressentait une violente onde de choc contre ses jambes. Dès la deuxième volée d'explosifs, trois voxyns vinrent flotter, inanimés, à la surface, les yeux hagards et les oreilles en sang. Ganner et Lowbacca se servirent de leurs sabres laser pour achever les créatures inconscientes.

— Ça fait quatre voxyns, dit Anakin en éteignant son sabre laser. La meute tout entière, on dirait.

— Peut-être, mais il serait sage de s'en assurer, suggéra Tenel Ka en regardant vers Jacen. Tu en sens d'autres ?

Jacen projeta les ondes de la Force afin de vérifier s'il y avait d'autres créatures. Il lui fallut quelques instants, mais il repéra un grand nombre de présences, se déplaçant en groupe, à plusieurs centaines de mètres de là dans le canyon.

— Il y en a d'autres, confirma-t-il. Une bonne demi-douzaine, au moins. Ils ont l'air sonnés et méfiants.

— Bien, dit Tenel Ka. Ça devrait nous laisser assez de temps pour avancer dans la direction opposée.

Anakin hocha la tête et le commando se mit en route. A une vingtaine de mètres de l'intersection, ils virent Tahiri et les autres venir à leur rencontre en courant.

— Non ! Par là ! dit la jeune fille en pointant dans la direction des voxyns. Nom Anor et son drôle d'oiseau arrivent avec une bonne centaine de guerriers Yuuzhan Vong…

— Il ne manquait plus que ça ! se plaignit Raynar, aplatissant une main sur son front avant de la glisser dans ses cheveux blonds. Qu'est-ce qui peut encore nous arriver de pire ?

Zekk regarda vers Lomi, puis détourna les yeux en secouant la tête, l'air de sous-entendre que c'était le type de danger auquel on s'exposait quand on pactisait avec les Jedi Noirs. Jacen sentit qu'il lui faudrait bientôt avoir une petite conversation avec Zekk, à propos de son impact sur le lien mental, dès que l'opportunité s'en présenterait. Anakin, en revanche, semblait ne pas se soucier du sentiment croissant de fatalisme qui semblait à présent gagner toute l'équipe.

Apparemment sourd à la remarque de Raynar, Anakin donna une tape amicale sur l'épaule de Tahiri tout en lui adressant le légendaire sourire goguenard des Solo.

— Pas de problème ! dit-il.

Lowbacca grogna une question que M-TD s'empressa de traduire aussi précisément que possible :

— Maître Lowbacca aimerait savoir si vous avez perdu la tête.

— Ça fait un bon moment qu'il l'a perdue ! répondit Jaina en riant jaune. Et s'il est en train de penser à la même chose que moi, je crois que son idée est assez dingue pour marcher.

Espérant partager avec les autres l'étincelle émotionnelle positive suscitée par les paroles de Jaina, Jacen projeta les ondes de la Force vers sa sœur. Il ne détecta que la rude détermination au combat qu'il avait ressentie auparavant. Essayant de voiler son inquiétude, il se contenta de demander :

— Et on peut savoir à quoi vous pensez, tous les deux ?

— A une embuscade.

Anakin hocha la tête et désigna quatre arbres.

— Voilà notre zone de piège. Nous couperons la route des Yuuzhan Vong par l'arrière et nous les prendrons entre deux barrages de tirs croisés. Depuis les arbres sur l'arrière, au niveau du sol sur l'avant.

Le lien mental était encore suffisamment intense pour qu'il n'ait pas besoin de leur donner de plus amples explications. Les équipes de tireurs coururent jusqu'aux positions qu'on leur avait assignées. Les humains se dispersèrent dans l'eau du marais le long des parois du canyon. Lowbacca emmena Jovan Drark et les Barabel dans les arbres et les disposa en éventail autour du passage. Tekli se servit de la Force pour soulever Alema et Welk afin de les placer en hauteur à l'abri des branches, bien au-delà de la zone d'embuscade. Jacen se positionna à l'intersection de leurs lignes de tirs afin de maintenir un contact aussi efficace que possible au lien psychique pendant la bataille.

Lomi sautilla jusqu'à Anakin, qui se tenait dans l'eau à environ cinq mètres de son frère.

— Très impressionnant, jeune Solo, dit-elle. Où veux-tu que je me place ?

— En dehors de nos pieds. Vous n'avez pas d'arme.

Lomi lui adressa un sourire sarcastique.

— Un Jedi n'est jamais désarmé, Anakin. Tu préfères que j'utilise un blaster ou bien que j'invoque le Côté Obscur ?

Anakin soupira, puis s'empara de son communicateur afin de demander à Lowbacca de lui faire passer le blaster G-9 et la ceinture de grenades d'Alema.

— Non, Anakin, tu ne peux pas faire ça ! protesta Zekk, si fort que le jeune homme entendit sa voix retentir en dehors du comlink.

— Ce n'est pas à toi de décider, Chasseur de primes, répondit Anakin. Les choses peuvent vraiment mal tourner et elle a le droit de se défendre.

— Dis-lui que Welk et moi, nous promettons de ne pas faire

appel au Côté Obscur tant que nous serons armés, dit Lomi d'un ton dédaigneux. Ça devrait le calmer.

Anakin relaya le message.

— Et après ? demanda Zekk d'un ton sarcastique. Tu as l'intention de les inclure dans le lien psychique, c'est ça ?

Un cliquetis d'avertissement retentit dans les comlinks. Les Jedi humains disparurent sous la surface du marais, comptant sur la réserve d'oxygène de leurs masques de protection pour continuer à respirer sous l'eau. Il ne leur fallut pas longtemps pour discerner la tension qui régnait chez ceux qui observaient l'approche de l'ennemi depuis la cime des arbres. Mais la sensation fut bientôt perturbée par les doutes qu'éprouvaient Zekk et certains autres à l'idée de se trouver aux côtés de Jedi Noirs et armés. Jacen, qui n'était pas non plus très enthousiaste, se dit qu'il s'agissait finalement d'une option préférable à l'invocation du Côté Obscur. Il fit de son mieux pour atténuer le ressentiment de Zekk et pour conserver l'attention de tous sur les événements à venir. Mais il devina que la discorde affecterait leur efficacité au combat. Il le sentit même clairement.

Finalement, Jacen entendit sous l'eau les pas des guerriers Yuuzhan Vong avançant dans le marais. Il perçut également une soudaine jubilation de la part des Barabel, faisant ainsi savoir à tout le monde qu'il était temps de passer à l'attaque. Le jeune homme émergea calmement à la surface et vit une masse de soldats ennemis progressant entre les arbres, bien trop confiants – convaincus, apparemment, que même des Jedi n'oseraient pas les attaquer à un contre cinq.

Il semblait évident qu'ils ne connaissaient pas bien la famille Solo. Jacen arma sa grenade à fragmentation, la lança au milieu des Yuuzhan Vong, leva son blaster T-21 à répétition et ouvrit le feu.

Les Yuuzhan Vong réagirent comme les guerriers parfaitement entraînés qu'ils étaient. Alors que les arbres des marais explosaient en myriades d'échardes et que les rayons fusaient tout autour d'eux, ils conservèrent leur calme. Les officiers aboyèrent immédiatement des ordres avant d'être abattus par Jovan Drark et son fusil de tireur d'élite, le « long blaster ». Jacen aperçut brièvement Nom Anor en train de crier quelque chose dans un villip qu'il portait à l'épaule. Il fit pivoter son puissant blaster G-9 vers l'arrière du détachement, en direction de l'Exécuteur, mais ne put se résoudre à tirer. Enfin, pas immédiatement. C'était une chose d'attaquer un adversaire impersonnel en pleine bataille, c'en était une autre d'abattre de sang-froid un détestable ennemi. Jacen avait appris sur Duro, lorsqu'il avait été contraint d'agir pour empêcher Tsavong Lah de tuer sa mère, qu'un Jedi était libre – et non obligé – de protéger les gens du mal. Mais viser une personne spécifique par pur instinct de colère ressemblait encore trop à un meurtre. Se servir de la bataille comme d'une excuse pour justifier un acte aussi sinistre était le meilleur moyen de sombrer vers le Côté Obscur.

Avant qu'il ait eu le temps de résoudre ce conflit, Vergere surgit de derrière un arbre, se plaçant comme par inadvertance entre Jacen et sa cible. Le jeune homme leva son arme, ajustant sa visée sur la tête de Nom Anor. Vergere braqua sur lui ses yeux en amande. Pendant un bref instant, leurs regards se croisèrent. Puis elle attira l'Exécuteur à l'abri derrière un arbre. Jacen pressa la détente et vit son rayon traverser le marais en un éclair sans causer le moindre dommage. Il concentra à nouveau son attention sur la bataille.

Leurs officiers morts et leurs armures de crabe vonduun cédant aux tirs ennemis, les soldats Yuuzhan Vong décidèrent de chercher refuge sous l'eau. Quelqu'un cria « Fragmentation ! » dans le comlink. Jacen cessa de tirer et s'empara d'une grenade accrochée à sa ceinture. Il se dit soudain qu'il ne savait absolument pas qui avait bien pu lancer l'ordre. Le lien mental était en train de se désagréger.

— Délai de deux secondes, déclara Anakin dans le communicateur. Armez !

Le temps pour Jacen de presser son pouce contre la commande de retardement, les Yuuzhan Vong étaient déjà en train de se rassembler. Deux douzaines de soldats émergèrent des eaux, à l'abri des arbres ou des troncs qui flottaient à la surface.

— Feu !

Jacen lança sa grenade vers le centre du piège en même temps que tout le monde. Puis il leva rapidement son blaster et ouvrit à nouveau le feu. La surface du marais sembla entrer en éruption et les corps de plusieurs guerriers ennemis se retrouvèrent à flotter sur l'eau, les bras en croix, le regard perdu vers le ciel, saignant abondamment par les yeux et les oreilles.

Des flux continus de scarabées paralysants ou tranchants commencèrent à bourdonner entre les arbres où les survivants étaient encore cachés. Jacen entendit quelques-uns des Jedi gémir, visiblement touchés par les insectes en dépit de leurs combinaisons blindées. Quelque part en contrebas, un sabre laser fut allumé. Ganner avança dans l'eau tout en frappant les scarabées qui tombaient du ciel.

— Ganner, qu'est-ce que tu fais ? lança Anakin dans son comlink.

— On ne va pas les laisser nous canarder comme ça ! répondit Ganner.

Lomi s'avança à son tour, son corps ondulant et pivotant au fur et à mesure qu'elle esquivait les scarabées paralysants. Son blaster illuminait l'air ambiant de ses éclairs étincelants, abattant la plupart des scarabées qui fusaient vers elle. Sa progression eut au moins pour effet d'impressionner les Yuuzhan Vong. Ils concentrèrent leurs tirs sur elle.

— Un instant ! lança Jacen dans son communicateur. (Il était persuadé que le commando pourrait avancer en masse et terrasser la patrouille Vong, mais une telle action ne se ferait pas sans perte.) Je crois que je peux les faire détaler. (Il sentit une question se former dans l'esprit d'Anakin.) Les voxyns, expliqua-t-il. Je crois que je peux me servir d'eux.

— Tu crois ? demanda Anakin.

— Certain, lui assura Jacen.

Le cadet hésita quelques instants.

— Essayons toujours, dit-il enfin.

Ganner et Lomi retournèrent à couvert. Jacen chercha dans la Force les voxyns qu'il avait détectés quelques instants auparavant, essayant d'apaiser leurs craintes, leur laissant croire qu'il n'y avait pas de danger à approcher.

Les créatures réagirent presque trop bien. Le commando tout entier perçut un déchirement affamé dans la Force alors que les voxyns essayaient de les repérer. Jacen les sentit alors s'engager dans le canyon en direction de la zone d'embuscade. Les deux forces en présence échangèrent encore quelques tirs sporadiques. Les Yuuzhan Vong semblaient satisfaits de se retrouver à couvert, croyant à tort que les renforts arriveraient bientôt. Les Jedi l'étaient, eux, de laisser ainsi leurs adversaires dans l'erreur. Jacen songea un instant à envoyer un message à Jovan Drark pour lui demander de garder un œil sur Nom Anor et Vergere, puis se ravisa. Il avait l'impression qu'il s'était déjà suffisamment approché du Côté Obscur.

Moins d'une minute plus tard, un Yuuzhan Vong poussa un grondement de surprise, avant de gargouiller de façon épouvantable pendant que l'un des voxyns l'attirait sous l'eau. Plusieurs soldats poussèrent des cris en se sentant frôlés par les créatures, mais seuls deux d'entre eux se mirent à hurler, preuve qu'ils venaient d'être attaqués. Les voxyns, comprit Jacen, semblaient bien plus intéressés par les champions de la Force qui se trouvaient dans les parages.

— Sortez de l'eau, tout le monde ! appela-t-il dans son comlink.

Ses camarades Jedi se servirent de la Force pour se propulser au-dessus de la surface jusque dans les arbres. Jacen déclencha la mise à feu d'une grenade qu'il lança dans le marais. Même si celle-ci n'était pas tout à fait aussi puissante qu'une grenade à fragmentation, elle serait à même de produire une onde de choc suffisamment efficace. Jacen attendit que la grenade explose et contacta mentalement les voxyns, leur suggérant que les responsables de l'attaque se trouvaient encore dans l'eau.

Plusieurs soldats ennemis crièrent. Quelques-uns essayèrent de gagner un abri et furent abattus par Jovan et les Barabel. Mais une douzaine de Vong étaient encore bien cachés et continuaient de lancer leurs scarabées paralysants vers la cime des arbres. Jacen escalada un tronc et rompit le lien mental – qui ne semblait plus d'une grande efficacité, de toute façon – pour se concentrer uniquement sur les voxyns. Il lança une nouvelle grenade à fragmentation dans l'eau et encouragea vivement les créatures à attaquer tous les individus qui se trouvaient encore dans le marais.

Les assauts des Yuuzhan Vong contre les Jedi cessèrent brusquement, les guerriers étant à présent obligés de se battre contre les voxyns. Certains d'entre eux essayèrent de se hisser dans les arbres, comme l'avaient fait les Jedi, mais, étant incapables de se servir de la Force pour s'aider, ils ne purent grimper suffisamment vite pour échapper à leurs poursuivants. Lowbacca et les Barabel profitèrent de la confusion pour sauter de branche en branche et attaquer leurs adversaires par le dessus. Ils se retrouvèrent bientôt à ne tirer que sur des voxyns et les dernières grenades forcèrent les créatures tapies sous l'eau à remonter à la surface.

Jacen se laissa tomber dans le marais, n'éprouvant aucune culpabilité d'avoir attiré les monstres vers leur funeste destin. Il n'éprouvait pas, non plus, la moindre fierté. Peut-être que Zekk avait raison. Peut-être que la présence de Lomi suffisait à influencer l'ensemble du commando. Jacen était toujours en train d'essayer de tirer cela au clair lorsqu'il vit Anakin avancer dans l'eau jusqu'à lui en compagnie de Tahiri. Tous deux affichaient des sourires jusqu'aux oreilles.

Tahiri attrapa le bras de Jacen et attira le jeune homme à lui pour l'embrasser sur la joue.

— Génial !

— Bien joué ! dit Anakin en lui adressant une tape amicale dans le dos. (Il y avait plus de chaleur dans ce geste qu'il n'en était passé entre les deux frères depuis l'incident de la station de Centerpoint.) Tu as sauvé beaucoup de Jedi aujourd'hui.

Jacen songea qu'il aurait été encore bien plus heureux si la journée avait été effectivement terminée.

31

Même avec Han assis sur le canapé à côté de Leia, Ben gazouillant dans les bras de Mara et les Chevaliers Errants en train de comparer leurs notes avec les membres de l'Escadron Rogue dans la pièce du fond, le salon de la résidence des Solo sur Coruscant semblait bien vide. Les cinq membres de la famille n'avaient pas eu l'occasion de s'y réunir depuis plus d'un an. En fait, Leia n'arrivait même pas à se souvenir de la dernière fois qu'ils s'y étaient tous retrouvés sans que pèse sur l'un d'entre eux l'ombre d'une menace quelconque.

La responsabilité en incombait à Leia elle-même. Elle avait dédié sa vie à la Nouvelle République et, en son nom, elle avait embarqué avec elle Han, Chewbacca, Lando et tous ceux qu'elle connaissait en une incessante série de missions toujours plus dangereuses. Même ses propres enfants avaient grandi séparés. Dans un premier temps pour échapper aux éventuels ravisseurs que pouvait engager l'Empire et, dans un second temps, parce que la Nouvelle République tenait à ce qu'ils deviennent tous trois des Chevaliers Jedi. Aujourd'hui, ils se trouvaient à des centaines d'années-lumière par-delà les lignes ennemies, combattant un adversaire aussi farouche et cruel que Palpatine lui-même, affrontant des dangers qu'elle n'arrivait pas à imaginer, mais dont elle percevait la menace dans la Force. Après avoir lutté toute sa vie pour que la galaxie soit plus sûre, Leia se demandait de plus en plus souvent si quelqu'un la blâmerait un jour pour les choix qu'elle avait pu faire.

Considérant les épreuves que ses enfants étaient en train de subir au nom de la galaxie, elle se demandait pour l'heure si quelqu'un oserait la blâmer.

Leia sentit que Han allait s'adresser à elle avant même qu'il ne se retourne pour poser sa main sur son épaule.

— Tu es certaine de ne pas vouloir accompagner Luke ? demanda Han, inspectant le salon avec des airs de conspirateur. Il y a un speeder arrimé à la plate-forme de derrière, prêt à partir. Je sais que ton frère n'était pas des plus enthousiastes à l'idée de s'adresser en personne aux membres du Sénat...

— Tu peux renvoyer le speeder, Han. (Leia insuffla suffisamment de fermeté à son ton pour bien lui faire comprendre qu'elle était sérieuse.) J'en ai ma claque du Sénat.

— J'ai l'impression d'avoir déjà entendu cela quelque part, dit Han, levant les yeux au ciel.

— Non, je t'assure, Han. (Leia laissa un peu transparaître de son appréhension au sujet de leurs enfants.) J'ai vraiment l'esprit occupé à autre chose, en ce moment.

Han l'observa un long moment, puis hocha la tête.

— D'accord, d'accord. (Il regarda de l'autre côté de la salle, en direction de Lando et Wedge, et leur adressa un petit signe de tête. Puis il attira Leia près de lui.) Toute cette attente... Crois-moi, c'est encore pire quand on ne peut rien sentir dans la Force.

Leia lui pinça la jambe.

— C'est parce que nous ne sommes pas habitués à être ceux qui restent en arrière.

Izal Waz entra dans la pièce et s'arrêta derrière le canapé.

— Tenez, regardez ça ! (Il utilisa la commande vocale pour changer le canal du projecteur holographique. Les images retransmises du Sénat disparurent au profit d'une chaîne d'informations. Au premier plan, on le voyait débarquer de la barge d'assaut des Chevaliers Errants pendant qu'une journaliste d'Arcona, hors d'haleine, expliquait qu'un représentant de son espèce avait participé à l'opération audacieuse des Jedi pour libérer les otages de Talfaglio.) Je suis un vrai héros !

Depuis leur départ du système, le réseau HoloNet ne cessait de diffuser des informations concernant la débâcle presque totale des Yuuzhan Vong à Talfaglio. Un réseau de Kuat était même parvenu à obtenir un hologramme d'une des caméras tridimensionnelles de l'un des destroyers stellaires. L'image représentait une corvette ennemie explosant, sans raison visible, face à un chasseur Jedi. Le journaliste avait d'ailleurs mal interprété ses marques d'identification et avait affirmé que l'appareil appartenait aux Apôtres de Kyp. Heureusement, la bombe furtive responsable de l'explosion ne pouvait se détecter facilement dans cet enregistrement précis, même en le soumettant à des analyses très poussées. Luke avait instamment prié le haut commandement de la Nouvelle République de censurer toutes les images susceptibles de donner des indices sur cette technique de combat Jedi. Une meilleure qualité de transmission aurait pu trahir le secret.

Saba attrapa Izal par le bras et l'écarta du projecteur.

— Oui, oui, c'est ça, nous sommes tous très célèbres maintenant. Alors arrête de nous bassiner.

Mara fit tenir son fils debout sur ses genoux et déclara, d'un ton attendri qui n'était pas précisément dans sa manière :

— On a eu un petit accident ?

Ben gargouilla une réponse et sa joie se propagea dans la Force, exactement de la même façon qu'Anakin s'y manifestait lorsqu'il était bébé et que Leia venait lui rendre visite sur Anoth. La sensation fut si intense que Leia en eut les larmes aux yeux. Elle se détourna et tenta d'enfouir son visage dans l'épaule de Han. Mais, aussi discret soit-il, son geste n'avait pas échappé à la perspicacité de Mara. Celle-ci se pencha en avant et posa une main réconfortante sur le bras de Leia.

— Leia, sans toi nous ne serions plus rien, dit-elle. Souviens-toi bien de cela. Je suis certaine qu'Anakin et les jumeaux, eux, s'en souviennent.

— Merci. (Leia s'essuya les yeux et sourit, puisant un peu d'énergie dans les paroles sincères de sa belle-sœur.) Ça me fait vraiment du bien…

— Ouais, et à moi aussi. (Han dévisagea Mara, affichant une expression partagée entre la gratitude et l'envie.) Merci.

Lando les appela. La session était sur le point de commencer.

Quelqu'un changea de nouveau la chaîne du projecteur holographique pour recevoir les images en provenance du Sénat. Luke, habillé d'une très simple tunique de Jedi, était en train de remonter un escalator qui conduisait au pupitre d'orateur de la grande salle du conseil.

Skywalker franchit la dernière marche de l'escalier mécanique juste à côté du podium. Il aurait tant aimé être plus sûr de lui. Il aurait tant aimé parvenir aujourd'hui à combler enfin le fossé qui séparait les Jedi de la Nouvelle République. La chambre du Sénat était imprégnée de très bons sentiments à son égard et à celui des Jedi. Malheureusement, il flottait également dans l'air une impression de colère d'avoir ainsi laissé les Jedi passer à l'offensive, une appréhension concernant les éventuelles représailles des Yuuzhan Vong, et même quelque chose de plus sinistre. Quelque chose de sombre, de dangereux, dont la présence ne tarderait pas à se manifester. Il rabaissa le col de sa tunique et, faisant face à la longue console qui bordait la tribune des hauts conseillers, s'inclina devant les représentants de l'assemblée.

— Chef Fey'lya, Conseillers, vous avez demandé à me parler ?

Quelque part, loin dans les gradins, un Wookiee gronda une ovation. La salle tout entière se mit à acclamer et à applaudir. Luke demeura stoïque, ne faisant rien pour approuver ni décourager la démonstration de sympathie. Il étudia les membres du Conseil. La plupart, prudents, conservaient un visage de marbre. Fyor Rodan, de Commenor, lui adressa un regard désapprobateur, accusant certainement le Jedi de ne pas avoir réussi à sauver sa planète. Borsk Fey'lya dévoila ses crocs en un sourire qui parut curieusement sincère.

Laissant les acclamations continuer, le Chef de l'Etat quitta son pupitre et descendit de l'estrade à la rencontre de Luke. Il leva une patte poilue et ramena l'ordre dans la salle à une vitesse impressionnante. Puis il surprit Luke en lui serrant chaleureusement la main.

— La princesse Leia n'a pas pu venir ? demanda Fey'lya. L'invitation était adressée à vous deux, pourtant.

— Leia est occupée ailleurs, répondit Luke.

Fey'lya hocha la tête d'un air entendu.

— Anakin et les jumeaux, je suppose. (Il fronça les sourcils en une expression bien rodée d'inquiétude, puis il se tourna légèrement vers le droïde audio chargé de transmettre le son de sa voix.) Laissez-moi vous assurer que la Nouvelle République fait actuellement tout ce qui est en son pouvoir pour déterminer ce qui leur est arrivé et appréhender les coupables.

C'était on ne peut plus vrai. Cela faisait des jours que les Spectres patrouillaient en bordure de la zone de combat. Ils avaient manqué de peu d'identifier le vaisseau qui avait effectivement livré les Jedi à leurs adversaires. Luke avait donc été obligé de demander à Wedge d'interrompre précipitamment la mission de l'escadron. Apparemment, Garik Loran était furieux de sa décision.

— Je suis persuadé que toutes les familles des Jedi portés disparus apprécient votre désir de les aider, dit Luke. Il ne faut surtout pas perdre de vue que les Yuuzhan Vong représentent une menace plus importante que les Jedi.

— Les Jedi, en tout cas, n'ont pas oublié à quel camp ils appartiennent, eux, dit Fey'lya serrant de plus belle la main de Luke dans la sienne. Au nom de la Nouvelle République, laissez-moi vous féliciter pour la victoire des Jedi à Talfaglio et vous remercier d'avoir sauvé la vie de tant de nos concitoyens.

— Nous sommes heureux d'avoir pu rendre ce service, dit Luke. Les Jedi ont consolidé leurs rangs et espèrent être en mesure d'assister pleinement la Nouvelle République dans l'avenir. Mais il est important de noter que nous n'avons pas pu faire cela tout seuls.

— Nous sommes au courant du soutien qui vous a été fourni par le *Mon Mothma* et l'*Elegos A'Kla*, dit Viqi Shesh, parlant depuis son propre siège sur l'estrade. (Même si cela n'était pas techniquement nécessaire, elle se pencha vers le micro de sa console et regarda Luke.) Nous sommes au courant grâce à la couverture médiatique du réseau HoloNet. Et toute la galaxie est au courant, y compris les Yuuzhan Vong, sans aucun doute.

Luke sentit un frisson glacé entre ses omoplates. Il sut qu'il avait enfin identifié la dangereuse présence qu'il avait détectée en arrivant sur le podium. Il eut même la sensation d'avoir lui-même été repéré par la présence en question.

— Un détachement d'intervention de la Nouvelle République était par hasard en patrouille dans ce secteur, c'est exact, répondit-il. Je crois savoir qu'ils n'ont subi aucune perte.

— La galaxie est vaste, Maître Skywalker, dit Shesh très froidement. Peut-être pourriez-vous nous expliquer comment ce détachement se trouvait « par hasard » dans cette zone ?

Fey'lya leva une main, empêchant Luke de répondre. Il se tourna alors vers Shesh, retroussant suffisamment ses lèvres pour dévoiler ses crocs acérés.

— Nous avons tous lu les rapports, Conseiller. Les vaisseaux étaient en mission de routine. Je ne comprends pas le sens de votre question.

Shesh continua de dévisager Luke.

— Mais ma question a du sens, Chef Fey'lya. Wedge Antilles et Garm Bel Iblis sont deux de nos meilleurs généraux. Je les crois beaucoup trop expérimentés pour procéder à des exercices de routine en plein territoire Yuuzhan Vong.

— Aux dernières nouvelles, Sénateur, le secteur Corellien faisait encore partie de la Nouvelle République, que je sache, dit Fey'lya, déclenchant un chœur d'éclats de rires dans l'assistance. Quant à l'expérience des généraux, je suis sûr que nous sommes tous deux d'accord pour reconnaître qu'ils sont certainement plus à même que vous et moi de décider du meilleur terrain pour procéder à l'entraînement des équipages de leurs destroyers stellaires.

— Sans aucun doute… A condition qu'on leur en laisse le choix, rétorqua Shesh.

Des murmures de suspicion parcoururent la salle. Luke comprit immédiatement dans quelle direction Shesh souhaitait orienter les débats.

— Si vous êtes en train de suggérer que nos généraux ont été, d'une manière ou d'une autre, influencés…

— C'est très exactement ce que je suis en train de suggérer, Maître Skywalker. (Quittant son fauteuil, Shesh s'avança jusqu'à la console de Fey'lya. Elle modifia le réglage principal des micros afin que la salle tout entière puisse entendre ce qu'elle avait à dire.) Les Jedi sont connus à travers toute la galaxie pour leur aptitude à manipuler les esprits. Cette fois-ci, vous êtes allés trop loin en essayant de détourner les ordres légitimes d'un détachement militaire de la Nouvelle République !

— Ecoutez ! Ecoutez ! tonna Fyor Rodan en se levant. La Nouvelle République ne peut plus tolérer de tels abus de la part des Jedi !

Un nombre surprenant de sénateurs, pour la plupart originaires de mondes de la Bordure Intérieure, nourrissant encore l'espoir d'apaiser les Yuuzhan Vong, se levèrent comme un seul homme. Les Wookiees et les Bothan poussèrent des grondements de désapprobation. Luke se tourna tout doucement et fit appel à ses talents de Jedi pour conserver un visage calme. Leia l'avait bien averti de ne pas se laisser surprendre par quoi que ce soit dans l'enceinte du Sénat de la Nouvelle République. Pourtant, il n'arrivait pas à comprendre comment des êtres intelligents avaient pu se laisser persuader que la destruction totale de la flotte ennemie et le sauvetage d'une planète tenue en otage étaient de mauvaises choses.

Mais, bien entendu, tout ceci n'avait pas grand-chose à voir avec la flotte ou les otages. Tout n'était qu'une question d'alliances et de pouvoir, de qui le possédait, de qui l'avait perdu, de qui le détiendrait le lendemain et de qui serait prêt à le partager. Ce n'était pas étonnant que Leia ait refusé de revenir s'adresser au conseil. Ce n'était pas étonnant que la Nouvelle République soit en train de perdre la guerre.

Fey'lya retourna à sa console afin d'en récupérer les commandes. Il se trouva retardé lorsque Fyor Rodan s'interposa pour lui barrer la route, sous le prétexte fallacieux de discuter avec lui d'une importante règle de procédure. Shesh en profita pour conserver le contrôle du système audio.

— Maître Skywalker, peut-être n'êtes-vous pas capable de vous rendre compte des dégâts que votre comportement égoïste a causés à la Nouvelle République, dit-elle. En utilisant les nouvelles armes installées à bord du *Mon Mothma* et de l'*Elegos A'Kla* prématurément, vous avez alerté les Yuuzhan Vong sur l'existence de deux technologies puissantes que nous étions sur le point de déployer contre eux. Deux technologies qui, du moins nous l'espérions, auraient permis de faire pencher la balance en notre faveur au cours de cette guerre.

Sa phrase déclencha un torrent d'acclamations chez ses supporters. Ceux qui s'opposaient à elle commencèrent à exprimer leur manque d'enthousiasme. Toujours bloqué par Fyor Rodan, Fey'lya leva une main pour inviter un droïde de sécurité à s'approcher.

Shesh porta l'estocade :

— Maître Skywalker, j'ai bien peur que ce Conseil ne soit en position d'exiger des Jedi qu'ils rendent les armes et mettent fin à leurs activités irresponsables.

— Non, dit Luke doucement, mais fermement, se servant de la Force pour projeter sa voix jusque vers les gradins les plus reculés de la salle d'audience. Les Jedi ne rendront pas les armes.

Comme il l'avait espéré, le son de sa voix dans tous les recoins de la chambre du conseil suffit à calmer les ardeurs.

— Nous n'avons, en aucun cas, influencé et obligé des officiers de la Nouvelle République à désobéir aux ordres, continua-t-il.

— Et vous pensez que nous allons vous croire ? demanda Shesh, levant un regard plein de sous-entendus vers les gradins à présent apaisés. Alors que vous êtes très précisément en train d'utiliser sur nous vos talents à manipuler les esprits ?

Luke afficha un sourire espiègle.

— Ce n'est pas de la manipulation, dit-il. Tout ici n'est qu'une question de calme.

Sa réponse déclencha quelques éclats de rire dans les galeries. A l'arrivée du droïde de sécurité, Fyor Rodan feignit la surprise et retourna s'asseoir.

— C'est la même chose, j'insiste, dit prestement Shesh. Si les Jedi ne rendent pas les armes, le Sénat doit empêcher l'armée de la Nouvelle République d'entretenir le moindre contact avec eux. (Un tonnerre de protestations retentit dans la salle. Shesh augmenta le volume de son micro afin de se faire entendre dans le tumulte.) Il n'y aura plus d'Ailes-X « de réserve » affectées à vos hangars, Maître Skywalker. Il n'y aura plus de séances de partage d'informations. Si vous continuez ainsi à vous moquer de nous…

— Vous êtes en train d'abuser de votre autorité, Sénateur Shesh, l'interrompit Fey'lya. (Le Bothan la repoussa d'un coup d'épaule et récupéra le contrôle de sa propre console.) Retournez à votre place ou bien je serai obligé de demander à ce qu'on vous escorte hors de cette salle.

Shesh lui adressa un sourire acerbe et s'exécuta. Mais le mal était fait. Elle avait réussi à transformer cet instant de triomphe des Jedi en un nouveau débat propre à diviser les membres du Sénat. Luke se demanda pourquoi elle avait fait une chose pareille. En tant que sénateur superviseur de SELCORE, la Kuati avait effectivement prouvé qu'elle était corrompue. Les accusations de Leia à propos de ses écarts de conduite n'avaient qu'anéanti ses chances de se gagner la sympathie des Jedi. Mais, aujourd'hui, elle semblait prête à se surpasser en termes de dépravation. C'était bien plus qu'un acte de vengeance opportuniste. C'était un acte de trahison prémédité. Si Luke n'avait pas perçu dans la Force tout le caractère sinistre qui animait cette femme, il se serait empressé de marcher jusqu'à sa console pour lui arracher son grimage Ooglith. Dans la situation actuelle, il jugea préférable de conserver un œil sur elle jusqu'à ce qu'il parvienne à découvrir l'origine de toute cette noirceur qui émanait d'elle.

Fey'lya, à maintes reprises, essaya de rappeler le Sénat à l'ordre. Il finit par laisser tomber et retourna s'asseoir, attendant que le tumulte s'apaise de lui-même. Luke se contenta de croiser les bras et d'attendre patiemment, comprenant qu'il jouerait le jeu de Shesh s'il faisait encore appel à une technique Jedi pour calmer l'assemblée. Il perdit tout espoir d'accomplir ce pour quoi il était venu se présenter devant le Conseil. Mais il ne pouvait pas non plus tourner les talons et s'en aller, sous peine de paraître arrogant. Ce serait une nouvelle arme que Viqi Shesh s'empresserait d'utiliser contre les Jedi.

Le brouhaha commença enfin à retomber, mais Fey'lya, absorbé par la contemplation du moniteur vidéo personnel de sa console, ne sembla pas le remarquer. Craignant que les Yuuzhan Vong ne soient à nouveau en train de déclencher une catastrophe quelconque contre la Nouvelle République – et connaissant suffisamment ses adversaires pour savoir qu'ils étaient capables de profiter de l'instant précis pour mettre leurs plans à exécution –, Luke projeta son esprit vers Fey'lya afin de découvrir ce qui pouvait tant capter l'attention du Bothan. Comme tout politicien aguerri, Fey'lya conservait le contrôle de ses émotions. Mais ce que Luke ressentit évoquait plus de la surprise que de la déception ou de la panique.

Toujours prompte à saisir une opportunité, Viqi Shesh se leva.

— Je suis très inquiète au sujet du problème des Jedi. Si inquiète, en fait, que je propose une résolution.

Constatant que Fey'lya était toujours absorbé par la contemplation de son écran vidéo, Luke lui envoya une gentille poussée par le truchement des ondes de la Force. Le Bothan sursauta, se tourna vers Shesh, mais ne l'interrompit pas.

Elle continua :

— Je propose la résolution suivante : que les Jedi soient déclarés, aujourd'hui même, dangereux et nuisibles pour l'effort de guerre…

Un vacarme assourdissant de protestations s'éleva dans la salle et elle ne put terminer sa déclaration. Elle essaya tant bien que mal de continuer son exposé par-dessus le tumulte, avant de se tourner vers Fey'lya et de le foudroyer du regard, l'accusant clairement d'avoir coupé son microphone.

— Chef Fey'lya ! Je suis parfaitement habilitée à soutenir cette motion !

— Certes, dit Fey'lya en souriant. Mais peut-être pourriez-vous me permettre de déclarer quelque chose d'abord…

Il appuya sur un bouton de sa console et une rangée d'hologrammes se matérialisa sur le sol de la salle, près du pupitre des orateurs. Luke fut obligé de faire un pas en arrière avant de pouvoir identifier les silhouettes du Général Wedge Antilles, du Général Garm Bel Iblis, de l'Amiral Traest Kre'fey, du Général Carlist Rieekan et de plusieurs autres officiers supérieurs. L'assemblée se calma progressivement.

— Un nombre surprenant d'officiers supérieurs m'ont contacté au cours des dernières minutes, dit Fey'lya. Après avoir écouté ce qu'ils avaient à me dire, j'ordonne – je ne suggère pas, j'ordonne – que l'armée de la Nouvelle République coopère et coordonne ses actions avec les Jedi.

Un silence tomba sur la chambre du conseil. Seule Shesh se leva pour commencer à bégayer :

— Mais… Mais… Vous ne pouvez pas faire cela !

— Je le peux. Et je le fais. (Fey'lya enclencha le verrou de sa console, se leva et avança jusqu'au fauteuil de Shesh.) Si vous estimez que j'abuse de mon autorité, vous pouvez, bien entendu, inviter cette assemblée à voter ma destitution. Souhaitez-vous organiser ce scrutin, Sénateur Shesh ?

Stupéfaite, Shesh regarda en direction de certaines galeries, essayant de deviner si le mandat autocratique du Bothan avait coûté à ce dernier suffisamment de soutien pour lui faire perdre un tel vote. Lorsqu'elle remarqua que même ses propres supporters ne pouvaient détacher leurs yeux des hologrammes de ces commandeurs militaires à l'air furieux, elle se rendit compte qu'elle était prise à son propre piège. Elle baissa les yeux et secoua la tête.

— Non. Et je retire ma motion.

— Très bien. Nous discuterons de vos nouvelles affectations lorsque nous en aurons terminé ici. (Fey'lya descendit de l'estrade du haut conseil et retourna auprès de Luke.) Bien, où en étions-nous ?

— J'aimerais d'abord vous demander quelque chose. (Luke posa sa main sur le micro du pupitre, puis fit appel à la Force afin d'envoyer le droïde chargé de retransmettre le son des conversations à l'autre bout de la salle.) Qu'est-ce que les généraux vous ont raconté ?

— Rien, en fait. La communication que j'ai reçue provenait du commandement militaire de la Nouvelle République. Les Yuuzhan Vong ont mis le cap sur Borleias. (Fey'lya se tourna vers les commandeurs et dévoila ses crocs en une expression que Luke interpréta comme un sourire forcé.) Ces hologrammes proviennent de nos archives…

Dans l'appartement des Solo, des acclamations retentirent entre les murs du grand salon. Gavin Darklighter rejoignit Saba Sebatyne et Kyp Durron pour discuter de futures missions en commun. Les pilotes de la Nouvelle République commencèrent à se servir de larges rasades de bullezap, ne se souciant guère des quantités renversées sur le carrelage désinfecté, au grand dam du pauvre C-3PO. Lando et Tendra s'étaient déjà précipités sur leurs comlinks pour chanter les louanges de leurs droïdes de guerre CYV auprès d'officiers de la Nouvelle République soudain attentifs. Si quelqu'un s'était aperçu que Wedge Antilles, l'un des officiers supérieurs du haut commandement apparemment en liaison directe avec Borsk Fey'lya, était en réalité assis sur le canapé à côté de Han et de Leia, personne ne jugea bon d'en faire la remarque.

Se sentant beaucoup moins enthousiaste que le reste de ses invités, Leia se tourna vers Han.

— Suis-je la seule à avoir compris ?

Han lui adressa un sourire en coin.

— J'ai compris, aussi, dit-il. (Il se pencha vers Wedge, occupé à contempler sa propre image tridimensionnelle. Son expression était partagée entre la colère et l'approbation.) Borsk a bluffé !

— En politique, on appelle ça un écart de conduite, dit Leia. Il n'avait pas le pouvoir d'ordonner, tout seul, une telle directive.

— Peut-être pas, mais en tout cas, il a fait ce qu'il fallait faire. Je crois me rappeler que c'est toi-même qui lui as conseillé…

— Mais il ne l'a pas fait parce qu'il apprécie les Jedi, le coupa Leia. Borsk n'aurait pas pris un risque pareil. Il aurait pu perdre sa place. Il peut encore perdre sa place, d'ailleurs, si Viqi découvre ce qu'il a fait et si elle parvient à rassembler un soutien suffisant.

— Ça ne se produira pas, dit Wedge, sortant brusquement de son état de stupeur. Borsk est la personne qui nous a demandé de venir vous donner un coup de main à Talfaglio. Aucun des commandeurs que vous avez vus dans la salle du conseil ne le contredira. En tout cas jamais en présence de Viqi Shesh.

Une demi-douzaine de comlinks, y compris celui de Wedge, retentirent simultanément. Il coupa le signal sonore et se leva. En compagnie d'autres officiers de la Nouvelle République, ils se dirigèrent vers une pièce plus calme.

— Je vous prie de nous excuser, dit Wedge avant de refermer la porte. Mais j'ai l'impression que le Général Bedamyr a encore égaré ses mynocks apprivoisés.

Han et Leia éclatèrent de rire. Lorsqu'il fut enfin parti, ils échangèrent un regard et, perplexes, haussèrent les épaules.

— Je suppose que nous ne tarderons pas à en savoir plus, dit Han.

Mais les pensées de Leia étaient de nouveau braquées sur Fey'lya.

— Tout d'abord, il gagne la confiance du commandement en envoyant un détachement sur Talfaglio. Ensuite, il nous accorde le crédit de sa propre décision. (Elle reposa les yeux sur la retransmission holographique. Fey'lya était en train, à grand renfort de gestes très ostensibles, de remettre à Luke une carte codée qui lui permettrait de naviguer à travers les champs de mines planétaires.) Il est en train de consolider son pouvoir et son assise, Han. Et il a besoin de tous ceux qui soutiennent les Jedi.

— Et les Jedi ont besoin de lui, répondit Han. On est tous dans le même vaisseau.

— Je sais. (Leia se sentit presque mortifiée, à l'idée que ses propres motivations se retrouvent soudain épaulées par celles de Borsk Fey'lya.) Et ça me terrifie presque plus que les Yuuzhan Vong.

32

Fixant son esprit sur le rythme entêtant de la prière de Vaecta, Tsavong Lah repensa aux sacrifices de Yun-Yuuzhan, aux yeux qu'il avait abandonnés pour donner aux étoiles leur éclat, aux tentacules qu'il avait cédés pour créer les galaxies. Tout comme les dieux avaient agi en leur temps, c'était à présent au tour des Yuuzhan Vong de passer à l'action. La victoire de ce jour servirait à raffermir le flanc gauche de son attaque finale. C'est pourquoi il avait posé sa main gauche sur le billot. Il comprenait l'importance de la foi alors que ses prédécesseurs lui avaient tourné le dos. C'est pour cela qu'il réussirait là où ils avaient échoué et péri.

C'était pour cela que Tsavong Lah avait exigé le retour du prêtre Harrar, son propre guide spirituel et la seule personne digne de confiance, susceptible de le conseiller dans les sacrifices à effectuer pour s'assurer de la victoire des Yuuzhan Vong. Il aurait préféré que Harrar préside personnellement au rituel, mais insulter Vaecta ne servirait à rien. Aujourd'hui, Harrar se contenterait de rester auprès de lui en tant que témoin et ami, pas en tant que prêtre.

Pendant que Vaecta bénissait la pince de radank que les laborantins Vong attacheraient à son poignet à la place de sa main tranchée, Tsavong Lah observa le disque brumeux, vert et bleu, de Borleias. La planète était sous l'emprise d'un réseau de rayons énergétiques et de décharges de plasma. C'était assurément un monde qui manquait de la moindre ressource utile à leurs adversaires. Mais l'endroit était idéal pour se préparer à l'attaque de Coruscant car il était puissamment et intelligemment fortifié. Les infidèles avaient arrangé leurs défenses orbitales en trois couches, les plates-formes lourdes à l'extérieur, les petites plates-formes à tir rapide à l'intérieur et un dense champ de mines spatiales entre les deux.

Une sphère de plasma de la taille d'une petite lune parvint enfin à saturer les boucliers d'une des plus grosses plates-formes. L'abomination mécanique fut réduite en une masse de métal fondu. Malheureusement, le vaisseau qui avait déclenché l'attaque en paya chèrement les conséquences. Des cônes de turbolaser de plusieurs mètres de diamètre convergèrent vers l'appareil, saturant à leur tour ses projecteurs de perturbations gravifiques et créant quatre énormes brèches dans sa coque. Le vaisseau commença à prendre de la gîte, vomissant dans l'espace des nuées de cadavres. Une nuée de missiles infidèles, lancés depuis les plates-formes lourdes, achevèrent le travail.

Seef, l'assistante préposée aux communications, apparut dans son champ de vision, portant le villip déjà actif de Maal Lah, farouche officier appartenant à la même lignée que le Maître de Guerre et commandeur suprême chargé d'assurer, ce jour, la victoire aux Yuuzhan Vong. Tsavong Lah détecta une forme d'inquiétude sur le visage de son subordonné. Il attendit cependant humblement que Vaecta ait terminé sa bénédiction avant de faire un geste en direction de villip.

— Est-ce permis ?

— Les dieux ne sont jamais offensés par celui qui répond à l'appel de son devoir, dit-elle en hochant la tête.

La prêtresse commença immédiatement les rituels requis par Yun-Yuuzhan et les autres dieux avant le sacrifice du Maître de Guerre au Massacreur. Tsavong Lah se tourna vers le villip.

— Tes commandeurs sont bien audacieux, annonça-t-il.

— Ils ont hâte de gagner vos faveurs, répondit le villip. (La sphère parcheminée représentait le visage d'un guerrier à la mâchoire carrée, barré de tant de peintures de guerre qu'il avait été obligé de superposer des tatouages rouges, plus récents, aux bleus, plus anciens.) Mais je leur ai laissé entendre que cela ne se produirait pas s'ils continuaient ainsi à mettre ici même leurs vaisseaux en péril.

— Mais, toi, tu as pourtant l'habitude des tactiques audacieuses, présuma Tsavong Lah.

— Certes, mais je comprends aussi la nécessité de conserver nos vaisseaux en état, Maître de Guerre. Coruscant est une planète bien défendue.

Tsavong Lah fut surpris. Après la perte du grand vaisseau, il s'était attendu à ce que le suprême commandeur lui demande d'ordonner le déploiement de pièges gravifiques de basals dovins dans la couche intérieure des défenses de la planète. Cette tactique était fort coûteuse, mais elle pourrait aisément et rapidement leur dégager la voie jusqu'à Borleias en attirant les mines spatiales sur les plates-formes d'artillerie. Même si suffisamment de forces d'assaut survivraient à la mise en place de ce plan, son exécution révélerait la technique que le Maître de Guerre avait l'intention d'utiliser sur les formidables barrages en orbite autour de Coruscant.

— Ta patience doit être louée, Maal Lah. (Le Maître de Guerre détourna les yeux de la bataille vers la lune de Borleias qui venait d'apparaître à l'horizon. De petites langues de feu écarlate apparurent çà et là sur sa surface obscure.) Comment se déroulent les opérations sur la lune ?

— Les infidèles nous opposent une résistance soutenue, mais ils ne pourront plus tenir très longtemps, lui assura Maal Lah. Le basal dovin sera à la surface dans l'heure qui vient.

Ils avaient envoyé trois divisions d'assaut pour installer le basal dovin géant sur la lune sombre de Borleias. Au lieu de forcer le satellite à s'écraser sur sa planète maîtresse, comme l'avaient fait les forces prétoriennes Vong sur Sernpidal, le basal dovin devait attirer à lui toutes les défenses orbitales. Puisque la lune décrivait une orbite de trente-deux heures, le stratagème prendrait plus d'une journée avant de porter ses fruits. Mais il permettrait également de limiter les pertes en vaisseaux et de ne pas avertir les infidèles de la tactique prévue pour Coruscant.

Vaecta s'empara du coufee de Tsavong Lah dans son étui et découpa un lambeau de chair sur la cuisse du laborantin qui serait chargé d'attacher la pince de radank au poignet du Maître de Guerre. Comprenant qu'il ne lui restait plus que quelques minutes avant de se consacrer exclusivement à la cérémonie, Tsavong Lah reporta son attention sur le villip de Maal.

— Je vois que tu as les choses bien en main, mon serviteur. (Tsavong Lah ne pouvait cependant pas s'empêcher d'être quelque peu déçu. En tant que Maître de Guerre, c'était à lui que revenait le privilège de décider de ce qu'il fallait faire et comment. Mais, une fois que la bataille était commencée, c'était à ses subordonnés de veiller à ce que tout se déroule correctement.) Mais je doute que ce soit la seule chose que tu aies à me rapporter.

— Je ne me permettrais pas de vous déranger pour seulement vous annoncer que les choses se passent exactement selon vos attentes, grand Maître de Guerre, dit Maal Lah. Le yammosk vient de m'informer que ses petits ont perçu des pulsations gravifiques en provenance de la face de la planète qui nous est opposée.

Dans sa surprise, Tsavong Lah oublia où il se trouvait et faillit retirer sa main du billot. Le yammosk était le coordinateur de guerre de Maal Lah, avec qui le suprême commandeur partageait ses pensées, ses « petits » étant les basals dovins reliés aux systèmes de capteurs de chaque vaisseau.

— Des pulsations gravifiques, mon serviteur ?

— La modulation est erratique, incertaine, Maître de Guerre, mais il s'agit certainement d'une sorte de code. Certains éléments affichent même une curieuse ressemblance avec nos propres codes. Le spectre de masse identifie la source comme provenant d'un yacht spatial similaire à l'*Ombre de Jade*, un vaisseau remarqué à la bataille de Duro et plus tard confirmé comme appartenant aux *Jeedai*…

— Aux *Jeedai* ! (D'après les espions de Tsavong Lah, les *Jeedai* se trouvaient toujours sur Coruscant, occupés à refaire le plein et à armer leur flotte. Ses scribes lui avaient assuré qu'ils atteindraient Borleias environ un jour après la date prévue pour la fin de la bataille.) Quand ce vaisseau est-il entré dans le système ?

— Nous ne le savons pas, dit Maal Lah. Mais il semble évident que cet engin n'était pas là lorsque nous sommes arrivés.

— Comment peux-tu en arriver à cette conclusion ?

— Si les *Jeedai* nous avaient devancés, ils auraient déjà contacté Borleias avant notre arrivée, afin de mettre en place des modes de communications sécurisés. Ils disposent de plusieurs méthodes que nous n'arrivons pas encore à détecter. Pourquoi risqueraient-ils, à cet instant précis, d'attirer l'attention sur eux en contactant ouvertement la planète ?

— Et tu as donc deviné leurs actions à partir d'une telle supposition ? demanda Tsavong Lah.

Le villip eut l'air mal à l'aise.

— Grand Maître de Guerre, mon jugement est un misérable ver luisant face à la supernova de votre sagesse. Mais imaginez un peu que votre espion sur Coruscant mange le rajat par les deux bouts…

Tsavong Lah ne répondit rien, évaluant les probabilités qu'une telle chose se produise. Peut-être avait-il effectivement sous-estimé Viqi Shesh, peut-être était-elle réellement en train de le prendre pour un imbécile. A moins que la secte de traîtres à la solde de la Nouvelle République ne soit au courant de ses contacts avec lui et ne fournisse à Viqi que de fausses informations. Tsavong Lah ne pouvait pas non plus faire confiance aux enregistrements holographiques du réseau HoloNet que les scribes avaient utilisés pour confirmer les affirmations de Shesh. La secte de traîtres ennemis pouvait truquer les données aussi facilement que les agents Yuuzhan Vong pouvaient investir les défenses d'une planète.

Pendant que Tsavong Lah analysait la signification du rapport du suprême commandeur, Vaecta découpa une bande de chair sur sa propre cuisse. Laissant son sang noir s'écouler abondamment, elle tressa le ruban de peau à celui qu'elle avait découpé dans la jambe du laborantin. Elle déposa ensuite la tresse sur un plat cérémonial en coquille de gatag, la bénit au nom de Yun-Yammka, avant de la tendre au Maître de Guerre.

— Un instant ! dit Tsavong Lah, retirant sa main du billot.

Harrar écarquilla les yeux sous le coup de l'incrédulité.

— Vous demandez aux dieux d'attendre ?

— Ils comprendront. (Tsavong Lah se tourna vers Maal Lah.) C'est bien la première fois qu'on intercepte un message à base de pulsations en provenance de l'ennemi, n'est-ce pas ? demanda-t-il.

— A ma connaissance, oui, répondit Maal Lah en hochant la tête.

— Alors, pourquoi devons-nous croire que c'est bien Borleias qu'ils sont en train d'essayer de contacter ? (Il posa les yeux sur Seef.) Essaie de savoir ce qu'il est advenu du yammosk de Talfaglio. Transmets à tous les commandeurs suprêmes l'ordre de détruire leurs coordinateurs de guerre en cas de menace de capture.

Seef hocha la tête, tout en écarquillant au moins autant les yeux que Harrar.

— C'est comme si c'était fait.

— Je vais assigner un groupe d'assaut à la capture du vaisseau *Jeedai*... dit Maal Lah.

— Il vaut mieux ignorer le vaisseau plutôt que d'informer les *Jeedai* de leur succès, suggéra Harrar. (Il fit un signe en direction du billot.) Si vous voulez bien, Maître de Guerre. Les dieux attendent.

— Encore un petit instant. (Tsavong Lah relaya la suggestion de Harrar, sous forme d'ordre, au commandeur suprême.) Et je ne souhaite plus laisser cette lune faire notre travail à notre place, ajouta-t-il. Rassemblez une équipe pour poser les pièges gravifiques orbitaux.

— Et Coruscant ? demanda Maal Lah, ajoutant sa surprise à celle de Seef et de Harrar. Si vous avez raison à propos des yammosk, alors pourquoi trahir notre future tactique ?

— Effectivement, mais il y a des fois où le vers luisant a raison et où la supernova a tort. (Tsavong Lah reposa sa main sur le billot et fit glisser son bras pour que son coude se trouve juste sous le couperet du laborantin.) Nos besoins sont importants aujourd'hui. Je sacrifie mon bras en entier.

33

Jaina franchit le sommet de la dernière d'une longue série de dunes de craie. Elle découvrit un quadripode impérial, dressé sur la colline suivante. Son cockpit blanc et son habitacle blindé se dessinaient parfaitement dans les ténèbres de la passe. Elle siffla un avertissement aux autres membres du groupe et s'accroupit en position de défense avant de décrocher prestement son sabre laser de son harnais. Un vieux Transporteur Blindé Tout Terrain était bien la dernière chose qu'elle s'attendait à voir sur un vaisseau-monde Yuuzhan Vong, mais, après une bonne centaine de missions exécutées au sein de l'Escadron Rogue, elle avait appris qu'il valait mieux ne pas se laisser surprendre par quoi que ce soit. Lorsque l'éclair d'un bâtonnet lumineux apparut par les hublots du cockpit du TB-TT, elle céda à ses instincts de combattante et dévala la dune en une série de sauts en zigzags.

Tout en roulant sur elle-même, elle se sentit couler dans cet état étrange d'engourdissement émotionnel qui semblait se produire régulièrement ces derniers temps au moment de livrer un combat. Les pilotes parlaient parfois de sensations de détachement, de cette impression de quitter leurs corps au moment d'une bataille. En général, cela se produisait lors d'une mission précédant de peu celle au cours de laquelle le pilote commettrait l'erreur stupide autant que fatale qui permettrait à un balafré quelconque de le transformer en supernova. La sensation que Jaina éprouvait aujourd'hui était plus proche de la résignation, de l'acceptation lasse de l'horreur et du déchirement suscitées par la guerre. Elle aurait aimé attribuer cet état d'esprit à son attachement à la Force, mais elle savait qu'il n'en était rien. Sa réaction était pareille à une armure émotionnelle, une façon d'éviter l'angoisse qui survenait lorsqu'on voyait mourir un ami ou un ailier, une manière de nier totalement le fait qu'un destin similaire vous attendait.

Jaina atteignit le bas de la dune dans un nuage de poussière de craie et cessa de rouler. Elle sauta et adopta une position de défense, un genou à terre, levant son sabre laser en une garde basse. C'est alors qu'elle entendit un sifflement familier.

— Sticks ? Tu devrais te laisser pousser une queue, dit Tesar Sebatyne. Peut-être que ça t'aiderait à ne pas perdre l'équilibre !

La remarque déclencha des gloussements aigus de la part de Krasov et Bela.

— Très drôle... rétorqua Jaina. (Même sans le lien psychique – que Jacen avait relâché depuis quelque temps dans l'espoir que cela servirait à apaiser la discorde croissante qui régnait dans le groupe –, la jeune femme avait deviné l'hilarité dissimulée des autres membres du commando.) Vous auriez pu me prévenir.

— C'est ça, et j'aurais pu aussi m'arracher les écailles du cœur à la pince à épiler, gronda Bela. Et puis quoi encore ?

Les sifflements joyeux reprirent.

Jaina sortit du nuage de craie et découvrit les Barabel qui attendaient auprès d'Anakin et des autres membres du groupe. Leurs combinaisons pressurisées avaient été repliées et rangées dans des étuis spéciaux accrochés aux harnais d'équipements. Recouverts de poussière des pieds à la tête, ils ressemblaient plus à des fantômes qu'à des Chevaliers Jedi. Ils se tenaient à présent le long du mur de la passe, surveillant en permanence les coraux skippers qui patrouillaient de façon incessante, déversant par endroits des nuées toxiques ou paralysantes. Deux lignes de traces de pas, dont l'une était assez imposante pour appartenir de toute évidence à un Wookiee, couraient le long de la dune voisine en direction du TB-TT.

Jaina projeta les ondes de la Force et sentit la présence de

Lowbacca, ainsi que celle de Jovan Drark, dans le cockpit du quadripode impérial.

— Mais où ont-ils bien pu trouver ce machin ?

— Les dresseurs sont très consciencieux, expliqua Lomi. Ils gardent sous leur coupe une cité entière d'esclaves chargés de faire fonctionner du matériel confisqué afin d'habituer les voxyns à ces « abominations mécaniques ». Ils sont prêts à tout pour débarrasser la galaxie des Jedi.

— Ils ont même un paquebot de croisière stellaire en cale sèche dans une sorte de grotte hangar, ajouta Welk.

L'idée de jeter un vaisseau spatial d'un million de tonnes contre le centre de clonage germa dans la tête de Jaina.

— Est-ce qu'il...

— Non, les convertisseurs énergétiques ont été démontés, expliqua Lomi. Même les blindés et les speeders fonctionnent sur des batteries à basse capacité au lieu de leurs cellules de combustible habituelles. Leur autonomie ne doit pas pouvoir excéder la distance qui nous sépare actuellement du quartier des esclaves.

— C'était trop beau, soupira Jaina.

Avec un minimum de matériel et un peu de temps, elle et Lowbacca auraient pu trouver un moyen de restaurer la machinerie. Mais ils avaient déjà infiltré le complexe depuis près de trente heures et la dernière chose que le commando souhaitait donner aux Yuuzhan Vong c'était bien un peu plus de temps pour réagir. Une teinte vert pâle inonda soudain le passage crayeux. Jaina releva la tête et vit le disque de Myrkr apparaître par la fenêtre irrégulière d'une membrane translucide, utilisée pour colmater une brèche d'une vingtaine de mètres dans les parois du vaisseau-monde. Elle se sentit régénérée, un peu moins nerveuse, un peu moins inquiète. L'apparition d'un corps étincelant dans le ciel avait toujours sur elle un effet bénéfique, lui donnant chaque fois l'impression de se réveiller après une longue et bonne nuit passée dans une couchette confortable.

La voix du Rodien Jovan Drark retentit dans le comlink :

— La Force est avec nous, aujourd'hui. Les batteries sont

encore chargées, mais les câbles d'alimentation sont pris dans des sortes de sécrétions minérales.

Un frisson de danger parcourut la colonne vertébrale de Jaina.

— Des sécrétions ?

— On dirait un nid d'insectes, expliqua Jovan. Lowbacca est en train de tout nettoyer.

La voix de Jacen s'éleva alors sur le canal de communication :

— Quel genre d'insecte ? (Même si elle savait que son frère était toujours intéressé par la découverte de nouvelles créatures, Jaina sentit que sa question dépassait les simples termes de sa curiosité.) Est-ce qu'ils ressemblent à des vers avec des pattes ?

— Non, ce n'est pas une ruche de scolochocs, répondit Jovan. Là, ce sont des petits flitnats, parfaitement inoffensifs.

— Il n'y a jamais rien d'inoffensif dans ce que créent les Yuuzhan Vong, dit Alema Rar à Anakin. C'est un piège.

— Avec toi, tout est un piège, objecta Tahiri. (Pendant qu'elle parlait, les systèmes d'illumination du quadripode furent activés, produisant une pâle bande de lumière à la surface de la dune voisine.) Pourquoi la Force ne serait-elle pas de notre côté, une bonne fois pour toutes, hein ? Ça soulagerait tout le monde d'embarquer sur le quadripode.

— Qu'est-ce que vous savez de ces insectes ? demanda Anakin, avec sagesse, à Lomi.

— Qu'ils représentent un risque qu'il n'est pas nécessaire de courir. (Elle pointa son index en direction de l'endroit où la passe s'arrêtait face à une paroi abrupte de corail yorik.) Nous sommes presque arrivés à destination. Le principal centre de clonage se trouve à environ un kilomètre de cette falaise.

— Il était temps, dit Zekk, rejoignant le reste du groupe. Je commençais à me demander si vous n'étiez pas sciemment en train de nous retarder.

Lomi sourit amèrement.

— Tu comprendras que je préfère la vie à la vitesse, Zekk. Nos destins sont liés dans cette histoire.

— Pour l'instant, elle nous a évité bien des ennuis, ajouta Anakin, affichant une expression courroucée face au ton provocateur de Zekk. (A l'inverse de presque tous les autres membres du commando, Anakin ne semblait guère troublé par le temps qu'il leur avait fallu pour franchir le terrain d'entraînement.) Jouons plutôt la carte de la sécurité et laissons tomber le quadripode. Nous en aurons fini et serons sur le chemin du retour dans deux heures, de toute façon. Quatre, tout au plus.

— Fais gaffe, Anakin, dit Jaina. Quand tu parles comme ça, j'ai l'impression d'entendre Papa.

Malgré le sourire jovial qu'elle adressa à Anakin, Jaina fut perturbée par la sensation d'excès de confiance qui émanait à présent de son frère cadet. En dépit de tous les ennuis qu'ils avaient rencontrés, le groupe n'avait perdu que trois éléments, Ulaha et les deux droïdes de guerre. Anakin semblait croire que le commando était intouchable, que même un vaisseau-monde tout entier, regorgeant de Yuuzhan Vong, serait incapable d'arrêter la marche d'un simple peloton de Jedi très entraînés. C'était peut-être vrai, mais Jaina avait appris, en volant au sein de l'Escadron Rogue, que le fait d'être le meilleur ne garantissait rien, que les plans les plus fiables pouvaient toujours mal tourner, en général au moment où on s'y attendait le moins.

Anakin hocha la tête en direction des Barabel, qui ne semblaient jamais fatigués de marcher, et le commando entreprit d'escalader la dune dans un nuage de poussière. Jaina resta à côté de son frère, réfléchissant à la nécessité de débattre avec lui des dangers qu'ils auraient encore à affronter. Avant de quitter la base Eclipse, Ulaha et les tacticiens avaient estimé que leurs chances de réussite baisseraient de deux pour cent à chaque heure écoulée. Ce qui signifiait que, à cet instant précis, les probabilités de succès du commando se réduisaient comme peau de chagrin. En ajoutant à cela que les Yuuzhan Vong avaient anticipé leur assaut suffisamment longtemps à l'avance pour leur tendre une embuscade et qu'on avait envoyé Nom Anor à leurs trousses, ces mêmes probabilités devaient avoisiner le zéro.

Même l'Escadron Spectre, dans une situation analogue, aurait abandonné et sonné la retraite. Mais, pour le commando, cette option n'était pas envisageable. Par la tournure des choses, ils avaient compris que toute flotte affectée au soutien de leur opération serait détruite dès qu'elle franchirait la zone de combat ou, au mieux, dès qu'elle serait détectée près de Myrkr. Voyant là une chance de sauver la galaxie, Anakin avait tout de même insisté pour monter l'opération, avançant comme argument que si le groupe devait être sauvé d'urgence, cela ne signifierait qu'une seule chose : que les Jedi étaient condamnés et que la Nouvelle République elle-même ne tarderait pas à succomber à son tour. La perspective effrayait Jaina, mais elle savait que son frère avait raison à ce sujet.

En approchant du sommet de la dune, Anakin se tourna vers sa sœur.

— Jaina ? demanda-t-il.

Elle le regarda et fut frappée de constater combien son frère avait grandi, combien il avait mûri. C'était à présent un beau jeune homme, en dépit de la barbe de plusieurs jours qui commençait à poindre à travers la pellicule de craie sur son visage.

— Ouais ?

— Qu'est-ce que tu fais en dehors du tracé ? (Il regarda par-dessus son épaule et se mit à parler si doucement qu'il invoqua la Force pour porter ses paroles jusqu'aux oreilles de la jeune femme.) Tu veux me dire quelque chose ?

— En fait, oui, dit Jaina en souriant. (Elle tendit la main pour lui serrer l'avant-bras.) Tu fais du bon boulot, Anakin. Si nous réussissons à mener cette mission à bien, ce sera grâce à ta confiance et à ta détermination.

— Merci, Jaina. (Anakin voulut lui adresser un sourire en coin, l'air un peu goguenard, mais sa sœur devina que l'expression était plutôt teintée de surprise et de soulagement.) Je sais.

— Bien sûr que tu le sais ! répondit Jaina en riant. (Elle lui administra un coup de poing dans l'épaule, assez fort pour le faire tituber.) N'oublie pas qu'il ne faut jamais baisser sa garde, ajouta-t-elle.

Ils passèrent la dune et se trouvèrent à la hauteur du hublot de transparacier du TB-TT. Jaina pensa tout d'abord qu'on avait atténué les lumières à l'intérieur du cockpit. C'est alors qu'elle remarqua le derrière de Lowbacca, dans sa combinaison, qui émergeait de la console d'instrumentation. Elle se rendit compte que l'obscurité qui régnait à bord n'était pas due à une défaillance du système d'éclairage, mais aux nuées de flitnats. Le nuage d'insectes était si épais que le corridor d'accès principal, à l'arrière du cockpit, était à peine visible. Il semblait même s'assombrir de plus en plus en rejoignant le compartiment réservé aux passagers du blindé.

Anakin se précipité sur son comlink.

— Qu'est-ce que vous fichez là-dedans ? Je vous ai pourtant dit de...

Lowbacca grogna une réponse brutale. Ses mains jaillirent de sous la console, tenant fébrilement une sorte de cartouche filtrante.

— Maître Lowbacca signale qu'il essaie tout simplement de récupérer l'équipement dont il a besoin, traduisit M-TD pour tous ceux qui ne comprenaient pas le Shyriiwook. Et il vous prie d'excuser sa brusquerie. Les flitnats commencent à le mordre.

— A le mordre ? répéta Jaina. (D'un coup d'œil, elle évalua la distance qui la séparait du cockpit, invoquant la Force pour se préparer à un très long saut.) Et toi, Jovan ?

Il n'y eut aucune réponse.

— Jovan ? cria Anakin dans son communicateur.

La tête poilue de Lowbacca apparut derrière la planche de bord du cockpit et se tourna vers l'arrière de la passerelle. Il aboya une question en direction du corridor d'accès, puis se releva, tenant à la main une deuxième cartouche filtrante.

— Le Jedi Drark ne semble pas répondre, rapporta M-TD. Maître Lowbacca le voit...

— Suspendu à la trappe inférieure, l'interrompit Tesar. Krasov va aller l'aider.

Lowbacca grogna un signal d'approbation et, se grattant furieusement au niveau du col de sa combinaison, retourna à la console d'instruments.

— Mais, Lowbacca, qu'est-ce que tu fabriques ? Sors de là ! appela Jaina.

Le Wookiee gronda une vague explication, affirmant qu'ils avaient besoin de masques respirateurs supplémentaires, puis il tomba lourdement à genoux et se remit au travail. Un grand bras apparut et empila maladroitement quelques bouts de tuyaux près des cartouches filtrantes. Puis il plongea sous la console et disparut complètement.

— Ciel ! annonça M-TD. Maître Lowbacca semble souffrir d'un crash de processeur !

Se servant de la Force pour franchir la différence de hauteur de cinq mètres qui la séparait du cockpit du TB-TT, Jaina exécuta un saut périlleux avant et atterrit en douceur sur la carlingue du blindé. Elle faillit basculer dans le vide lorsque Zekk et Anakin la rejoignirent. Anakin alluma son sabre laser et le fourra dans le joint qui fermait la trappe d'évacuation. Jaina activa sa propre lame et se mit au travail en direction opposée. Zekk, lui, se coucha à plat ventre et se glissa jusqu'au hublot avant afin de voir ce qui se passait à l'intérieur.

— Je ne le crois pas ! dit-il. Il est toujours en train d'essayer de récupérer des respirateurs !

— Peut-être qu'il en a assez de devoir porter des Jedi inconscients, dit Lomi, atterrissant auprès des deux autres. (Elle indiqua deux points précis de part et d'autre de la trappe.) Entaillez ici et ici.

Jaina et Anakin suivirent ses instructions. Leurs sabres laser poussèrent des bourdonnements aigus en entamant le verrou et les charnières renforcées de la trappe.

Pendant qu'ils continuaient leur travail, ils entendirent la voix de Ganner retentir dans le comlink :

— Jovan est vivant. Sonné, malade, mais vivant. Tekli pense qu'elle peut le sauver.

— Le sauver ? s'étrangla Anakin.

— Tu devrais voir ça, Anakin, intervint Tahiri. Je n'aurais jamais cru que les Rodiens pouvaient enfler comme ça !

Anakin pâlit et ne dit rien, concentrant tous ses efforts sur le sauvetage de Lowbacca.

— Quels sont les ordres ? demanda Ganner.

— Nous devrions battre en retraite et trouver un autre chemin, suggéra Lomi.

Anakin secoua vivement la tête.

— Non, hors de question.

Un choc étouffé retentit, de l'intérieur du cockpit.

— Bave de Hutt ! jura Zekk. Il s'est évanoui !

Le sabre laser de Jaina traversa le verrou de la trappe dans un dernier crépitement aigu. Elle éteignit la lame et raccrocha son arme à son harnais d'équipement.

— Anakin, peut-être que tu devrais l'écouter, dit-elle nerveusement. Si c'est bien un piège, il y a fort à parier qu'ils ne vont pas tarder à venir nous cueillir.

— Et alors ? (Les articulations des mains d'Anakin se mirent à blanchir tandis que son arme continuait de trancher le métal.) On est des Jedi, pas vrai ?

— La valeur d'un sacrifice a des limites, même pour les Yuuzhan Vong, l'avertit Lomi. Ils nous tueront avant même que nous ayons atteint le centre de clonage. Nous devons faire le tour.

— Je pensais que c'était pour ça que nous étions passés par ici, déclara Zekk par-dessus son épaule.

— Ils ont anticipé nos mouvements, dit simplement Lomi. Mais il existe d'autres moyens d'agir.

— Et si les Yuuzhan Vong anticipent également ces autres moyens ? demanda Anakin, découpant les derniers centimètres de charnière renforcée.

— Alors nous trouverons un autre moyen et puis encore un autre, dit Jaina. (Elle savait bien que leur situation ne ferait qu'empirer au fur et à mesure que le temps passerait, mais elle savait également qu'il serait fatal de laisser les probabilités contraindre Anakin à prendre une décision trop hâtive.) Tôt ou tard, il faudra bien qu'on se batte. Mais à notre façon, pas à la leur.

Le sifflement ténu d'un sceau hermétique laissant soudain passer l'air retentit lorsque la trappe se détacha enfin et s'affaissa dans son logement. Anakin éteignit son sabre laser et, ne répondant toujours pas à Jaina ou à Lomi, fit un pas en arrière.

— Anakin ? Il y a un nuage de poussière qui descend dans le canyon dans notre direction. Je doute qu'il s'agisse d'un landspeeder de la Nouvelle République, dit Ganner. Alors ? Ces ordres ?

— Une seconde ! aboya Anakin. (Il poussa un long soupir pour se relaxer, s'agenouilla près de la trappe et regarda Jaina.) Prête ?

— Prête ! (Même sans lien psychique, peut-être même sans l'aide de la Force, elle se sentait suffisamment proche de son jeune frère pour comprendre ce qu'il attendait d'elle.) Attention…

Jaina souleva le lourd panneau par lévitation. Elle le fit sortir de son logement et le fit glisser sur le côté. Quelques flitnats surgirent de l'ouverture, leurs ailes émettant un bourdonnement à peine audible, entourèrent Anakin et se posèrent sur son visage. N'y prêtant pas attention, le jeune homme se pencha dans le cockpit et invoqua la Force pour soulever le corps de Lowbacca et le faire passer par la trappe. Sous son épaisse fourrure, les flitnats avaient envahi sa figure, courant sur ses paupières, essayant de s'introduire dans ses narines. Ses joues et ses lèvres avaient enflé et doublé de volume, sa respiration n'était plus qu'un toussotement étranglé.

Les massives épaules du Wookiee se révélèrent trop larges pour qu'on puisse le faire passer par la trappe. Anakin dut déposer à nouveau Lowbacca à l'intérieur du cockpit. Dès que le panneau avait été enlevé de son logement, des nuées de flitnats s'étaient engouffrés par l'ouverture, s'en prenant au visage d'Anakin, chaque morsure déclenchant chez le jeune homme un juron qu'il proférait entre ses dents. Il se glissa à l'intérieur du TB-TT et attrapa les bras de Lowbacca afin de les faire glisser en premier par l'écoutille. En compagnie de Zekk, Jaina descendit aux côtés de son frère. Elle agrippa l'un des bras pour qu'Anakin puisse uniquement se concentrer sur un moyen de pousser le massif Wookiee inconscient par l'étroit passage. Les mains et le visage de la jeune femme se mirent instantanément à brûler sous les assauts des flitnats. Lomi se glissa derrière le groupe et tenta d'invoquer un vent de la Force qui ne parvint cependant pas à chasser les insectes.

Le torse de Lowbacca franchit enfin la trappe. Des masses de flitnats, tous gorgés de sang, commencèrent à tomber de ses manches. La peau de ses mains avait été arrachée et des gouttes violettes, de la taille des phalanges de Jaina, se mirent à saigner en abondance.

Anakin n'hésita pas un instant et poussa le Wookiee complètement par l'ouverture. Un essaim de flitnats prit son envol à sa suite, ce qui incita Jaina à se concentrer immédiatement sur le panneau de l'écoutille. Les morsures des insectes commençaient déjà à la rendre malade. Les démangeaisons se firent si violentes qu'elle dut prendre une seconde pour recouvrer ses esprits avant de projeter ses ondes mentales sur le lourd morceau de métal. Avant de passer à l'action, elle découvrit Lomi, juste à côté d'elle, en train de soulever par lévitation un plein chargement de masques respirateurs et de cartouches filtrantes par l'ouverture.

— On ne doit pas les oublier, dit-elle, rassemblant le matériel dans ses bras avant de rejoindre l'avant de l'engin, où Anakin était déjà occupé à déposer Lowbacca sur la dune en contrebas. Après tout, le Wookiee a risqué sa vie pour ça...

Jaina reposa le panneau dans son logement et sentit la main de Zekk sur son bras. Il l'aida à se relever et l'entraîna à la suite des autres vers l'avant du quadripode. Elle fut surprise de constater qu'elle titubait au moment de sauter. La chute fut brève, mais suffisante pour laisser à son estomac le temps de lui remonter dans la gorge. Ils atterrirent lourdement entre Anakin et Lomi. Jaina tomba à genoux. Elle resta là un moment, toussant de la poussière de craie, tentant de résister à l'envie de se gratter et essayant de ne pas vomir.

Derrière son dos, Lomi prit la parole :

— Alors, jeune Solo, tu en penses quoi ? Toujours déterminé à te battre ?

Anakin réfléchit un court instant.

— Laser de laser ! jura-t-il. (Il aida Jaina à se remettre sur pied pour l'envoyer de l'autre côté de la dune. Puis il activa son comlink.) Ganner ? En route. On bat en retraite.

34

Ben niché au creux de ses bras, Mara fit le tour de la carlingue de l'*Ombre*, ne cherchant pas particulièrement des signes de dégradation ou de manque d'entretien – même si c'était ce que Danni et Cilghal pensaient qu'elle était en train de faire –, mais plutôt des traces de microperforations et de fuites de gaz. De tels dégâts étaient inévitables lorsqu'on circulait dans l'espace gorgé de corps célestes miniatures qui entourait la base Eclipse. Mara accordait autant d'importance à l'allure élégante de son appareil que Han à la « personnalité » de son cher *Faucon*. Elle ne repéra qu'une poignée de détails requérant un minimum d'attention, des signes qui témoignaient d'une approche finale étonnamment lente.

Mara s'arrêta devant l'ouverture de la soute arrière, où Danni et Cilghal étaient occupées à décharger tout l'équipement qu'elles avaient apporté à Borleias.

— Je vois que vous en avez pris bien soin. Merci.

— Merci à toi de nous l'avoir confié. (Danni déposa quelque chose ressemblant à une énorme roue dentée, percée en son centre d'une sorte de globe oculaire noir, sur le plateau du chariot élévateur.) On a bien essayé de tout faire tenir à bord de la barge d'assaut, mais...

— C'est bon, Danni, c'est bon, dit Mara. (Alors que toute la base attendait le retour de Luke après l'incident du Sénat, Danni et Cilghal l'avaient contactée pour lui demander si elles pouvaient lui emprunter l'*Ombre* afin de gagner Borleias.) Je suis sûre que j'ai dû faire la tronche quand je me suis aperçue que vous étiez déjà en route, mais c'était pour une bonne cause.

— J'aurais préféré que notre mission soit couronnée de succès, dit Cilghal. (Elle posa un générateur gravifique d'engin d'assaut à côté de la roue dentée sur la palette.) J'étais pourtant sûre de parvenir à comprendre la structure du résonateur anti-gravité du yammosk. Peut-être que sa brutale congélation a altéré quelque chose.

Mara perçut une sensation de joie soudaine émaner de Ben. Elle n'eut pas besoin de se retourner pour deviner que Luke, accompagné de Leia, de Corran et de tous les chefs de la base, venait de pénétrer dans le hangar.

— Allez, les filles, ressaisissez-vous ! dit-elle à voix basse. Je vous préviens qu'ils ont passé tout le trajet de Coruscant jusqu'ici à essayer de comprendre comment les défenses de Borleias ont cédé si rapidement.

— C'est une question à laquelle il est facile de répondre, dit Cilghal. les Yuuzhan Vong attachent beaucoup moins d'importance que nous à la perte de leurs effectifs. Ils ont sacrifié des vaisseaux...

Le mugissement d'un signal d'alarme couvrit la fin de la phrase de la Mon Calamari. Des sensations de peur et d'incon-fort surgirent dans la Force. Ben ajouta sa propre voix au vacarme. Partout dans le hangar, des équipes de techniciens se précipitèrent vers leurs postes afin de préparer les vaisseaux au décollage.

L'alarme se tut brusquement et fut remplacée par la voix de l'officier de surveillance :

— Attention, à toutes les équipes, il ne s'agit pas d'un exer-cice. Vaisseaux de corail yorik en approche !

Danni et Cilghal échangèrent un regard coupable. Mara ressentit une brutale décharge de colère à leur encontre, pensant qu'elles avaient attiré les Yuuzhan Vong jusqu'à la base, mettant ainsi la vie de son fils en danger. C'est alors qu'elle comprit que ce n'était pas possible. Elle avait inspecté l'*Ombre* très attentive-ment pour se rendre compte qu'aucun mouchard n'y avait été collé. Il semblait donc impensable que les Yuuzhan Vong aient pu suivre un appareil ayant exécuté tant de sauts dans l'hyperespace sans avoir recours à un quelconque système de détection.

— Non, ils n'ont pas pu vous pister jusqu'ici. Rassurez-vous. Mais cela ne fera plus grande différence quand les rayons laser commenceront à fuser. Autant gagner nos postes de combat. (Mara colla son fils dans les bras de Cilghal puis, alors que Danni était déjà en train de courir vers la barge d'assaut des Chevaliers Errants, déposa un baiser sur son front.) Va à l'abri d'urgence avec Cilghal, mon petit Ben.

Ben gargouilla un son incertain, puis agita ses bras et ses jambes lorsque Mara se rendit prestement vers son Aile-X. Même si ce n'était pas dans ses habitudes de céder facilement à la panique en cas de crise, Mara concentra délibérément son attention sur le travail qu'elle aurait bientôt à exécuter. Elle sentit que Luke faisait de même. L'incertitude conduisait à la peur et Mara ne voulait pas que Ben perçoive des émotions proches du Côté Obscur chez ses parents.

Lorsqu'elle atteignit son chasseur stellaire, les techniciens étaient déjà en train d'installer son droïde-astromécanicien, qu'elle avait appelé « Danseur » sans aucune raison particulière, dans son logement. Elle saisit sa combinaison de vol, posée sur le rebord du cockpit, et l'enfila, écoutant avec attention l'officier de surveillance relayer dans son comlink les dernières informations sur la situation :

— Les stations sentinelles nous signalent l'approche d'une flotte d'assaut de croiseurs légers, poursuivant un destroyer stellaire impérial de classe Mark II. Il s'agirait de l'*Aventurier Errant*.

Corran Horn intervint sur le canal de communication, exigeant des réponses que l'officier était incapable de fournir. Le destroyer n'émettait aucun signal de transpondeur – ce qui n'était pas surprenant de la part de Booster Terrik – et n'avait pas alerté la base de son arrivée. La surprise de Mara se fit l'écho de la surprise de Luke. La mission de l'*Aventurier Errant* était de protéger les étudiants de l'Académie Jedi jusqu'à la base reculée de la Nouvelle République sur Reecee, pas d'organiser de dangereuses expéditions sur Eclipse. Et une flotte d'assaut de croiseurs légers ne ressemblait en rien au type de déploiement que les Yuuzhan Vong projetteraient pour attaquer la base de ces *Jeedai* qu'ils détestaient tellement. Quelque chose de bizarre était en train de se produire. Quelque chose que Mara sentit comme lié à la présence de l'*Ombre* à Borleias, mais qui, pourtant, ne semblait pas présenter de suite logique.

Mara marqua une pause en haut de son échelle de coupée et se tourna vers Luke, sentant que ce dernier était en train de regarder dans sa direction. Elle devina instantanément ce qui le perturbait. Corran Horn était toujours présent sur le canal de communication, ordonnant – en criant – à l'officier de surveillance de laisser tomber les protocoles de sécurité de la base afin de héler le destroyer.

Mara hocha la tête et Luke brancha son propre comlink.

— Surveillance ? Négatif ! Ne hélez pas le destroyer.

— Comment ça, « négatif » ? tonna la voix de Corran, proche du hurlement hystérique. Mes gosses sont à bord du destroyer ! Je les sens !

— On peut donc penser qu'il s'agit bien de l'*Aventurier*, dit Mara. (Elle pouvait comprendre sa réaction. Si Ben s'était retrouvé soudainement pourchassé par une flottille Yuuzhan Vong, elle aurait été également fort inquiète, à la limite de sombrer à nouveau vers le mal.) Mais nous pouvons également imaginer que Booster doit avoir de bonnes raisons pour ne pas nous contacter.

— Le destroyer stellaire est en train d'encaisser un feu nourri, rapporta l'officier de surveillance. Il est possible que ses antennes de capteurs aient été détruites.

Merde ! songea Mara. *Merci pour l'info, mon gars !*

Les répulseurs du chasseur de Corran se mirent à vrombir et l'appareil roula sur le sol du hangar.

— Commandeur Horn ! aboya Luke. Où croyez-vous aller comme ça ?

— Où crois-tu qu'on va ? demanda soudain la voix de Mirax. (Le martèlement régulier de ses talons sur le durabéton suggérait qu'elle devait être en train de courir dans l'un des innombrables couloirs de la base.) On va pulvériser ces rochers qui sont aux trousses de l'*Aventurier* !

L'Aile-X de Corran s'avança vers le champ magnétique qui scellait l'entrée du hangar. Quelques chasseurs stellaires lui emboîtèrent le pas.

— Surveillance ? Je demande autorisation de déverrouillage du champ pour partir immédiatement au combat.

— C'est trop tôt ! tonna Mara dans son communicateur. (Elle alluma ses systèmes de préchauffage et Danseur commença à procéder au diagnostic des circuits de l'appareil.) La formation n'est pas encore prête. Si on attend encore un peu, nous pourrons les prendre par surprise.

— C'est facile à dire ! lança Mirax. Ben est en sûreté à l'intérieur et ton seul souci est de ne pas révéler l'emplacement de la base ! Ce qui sera certainement moins évident d'ici une minute, lorsque l'*Aventurier* sera réduit en poussière, emportant avec lui Valin et Jysella…

— Surveillance ? Autorisez le décollage ! (La voix de Corran prenait des sonorités de plus en plus inquiétantes.) Désactivez le champ de protection…

— Corran, Mirax ! Vous n'êtes pas les seuls parents dont les gamins soient en danger ! intervint Han. (Etant donné les risques que ses propres enfants étaient en train de courir à l'heure qu'il était, ses propos soulevèrent chez Mara un sentiment de culpabilité à la pensée que Ben était en sécurité. En revanche, elles firent taire Corran.) Et aucun d'entre vous n'a les idées assez claires en cet instant précis. Si Booster a vraiment des ennuis, vous pouvez parier qu'il ne va pas tarder à bombarder ce tas de cailloux avec ses mines à fragmentation.

— Ils sont dans notre champ visuel, annonça l'officier de surveillance. Identité de l'*Aventurier Errant* confirmée.

Ils approchaient vite. Mara alluma son écran tactique et vit le destroyer stellaire foncer vers le système d'Eclipse. Ses turbolasers de proue éliminaient tous les corps célestes qui se trouvaient sur son passage, y compris des astéroïdes suffisamment gros pour passer pour des planètes appartenant au Noyau Profond. Huit croiseurs légers, ainsi que deux fois plus de corvettes et frégates, lui collaient aux trousses. Leur vitesse était bien trop élevée pour suggérer qu'ils ralentiraient à l'approche de la base.

— Corran ? Qu'est-ce qui se passe ? demanda Mirax. Pourquoi ne décolles-tu pas ?

— Han a raison, Mirax. Booster doit préparer quelque chose. (Il y eut un moment de pause.) Je suis désolé, Maître Skywalker, ajouta-t-il.

Mara ressentit un sentiment de soulagement, dont elle ne fut pas certaine de pouvoir déterminer s'il s'était manifesté chez elle ou chez Luke. Ou les deux.

— Je suis sûr que tu aurais fait pareil avec moi, Corran, dit Luke. (Il n'y avait aucune pointe d'irritation dans sa voix ou dans ses émotions.) Nous décollerons après leur passage. Je peux compter sur toi pour garder la tête froide ?

— Ce serait mieux si Han se chargeait du contrôle tactique de la bataille, admit Corran. J'ai l'impression… heu… de ne pas être assis à bord du bon vaisseau.

Han ne répondit rien. Tout comme Mara, Luke et beaucoup d'autres assez âgés pour avoir combattu pendant la Rébellion, il avait participé à tant d'actes héroïques que cinq existences entières n'auraient pas suffi à les contenir. Aujourd'hui, il se contentait de se rendre là où ses services étaient requis et préférait laisser les combats venir à lui.

— L'*Aventurier* vient d'être éperonné, annonça l'officier de surveillance.

Curieusement, Mirax parvint à limiter sa détresse à un râle étranglé. Mara se retint de lancer sur le canal de communication un chapelet de gros mots qui auraient fait rougir même Rigard Matl.

— Débris éjectés dans l'espace.

Mara observa son écran tactique et vit le nuage de déchets flotter en direction d'Eclipse. L'*Aventurier* passa en trombe devant l'emplacement de la base sans s'arrêter. Le destroyer stellaire roulait sauvagement d'un flanc sur l'autre, essayant apparemment de récupérer un semblant de contrôle après l'assaut. Soudain, il ouvrit un nouveau passage avec ses turbolasers. Tournant aussi prestement qu'il était possible pour ce genre d'appareil, l'*Aventurier* mit le cap sur une masse dense d'astéroïdes qui croisaient devant le soleil du système.

— Il nous prépare le terrain, annonça Han. Préparez-vous au lancement dans...

— Attends ! dit Mara, les yeux toujours braqués sur le nuage de débris qui flottait près d'Eclipse. Surveillance ? Passez vos scanners sur les débris, essayez de voir s'il n'y a pas des formes de vie. Booster n'a pas été éperonné. Il a sciemment éjecté ces trucs vers nous.

Avant que l'officier de surveillance puisse répondre, Corran Horn prit la parole :

— Mara ? Un grand merci. Je peux percevoir la présence de Valin et de Jysella en train de m'appeler.

— Affirmatif ! confirma l'officier. Nous détectons des capsules de sauvetage.

— Leia, est-ce que tu peux envoyer Han au Centre de Contrôle et superviser la récupération des capsules depuis le *Faucon* ? demanda Luke. Corran, toi et Mirax vous pouvez lui filer un coup de main.

Corran, dans son Aile-X, était déjà en train de prendre position à côté du *Faucon Millennium*.

— Je n'espérais pas mieux ! lança-t-il. Merci !

— A tous les autres : décollage immédiat. Attention, lancement escadron par escadron, ordonna Luke. Surveillance, désactivez les boucliers. Sabres ? Trois, deux, un... Zéro !

Mara enclencha ses répulseurs et suivit l'Aile-X de son époux hors du hangar. Elle évita de justesse une capsule de sauvetage et adressa un petit signe de la main aux deux jeunes apprentis Jedi stupéfaits qui regardaient par le hublot. Lorsque les trois autres escadrons s'alignèrent en position derrière eux, le destroyer stellaire et ses poursuivants étaient déjà hors de vue. Les appareils de la Nouvelle République se glissèrent au milieu d'un champ d'astéroïdes, afin de limiter les chances de repérage sur les écrans tactiques ennemis.

Mara pensa que leur présence resterait insoupçonnable pendant un bon moment. Mais, soudain, quelques frégates

Yuuzhan Vong changèrent de cap et foncèrent vers le champ d'astéroïdes en déployant leurs escadrons de skips.

— Ils doivent drôlement en vouloir à Booster, observa Mara.

— Ou alors, ils ne savent pas qui nous sommes, répondit Luke. (L'amas d'astéroïdes qui croisait dans le soleil était à présent à portée de vue. Les soixante batteries de turbolasers du destroyer stellaire, activées simultanément à l'intérieur du champ, semblaient former les contours d'une étoile rouge naine.) A tous les chasseurs, verrouillez les volets d'attaque en S en position de combat. Et ne soyez pas avares de vos bombes furtives.

— Fermier ? Tu devrais attendre une petite minute, appela Han.

— Attendre ?

— Affirmatif. Attendez que...

La voix de Han disparut dans les parasites. L'amas d'astéroïdes était en train d'exploser. L'un après l'autre, en un staccato de laser, soixante rochers aussi gros que des montagnes furent pulvérisés, projetant dans toutes les directions des millions de fragments de minerai chauffés à blanc à une vitesse de plusieurs milliers de kilomètres à la seconde. Sur son écran tactique, Mara vit l'un des rochers crever la superstructure d'une frégate avant d'aller heurter un croiseur. L'engin, coupé en trois, se mit à tourbillonner dans l'espace.

— Rompez la formation ! hurla Luke, avant de lancer son appareil dans une manœuvre d'esquive pour aller se dissimuler derrière un astéroïde de la taille d'une ville qui fonçait sur eux.

La voix de Han retentit à nouveau dans les haut-parleurs

— ... une vieille tactique de contrebandier. On transfère l'énergie des propulseurs aux écrans de particules. Puis on fait chauffer jusqu'à ce que l'astéroïde le plus proche explose. (Il marqua une pause.) Ça marche vachement bien avec un destroyer stellaire, ajouta-t-il.

— Contrôle ? Tu aurais pu nous prévenir un peu plus tôt, non ?

— Hé ! Je ne suis pas un Jedi, moi, je ne sais pas lire dans les pensées des autres !

La vague de débris les atteignit enfin, produisant des traînées grises se déplaçant à des vitesses ahurissantes, pulvérisant occasionnellement des astéroïdes sur leur passage dans un fracas semblable à celui causé par des torpilles à proton. L'énorme amas rocheux derrière lequel ils avaient trouvé refuge encaissa de nombreux impacts. L'astéroïde tourna sur lui-même, larguant des pans entiers de roches arrachés à sa surface. Des myriades de cailloux vinrent rebondir sur les écrans à particules des vaisseaux et, enfin, la tornade se calma. Elle se dissipa rapidement au fur et à mesure que le nuage de débris se propageait. Les rochers perdirent suffisamment d'inertie pour ne plus se désintégrer au moindre impact.

Lorsque les Ailes-X sortirent de leur abri improvisé, Mara découvrit sur son écran tactique que l'*Aventurier* se trouvait tout seul là où flottaient encore quelques instants auparavant des tonnes de rochers à la dérive. Le moniteur affichait encore quelques zones d'ombres, certainement en raison de nuages de poussière ou de vapeur congelée perturbant encore les capteurs. Mais, ce qu'il y avait de plus surprenant, c'était la quantité incroyable d'escadrons de chasseurs stellaires Ailes-A et Ailes-Y jaillissant soudain des baies d'envol du destroyer. L'écran tactique les identifia tous comme appartenant à la Nouvelle République... Le destroyer réduisit le nombre de croiseurs ennemis à cinq dans une volée dévastatrice de turbolaser. Sur ce, les Ailes-A réduisirent ce nombre à quatre, en exécutant des manœuvres croisées à grande vitesse tout en larguant leurs missiles à fragmentation et leurs torpilles à proton.

— Fermier ? Normalement, l'*Aventurier Errant* ne dispose pas d'un escadron de chasseurs ! appela Mara. Alors, tu penses bien que six escadrons...

— Plutôt dix, Jedi ! annonça une voix inconnue sur le réseau tactique. En fait, nous sommes hébergés à bord de l'*Aventurier*. Nous sommes la flotte de Reecee. Enfin, ce qu'il en reste.

Les pièces du puzzle s'assemblèrent dans l'esprit de Mara. Elle vit la connexion ténue, qu'elle avait déjà vaguement perçue quelque temps auparavant, entre la présence de l'*Ombre* sur Borleias et l'arrivée inopinée de l'*Aventurier* à la base Eclipse.

— Il y a eu une attaque surprise ? demanda-t-elle. Simultanément sur Borleias ?

— Juste après, en fait, corrigea la voix. Ils tiennent apparemment à conserver ce type de tactique. La première chose qu'ils ont faite a été de brouiller nos communications. Tout ce qui nous reste, ce sont nos radios à bord des chasseurs et elles ne fonctionnent que lorsque nous sommes à l'extérieur du destroyer stellaire.

— Comment sont-ils parvenus à brouiller vos systèmes ? demanda Luke.

— Une sorte de basal dovin, j'ai l'impression, répondit le pilote. Les gens de Reecee ne se sont rendu compte de l'attaque que lorsque les Vong ont bombardé les écrans de la base. D'abord on a cru que c'était des espèces de mynocks, mais, dès qu'on a essayé de transmettre, les signaux ont été aspirés comme par un trou noir.

— Et personne n'a pu envoyer de message ? demanda Mara.

— Personne. L'*Aventurier* a été également infesté lorsqu'il est venu pour nous chercher. Nous étions occupés à nous débarrasser de ces saloperies lorsque cette flottille d'assaut nous a surpris en bordure du Noyau Profond.

— Donc, la Nouvelle République ne sait pas que Reecee est tombée, dit Luke.

— Et que la route vers les chantiers navals de Bilbringi est coupée, ajouta Han. Ils le sauront très vite, j'envoie le message maintenant.

La silhouette du destroyer stellaire se fit plus précise devant l'escadron. Il releva sa proue à l'arrivée des Sabres et vira pour braquer ses turbolasers sur un croiseur qui tentait de l'attaquer par le haut. Mara aperçut juste de toutes petites choses en forme de cœur qui ponctuaient la coque normalement immaculée de l'appareil. Sans aucun doute les basals dovins dévoreurs de signaux que le pilote venait de leur décrire. Un autre croiseur ennemi se plaça juste derrière l'*Aventurier* et décocha missiles au magma et balles de plasma en direction de ses vulnérables tuyères de propulsion.

— Sabres et Shockers, prenez ce croiseur à revers, ordonna

Han. Chevaliers et Apôtres, occupez-vous de celui qui essaie de lui couper la route.

— Flotte de Reecee, vous avez compris ? demanda Luke. (Une succession rapide de cliquetis d'approbation retentit.) Bon, alors essayez de nous dégager un passage. On va foncer dans le tas.

Les escadrons de Reecee se lancèrent sur les coraux skippers qui se trouvaient en travers de la route des Jedi, essayant de les attirer à eux en faisant mine de prendre la fuite. Les skips mordirent à l'hameçon... mais changèrent brusquement de cap pour se rassembler devant les plus gros vaisseaux ciblés par les escadrons républicains.

— Ils ont un yammosk ! (Danni semblait presque contente de la découverte.) Dans le croiseur qui se trouve sur bâbord. Si on pouvait...

— Bien compris ! lança une voix depuis la flotte de Reecee. Merci du tuyau, Jedi !

Deux escadrons d'Ailes-A virèrent immédiatement vers le croiseur, décochant leurs missiles à fragmentation dès qu'ils furent à portée de tir. Joignant ses forces à celles des chasseurs, l'*Aventurier Errant* concentra ses batteries de turbolasers sur le vaisseau ennemi. La coque de celui-ci se mit à vomir des pans entiers de corail yorik.

— Hé ! Attendez ! s'exclama Danni. Je voulais dire qu'il faut essayer de le capturer. On a besoin de lui vivant !

Le vaisseau ennemi, rendu inerte, se mit à dériver dans l'espace. Cadavres, débris et volutes d'air furent éjectés par les brèches de la coque. Les coraux skippers continuaient d'encombrer la route des Jedi, décochant des rafales de plasma au moyen de leurs canons volcans.

— Maître Skywalker ? Il communique toujours avec les skips ! appela Danni. Si on peut aborder rapidement le croiseur...

— Finissons-en d'abord avec eux, Danni, répondit Luke. Sabres et Chevaliers, en arrière. Shockers et Apôtres, dégagez-nous le chemin.

Rigard emmena son escadron et les appareils filèrent vers la cible qu'on leur avait assignée. Kyp, cependant, ne sembla pas aussi prompt à assimiler les ordres.

— Allez, les Apôtres, finit-il par dire en accélérant. C'est à nous de jouer, maintenant.

Les Shockers foncèrent sur les coraux skippers de l'ennemi à un kilomètre en amont des Sabres et ouvrirent le feu. Ils dégagèrent la voie qui conduisait jusqu'au croiseur en forçant les skips à détaler ou bien en les détruisant purement et simplement. Mara vit l'un des pilotes des Shockers s'éjecter de son engin au moment où celui-ci allait s'écraser contre un astéroïde, après qu'un tir de plasma eut endommagé ses ailerons. Elle en vit un autre filer tête la première dans une décharge de magma et disparaître dans une étincelante boule de feu.

Elle et Tam, le troisième membre du trio qu'elles formaient avec Luke, commencèrent à entrecroiser leurs boucliers avec ceux de Luke, chaque pilote sentant distinctement les intentions des autres dans la Force. Le trio d'appareil vira et esquiva en parfaite unité. Mara décocha des rafales de laser à répétition constante, invoquant la Force plus pour éviter de heurter ses deux ailiers que pour viser ses adversaires. Deux skips furent réduits en miettes lorsqu'elle quitta la tête de la formation pour se retrancher derrière l'appareil de Luke.

Les ténèbres cosmiques s'illuminèrent soudainement lorsque les Shockers décochèrent leurs torpilles à proton. La zone s'éclaira encore plus sous l'action de la multitude de traînées de réacteurs de leurres en plein déploiement. Le croiseur riposta en tirant des volées de grutchins et de missiles au magma. L'escadron de Rigard plongea sous la cible pour esquiver, laissant les projectiles ennemis fuser directement vers les Sabres.

— Feu ! ordonna Luke.

Les bombes furtives de Mara étaient déjà en route, juste derrière celles de Luke, en direction du croiseur. Instinctivement, elle redressa son Aile-X derrière celui de son époux, gardant un œil sur la cible tout en se servant de la Force pour guider les projectiles meurtriers. Les canons laser de Tam entrèrent en action et désintégrèrent un grutchin avant que celui-ci n'ait le temps de s'accrocher au chasseur de Mara. Puis l'éclair étincelant de l'explosion de la première torpille à proton déclencha les systèmes d'urgence d'occultation des verrières des cockpits. D'autres explosions suivirent, en succession rapide. Lorsque Luke ordonna aux Sabres de virer de bord, le vaisseau ennemi était en train de se disloquer.

L'autre croiseur, toujours inerte, flottait à quelque distance de là, entouré d'une ceinture de débris d'équipements et de cadavres. Les brèches de sa coque étaient sombres et menaçantes, certaines assez larges pour laisser le passage à une Aile-X. Mara vérifia son écran tactique et découvrit que Luke, effectivement, envisageait d'effectuer ce qu'elle craignait justement qu'il ne fasse. L'*Aventurier*, volant à présent aux côtés des Sabres, était en train de régler son compte au dernier croiseur. Les escadrons de Reecee, eux, entouraient les derniers skips dans un périmètre de plus en plus restreint, abattant leurs cibles par vague de deux ou trois appareils.

— Skywalker, appela Mara. Un yammosk mort, c'est une chose...

— Il nous en faut un vivant, non ? Je ne crois pas qu'on aura de plus belle occasion. (Luke manœuvra son chasseur vers la brèche la plus accessible.) Danni nous a déjà prouvé l'importance de savoir quand un yammosk se trouvait sur une zone de combat. Imagine un peu ce que nous serons capables d'accomplir lorsque nous comprendrons comment ils communiquent.

— Et tu comptes le ramener comment, ton yammosk ? demanda Mara. Sous ton siège ?

— Han, tu peux nous envoyer le *Joyeux Drille* ?

— Un instant, intervint Danni. Il y a quelque chose qui ne va pas. Le yammosk est devenu complètement silencieux. Regardez les skips, on a l'impression qu'ils ne savent plus où aller.

— Bon, ça suffit, Luke, dit Mara. On est trop près de la base. C'est trop beau pour être vrai, trop facile pour ne pas être dangereux. La Force était avec nous à Talfaglio. Aujourd'hui, elle ne l'est pas, c'est tout.

Luke exécuta un brusque demi-tour dans son Aile-X. Une charge de magma explosa à bord du croiseur, qui déchiqueta une bonne partie du vaisseau. Des gravats de corail yorik vinrent rebondir sur les boucliers et des flammes de plus de cent mètres de haut vinrent lécher les tuyères du petit chasseur stellaire.

35

Même si la baie d'atterrissage d'une résidence était consi-
dérée comme son entrée la plus importante, Viqi Shesh avait
appris depuis bien longtemps qu'une approche autre que celle
de la voie des airs révélait énormément de choses sur le statut de
ses occupants. L'appartement des Solo se trouvait au fond d'un
couloir en cul-de-sac aux parois aseptisées, aussi large qu'une
voie rapide pour speeder. Le sol était carrelé de pierres de larmal
laiteuses, un matériau naturel et fort cher, qu'on ne trouvait que
dans le champs d'astéroïdes de Roche. Entre les colonnes de
marde blanc, on avait aménagé des niches circulaires où fleuris-
saient des jardinières de rares ladalums pourpres. Un plafond
voûté, réalisé à partir de panneaux lumineux fabriqués sur
mesure, baignait toute la zone d'un éclat tamisé. Un Serv-
O-Droïde souriant – mais sans aucun doute équipé du dernier
cri en matière de sécurité – attendait patiemment à l'extérieur de
la porte de cristalacier.

Les Solo avaient certainement réduit leur train de vie depuis
le temps où Leia occupait les fonctions de chef de l'Etat. Ayant
appris qu'ils avaient discrètement abandonné leur luxueuse villa
d'Orowood au profit d'un logement meilleur marché dans le
district administratif d'Eastport, Viqi avait d'abord eut du mal à
croire ce que lui avait rapporté son informateur. On ne s'attendait pas à retrouver deux des héros les plus acclamés de la Rébellion, deux individus ayant tant frayé avec le pouvoir, vivant au
milieu des bureaucrates. Et encore moins à un étage situé à près

de trois cents mètres sous le sommet d'une tour qui, de plus, n'était pas recensée parmi les plus hautes du quartier. Pourtant, les ladalums finirent de la convaincre. Poussant uniquement sur Alderaan, ils étaient réputés pour leur floraison d'un rouge très vif. Mais cette coloration se produisait seulement lorsqu'ils étaient plantés dans leur terre d'origine. Avec tous les problèmes de maladies et de mauvaise pollinisation, ils étaient – comme tout ce qui provenait d'Alderaan, ces derniers temps – en voie d'extinction.

C'était ce qui arrivait à ceux qui perdaient le pouvoir, songea Viqi. Une déchéance lente et inexorable, conduisant à une disparition totale. C'était ce qui était arrivé à Mon Mothma, à l'Amiral Ackbar. C'était ce qui se produisait pour Leia Organa Solo. Et ce qui arriverait certainement à Viqi Shesh, après son renvoi du Sénat, suite à l'intervention de Luke Skywalker et de ses manipulations de Jedi.

Ne souhaitant pas attirer l'attention sur elle en observant trop longuement la résidence des Solo, Viqi tourna la tête, l'air de rien, et reprit sa route. Elle passerait aisément pour une quelconque bureaucrate d'Eastport, ayant quitté son travail dans l'après-midi pour rentrer chez elle afin de vaquer à des affaires plus personnelles. Elle était vêtue d'un élégant manteau à col montant et d'un chapeau lui tombant sur le front. La parfaite tenue pour le rôle, qui avait bien dupé le jeune Jedi chargé de la pister lorsqu'elle avait échangé ses vêtements avec ceux d'une de ses assistantes dans les toilettes d'une plate-forme de transit surpeuplée. Elle suivit le couloir jusqu'à une batterie d'ascenseurs, pressa sur le bouton du niveau le plus élevé et ôta son manteau et son chapeau.

A présent vêtue de la tenue très stricte d'une employée de banque, elle déboucha sur l'aire d'atterrissage des navettes aériennes. Elle se débarrassa de son manteau dans un videordures à désintégration, traversa la plate-forme et gagna un autre ascenseur. Après avoir donné le code d'autorisation d'accès à un appartement occupant le même niveau que celui des Solo, elle redescendit à l'étage concerné et s'engagea dans le couloir. Elle essaya de réfléchir à un moyen de libérer sa sensilimace sans se faire repérer. Pénétrer dans le cul-de-sac sous le prétexte fallacieux d'admirer les ladalums ne semblait pas la meilleure des options. Le droïde-serviteur serait certainement très poli, mais il profiterait de leur échange pour procéder à une identification de son image et de son empreinte vocale.

Viqi se décida pour une approche de front, cette fois-ci. Elle avança, l'air dégagé, le regard plongé sur une pile de feuilles de filmplast dont elle s'était pourvue en guise d'accessoire. Impossible de rejoindre la porte du fond de l'impasse sans être repérée par le droïde. Ce qui signifiait qu'il lui faudrait vite trouver un autre moyen de libérer la sensilimace. Son contact lui avait assuré que ces créatures étaient à même de se débrouiller seules une fois qu'on leur avait assigné leur cible. Mais les Yuuzhan Vong en savaient autant sur les droïdes de nettoyage qu'elle-même sur les sensilimaces. Ayant déjà perdu près d'une demi-douzaine de ces créatures en essayant d'en introduire discrètement dans les bureaux du CSMNR, elle était à peu près persuadée que, à l'instant même où elle en déposerait une près des ladalums, un quelconque petit prédateur surgirait pour la dévorer.

Viqi commençait donc à envisager d'autres options – livrer de la nourriture ? faire appel à quelqu'un d'extérieur ? – lorsqu'elle entendit des voix dans le couloir juste derrière elle.

— … pas vraiment le moment d'aller faire du tourisme, était en train de dire Han Solo.

— C'est exactement le moment ! le contra Leia. Ils devaient bien avoir une raison pour ne pas révéler l'attaque sur Reecee, non ? Et cette raison est d'autant plus importante, maintenant que nous sommes au courant.

Prétendant toujours être absorbée par la lecture de ses notes, Viqi glissa discrètement une main dans une de ses poches et empoigna une chose molle et gluante de la taille d'un pouce. A la place de la tête, la créature possédait un curieux assemblage de terminaisons optiques. Viqi tendit la main en direction de la porte de cristalacier de l'appartement des Solo et appuya sur la limace. Au bout de quelques secondes, elle la sentit se réchauffer dans sa paume, témoignant par là qu'elle avait compris ce qu'on attendait d'elle. Han et Leia débouchèrent juste derrière elle. Quelque chose, ou quelqu'un, dans leur groupe gargouilla doucement et deux paires de pas métalliques retentirent sur le sol.

— En plus, nous la connaissons cette raison, insistait Han. C'est Bilbringi !

— Non, ça c'est la raison évidente, rétorqua Leia. Depuis quand crois-tu à l'évidence des actions des Yuuzhan Vong ?

Les Solo passèrent devant Viqi sans lui prêter attention. Tous deux étaient vêtus de combinaisons de vol froissées et usées. Han tenait un petit bébé dans ses bras. Viqi n'était guère experte en matière de nouveau-nés – lorsque viendrait pour elle le temps d'enfanter, elle ne manquerait pas d'engager une équipe pour se charger de la chose –, mais elle savait que les rejetons des Solo avaient à présent atteint l'âge adulte, ou presque. Il devait donc s'agir de l'héritier des Skywalker.

Le célèbre droïde doré du couple avançait d'un pas pesant juste derrière eux. Il était accompagné d'un droïde-nurse à quatre bras qui se mouvait avec élégance. Viqi se tourna un peu plus vers le mur. Les deux humains ne la reconnaîtraient certainement pas, en raison de son déguisement. Elle savait également qu'il s'agissait là du dernier endroit où ils s'attendraient à la rencontrer. Pour les droïdes, c'était une autre paire de manches. Les droïdes analysaient et étudiaient tout ce qui les entourait, ils ne se laissaient pas entraver par leurs émotions. Viqi comprit que le droïde de protocole, tout au moins, comparerait dans le mouvement son visage aux informations stockées dans ses banques de données.

Mais il semblait plus préoccupé par la conversation de ses propriétaires que par l'identité de cette inconnue qui déambulait dans le couloir. Quand Han voulut répondre aux objections de son épouse, le droïde déclara :

— Je vous prie d'excuser cette interruption audacieuse de ma part, mais il me semble bien que Messire Luke et Maîtresse Mara ont déclaré que Ben serait plus en sécurité sur Coruscant. Je crois qu'ils attendent de nous que nous y demeurions plus de cinquante-sept minutes, tout de même.

Leia lança par-dessus son épaule un regard qui aurait certainement fait fondre les circuits de droïdes moins importants.

— Ça, c'est mon affaire, C-3PO.

— Oui, Altesse.

Viqi devina, à la présence du bébé Skywalker, qu'ils devaient tout juste débarquer de la base secrète des Jedi. Tsavong Lah était toujours à la recherche de son emplacement – et c'était d'ailleurs pour cela qu'il lui avait confié cette mission – et, repensant à ce que Skywalker lui avait fait subir au Sénat, elle sourit à l'idée de pouvoir enfin satisfaire son commanditaire. Elle attendit encore quelques instants, pour s'assurer qu'il n'y avait plus personne à la traîne du groupe des Solo, et, lorsque ceux-ci s'engagèrent dans le cul-de-sac conduisant à leur appartement, elle lança la sensilimace vers le dos du droïde de protocole.

La créature atterrit sur la coque de métal sans faire le moindre bruit et glissa doucement vers la partie découverte de la taille du droïde. Celui-ci marqua brusquement une pause à l'intersection des couloirs et fit pivoter sa tête à cent quatre-vingts degrés. Viqi cacha prestement son visage derrière sa pile de documents et fit demi-tour dans le corridor. Elle heurta alors quelque chose qui lui arrivait à peine à hauteur de la poitrine et poussa un cri de surprise, envoyant voler ses feuilles de filmplast dans toutes les directions.

— J'implore votre pardon, gronda alors une voix fine.

Elle baissa les yeux et découvrit un petit extraterrestre aux yeux exorbités, à la peau grise et aux crocs acérés, occupé à rassembler les documents éparpillés entre ses doigts griffus.

— Je vous prie de m'excuser, dit le Noghri en lui tendant la pile.

Viqi laissa la créature déposer les feuilles entre ses mains et sentit que les Solo étaient en train de l'observer. Elle avait bien pris soin de modifier son apparence, en teignant ses cheveux couleur de cendres et en se servant largement des accessoires fournis dans les trousses de déguisement des services d'espionnage de la Nouvelle République. Elle regretta cependant de ne pas avoir accepté la proposition de son contact de lui fournir un grimage Ooglith. Incapable d'en supporter plus, elle releva la tête et vit que les Solo étaient tournés vers elle.

— Ça va ? demanda Han, visiblement inquiet. Vous voulez entrer et vous asseoir quelques minutes ?

Viqi sentit son cœur lui bondir dans la gorge. Elle marmonna quelque chose d'incompréhensible, puis détala en secouant la tête.

36

Anakin ne percevait plus rien dans le lien mental, à part du doute et du ressentiment. Il fut donc aussi surpris que tous les autres membres du commando lorsque retentit la déflagration du détonateur thermique dans le passage en contrebas. Il leva son sabre laser en garde haute et pressa le bouton d'activation d'un coup de pouce. Il pivota et aperçut une sphère d'énergie blanc et bleu en train de se contracter entre Raynar et Eryl, oblitérant tout ce qui se trouvait dans un rayon de cinq mètres et creusant un cratère dans le sol de la ruelle. Les canalisations qui se trouvaient sous la surface se rompirent et crachèrent de l'eau et du gaz. Le cratère fut alors immédiatement envahi par des vapeurs et des flammes.

En tentant, de différentes manières, de rejoindre le centre de clonage, les Jedi s'étaient retrouvés à évoluer dans presque tous les types d'environnement dans lesquels les voxyns pourraient les traquer : reproductions de centres agricoles, fabriques de robots, fermes marécageuses, et même dans les coursives d'un extracteur minier volant et automatisé. A présent, ils progressaient au cœur même de la ville allouée aux esclaves. Avec ses rangées de fenêtres et de balcons s'ouvrant en espalier le long des parois, la métropole rappelait à Anakin les images que sa mère lui avait montrées de la défunte Crevasse City sur Alderaan. En plus de regorger de douzaines d'espèces différentes d'esclaves, la ville artificielle était dotée de turbo-élévateurs, de trottoirs roulants et même de speeders volants pilotés par des droïdes.

Anakin dépassa Tahiri et Tekli et regarda par-dessus l'épaule de Raynar en direction du cratère embrasé. Il ne restait plus rien de ce qui avait pu susciter la riposte au détonateur thermique de leur part.

— Un voxyn ? demanda-t-il.

Depuis qu'ils avaient quitté le quadripode, les attaques de ces créatures se faisaient de plus en plus fréquentes.

— J'ai rien vu, répondit Raynar en haussant les épaules.

— Je l'ai vu sortir par la bouche d'égout, expliqua Eryl, à côté de lui. (Ses grands yeux verts se tournèrent vers Raynar.) On n'a pas eu le temps d'envisager autre chose que de lui fourrer un détonateur thermique dans le gosier, ajouta-t-elle. Désolé pour le gâchis.

Anakin éteignit son sabre laser.

— Je ne sais pas si on peut appeler ça du gâchis. (Le commando ne disposait plus que d'une douzaine de détonateurs – onze, à présent – et à peu près du double de grenades. Mais il n'y avait aucune perte à déplorer depuis la disparition d'Ulaha.) Raynar vaut bien le prix d'un détonateur thermique.

— Je le vaux bien ? objecta Raynar. Si le moindre doute subsiste encore, je peux t'assurer que la Maison de Thul sera très heureuse de rembourser l'Ordre Jedi pour tous les détonateurs thermiques utilisés à mon avantage !

— T'en es sûr ? demanda Eryl d'un ton faussement dubitatif.

Elle fit le tour du cratère enflammé, pinça la joue de Raynar et éclata de rire. Derrière elle apparurent Zekk et Jaina. Tout comme Anakin et Lomi, ils s'étaient complètement remis de leur rencontre avec les flitnats. Même Lowbacca et Jovan s'en tiraient à bon compte, ne présentant plus que des plaques d'eczéma éparses. Tekli avait agi très vite, comprenant que les insectes avaient été génétiquement modifiés pour produire une forte réaction allergique sur leurs victimes.

Anakin sentit ses protections auditives se verrouiller contre l'onde sonique d'une attaque vocale de voxyn. De tels assauts se produisaient à présent régulièrement et ils n'avaient plus rien de surprenant. Anakin se contenta de rajuster son masque respirateur avant de s'avancer vers une foule d'esclaves qui tentaient d'échapper à des tirs de blasters.

Un sabre laser s'anima et envoya voler l'extrémité d'une queue de voxyn au-dessus des gens. Puis la créature s'éleva à son tour, extirpée de sa bouche d'égout par les ondes de Force propagées par Tenel Ka. Ganner et les Barabel convergèrent immédiatement sur elle. Leurs lames incandescentes la réduisirent vite en pièces avant même qu'Anakin n'ait rejoint le groupe. Abattre les voxyns était presque devenu routinier. Le commando ne parcourait jamais plus de quelques kilomètres sans rencontrer au moins une de ces choses.

Anakin projeta les ondes de la Force pour vérifier si d'autres monstres se trouvaient dans les parages. Il ne détecta aucun voxyn dans les rues avoisinantes, mais perçut la détresse de quelqu'un, apparemment coincé sous le nuage émis par le sang toxique de la créature. Il laissa les autres à leurs activités et découvrit un esclave, couvert de mucus, recroquevillé en position fœtale. Le pauvre était tellement rongé par l'acide que seules ses excroissances osseuses, saillant de sa peau à vif, lui permirent de l'identifier comme un Gotal.

Anakin demanda à Tekli de le rejoindre. Elle aurait dû elle-même percevoir l'angoisse du malheureux, mais le lien psychique était si perturbé par la discorde qu'il ne servait plus qu'à confirmer l'état de conscience des autres membres du groupe. La Chadra-Fan s'agenouilla auprès du Gotal mourant. Lomi et Welk apparurent à leur tour, à présents équipés des masques respirateurs pour lesquels Lowbacca avait risqué sa vie à bord du quadripode. Ils observèrent Tekli en train de prodiguer quelques soins, pas avec dédain ou détachement – comme Anakin s'y attendait –, mais avec ardeur. Le jeune homme comprit rapidement qu'ils n'éprouvaient aucune compassion pour l'esclave. Ils étaient tous simplement en train de se servir de sa détresse et de leur colère pour abreuver la nature malfaisante et obscure de leurs pouvoirs.

— Je n'aime pas beaucoup ce chemin que nous avons pris, dit Anakin, observant les nombreux esclaves de la ville qui s'écartaient pour éviter la nuée toxique. Notre seule présence met leurs vies en danger.

— Leurs vies sont déjà en danger, dit Lomi. Et c'est bien toi qui as émis le désir de gagner le quartier où sont enfermés les voxyns, non ? C'est le seul moyen d'y arriver.

— Tu sais que tu vas finir par nous faire tuer ? demanda Welk. Même les Yuuzhan Vong ne s'aventurent pas jusque-là.

— C'est pourquoi nous, nous devons y aller, répondit Anakin. (Que ce soit, ou pas, les intentions de Nom Anor, le commando commençait sérieusement à battre de l'aile, gaspillant ses munitions, tirant sur ses dernières ressources de résistance.) Il nous faut atteindre notre objectif rapidement, sans cela nous ne réussirons jamais.

— Et si nous n'y parvenons pas, alors il nous faudra bien accepter notre échec, dit Lomi. Il faudra bien essayer de sauver nos propres peaux.

— C'est ça, ouais, dès que nous aurons désintégré la reine, dit Tahiri en venant se poster à côté d'Anakin. Il n'y a pas d'essai, il n'y a que des actions.

Lomi adressa à Tahiri un sourire condescendant.

— Très impressionnant, mon enfant. Il semble que tu aies mémorisé les maximes chères aux Skywalker. (Elle se tourna à nouveau vers Anakin.) Non, sérieusement. Si nous ne réussissons pas notre coup, il faudra envoyer un signal quelconque à votre équipe de secours. Je n'ai pas l'intention de sacrifier ma vie.

— Il y a bien plus de choses en jeu que votre propre vie, ou les nôtres, dit Anakin.

Lomi leva les yeux au ciel.

— Oui, je sais, l'avenir des Jedi est en jeu.

— Les Jedi sont le seul espoir de survie qui reste à cette galaxie, répondit Anakin. Sinon, les Yuuzhan Vong ne s'acharneraient pas à ce point à vouloir nous détruire.

Lomi scruta Anakin de la tête aux pieds avec un air presque séducteur.

— Tu es si sérieux, si intègre, Anakin. C'est vraiment adorable. (Son sourire se glaça.) Mais je ne me rappelle pas que

Skywalker ait envoyé ses Chevaliers Jedi au secours des Sœurs de la Nuit lorsque les Yuuzhan Vong ont envahi Dathomir. Je vais vous conduire au repaire des voxyns, mais, si nous ne parvenons pas à nous en sortir, promets-moi d'appeler ton équipe de secours.

Anakin hésita un moment, se demandant si elle le trouverait toujours aussi sérieux une fois qu'il lui aurait menti. Il comprit alors que ce ne serait pas nécessaire d'en venir jusque-là. Il lui retourna un sourire aussi glacé que le sien.

— Une équipe de secours ? demanda-t-il. Quelle équipe de secours ?

Lomi plissa les yeux et projeta les ondes de la Force pour sonder le jeune homme.

— Tu crois que tu peux me mentir... (Ne rencontrant aucune résistance mentale de la part d'Anakin, elle entrouvrit la bouche de stupeur et cessa de le sonder.) Tu veux dire que c'est une mission suicide ?

— Non, ce n'est pas une mission suicide, répondit Tahiri. Nous avons déjà accompli des tâches bien plus difficiles que celle-ci. Et des tas de fois, encore...

Lomi ignora la jeune fille et continua de dévisager Anakin.

— Le Maître de Guerre a anticipé nos plans, expliqua-t-il. Nous avons perdu notre vaisseau en venant jusqu'ici.

— Et vous avez un plan de rechange, je suppose, non ? demanda Lomi. Vous en avez certainement un...

Anakin hocha la tête.

— Tuer la reine, détruire le centre de clonage et puis espérer pouvoir voler un appareil Vong dans la confusion.

— Je vois... (La colère s'intensifia dans les yeux de Lomi.) Il n'y a pas d'essai...

— Il n'y a que des actions, termina Welk d'un ton moqueur. Eh bien, avec ça, nous voilà servis !

Le Gotal brûlé à l'acide finit par mourir. Le commando reprit sa progression dans les allées. A peine avaient-ils quitté le nuage toxique causé par le sang du voxyn que les Jedi furent assaillis par la foule des esclaves, les suppliant de les libérer, essayant de leur confier des enfants afin de les emmener à l'abri, se portant volontaire pour se battre à leurs côtés. Il y avait là des milliers d'esclaves, des Ranat, des Ossan, des Togoriens et même des espèces qu'Anakin ne parvenait pas à identifier. Tous étaient conscients de leur sort, tous souhaitaient échapper à leur funeste et inévitable destin. Ils représentaient l'essence même des individus ayant besoin de l'aide des Jedi, les faibles, les laissés-pour-compte, les sans-défense. Anakin sentait son cœur s'alourdir à chaque fois qu'il était obligé de répondre qu'il ne pouvait pas faire grand-chose, que sa mission était trop importante, qu'il ne disposait d'aucun moyen d'emmener toute cette foule loin du vaisseau-monde. Bientôt, la douleur fut trop pesante pour qu'il se sente capable de fournir la moindre explication. Il se contenta de s'excuser, d'une voix calme et douce, se servant des techniques de persuasion Jedi pour réconforter les plus désespérés et canaliser le courroux de ceux dont il sentait monter la colère.

Lomi s'engagea dans une allée-canyon fort encombrée qui n'était pas sans rappeler les ruelles des plus bas niveaux de Coruscant. Mesurant à peine trois mètres de large, le passage descendait assez abruptement sous une série de passerelles et de balcons avant de disparaître dans l'obscurité nauséabonde qui régnait un peu plus loin. Les portes et les fenêtres qui perçaient les parois des deux côtés étaient scellées au moyen de rideaux de membranes vivantes. De curieuses ornières jumelles, creusées dans le sol poussiéreux, correspondaient, en largeur, au passage de pattes de voxyn. Remarquant que les résidents esclaves ne souhaitaient guère s'aventurer plus loin, Anakin fit trois pas avant de marquer une pause.

— Restez sur le qui-vive, vous tous. Il faut que notre plan réussisse. (Il se tourna vers son frère.) Si tu disposes d'un moyen de calmer les voxyns à distance, maintenant serait le bon moment de le mettre en œuvre.

Jacen pâlit.

— Je ferai de mon mieux, Anakin, dit-il en s'avançant. Tu sais, les voxyns ne sont pas des animaux ordinaires. Je peux juste les atteindre…

Anakin n'entendit pas le reste de la phrase car il sentit soudain la présence des Yuuzhan Vong s'intensifier dans la Force. Il se retourna pour observer la foule et découvrit un groupe d'humains qui s'avançaient en direction de Jacen. Les cinq individus étaient de bonne carrure, avec des visages basanés dénués de la moindre expression. Ils étaient si semblables qu'ils auraient pu très bien passer pour des clones. Le cinquième homme du groupe lança une capsule aux pieds de Jacen et une mince couche de gel vert commença à se répandre sur le sol de la ruelle.

— De la gelée blorash ! cria Anakin, activant son sabre laser pour trancher la gorge de celui qui avait jeté la capsule. (Il invoqua alors la Force pour soulever son frère du sol.) Surveillez la foule !

Une douzaine de sabres laser s'allumèrent simultanément avant de former une sorte de cage étincelante et mouvante autour de l'arrière-garde du commando. Anakin reposa Jacen à l'entrée de la ruelle. Quelqu'un encaissa un coup sévère et une vague de ténèbres obscurcit soudainement le lien psychique, alors que la victime tentait tant bien que mal de rester consciente.

— Jaina ! cria Jacen.

La foule se mit à crier et à détaler en tous sens, les gens se bousculant les uns les autres dans un pur mouvement de panique. Les imposteurs lancèrent d'autres capsules de gelée blorash pour tenter d'immobiliser autant les esclaves que les Jedi. Un véritable capharnaüm régna alors dans le passage. Lowbacca poussa un grognement. Sa lame dorée s'abattit violemment, tranchant quelque chose qu'Anakin ne put voir. Tenel Ka appela à l'aide. Alema poussa un juron en langage Ryl, sa lame argentée pourfendit un corps. Eryl cria de stupeur, constatant qu'une bande de gelée verte venait de lui tomber sur le pied. Elle trancha la substance en deux, mais l'un des morceaux glissa sur son autre pied pour l'immobiliser au sol. Elle plongea la main dans sa sacoche d'équipement afin de trouver un mode de défense plus efficace.

Un scarabée tranchant jaillit alors de la foule et la heurta au visage, juste sous le nez, provoquant une plaie béante lui barrant la figure en deux. Elle roula des yeux en arrière, laissa tomber son sabre laser, s'écroula et fut prise de convulsions.

Une onde de choc déchira le lien mental comme un rayon ionique. Le doute et le ressentiment cédèrent leur place à la colère, à l'accusation, à la culpabilité. Ce qui ne fut d'aucune aide. Les émotions ne contribuèrent qu'à accentuer le chaos généralisé, perturbant considérablement la conscience d'Anakin. Mais il sentit clairement une chose : un voile noir sur le point d'engloutir sa sœur.

Anakin ressortit de la ruelle et entendit le sifflement caractéristique d'un bâton Amphi. Il frappa la tête reptilienne de l'arme ennemie d'un coup de son sabre laser, pivota sur lui-même, administra un coup de pied en revers dans le torse de son assaillant et fit prestement balayer sa lame incandescente à hauteur de son cou. L'imposteur tituba. Sa tête se détacha de ses épaules et roula à terre.

Tahiri exécuta un saut périlleux par-dessus le sabre laser d'Anakin avant de se lancer dans un roulé-boulé tout en maintenant sa propre lame en l'air. Elle en enfonça la pointe dans la poitrine d'un mâle Durosien. N'apercevant aucun bâton Amphi, Anakin se dit d'abord qu'elle venait de commettre une effroyable erreur. C'est alors qu'il sentit une douleur clairement Yuuzhan Vong et vit le grimage Ooglith se résorber de la face du pseudo-Durosien.

Anakin tira Tahiri derrière lui.

— Fais gaffe !

— Tu peux parler ! rétorqua-t-elle.

La jeune fille sortit une poignée d'arsensel de sa sacoche d'équipement et la saupoudra sur la gelée blorash étalée à leurs pieds. La substance commença par se recroqueviller avant de se dissoudre complètement. Anakin pivota sur lui-même pour inspecter les environs. Il sentit puis aperçut d'autres imposteurs – trois humains et deux Durosiens – en train de se frayer un chemin à travers la foule dans sa direction.

Il poussa Tahiri dans les bras de Ganner et ordonna aux Barabel de se poster à l'entrée de la ruelle. Il se lança alors dans les airs et invoqua la Force pour se propulser vers les Yuuzhan

Vong en train de charger. Il exécuta un saut périlleux au-dessus de leurs têtes, plongea sa lame vers le crâne d'un des imposteurs et lui trancha la tête en deux. Il atterrit derrière le groupe et administra un grand coup de pied à l'un d'entre eux, l'envoyant s'empaler sur le sabre laser de Tesar.

Le Barabel évita de justesse un coup de bâton Amphi, puis exécuta prestement une clé au bras de son adversaire avant de lui mordre le coude à pleines dents. Puisque les probabilités jouaient à présent en faveur du commando retranché dans l'allée, Anakin abandonna momentanément le combat. Il vit Raynar soulever le corps inanimé d'Eryl dans ses bras. Les larmes coulaient à flot sur son visage et il ne semblait pas conscient des bandes de gelée blorash qui lui clouaient les genoux au sol. Anakin le rejoignit et saupoudra du sel tout autour de lui.

Raynar releva la tête et écarquilla les yeux.

— Je ne la sens plus, Anakin. Je ne perçois plus sa présence dans la Force.

Anakin partageait sa stupeur. Encore peu de temps auparavant, Nom Anor semblait vouloir capturer les membres du commando vivants. Alors pourquoi les Yuuzhan Vong les attaquaient-ils à présent à grand renfort de scarabées tranchants ? Tout simplement parce que l'Exécuteur avait dû se rendre compte que les Jedi avaient de fortes chances de gagner le centre de clonage. Voilà pourquoi. Il prit Eryl dans ses bras, aida Raynar à se relever et les emmena tous deux dans la ruelle.

— Je vais demander à Tekli de vous rejoindre.

Anakin se précipita à nouveau dans la bataille et se retrouva au milieu d'une véritable émeute d'esclaves poussant des hurlements. Quelques-uns gisaient au sol, d'autres saignaient abondamment. Le combat s'était à présent généralisé dans la rue tout entière. La plupart des esclaves criaient simplement parce qu'ils étaient pris au piège. Tout en courant, il jeta quelques poignées d'arsensel autour de lui et intercepta Tenel Ka qui venait à sa rencontre depuis la direction opposée, faisant flotter le corps de Jovan Drark devant elle. Tekli se précipita et enfonça ses mains jusqu'aux poignets dans la poitrine béante du Rodien.

Anakin essaya de percevoir sa présence dans la Force et sentit immédiatement un grand vide. Il eut un haut-le-cœur. Une toute petite étincelle de vie brûlait encore au fond de Jovan, mais elle était très rapidement en train de faiblir.

— Jaina a des ennuis, dit Tenel Ka. Je crois qu'ils essaient de...

Anakin bondit au-dessus des corps des esclaves gémissants et des cadavres de Yuuzhan Vong. Il jeta des poignées d'arsensel autour de lui pour libérer les esclaves encore pris dans la gelée blorash. Il aurait dû prévoir tout ceci. il aurait dû comprendre que Nom Anor se servirait de la cité des esclaves pour leur tendre une embuscade. A présent, Eryl était morte, Jovan mourant, Jaina sur le point d'être capturée... Et le commando n'avait pas encore atteint le centre de clonage.

Il découvrit sa sœur acculée au mur d'un immeuble, retenue prisonnière sur tout un côté par une longue bande de gelée blorash, saignant abondamment par une plaie qu'elle avait à la tête. Malgré cela, elle parvenait à tenir deux imposteurs Yuuzhan Vong en respect en maniant son sabre laser d'une seule main. Lowbacca et Zekk se démenaient comme de beaux diables contre une demi-douzaine d'assaillants grimés, à quelques mètres de là, pour tenter de la rejoindre. Plus loin, Alema Rar s'était dissimulée derrière l'épave d'un aéroglisseur et, au moyen du blaster long de Jovan Drark, repoussait l'approche d'une section de renforts Vong. Anakin rassembla la Force autour de lui et chargea, pirouettant dans les airs comme il l'avait fait quelques instants auparavant.

Les adversaires de Zekk se dispersèrent, faisant un pas en arrière et brandissant leurs bâtons Amphi comme des lances. Anakin en abattit un, puis ressentit une décharge brûlante à l'abdomen. Un deuxième guerrier avait réussi à traverser les tissage blindé de sa combinaison de protection.

Il demeura interloqué. Le bâton Amphi pivota et la tête fouilla ses entrailles. Il s'entendit crier. Puis il retomba. Ses pieds touchèrent le sol et il partit à la renverse. Une angoisse glacée lui monta du ventre. Ses genoux chancelèrent. Il ne pouvait pas succomber. Il ne devait pas succomber.

— *Anakin !*

Guidé par le cri, Anakin envoya une poignée d'arsensel en direction de Jaina. Il invoqua la Force pour guider les grains jusqu'à la bande de gelée blorash.

Ensuite, et seulement ensuite, il saisit l'extrémité du bâton Amphi et la dégagea de son abdomen.

La douleur fut épouvantable.

Anakin parvint cependant à la contenir, se servant de son entraînement de Jedi pour empêcher sa souffrance de l'immobiliser complètement. Il était blessé, mais pas mortellement. L'un des assaillants de Jaina pivota pour attaquer, transformant son bâton Amphi en redoutable fouet en plein mouvement.

Anakin repoussa la tête aux crocs acérés sur le côté, fit un bond en avant et feignit un balayage. L'imposteur fit un pas chassé. C'était du moins son intention. Anakin glissa un pied entre les talons de son adversaire et tira. Le Yuuzhan Vong bascula, roula et s'empala sur le sabre laser qu'Anakin pointait vers lui.

A présent débarrassée de la gelée blorash, Jaina parvint à repousser ses adversaires en créant tout autour d'elle une impénétrable toile d'éclairs de laser. Invoquant la Force pour étayer sa propre puissance, Anakin s'avança et frappa un des Yuuzhan Vong aux genoux. Jaina transperça la plaque d'armure thoracique du guerrier avant même qu'il ne touche terre. Puis elle pivota et attrapa Anakin par le coude.

— Par les Sith, Anakin ! Pourquoi as-tu tenté un truc pareil ?

— Pareil que quoi ? demanda-t-il.

Jaina le foudroya du regard. Tous deux savaient très bien que sa tentative pour le secourir avait été d'une grande imprudence.

— Nous avons déjà perdu deux des nôtres… Et je n'allais quand même pas… (Les mots restèrent coincés dans sa gorge et Anakin dut recommencer sa phrase :) Tu avais des ennuis.

— Ouais, et maintenant, c'est toi qui as des ennuis. (Jaina essaya d'essuyer le sang qui lui coulait dans les yeux. En vain. Elle commença à s'avancer vers l'allée.) Anakin, ce n'était vraiment pas… Mais enfin, quand est-ce que tu vas enfin comprendre ?

En se retournant pour la suivre, Anakin se retrouva face à une rangée de Jedi. Lowbacca et Zekk étaient flanqués de Jacen, de Ganner et de tous ceux à qui on avait ordonné de rester dans la ruelle. Les derniers imposteurs Yuuzhan Vong gisaient à leurs pieds, derrière eux. Leurs masques et leurs armures de crabe vonduun avaient été réduits en pièces fumantes. Zekk rejoignit immédiatement Jaina. Tahiri devança Lowbacca et Jacen pour s'approcher d'Anakin. Elle tenta de lui faire ôter sa main de sa blessure, mais il ne la laissa pas faire. Il fit un signe du menton en direction d'Alema, toujours dissimulée derrière l'épave d'aéroglisseur et tirant pour empêcher l'avancée des renforts Yuuzhan Vong.

— Dites-lui de nous rejoindre, lança-t-il. Allons-nous-en avant que quelqu'un d'autre ne se fasse tuer.

Ne prêtant aucune attention à ses paroles, Tahiri essaya encore de lui tirer sur le bras.

— Anakin, c'est grave ? Laisse-moi...

— Tahiri, s'il te plaît. (Anakin repoussa sa main.) Ce n'est qu'une égratignure.

37

— Et tu appelles ça un raccourci ?

— Fais-moi confiance. (Han détacha les yeux du hublot et du tourbillon gazeux obscur complètement dénué d'étoiles pour regarder sa femme.) Si les Vong qui s'en sont pris à Booster essayaient de protéger quelque chose, nous découvrirons de quoi il s'agit à l'embouchure de cette passe. C'est le seul moyen dont ils disposent pour rejoindre la région du Noyau sans déclencher de mine spatiale.

— Et nous, nous n'allons pas en déclencher, des mines spatiales ? Pourquoi ? demanda Leia.

— Parce qu'il n'y en a pas par ici, répondit Han. La Nouvelle République ne connaît pas l'existence de cette hyperroute. Personne ne la connaît.

— Vraiment personne ?

— Bon, si, d'accord, Lando la connaît. (Il reposa les yeux sur le capteur à longue portée et commença une procédure de détection des masses dangereuses qui pourraient se trouver en travers de leur cap.) Et puis Chewbacca était au courant… Et Roa aussi. Et puis, bien sûr, Talon Karrde. Mais Talon Karrde connaît tout.

— Donc, si je te comprends bien, tu es en train de me dire que tous les contrebandiers ou malfrats qui ont besoin de se rendre discrètement sur Reecee connaissent ce raccourci ?

— Ouais, dit Han. Autant dire personne, quoi…

Ils avaient déjà effectué cinq sauts en cinq heures et, à présent, le *Faucon* évoluait au cœur même du Bantha Noir. Référencé à tort comme une anomalie de navigation de classe gamma – ce qui identifiait en général un trou noir instable, mentionné sur aucune carte –, le Bantha Noir était en réalité une proto-étoile, un petit nuage de gaz très froid, en train de se contracter pour former une étoile. D'ici quelques millions d'années, à peu de choses près, il se contracterait suffisamment pour commencer à produire de l'hydrogène. Mais, pour l'heure, son noyau n'émettait rien de plus dangereux qu'une vague aura de chaleur infrarouge. Un bon pilote pouvait tout à fait voler au travers, à la vitesse de la lumière, tant qu'il se tenait à distance de l'anneau de poussières spatiales entourant l'anomalie et qu'il évitait le pulsar de rayons gamma qui se trouvait de l'autre côté de la formation gazeuse.

Une alerte retentit. Une fois, deux fois, une demi-douzaine de fois avant de sonner en continu. Une nuée de formes sombres apparut sur l'écran, juste au-devant du *Faucon* et légèrement en contrebas. Chaque silhouette était accompagnée sur le moniteur d'un numéro de série.

— Han ? demanda Leia. C'est quoi ?

— Un amas d'astéroïdes, répondit-il. Normalement, il devrait être plus loin que ça. Il a dû dériver vers le centre de l'anomalie.

— Vraiment ? dit Leia d'un ton dubitatif. Des astéroïdes ordinaires, genre amas rocheux et ferreux ?

— Exact. (Han jeta un coup d'œil aux données et comprit immédiatement où elle voulait en venir. Les signaux étaient bien trop uniformes pour être des astéroïdes. Ils n'étaient pas assez denses, non plus. Il lança le *Faucon* dans un virage très serré, fit demi-tour et coupa les propulseurs ioniques afin de ne pas révéler leur position.) Je t'avais bien dit qu'on les trouverait là.

— Oui, enfin, plutôt à l'embouchure de la passe.

— Eh bien il semblerait que nous soyons à l'embouchure de la passe...

D'autres silhouettes sombres apparurent sur le moniteur pendant que le cargo YT-1300 modifié dérivait à l'intérieur de la proto-étoile. Leia enclencha un enregistreur de données et lança une procédure d'analyses. Han activa le reste des senseurs passifs et garda un œil prudent sur les formes sombres en train de ralentir et de se déployer en formation de défense. Pour l'instant, elles ne semblaient pas se rendre compte qu'on était en train de les observer, ce qui ne surprit guère le Corellien. Les senseurs du *Faucon* égalaient ceux de n'importe quel vaisseau de reconnaissance, et le tout petit avantage de la Nouvelle République dans ce conflit, c'était bien la portée des batteries de capteurs. Pourtant, il y avait fort à parier que les vaisseaux ennemis ne tarderaient pas à se rapprocher suffisamment pour détecter leur présence.

— OK, Leia, je crois qu'il vaudrait mieux qu'on file…

— Non, pas encore, dit-elle. C'est trop important.

— Eh bien, justement…

— Non, Han, c'est vraiment très, très important. La Nouvelle République n'est-elle pas prête à lancer ses vaisseaux sur Reecee ?

— Dans approximativement… (il regarda le chronomètre de la planche d'instruments) … trois heures. Information non officielle, bien entendu.

— Eh bien je pense qu'ils ne trouveront rien, une fois là-bas. Il doit bien y avoir un millier d'appareils rassemblés ici.

Han voulut demander à Leia plus de précisions et ce qu'elle attendait qu'il fasse à ce sujet. Mais il se ravisa. Il savait déjà. La tortueuse route hyperspatiale qu'ils venaient d'emprunter zigzaguait jusqu'aux colonies bordant la région du Noyau. De là, les Yuuzhan Vong auraient le champ libre jusqu'à Eclipse et Coruscant. Et Han doutait que Tsavong Lah ait décidé de déployer un millier d'engins uniquement pour attaquer la base des Jedi.

— Bon, j'en ai assez. (Ils s'étaient trouvés au bon endroit au bon moment et en bien trop d'occasions au cours de leur existence. Et cela ne l'amusait plus du tout.) Il faut décamper.

— Je vais préparer un message, dit Leia.

— Tu n'as qu'à l'envoyer à Adarakh et Meewahl, répondit Han. On n'aura peut-être qu'une seule chance d'émettre et eux se trouvent à de meilleures coordonnées que nous pour être sûrs de relayer les informations jusqu'à Wedge et Garm.

— J'y ai déjà pensé.

— Et dis-leur de trouver Lando, ajouta Han. La flotte va avoir besoin d'un bon guide.

— J'y avais pensé aussi, répondit Leia.

— Et dis à Luke…

— Han !

— Quoi ? C'était pas mon idée de venir jusqu'ici ! rétorqua Solo. J'essayais juste de me rendre utile !

Leia lui adressa un regard suggérant qu'il en finisse une bonne fois pour toutes.

Han se risqua donc à tenter une analyse subspace et repéra le véritable champ d'astéroïde, exactement là où il s'attendait qu'il soit, à l'intérieur de l'anneau de poussière, juste au niveau du plan de rotation de la proto-étoile. Il programma un cap de poussée très court qui les éloignerait des Yuuzhan Vong selon une trajectoire oblique et les amènerait derrière le champ d'astéroïdes. Une fois qu'ils y seraient en sécurité, ils seraient à même de passer la formation gazeuse aux scanners à longue portée et d'envoyer les informations à la flotte républicaine dès son arrivée dans le secteur. En admettant, bien entendu, que la flotte soit au rendez-vous. Il subsistait tout de même une chance que Fey'lya, ou bien tout autre bureaucrate du même acabit, cède à la panique et décide de rappeler la flotte vers son port d'attache.

— Il va falloir émettre une courte poussée ionique, dit Han. Je ne pense pas qu'on nous verra dans ce nuage, mais si quelqu'un nous repère…

— J'ai déjà programmé les coordonnées d'un saut d'urgence, répondit Leia. Un saut très court, certes, mais qui nous permettra au moins de gagner un peu de temps, histoire de trouver une solution à tout ceci. Les données sont déjà dans l'ordinateur. Paré à ton signal.

— Accroche-toi, dit Han. Je vais être obligé de faire pivoter l'appareil presque sur place pour être sur le bon vecteur.

— Génial. J'en salive d'impatience.

Leia agrippa les accoudoirs de son énorme siège de copilote et hocha la tête de façon sinistre. Han serra les dents, activa le propulseur ionique et enclencha la manette des gaz. Même si le compensateur d'accélération était réglé sur le maximum, le *Faucon* exécuta un pivot si serré que Leia entendit les boucles de son harnais de sécurité craquer dans leurs logements. Les mains de Solo lâchèrent soudainement le joug et l'appareil donna l'impression de basculer sur le côté. Han sentit alors son estomac se rebeller. Il serra la mâchoire encore plus fort pour conserver le contenu de son estomac en place et éviter de se ridiculiser devant son épouse.

Le compensateur d'accélération se remit à fonctionner normalement lorsque l'appareil vola enfin en ligne droite. Leia ouvrit alors un canal subspatial pour Coruscant. Il ne fallut que quelques secondes au signal pour trouver la balise relais qui se trouvait dans leur appartement d'Eastport. Han profita de ce laps de temps pour vérifier le moniteur de ses senseurs et s'aperçut que deux skips venaient de quitter la formation ennemie. Les Yuuzhan Vong auraient certainement détaché une flottille tout entière si la signature ionique avait été effectivement détectée. Il se dit que les deux skips avaient certainement été envoyés en éclaireurs pour inspecter le sillage que le *Faucon* avait dû laisser derrière lui avant de prendre la fuite dans la nébuleuse. Espérant berner ses ennemis en faisant apparaître son vaisseau sur leurs détecteurs comme un astéroïde anodin, Han modifia les réglages d'impulsion du générateur de particules de ses boucliers et déploya les panneaux de ventilation d'urgence de l'appareil. Si cela était nécessaire, les réacteurs du vaisseau pouvaient émettre une grande quantité d'hydrogène.

La voix de Meewahl retentit enfin sur le canal subspatial, un peu crachotante en raison de la perte de signal causée par la nébuleuse.

— Dame Vador ? Je ne m'attendais pas à avoir de vos nouvelles si tôt. Est-ce que tout va bien ?

— Pour l'instant, oui, dit Leia en appuyant sur le bouton d'émission des données. Faites en sorte que ces informations soient transmises à…

Leia s'étrangla et ne termina pas sa phrase. Elle leva une main vers sa poitrine, son expression se fit soudainement douloureuse et distante.

— Dame Vador ?

— Leia ?

Han tendit la main pour lui toucher le bras. Mais elle lui fit signe d'attendre.

— Ça va, Meewahl. (Elle ferma les yeux et sembla rassembler ses esprits.) Je souhaite que les données que je viens d'envoyer soient transmises à Wedge Antilles et Garm Bel Iblis au Commandement de la Flotte. Immédiatement. Faites ce qui est nécessaire pour y parvenir. Envoyez également des copies à Luke et à Lando Calrissian, ainsi que mon souhait qu'ils aillent proposer leurs services à l'Amiral Sovv. Je crois que l'issue de la guerre en dépend.

— Dame Vador, il sera fait selon vos désirs.

Le ton de Meewahl était si impersonnel qu'elle aurait très bien pu lui promettre d'aller annoncer à ses voisins de palier que les Solo ne seraient pas rentrés à temps pour le dîner. Mais, si elle devait effectivement faire des pieds et des mains pour atteindre le Commandement de la Flotte, Han ne donnait pas cher du moral du pauvre planton de garde ou du pauvre bureaucrate de service auquel elle aurait à faire. Cependant, les Noghri étaient aussi inventifs qu'ils étaient discrets et peut-être que Meewahl trouverait un moyen de surprendre les généraux aux toilettes sans pour autant provoquer un bain de sang.

Même si les frictions étaient minimes à l'intérieur de la nébuleuse de gaz, la résistance causée par le déploiement des volets de ventilation d'hydrogène nécessita deux secondes supplémentaires de poussée ionique. Han regarda avec nervosité le vecteur du *Faucon* converger vers celui des deux appareils envoyés en éclaireurs, essayant de deviner à partir de quel moment les traînées résiduelles du cargo finiraient par révéler sa position. Mais les deux skips continuèrent sur leur lancée après que le réacteur du cargo se fut enfin éteint. Han les vit ralentir et commencer à virer loin derrière lui – une méthode d'approche standard en cas de contact avec une perturbation inconnue – et constata que leur vecteur ne croiserait pas celui du *Faucon* avant que celui-ci n'ait rejoint le champ d'astéroïdes. Il poussa un soupir de soulagement. Mais il ne savait toujours pas à quoi il avait affaire.

Han découvrit que Leia était en train de regarder par la verrière. Son visage était couleur de perle, son expression distante et prudente. Se rappelant qu'elle venait juste de s'étrangler de stupeur, et connaissant ses habitudes de diplomate à toujours garder ses émotions pour elle, il voulut lui demander ce qui avait bien pu la troubler ainsi.

Mais elle l'en empêcha avant même qu'il ait pu lui poser la question.

— Plus tard, Han. (Son ton avait quelque chose d'alarmant, mais possédait également cette inflexibilité qu'il savait aussi solide que du duracier.) Concentre-toi sur le pilotage.

Un système d'alarme retentit lorsque le cargo passa à proximité d'un corps céleste suffisamment imposant pour produire son propre champ gravitationnel. Han éteignit l'alarme et commença à envisager une nouvelle trajectoire. Mais il s'abstint de toucher aux commandes. Tout changement de direction pourrait instantanément alerter les deux vaisseaux ennemis sur la véritable nature du *Faucon*, ruinant ainsi tous les espoirs de la Nouvelle République d'attaquer la flotte adverse par surprise.

La nouvelle trajectoire impliquait cependant que le *Faucon* traverse le nuage de poussières. Là, Han serait obligé de rétracter les volets de ventilation afin d'éviter qu'ils ne s'engorgent inutilement. Il était encore en train de réfléchir au moyen de procéder à cette manœuvre sans pour autant altérer leur signature de vol lorsque l'alarme retentit à nouveau. Un autre astéroïde était en train de les attirer vers le champ.

Han calcula le nouveau cap et découvrit qu'en continuant ainsi il finirait par heurter un rocher. Et très rapidement. L'astéroïde était énorme, assez imposant pour que son propre champ gravifique l'ait modelé en une sphère irrégulière. L'attraction produite par le corps céleste était en train de modifier considérablement leur vecteur de vol. Han releva la tête vers la verrière de transparacier. Il ne vit que les tourbillons obscurs de la nébuleuse de gaz. Pourtant, l'astéroïde était bien là, un peu sur leur gauche, dérivant lentement vers l'axe du *Faucon*, se rapprochant inexorablement.

C'était exactement ce dont ils avaient besoin.

Han se pencha sur l'ordinateur de navigation et commença à calculer des diamètres de propagation d'onde de choc par rapport à des taux d'accélération. Le résultat qu'il obtint fut bien éloigné des paramètres raisonnables qu'on pouvait espérer dans un cas semblable. Il dut se concentrer pour s'empêcher de jurer à tout va.

— Leia ? Tu connais ce truc que fait Kyp avec les bombes furtives Jedi ?

— Comment cela ? demanda-t-elle.

— Il nous faut une vélocité d'un kilomètre par seconde, dit Han. Je peux nous fournir l'accélération initiale en dépressurisant le tube lance-missiles...

— Le tube lance-missiles, Han ?

— Ouais, et en faisant sauter le panneau d'occultation, termina-t-il. Le problème, c'est qu'on se trouvera juste derrière les têtes lorsqu'elles exploseront. Et même moi je ne pense pas être assez rapide pour...

Leia pâlit.

— Han, tu ne vas tout de même pas...

— Pas le temps de discuter, dit Han en armant les missiles. Tu peux y arriver ou pas ?

Leia ferma les yeux.

— Lequel ?

— Le tube bâbord.

Han ordonna à l'ordinateur d'ouvrir l'arrière du tube. Puis il désactiva les propulseurs ioniques du missile et annula les procédures de sécurité de lancement. Quand il eut terminé, une forme plus sombre commençait à se dessiner dans les ténèbres devant eux, au milieu de la brume de la nébuleuse. L'immobilité de la forme en question attestait de son indéniable solidité.

Han pressa la détente et entendit le chuintement caractéristique du panneau pivotant brusquement sur ses charnières. La soudaine décompression éjecta le missile juste entre les deux mâchoires de proue du *Faucon*. Le projectile sembla s'y immobiliser.

— Maintenant, ce serait bien, pressa Han.

— J'essaie ! J'essaie ! rétorqua Leia.

Le missile commença à avancer, prenant graduellement un peu de vitesse.

— Bon, eh bien c'était pourtant pas une si mauvaise idée que ça, dit Han, défaitiste, préparant ses propulseurs ioniques pour un démarrage en trombe. (Leia n'était pas à proprement parler un Jedi. Elle n'avait jamais eu de temps à consacrer à un entraînement rigoureux. Mais elle était capable de contrôler la Force et Han avait déjà eu l'occasion de la voir déplacer par le pouvoir de sa pensée des objets bien plus conséquents que ce simple missile. Peut-être était-ce la nébuleuse qui causait des perturbations dans la Force.) C'était bien essayé, mais…

Le missile se mit soudainement à foncer et disparut dans les ténèbres.

— … mais je pense que ça ira très bien ! conclut Han.

Il posa ses mains sur les commandes des répulseurs et attendit. Sur le moniteur des capteurs, les coraux skippers venaient de laisser le premier astéroïde pour se diriger vers celui qui se trouvait droit devant eux. Ils seraient aux premières loges au moment de l'impact, en espérant cependant qu'ils ne remarqueraient pas la petite silhouette noire du *Faucon* dans l'éclat étincelant de l'explosion.

Dès que la toute première petite lueur se produisit à la surface du corps céleste, les panneaux transparents du cockpit du cargo commencèrent à se teinter pour protéger les occupants de l'éclair aveuglant. Han activa les répulseurs, fit pivoter son appareil et décéléra, exécutant un virage aussi serré que celui qu'il avait effectué quelques instants auparavant pour changer de cap. Les coraux skippers devaient à présent se trouver à portée de capteurs, mais la signature des répulseurs serait plus difficile à détecter que celle des propulseurs ioniques. Han supposa que la quantité d'énergie produite par l'impact du missile à fragmentation accaparerait toute l'attention des systèmes de senseurs que devaient utiliser les Vong.

Avant même que l'éclair de l'explosion ne s'évanouisse complètement dans les ténèbres, ils étaient déjà loin. Volant dans l'obscurité totale, se servant uniquement de ses capteurs et de ses instruments, Han engagea le *Faucon* dans une éruption de gaz de la nébuleuse. Il releva le nez de son appareil et sortit les trains d'atterrissage pour rebondir contre les ouragans de particules afin de ne pas trop endommager les structures de l'engin.

— Et maintenant ? demanda Leia.

— On patiente jusqu'à ce qu'ils aient terminé leurs recherches.

— Tu crois qu'ils vont les continuer, ces recherches ? rétorqua Leia. Le missile a dû créer un cratère plutôt convaincant, non ?

— Peut-être, mais on a affaire à une sacrée flotte, répondit Han. Ils vont continuer leurs recherches, encore et encore.

Solo éteignit tous les systèmes du *Faucon* susceptibles de produire la moindre particule d'énergie ou le moindre photon. Puis Leia et lui se laissèrent couler dans leurs fauteuils respectifs et observèrent les ténèbres. Il avait délibérément sélectionné cette éruption dans la nébuleuse. Elle faisait face à la bordure intérieure du Bantha Noir et il était presque impossible de distinguer des étoiles par-delà la perturbation. La situation rappela à Han son séjour dans la carbonite. Sauf que, dans la carbonite, il avait perdu toute notion de temps.

— Combien de temps penses-tu qu'il va falloir attendre ? demanda Leia.

— Bien plus longtemps que nous ne le souhaitons. (Han éprouvait toujours un certain malaise au sujet de la réaction de stupeur de Leia, quelques instants auparavant. Il voulait la questionner, mais jugea bon de remettre cela à plus tard.) On s'en rendra bien compte.

— De quoi ?

— Du moment où nous en aurons assez d'attendre.

Ils patientèrent en silence pendant un long moment et puis Leia cracha le morceau :

— Anakin est blessé.

Han sentit son cœur disparaître dans un trou noir.

— Blessé ?

Il s'empressa d'actionner les commandes de mise en route et les boutons d'activation des circuits vitaux. Même si la plupart des systèmes étaient éteints et que les moteurs avaient eu le temps de refroidir, la procédure de lancement du *Faucon* serait particulièrement courte. Il leur faudrait moins de trois minutes pour démarrer et prendre le large.

— Han ? demanda Leia d'une voix frêle. Où allons-nous ?

— Hein ? (Il enclencha le préchauffage des propulseurs ioniques et commença un décompte de vingt secondes.) Mais enfin, où crois-tu que nous allons ?

— Justement, je n'en ai pas la moindre idée, dit Leia. Parce que je suis intimement persuadée que tu n'aurais jamais laissé Anakin s'embarquer dans cette mission insensée si nous avions eu vent d'un autre moyen de nous rendre sur Myrkr.

Le décompte atteignit quinze secondes. Les doigts de Han restèrent en suspens au-dessus des commandes, le temps que le décompte atteigne vingt. C'est alors que Solo comprit enfin pourquoi Leia avait attendu que les systèmes du *Faucon* soient éteints pour lui annoncer la nouvelle. Il cessa de compter.

— Effectivement, il n'y avait pas d'autre moyen. (Il désactiva le préchauffage et éteignit l'ensemble des systèmes. Il rassembla ses esprits et demanda :) C'est grave ?

La seule réponse de Leia fut un hochement de tête.

Han voulut faire quelque chose – protéger Anakin ou bien aider Leia à surmonter ce qu'elle devait ressentir dans la Force –, mais comment pouvait-il porter secours à son fils qui se trouvait à des milliers d'années-lumière de là ? Comment pouvait-il estimer le poids qui pesait sur les épaules de son épouse ? Il était lui-même insensible à la Force et donc incapable de percevoir la douleur que devait actuellement éprouver Anakin.

— Heureusement, il n'est pas tout seul. (Han voulut avoir un geste réconfortant pour sa femme et constata que ses propres mains tremblaient. Il en posa quand même une sur l'avant-bras de Leia.) Jaina est avec lui.

— Et Jacen aussi.

— Ouais, Jacen aussi. (En raison du récent dilemme ressenti

par Jacen à propos de l'utilisation de la Force, Han n'arrivait pas à se faire à l'idée que son fils aîné puisse être un guerrier Jedi. Mais sur Duro, c'était bien Jacen qui avait affronté Tsavong Lah et c'était bien Jacen qui avait sauvé la vie de Leia.) Les jumeaux vont s'occuper de lui.

— Exact. (Leia hocha la tête d'un air absent. Ses pensées étaient de nouveau concentrées sur Myrkr, à des milliers d'années-lumière de là.) Les jumeaux sont avec lui.

Le dernier signal lumineux s'éteignit sur la planche de bord. Ils attendirent dans le noir, perdus dans leurs pensées respectives, suffisamment proches l'un de l'autre pour s'entendre respirer.

Au bout d'un moment, Han, n'y tenant plus, reprit la parole :

— Comme je regrette d'avoir dit toutes ces choses au moment du décès de Chewbacca. Comme je regrette d'avoir voulu faire porter la responsabilité de sa mort à Anakin.

Il sentit la main chaude de Leia se poser sur la sienne.

— C'est du passé, tout ça, Han. Vraiment.

Ils attendirent en silence, pendant ce qui sembla durer une éternité, ressassant dans leurs têtes les mêmes questions sans réponses. Etait-ce réellement grave ? Comment était-ce arrivé ? Anakin était-il à présent hors de danger ? L'espace d'un instant, Han aperçut des reflets violets en bordure de la perturbation. Mais ils étaient si faibles et si furtifs qu'il se dit qu'il devait certainement plus s'agir d'un tour que lui jouaient ses yeux éprouvés par l'obscurité que de l'éclat produit par un cockpit d'appareil Yuuzhan Vong. Ils passèrent le temps à attendre, incapables de savoir si la Nouvelle République s'apprêtait réellement à envoyer une flotte d'attaque, dans la mesure où la réception de l'antenne subspatiale du *Faucon* était perturbée par des kilomètres et des kilomètres d'astéroïdes ferreux.

La parabole des capteurs principaux était en revanche pointée vers le cœur du Bantha Noir et la seule chose que Han et Leia pouvaient faire pour s'occuper était de risquer, de temps en temps, un balayage passif, histoire de mettre leurs informations à jour. Petit à petit, il devint évident que les Yuuzhan Vong rassemblaient non seulement les vaisseaux qui avaient attaqué Reecee, mais également ceux de réserve dans toutes leurs bases de la galaxie. La plupart des nouveaux arrivants gagnaient le centre de la flotte et se plaçaient en ligne afin de procéder à un ravitaillement en nourriture et en munitions auprès d'énormes cargos. Han fut quelque peu soulagé de constater que les Yuuzhan Vong étaient à peine plus rapides pour ce genre de manœuvre que ne l'avaient été les engins de sa propre flotte du temps où il était général. Au rythme auquel l'ennemi était en train de s'approvisionner, même le commandement de la flotte de la Nouvelle République, réputé pour sa lourdeur administrative, aurait le temps de prendre une décision. Il fallait simplement espérer que cette décision impliquerait l'affectation d'un nombre suffisant de vaisseaux de guerre.

Les choses commencèrent à évoluer lorsqu'un balayage de senseurs passifs révéla que deux appareils – probablement les deux skips qui les avaient suivis jusqu'aux astéroïdes – venaient de changer de cap pour rejoindre le cœur de la nébuleuse. Frissonnant encore en repensant à la conversation que Leia et lui avaient eue au sujet de la nécessité de quitter leur cachette, Han activa tous les scanners et afficha les résultats des analyses sur le moniteur principal de la planche de bord. L'écran donnait l'impression que quelqu'un venait soudainement de donner un coup de pied dans une ruche de stingnats tueuses. Corvettes, frégates et autres vaisseaux de corail yorik étaient en train de se rassembler de l'autre côté de la nébuleuse. Une centaine de croiseurs et de destroyers se dirigeaient vers le centre de la formation, créant une sphère de protection autour des énormes vaisseaux cargos.

— Ça ne ressemble pas du tout à une configuration de saut dans l'hyperespace, ça, commenta Leia.

— Non, ça ressemble plutôt à une configuration du genre « on vous tombe sur le râble par surprise », dit Han. Enregistrons ça, ce n'est sûrement pas une formation connue des tacticiens de la Nouvelle République.

Han enclencha le démarrage à froid des répulseurs et fit sortir le *Faucon* de l'éruption gazeuse. Ils avaient à peine franchi les limites de la perturbation que la voix d'un officier retentit dans le haut-parleur de la console des communications tactiques :

— … appelle le *Faucon Millennium*. (La voix de la jeune femme était distante, couverte par les parasites, en raison de l'effet d'absorption d'énergie produit par le gaz de la nébuleuse.) Je répète. Ici le vaisseau de reconnaissance de la Nouvelle République *Gabrielle*. J'appelle le *Faucon Millennium*. Répondez sur le canal S six-zéro-neuf.

— Les coordonnées ne correspondent pas à une trajectoire logique d'approche, dit Leia. (Du doigt, elle tapota le moniteur, indiquant une position qui se trouvait à environ un quart de la distance les séparant des corvettes et des frégates, sur le côté de la perturbation tournée vers Reecee.) Tu crois que les Yuuzhan Vong pourraient nous faire le coup du Hutt Mutin ?

— Pour peu qu'un traître leur ait révélé notre position, pourquoi pas ? (Le coup du Hutt Mutin était une vieille tactique impériale qui visait à amadouer une proie en révélant la position du chasseur.) Mais il va falloir prendre le risque. Ce n'est pas le moment d'avoir la frousse. Surtout lorsque l'issue de la guerre pèse dans la balance.

Han s'abstint d'ajouter « et surtout quand nos propres enfants sont en train de mettre leurs vies en danger », mais Leia devina clairement ses pensées. Solo entreprit de ranimer tous les systèmes du *Faucon*. Leia activa le récepteur subspatial et programma les coordonnées qu'on venait de leur fournir.

— Ici le *Faucon Millennium*…

— La Force soit louée ! s'exclama Wedge Antilles. Ça fait une heure qu'on essaie de vous contacter. Je commençais à envisager le pire.

Han et Leia échangèrent un regard, mais préférèrent ne rien dire au sujet d'Anakin.

— On a eu une poignée de skips aux trousses, c'est pour ça qu'on n'a pas bougé. (Ses doigts se posèrent sur le clavier de l'ordinateur.) Voici les informations promises.

Tout en parlant, elle perçut les premiers échos d'un combat distant sur le moniteur tactique. La flotte d'assaut proprement dite était bien trop éloignée pour être détectée au moyen des senseurs actifs à travers la nébuleuse de gaz. Han remarqua cependant, à la quantité de feu échangée, qu'il ne devait y avoir que quelques centaines de vaisseaux. Pourtant, de nombreuses corvettes et frégates Yuuzhan Vong se volatilisèrent dans l'espace en un nuage de particules étincelantes. Apparemment, l'ennemi n'avait pas eu le temps de parachever son cordon de défense à temps. Le *Faucon* se trouvait à une trop grande distance de la bataille pour être en mesure de détecter des objets aussi petits que des chasseurs stellaires. Han comprit cependant qu'il devait y en avoir un certain nombre sur les lieux, en raison des décharges statiques et des explosions qui se produisaient en grand nombre au milieu de la flotte de vaisseaux Vong.

La Nouvelle République devait à présent avoir disposé ses propres appareils de supervision autour de la zone de combat. Han et Leia préférèrent cependant ne pas changer de position et continuèrent à relayer les informations vers les divers postes de commandement qui devaient se mettre en place autour de la nébuleuse. Dans un conflit de cette amplitude, les informations étaient souvent bien plus essentielles que les appareils eux-mêmes. Chacune des forces en présence se devait, en priorité, de détruire, d'aveugler ou de berner les vaisseaux de reconnaissance de l'adversaire. Ce qui faisait du *Faucon Millennium* un atout majeur de l'observation, tant qu'il n'était pas détecté. Un atout aussi important que les trois destroyers stellaires détachés sur place.

Doucement, et douloureusement, les frégates et corvettes Yuuzhan Vong retrouvèrent un semblant d'organisation et commencèrent à tenir les chasseurs républicains en respect. Cette menace apparemment sous contrôle, les gros engins de ravitaillement quittèrent leur place au centre de la formation et progressèrent vers l'avant-garde pour protéger leurs homologues plus petits. Lorsqu'ils arrivèrent à portée de tir des plus grands vaisseaux de la Nouvelle République, de profondes striures se mirent à barrer l'écran tactique de Han en tous sens, avec une telle intensité que le Corellien eut toutes les peines du monde à déchiffrer ce qui s'affichait sur son moniteur. Petit à petit, la bataille commença à dériver dans la direction contraire à celle que tout le monde espérait. Han comprit que leur longue attente n'avait finalement servi à rien.

Il brancha son micro subspatial.

— Wedge ? Est-ce que tu captes tout ça ?

— Affirmatif, Han. Mais tu es notre seul émetteur susceptible de relayer les informations depuis l'intérieur de la proto-étoile. Reste en position.

— Et pourquoi ? gronda Han. Apparemment, Sovv n'a pas envoyé assez d'appareils. Dis-lui de sonner la retraite et de sauver ce qu'il est encore possible de sauver !

— Négatif, Han ! (Curieusement, Wedge ne semblait guère partager les inquiétudes de Solo.) On ne peut pas faire ça.

Un destroyer Yuuzhan Vong fonça sur ses adversaires, mais explosa en une boule de feu avant d'atteindre sa cible. Les frégates et les corvettes continuaient de disparaître à un rythme régulier. Pourtant, la bataille continuait à dériver dangereusement vers les lignes républicaines. Bientôt, un vide bien discernable se produisit entre les vaisseaux amiraux qui participaient à l'attaque et ceux qui restaient en arrière pour protéger les cargos. En un geste qui devait certainement être considéré comme du pur mépris pour les commandeurs de la Nouvelle République, un quart des vaisseaux Vong s'en allèrent s'accoster aux énormes cargos pour reprendre leurs opérations de ravitaillement.

— Alors, ça, si c'est pas de l'arrogance ! tonna Wedge. L'Amiral Sovv se doit de leur enseigner une bonne leçon !

— J'espère qu'il enseigne mieux qu'il ne compte ! marmonna Han.

— Han... commença Leia.

Mais il l'ignora et reprit d'un ton amer :

— Notre message était pourtant clair : mille appareils ennemis sur place et une flopée d'autres en arrivage constant...

— Mais je ne disposais que de neuf cents appareils prêts au combat ! déclara une voix pincée de Sullustain. Et votre message disait qu'il nous fallait nous dépêcher !

Leia ferma les yeux et laissa son menton tomber contre sa poitrine.

— Amiral Sovv, je vous prie d'excuser l'impatience de mon mari.

— Les excuses ne sont pas nécessaires, répondit l'officier. Nos communications vont être coupées pendant les huit prochaines minutes. Je vous adresse vos ordres de bataille. Pouvez-vous procéder à une mise à jour tactique dès que nous serons à nouveau en contact ?

Au lieu de répondre directement, Leia se tourna vers son mari avec une expression interrogative.

— Heu… Oui, bien sûr, dit Han. (Leia le foudroya du regard.) Bien sûr, Amiral.

— Parfait, intervint Wedge. Et nous avons une demande en provenance de l'équipe d'Eclipse. Ils vont se mettre à la recherche du yammosk et apprécieraient tous les renseignements que vous pourrez leur fournir à ce sujet.

— Dites-leur que nous allons resserrer les possibilités à environ une centaine de vaisseaux. (Han leva les yeux au ciel puis, entendant que Wedge et l'amiral avaient quitté la fréquence, se tourna vers Leia.) Je suppose que Luke a dû trouver des harpons d'accostage.

— Ou bien il aura demandé à ce qu'on les lui fabrique, dit Leia. J'espère seulement qu'ils seront efficaces sur le corail yorik.

Couramment utilisés, de façon légale ou illégale, à travers toute la galaxie par les forces de police, les pirates ou bien tous ceux qui souhaitaient s'emparer d'un vaisseau, les harpons d'accostage étaient une invention relativement récente. Il s'agissait en fait d'énormes seringues hypodermiques remplies de gaz coma. La pointe, chauffée à blanc, pouvait pénétrer la coque d'un appareil. Le harpon se fichait alors dans la brèche, déployait une membrane de flexiglass afin de boucher le trou autour de lui et injectait le gaz. En fonction de la taille du vaisseau et de sa capacité à recycler l'air ambiant, toute personne à bord pouvait sombrer dans l'inconscience dans un délai de une à quinze minutes. Pour la sécurité des Jedi qui s'apprêtaient à avoir recours à cette technique, Han espéra que le délai n'excéderait guère la minute.

Ils passèrent les quelques minutes suivantes à sonder le cœur de la proto-étoile au scanner, identifiant les cibles prioritaires, calculant les portées et les probabilités de succès des tirs, estimant le temps qu'il faudrait aux vaisseaux ennemis les plus conséquents pour cesser le combat avant de retourner au centre de la flotte pour se ravitailler. En moins de cinq minutes, ils avaient établi un rapport sur la situation qui suggérait qu'il était plus sage d'attaquer prudemment et de façon traditionnelle, dans l'espoir de conserver un maximum d'effectif, cela malgré l'effet de surprise. Ce n'était vraiment pas le coup décisif que Han espérait, mais l'heure n'était plus à discuter de la réalité des faits en présence.

Soudain, Leia plissa le front. Quelque chose paraissait aller de travers. Elle se remit au travail à sa console d'ordinateur. Han passa le Bantha Noir dans son intégralité aux scanners et observa les résultats des analyses sans même prendre le temps de battre des cils. Selon lui, en revanche, tout semblait se dérouler correctement. Il avait resserré ses estimations d'emplacement du yammosk à trois destroyers et à une demi-douzaine de gros croiseurs.

Leia travaillait toujours à son terminal, marmonnant pour elle-même et prenant des notes sur son databloc. Lorsque les témoins des vaisseaux de la Nouvelle République apparurent enfin de nouveau sur les moniteurs, Han constata qu'ils avaient sauté presque en plein cœur de la bataille, en raison des perturbations causées par les déformations de masse de la proto-étoile. Le vaisseau étendard de l'Amiral Sovv jaillit à son tour de l'hyperespace. Les gros porteurs de tête lancèrent simultanément leurs escadrons de chasseurs stellaires et ouvrirent le feu de toutes leurs batteries de turbolasers sur les plus grands vaisseaux Yuuzhan Vong.

L'officier des communications parvint à rétablir rapidement le contact sur le comlink. Leia envoya alors la mise à jour des informations tactiques sur un canal codé. Attendant que Wedge et l'Amiral Sovv aient tous deux fini d'assimiler les données, Han fut surpris d'observer que les grands vaisseaux Vong restaient postés autour des cargos. Ils conservaient leurs positions au lieu d'aller à la rencontre de la flotte en train de les assaillir, ce qui aurait permis à leurs camarades de se ravitailler avant de retourner au combat.

Il ouvrit un canal radio.

— Wedge ? Ici Han. Peut-être que tu devrais demander à tes gars des postes avancés d'attendre un peu. J'ai l'impression que ces gros cailloux nous cachent quelque chose.

— Exact ! confirma Leia en relevant finalement la tête de son databloc. Mais n'attendez pas. Ces vaisseaux ne se sont pas encore ravitaillés. C'est cela qu'ils veulent nous cacher !

L'Amiral Sovv intervint immédiatement sur le même canal :

— Vous en êtes sûre ?

— Certaine, Amiral. Notre ordinateur a attribué un numéro d'identification à chaque contact et je viens de procéder à une analyse chronologique pour chacun d'entre eux. Aucun n'a encore eu la possibilité d'accoster les vaisseaux cargos.

— Je vois, dit Sovv. Et quelle serait votre recommandation ?

Avant de répondre, Leia regarda Han. Si son analyse était correcte, les tactiques qui découleraient de sa théorie seraient probablement très classiques et donneraient même une chance à l'ennemi de battre en retraite. Si elle avait tort, en revanche… Mais non, elle avait raison. Han le sentait.

Il hocha la tête.

Leia lui sourit et reprit le micro.

— Comme au sabacc, Amiral. Faites « tapis ». Ma recommandation est de miser toute notre flotte en jeu.

— Je vois. (Sovv eut énormément de mal à digérer la suggestion. Les Sullustains n'avaient que très rarement de chance au jeu.) C'est une façon peu usuelle de présenter les choses, mais… Merci du conseil.

Han sursauta. Il vérifia que son micro était coupé avant de se tourner vers son épouse.

— C'est bien le problème, avec ces Sullustains aux plus hauts rangs du commandement. Ils sont bien plus intéressés par leurs possibilités d'avancement que par la victoire effective au combat.

— Pas celui-ci. Enfin, je crois.

Elle lui indiqua le moniteur. Une grande partie de la flotte de la Nouvelle République – dont tous les destroyers stellaires et un fort contingent de croiseurs – rompit la formation et se dispersa à l'intérieur du Bantha Noir. Leurs batteries de turbolasers ouvrirent le feu, crachant leurs rayons sur les lignes arrière des Yuuzhan Vong. Plusieurs croiseurs ennemis, et deux vaisseaux comparables à des destroyers, manœuvrèrent pour riposter. D'autres appareils les suivirent bientôt, faisant face à cette nouvelle menace, obligés de combattre sur deux fronts pour répondre à la feinte de leurs adversaires. Les engins de la Nouvelle République commencèrent à enserrer les vaisseaux Yuuzhan Vong complètement désorganisés entre leurs deux lignes, comme dans un étau.

Au cœur de la proto-étoile, une nuée d'appareils plus petits fonça sur les cargos et leurs escortes. Les Yuuzhan Vong retinrent leurs tirs jusqu'à ce que leurs ennemis soient sur eux. Ils déclenchèrent alors une véritable tornade de feu, si intense que, même à cette distance, Han et Leia en discernèrent l'éclat. Le centre du Bantha Noir étincela comme l'étoile que deviendrait un jour la nébuleuse. Le moniteur des capteurs grésilla une bonne minute avant de revenir à la normale. Lorsque l'image fut rétablie, un quart des vaisseaux républicains manquaient à l'appel.

Leia ferma les yeux.

— Han, est-ce que j'ai…

— Non, Leia. Ce sont des Yuuzhan Vong, dit-il. Ils se battront jusqu'au dernier, avec des branches et des cailloux, si vraiment ils le doivent.

Avec appréhension, ils regardèrent les escortes des cargos continuer de lacérer le cœur du Bantha Noir avec leurs boules au plasma et leurs missiles au magma. Certains tirs désintégrèrent des frégates entières. Finalement, le feu commença à perdre de son intensité et les destroyers ennemis encaissèrent de plus en plus de coups. Des escadrons entiers de chasseurs stellaires de la Nouvelle République dépassèrent les vaisseaux d'escorte en perdition pour se concentrer sur les cargos. Ils bombardèrent les énormes engins dépourvus de défenses au moyen de leurs torpilles à proton et de leurs missiles à fragmentation. Le bombardement dura encore quelques minutes. Le centre de la proto-étoile s'illuminait de plus en plus, au fur et à mesure que les conteneurs de combustible de chaque vaisseau de ravitaillement explosaient.

Quelques minutes plus tard, la voix de Luke retentit dans l'unité de communication :

— Han ? Tu peux nous rejoindre ? On a là une cargaison qu'on aimerait bien que tu ailles livrer à Eclipse.

— Une cargaison vivante ? demanda Leia.

Danni Quee essayait de capturer un yammosk vivant depuis quelque temps. Cela datait de bien avant l'annonce de la chute de Reecee par Booster.

— Sabacc ! s'exclama Han. Du pur sabacc !

38

Anakin sentait que son corps meurtri avait besoin de marquer une pause, d'une transe curative, d'un moyen d'échapper à toute cette horreur. Mais ce n'était pas possible. Surtout avec Nom Anor et ses soldats engagés dans le passage à leurs trousses. Les Yuuzhan Vong restaient à distance en arrière, suffisamment éloignés pour que même les Barabel ne puissent détecter le bruit de leurs pas. Mais Anakin pouvait toujours sentir la présence de l'ennemi par son cristal lambent. Une aura froide de colère et de malice qui obligeait le commando à aller de l'avant, une aura toujours pressante, toujours menaçante.

Les Yuuzhan Vong avaient maintenu l'écart constant depuis qu'ils avaient quitté la cité des esclaves, harcelant les Jedi à chaque fois que ceux-ci commençaient à ralentir l'allure, les attaquant à grand renfort de scarabées volants et les obligeant à se servir de leurs armes à feu. Même si les assauts se faisaient de plus en plus fréquents, Nom Anor ne semblait pourtant pas vouloir changer de tactique. Il voulait pousser le commando dans ses derniers retranchements, il souhaitait apparemment l'user jusqu'à la corde, dans l'espoir de capturer ses proies vivantes.

Anakin avait donné à l'espion borgne toutes les raisons de ne pas vouloir changer son fusil d'épaule. Il avait certes évité le piège dressé à bord du TB-TT, mais n'en était que plus lourdement tombé dans l'embuscade tendue dans le quartier des esclaves. Il s'était jeté dans la bataille comme un rat du désert assoiffé se serait précipité sur une ferme de culture d'humidité. Perturbé par la détresse des habitants de la ville, il avait laissé les imposteurs envoyés par Nom Anor s'approcher suffisamment du commando. A présent, Eryl et Jovan Drark étaient morts. Anakin aurait dû se souvenir que Nom Anor nourrissait une certaine prédilection pour le subterfuge. Il aurait dû prévoir une attaque de ce type. Il aurait dû tenir ses Jedi à l'écart de la foule. Il aurait dû être plus prudent. Il…

Jaina lui administra une claque derrière l'oreille.

— Arrête !

— Que j'arrête quoi ? demanda Anakin en se frottant l'oreille. (Sa concentration lui échappa quelque peu et la douleur de sa blessure se rappela à son bon souvenir, envoyant une décharge brûlante à travers tout son corps.) En tout cas, merci de te soucier de ma santé…

— Tu ferais bien de t'en soucier toi-même, dit Jaina. (Une mince ligne s'étirait en diagonale sur son front, là où Tekli avait pansé sa blessure avec de la synthéchair.) Tu as fait preuve d'inconscience, Anakin, et tu en paies le prix. Mais ce n'est pas le propos. Il faut que tu arrêtes de t'en vouloir.

Le bruissement lointain des pas des Yuuzhan Vong retentit dans le passage. Anakin s'efforça de ne pas se laisser déconcentrer.

— Et à qui devrais-je en vouloir ? demanda-t-il.

— Mais à cette guerre ! répondit Jaina. Tu crois qu'Oncle Luke nous a envoyés jusqu'ici pour de bêtes manœuvres d'entraînement ? Cette mission est très importante. Quand les gens meurent, c'est pour de bon.

— C'est un peu rude comme façon de voir les choses…

— Oui, eh bien je pleurerai quand nous serons rentrés chez nous. (Jaina risqua un coup d'œil par-dessus son épaule.) Peut-être que tu as commis une erreur. Peut-être pas. Mais il serait temps que tu te concentres sur la mission, sinon d'autres personnes y laisseront la vie.

Jaina regarda à nouveau derrière elle. Les pas des Yuuzhan Vong se firent plus pressants. Le commando se mit à courir. Ils passèrent devant l'un des tunnels, dont l'ouverture leur arrivait à peu près à hauteur de la taille, et qui descendait vers le quartier où rôdaient les voxyns « sauvages ». Selon Lomi et Welk, les fauves en question étaient des créatures qui avaient simplement échappé à leurs dresseurs. A terme, ces animaux finissaient par rejoindre les sous-sols de la cité des esclaves. C'était pour eux un moyen efficace de s'approvisionner en proies faciles et les cavernes leur fournissaient de bons abris. Avec son tracé irrégulier, ses parois brûlées par l'acide et la puanteur de décomposition qui s'en élevait, le tunnel semblait avoir été creusé par les monstres eux-mêmes. Tous les membres du commando, à l'exception des Barabel, enfilèrent leurs masques respirateurs.

Anakin conserva le sien pendant un bon moment avant de se décider à l'enlever. Certes, l'air fourni par l'appareil était plus frais, mais le jeune homme découvrit que respirer devenait de plus en plus difficile. Il se sentit alors fiévreux et se rendit compte que la douleur causée par sa blessure à l'abdomen était en train d'avoir raison de sa résistance, qu'elle rongeait même les dernières défenses qu'il était parvenu à puiser dans la Force. Quelque chose clochait vraiment.

Tout en courant, il parvint à se vider l'esprit et à s'ouvrir totalement à la Force. Anakin ne possédait aucun réel don de soigneur, mais il connaissait suffisamment son propre corps pour remonter jusqu'à l'origine de la douleur. Il découvrit que quelque chose venait de lâcher. Il passa sa main sous son harnais d'équipement et sentit que son pansement était humide. Lorsqu'il retira sa main, sa paume était couverte de sang.

— Anakin ! hurla Tahiri qui, comme toujours, avançait à ses côtés. Qu'est-ce qui t'arrive ?

— Rien, rien.

Anakin se concentra sur la déchirure interne, essayant d'invoquer la Force pour la colmater. Mais il était trop faible pour se concentrer correctement. Il tituba et manqua de s'écrouler. Heureusement, Tahiri invoqua promptement la Force et parvint à le maintenir en lévitation.

— A l'aide ! cria-t-elle.

Le commando ralentit l'allure. Jaina et quelques autres

accoururent en dépit des protestations d'Anakin, qui clamait que tout allait bien.

— Tu parles ! rétorqua Tahiri. Tu ne vas pas bien. Pas bien du tout, même.

Les bruits de pas des Yuuzhan Vong se transformèrent en véritable martèlement. Tekli surgit en rampant entre Ganner et Raynar, eux-mêmes chargés de transporter le cadavre d'Eryl.

— Maintenez-le en lévitation ! ordonna Jaina. (Elle aida Tekli à se relever et installa la Chadra-Fan à califourchon sur les jambes de son frère. Puis elle saisit l'un des poignets d'Anakin et reprit sa progression dans le passage.) En route, tout le monde !

Anakin essaya de dire qu'il n'avait pas besoin qu'on l'aide, mais ne parvint qu'à émettre un râle inintelligible. L'un des Barabel déposa une mine fléchette sur le sol afin de retarder l'avancée des Yuuzhan Vong et le commando se remit à courir. Tekli commença par ôter les pansements d'Anakin. Son poids était à peine notable sur les jambes du jeune homme maintenues par la Force. La Chadra-Fan jeta la gaze de Bacta imbibée de sang et plaça ses mains sur la blessure. La Force afflua dans le corps d'Anakin, mais il sentit clairement que sa résistance état en train de l'abandonner.

— Nous devons nous arrêter, dit Tekli.

— Non. (La voix d'Anakin n'était plus qu'un murmure à peine audible.) On ne peut pas…

Tekli l'ignora.

— Il a une hémorragie interne. Il faut que je l'ausculte pour voir ce qui se passe.

— Combien de temps ça va prendre ? demanda Jaina.

— Ça dépendra de ce que je trouverai, répondit Tekli. Quinze minutes, peut-être le double…

Les pas des Yuuzhan Vong se rapprochèrent et le tiraillement caractéristique d'un voxyn affamé, prêt à fondre sur ses proies, se produisit dans la Force. Cette créature n'avait rien à voir avec les animaux sauvages qui rôdaient en liberté dans les parages et qui s'étaient attaqués aux Jedi jusqu'à présent. Non. Il s'agissait d'un animal bien entraîné, tenu en laisse par un dresseur expérimenté. Le commando en avait déjà tué trois et, si la meute était « normalement constituée », il ne devait en rester qu'un.

Alema regarda dans la direction de la menace en approche dans le tunnel, puis se tourna vers Jaina.

— Je peux nous faire gagner une quinzaine de minutes, dit-elle d'une voix étrangement distante. Mais j'ai besoin d'une demi-douzaine de grenades à fragmentation.

Dans le lointain, Anakin entendit Ganner déclarer « C'est bon, fais-le ». Il le vit lancer quelque chose à la Twi'lek. Celle-ci fit un signe aux trois Barabel. Les quatre volontaires s'élancèrent dans le passage, prenant de l'avance sur le commando.

Anakin se sentit délirer. Il perdit totalement le contact avec les autres dans la Force. Il perçut cependant la présence de Tahiri à ses côtés, il l'entendit lui dire que tout allait bien. Il la crut, mais ne parvint pas à rassembler suffisamment d'énergie pour formuler ses pensées à haute voix. Il se contenta donc de serrer sa main.

Un laps de temps, probablement très court, s'écoula. Anakin entendit le bourdonnement d'un sabre laser résonner dans le tunnel. Le groupe dépassa Tesar et le jeune homme aperçut Alema assise sur ses épaules, perçant un trou dans le plafond à l'aide de sa lame argentée. Derrière elle, Bela était juchée sur les épaules de sa sœur, se servant du long blaster de Jovan Drark pour tasser un tampon de chiffons au fond d'un trou semblable à celui qu'était en train de forer la Twi'lek.

Alema prit une grenade que lui tendait Tesar et la poussa au fond de la cavité qu'elle venait de creuser. C'est alors que Tahiri fit pivoter le corps d'Anakin dans un coude du tunnel et le jeune homme perdit de vue ce qui était en train de se passer. Il entendit – clairement – l'un des Barabel gronder « six secondes » et il sentit que Tekli était en train de stabiliser sa blessure, voire de lui redonner de l'énergie.

Quelques instants plus tard, Alema et les Barabel dépassèrent en courant le coin du tunnel, juste derrière le reste du commando. C'est alors qu'Anakin entendit un bourdonnement beaucoup trop familier retentir dans le passage. Deux scarabées paralysants s'écrasèrent contre le dos d'Alema. Ils manquèrent de perforer sa combinaison de protection et la firent basculer. Tesar, tout en courant, l'intercepta en pleine chute, la prit dans ses bras et continua dans le tunnel sans ralentir son allure.

Un instant plus tard, une onde de choc fit tressaillir Anakin. Ses protections auditives se scellèrent instantanément contre le fracas du corail yorik en train de s'écrouler. De la poussière envahit bientôt le tunnel et le nuage dépassa le commando. Tekli reposa le masque respirateur d'Anakin sur le visage du jeune homme.

Les Jedi coururent encore sur quelques mètres avant de s'arrêter. Tekli fit déposer doucement Anakin sur le sol avant de tendre un tube de sels à Jaina afin qu'elle aille ranimer Alema. Puis la Chadra-Fan enfourna ses petites mains dans la blessure d'Anakin et remonta à l'intérieur de sa cage thoracique. Il essaya de ne pas crier, mais n'y parvint pas. Tekli continua son travail, donnant des instructions à mi-voix à Tahiri. Anakin osa baisser les yeux et vit que les petits bras de la Chadra-Fan étaient enfouis jusqu'aux coudes dans sa plaie. Un voile noir commença à lui obscurcir la vision et il détourna les yeux afin de ne plus regarder.

Le tonnerre d'un important échange de feu laser se répercuta contre les parois du tunnel. Anakin essaya de relever à nouveau la tête, mais son frère l'obligea à la reposer.

— Ne t'inquiète pas, dit Jacen. Tout le monde est bien à l'abri.

— Alema ? Blessée ? parvint à bredouiller Anakin.

— Non. Seulement furieuse. (Jacen fit un signe dans la direction de la zone de combat.) Elle est déjà en train de dégommer du Yuuzhan Vong. Et elle semble bien s'éclater.

— C'est une bonne raison, répondit Anakin. Après que...

— T'emballe pas ! l'interrompit Jacen en levant les mains devant lui. Je ne veux émettre aucun jugement.

Anakin tressaillit, sentant une aiguille bien effilée transpercer quelque chose dans ses entrailles. Il adressa à son frère un semblant de regard dubitatif plutôt forcé.

— Non, vraiment, je t'assure, dit Jacen.

L'intensité des tirs redoubla dans le tunnel, là où les parois

470

s'étaient effondrées. C'est alors que Lowbacca annonça en grondant qu'un voxyn venait d'être abattu.

Jacen tourna les yeux en direction du grondement joyeux poussé par le Wookiee.

— Est-ce que je me fais du souci à propos de ce qui nous arrive ? reprit-il. Oui, sûrement. Cette guerre ne fait qu'amplifier le caractère égoïste et malfaisant qui anime la Nouvelle République, elle corrompt la galaxie, étoile après étoile. Ce conflit risque d'attirer les Jedi un à un vers le Côté Obscur, les obligeant à se battre pour gagner et non pour se protéger. Mais je ne peux pas attirer plus de monde à ma suite. Chacun doit choisir la voie qu'il juge la meilleure pour lui-même. J'ai au moins appris ça à Centerpoint.

— Moi, ça m'a plutôt bluffé.

— Ouais, je me suis surtout fait des illusions, répondit Jacen. Je croyais être le seul susceptible de faire la différence entre le bien et le mal. J'ai compris que ce n'était pas vrai. En fait, c'est Tenel Ka qui me l'a fait remarquer, après tout ce que j'ai pu dire à bord de la *Mort Exquise*. Depuis, j'ai essayé d'obtenir ton pardon.

— Ah oui ? (Anakin fit la grimace, lorsque les mains de Tekli frôlèrent un organe qui n'aimait pas beaucoup être tripoté de la sorte.) J'avais pas remarqué !

— Je m'en doutais un peu, répondit Jacen, adressant à son frère le légendaire sourire en coin des Solo.

Le sifflement continu des blasters s'interrompit, cédant la place au bourdonnement des sabres laser. Anakin releva la tête. Au sommet de la pile de gravats, une ligne de lames colorées s'étaient mises à danser dans les ténèbres.

— Il faut partir ! dit-il, en se relevant sur ses coudes. Hors de question de laisser quelqu'un d'autre mourir !

— C'est toi qui mourras si tu ne me laisses pas terminer ! aboya Tekli. (Elle hocha la tête vers Tahiri qui, prestement, obligea Anakin à s'allonger de nouveau.) Encore quelques secondes de patience.

Anakin osa baisser les yeux et vit que la Chadra-Fan était en train de cautériser l'intérieur de sa blessure. Il fut presque inquiet de découvrir qu'il ne sentait plus ses mains en train de fouiller dans ses entrailles.

— Tu m'as anesthésié ? demanda-t-il.

— Pour t'aider à encaisser la douleur. (Tekli s'empara d'une paire de tampons de gaze de Bacta que lui tendait Tahiri et les pressa dans la plaie.) Mais je ne peux pas faire grand-chose de plus. Il te faut une bonne transe curative.

— Dès qu'on aura fini, dit Anakin en hochant la tête.

Tekli releva la tête. Son nez aplati se fronça.

— Avant cela, dit-elle. Bien avant cela.

— Avant ? répéta Tahiri. (Elle tourna la tête vers le combat qui se déroulait au sommet de l'éboulement.) Mais une transe curative peut prendre des heures, des jours, même !

Tekli l'ignora, continuant de s'adresser à Anakin :

— Tu as la rate perforée. (Elle baissa de nouveau les yeux sur son travail, refermant les bords de la plaie au moyen de sutures – et non de synthéchair – au cas où elle aurait besoin à nouveau de l'ouvrir.) J'ai colmaté le trou, mais ta rate continuera de suppurer tant que tu ne te décideras pas à rentrer en transe pour te soigner une bonne fois pour toutes.

— Et comment peut-il y arriver ? demanda Tahiri. On ne peut pas s'arrêter, pas avec les Yuuzhan Vong si près !

Un silence gêné tomba. La situation était des plus claires. Jacen serra les dents pour empêcher ses lèvres de trembler. Il projeta les ondes de la Force sur Anakin pour le rassurer. Tahiri saisit Tekli par le bras afin de l'obliger à se redresser.

— Fais quelque chose ! Invoque la Force !

— C'est déjà fait, dit la Chadra-Fan, posant une main réconfortante sur celle de la jeune fille.

— Pour l'instant, il faut faire avec ce qu'on a, dit Jacen, attirant Tahiri à lui. Peut-être que nous trouverons un moyen de gagner du temps.

— Pas en restant ici, en tout cas, dit Anakin. (Il se sentait plus coupable qu'effrayé. C'était sa blessure qui mettait la mission, et la vie de ses compagnons, en péril. Il se redressa sur les coudes et parvint à s'asseoir, grimaçant en constatant que l'anesthésie au Bacta pratiquée par Tekli n'était peut-être pas aussi efficace qu'il l'espérait. Il s'empara de son comlink.) Vous tous, préparez-vous à battre en retraite. Essayez de nous faire gagner un peu d'avance.

Tout en se battant, Tenel Ka se servit de la Force pour décrocher une grenade à fragmentation de son propre harnais d'équipement. Dans le même mouvement, elle en activa le détonateur et la projeta en direction de ses adversaires. Deux secondes plus tard, l'engin explosa dans un éclair aveuglant et le fracas de la bataille fut soudainement étouffé par le grondement d'un plafond en train de s'écrouler.

— Lowbacca, Ganner, Alema, Lomi, Raynar, vous d'abord ! commanda Anakin.

Les cinq Jedi firent un bond en arrière du haut du tas de gravats, exécutèrent un saut périlleux dans les airs et retombèrent en douceur hors de portée de leurs ennemis. Anakin ordonna à Alema, Lomi et Ganner de couvrir la retraite des autres. Puis il ordonna à Lowbacca et à Raynar de s'occuper des corps de Jovan et d'Eryl.

— Je veux bien, mais où sont-ils ? demanda Raynar. Le corps d'Eryl n'est plus là ! Celui de Jovan non plus !

— Quoi ? (Anakin regarda en arrière et vit que Lowbacca et Raynar se tenaient devant deux flaques de sang.) Ils ont disparu ?

— Maître Lowbacca souhaiterait savoir si les voxyns auraient pu les enlever. (A cette traduction relativement exacte, M-TD ajouta sa propre opinion :) Mais je dois avouer que cela me paraît impossible. Surtout comme ça, sous notre nez.

Anakin se tourna vers Jacen, qui avait déjà fermé les yeux afin de percevoir le tiraillement affamé des voxyns dans la Force.

— Il y en a quatre. Non, cinq. Ils sont dans le passage devant nous. Ils ont l'air... excités.

— Excités ? demanda Alema, tournant la tête dans la direction indiquée par Jacen. Excités comment ?

Le vacarme qui retentissait au sommet de l'éboulement vira à la cacophonie. Anakin releva la tête et découvrit que des silhouettes Yuuzhan Vong avaient fait leur apparition au beau milieu de ses camarades.

— Plus tard, Alema, dit-il. Protège le groupe. (Il empoigna son comlink.) A vous tous : en arrière, et vite !

Les derniers Jedi cessèrent le combat et abandonnèrent leurs postes sur les gravats. Anakin agrippa le bras de son frère afin de se remettre sur ses pieds. Et s'écroula immédiatement. C'était comme si un javelot venait de lui transpercer le cœur. Il cria si fort que sa voix sembla lui revenir en écho, comme amplifiée au moins douze fois. Jacen et Tahiri se précipitèrent pour le retenir sous les aisselles. Traînant Anakin derrière eux, ils parcoururent ainsi une dizaine de mètres avant de réussir à soulever son corps en lévitation.

Les scarabées commencèrent à fuser depuis le haut de l'éboulement, déclenchant des jurons de colère au fur et à mesure qu'ils s'écrasaient contre les combinaisons blindées des membres du commando. Quelqu'un activa une télécommande, faisant ainsi exploser les mines installées de l'autre côté des éboulis. Le vol des scarabées cessa aussi soudainement qu'il avait commencé. Anakin jeta un coup d'œil et vit les micro-bombes se répandre sur les Yuuzhan Vong et les parois de corail yorik, s'enfonçant de plusieurs millimètres dans les chairs et dans les armures de crabe vonduun avant d'exploser à nouveau. Les Vong disparurent dans un nuage de fumée de détonite et des gerbes de sang.

L'angoisse qui serrait la poitrine d'Anakin disparut, cédant la place rapidement à une autre émotion. Une émotion différente – perçue dans le lien psychique –, plus triste, plus pesante, qui ne pouvait être décrite que comme du profond chagrin. Il fit pivoter ses jambes, échappant ainsi aux ondes de lévitation produites par Tahiri, et se mit à courir avec les autres. Le corps puissant d'une des Barabel flottait dans les airs, remorqué par ses compagnons de portée. Un bâton Amphi était fiché entre ses omoplates.

— Bela ! (Anakin se tourna à demi vers son frère.) Est-ce qu'elle est…

Il comprit qu'il était inutile de terminer la question. Il sentait bien qu'elle était morte et devina que la bâton Amphi planté dans son dos était la cause de la douleur mentale qui l'avait fait défaillir quelques instants auparavant. Il avait laissé un autre de ses Jedi mourir. Pire encore, il ne s'était même pas aperçu de sa disparition. Encore une fois, il avait trahi sa propre équipe.

La voix étouffée de Nom Anor cria un ordre de l'autre côté de la pile de gravats. Des bruits de pas précipités commencèrent à résonner dans le tunnel. Les guerriers devaient à présent être en train d'enjamber les corps de leurs camarades.

Jacen prit le bras d'Anakin.

— Laisse au moins Tahiri te soulever…

— Non, dit Anakin en se dégageant. Ça suffit. C'est à cause de ma blessure. J'ai retardé tout le monde.

Lowbacca fit exploser une deuxième série de mines et, encore une fois, le vacarme cessa sur les éboulis. Le commando passa un coude. Ils étaient à présent hors de vue de leurs poursuivants et disposaient d'une avance non négligeable. Anakin dut faire appel à toutes les ressources de la Force pour maintenir le rythme de la course. Il se sentait faiblir. Il devina, aux regards anxieux que lui lançaient ses amis, que les membres de l'équipe se rendaient compte de son état. Mais il ne laisserait pas Tahiri s'épuiser à sa place. Plus la peine. Plus un seul Jedi, même un Jedi Noir, ne trouverait la mort par sa faute.

Il ne s'écoula guère plus d'une minute avant qu'Anakin ne perçoive à nouveau la présence des Yuuzhan Vong. Ils étaient en train de gagner du terrain. Plus aucun piège, plus aucune embuscade ne pouvait à présent les retarder. Les hommes de Nom Anor avançaient inexorablement, repoussant les Jedi devant eux, se servant des cadavres de leurs congénères comme de boucliers pour épuiser les munitions du commando, obligeant les membres de celui-ci à gaspiller les cellules énergétiques de leurs armes contre des colonnes de guerriers de plus en plus nombreuses.

Une puanteur âcre emplit soudain le passage. Tous les membres de l'équipe, à part Tesar et Krasov, enfilèrent leurs respirateurs. Ils tournèrent à un angle du tunnel et virent la chevelure rousse d'Eryl disparaître dans un trou de la paroi s'ouvrant sur leur droite. Raynar fonça jusqu'à l'embouchure et tomba à genoux, criant au voxyn de relâcher le corps de la jeune femme, commençant à ramper dans la cavité creusée à l'acide.

Anakin projeta une onde de la Force pour le ramener dans le tunnel principal.

— Hé ! cria Raynar, agitant ses bras tout en flottant à quelques centimètres du sol.

Un son grave d'éructation retentit au fond du trou et un jet de mucus, gluant et acide, surgit par l'ouverture. Raynar arrêta de se débattre.

— Heu… Merci… (Il se tourna vers Anakin.) Tu peux me reposer, maintenant. Je n'ai pas l'intention d'y retourner.

— A ta place, je n'en serais pas si sûre. (Alema avança jusqu'à l'embouchure, s'accroupit et, avec la plus grande prudence, regarda à l'intérieur.) Je pense que c'est exactement le chemin qu'il nous faut emprunter.

— Elle a pété les plombs ! s'exclama Welk.

— Les Twi'lek ne pètent pas les plombs, répondit sèchement Alema.

Le bruit, d'abord distant, des pas Yuuzhan Vong commença à croître dans le tunnel.

Alema tendit la paume de sa main devant l'entrée de la cavité, puis la retira et inspecta le tunnel dans lequel ils se trouvaient.

— Est-ce que vous avez remarqué que nous sommes en train de contourner quelque chose ?

Les autres secouèrent la tête.

— Il va falloir qu'on se fie à ton instinct à ce sujet, dit Anakin. (En tant que Twi'lek, Alema possédait un sens de l'orientation indubitablement plus affiné que celui des autres membres du groupe. Son espèce avait l'habitude de vivre au sein d'un vaste réseau de villes souterraines, sur l'inhospitalière planète Ryloth.) Qu'est-ce que tu as découvert ?

— Il y a de l'air qui passe par ici. (Le regard étincelant, elle prit la main d'Anakin et la maintint dans le courant d'air ténu. La brise transportait l'odeur pestilentielle des voxyns jusqu'au tunnel principal.) J'ai l'impression qu'il provient d'un endroit assez vaste. Ça pourrait bien être un raccourci.

— Peut-être, dit Jacen. Mais c'est un raccourci que nous

allons éviter. Je crois que les voxyns cherchent à protéger quelque chose qui se trouve là, en bas. Et depuis tout à l'heure, je m'évertue à les convaincre qu'ils ne doivent pas quitter leurs postes.

Le grondement des pas s'amplifiait à l'autre bout du passage. Tous se tournèrent simultanément en direction de leurs ennemis, qu'ils ne pouvaient pas encore voir.

— Eh bien, c'est simple, dit Ganner. Tu n'as qu'à les convaincre de détaler. (Il se tourna vers Anakin.) Faut qu'on prenne une décision, là, non ?

Avant même de demander à son frère si ce que suggérait Ganner était réalisable, Anakin vit Jacen secouer imperceptiblement la tête. Il se tourna donc vers Lomi.

— Qu'est-ce qu'il y a, là, en bas ?

La Jedi Noire haussa les épaules.

— Des voxyns, ça j'en suis certaine. Mais la gamine avec ses serpents sur la tête a peut-être raison. Ça pourrait bien être un raccourci. Il y a des tas de tunnels comme celui-ci près du portail.

— Un portail ? (Anakin tressaillit. Faudrait-il affronter un autre régiment de soldats en plus de la section lancée par Nom Anor à leurs trousses ?) Un portail gardé ?

— Ça me paraît évident, dit Lomi en hochant la tête.

Anakin eut la nausée. Il n'y avait plus d'issue. Plus moyen de s'échapper.

Les pas se rapprochaient.

— Anakin ? fit Ganner.

— On n'a plus le choix, dit Jaina, se glissant entre son frère et Ganner. On a besoin de temps pour que tu pratiques ta transe curative.

— Les chances de gagner du temps me paraissent bien compromises dans une caverne pleine de voxyns, dit Tenel Ka. Pour ne pas dire réduites à zéro.

Anakin lança un regard chargé de culpabilité en direction de Bela. Il savait bien ce qu'il avait à faire, mais il avait commis beaucoup d'erreurs au cours de cette mission et, à chaque fois, quelqu'un était mort. Il lui fallait à présent prendre une décision. Et quelle que soit cette décision, d'autres Jedi mourraient. Peut-être même que tous mourraient.

— Jeune Solo ? demanda Lomi. Nous attendons…

Anakin se tourna vers Jacen.

— Qu'est-ce que…

— Je te remercie de me demander mon avis, l'interrompit Jacen, ne cherchant pas vraiment à cacher sa surprise. (Il décrocha un détonateur thermique de son harnais d'équipement et tomba à quatre pattes devant l'entrée du tunnel nauséabond.) Tu sais très bien ce que nous avons à faire. Nous savons tous très bien ce que nous avons à faire.

39

L'odeur était plus sucrée que rance, en tout cas pour Tsavong Lah, dont le membre était en train de pourrir. La patte de radank, avec laquelle les laborantins avaient remplacé son bras, était en train de lui remonter jusqu'à l'épaule. Les agressives cellules de rattachement dévoraient ses propres tissus par-delà le point d'amputation. Des écailles et des piquants étaient déjà en train d'émerger de son biceps boursouflé. Son bras tout entier était recouvert d'asticots diptères, éparpillés par les laborantins pour dévorer les chairs en pleine putréfaction.

Si la modification s'arrêtait à l'épaule, on accorderait à Tsavong Lah le respect dû à celui qui est prêt à risquer et à sacrifier plus que nécessaire en gage de dévotion aux dieux. Si l'altération se prolongeait jusqu'à son torse, ou bien s'il devait y laisser définitivement le bras, on le destituerait de ses fonctions. Il serait banni de sa caste, baptisé « le Honteux », défiguré par les dieux en témoignage de leur déplaisir. Tsavong Lah finit par se dire que le niveau de métamorphose dépendrait certainement du retard qu'il s'autoriserait pour la capture de Coruscant en raison de la perte de la flotte de Reecee. Et ce retard dépendrait du temps nécessaire à Nom Anor et Vergere pour capturer les jumeaux Solo. Avec près de la moitié de ses effectifs disparus et la probabilité – non, la quasi-certitude – que les *Jeedai* s'étaient emparés d'un yammosk vivant, il n'oserait pas lancer son attaque sans avoir obtenu au préalable la bénédiction des dieux.

Sa décision prise, le Maître de Guerre s'empara d'un villip

posé à côté de lui et activa son réveil. Même assis complètement nu dans le bain purificateur de sa cellule personnelle, Tsavong Lah ne prit pas la peine de se couvrir. Le villip qui se trouvait actuellement en possession de son subalterne ne montrerait que son visage, de toute façon.

Après une insupportable attente de près d'une minute, le villip se retourna comme un gant, révélant la figure d'un Nom Anor hors d'haleine. Ne donnant pas à l'Exécuteur le loisir de s'excuser pour le retard qu'il avait mis à lui répondre, Tsavong Lah déclara sur le ton de l'irritation :

— Je suppose que tu es à la poursuite des *Jeedai*, Nom Anor, car j'espère pour toi que ce ne sont pas eux qui sont à tes trousses...

— Oui, lui assura l'Exécuteur. A l'heure où je vous parle, je suis en train de les talonner avec le détachement Fléau Deux du *Ksstarr*.

— Et tu comptes bien les rattraper, n'est-ce pas ?

— Bien sûr, dit Nom Anor. Nous dénombrons beaucoup de pertes, mais le Fléau Trois attend nos ennemis, embusqué à l'embouchure de ce tunnel. Ils ne pourront pas s'échapper, cette fois.

Les pertes n'intéressaient pas Tsavong Lah. Il connaissait déjà le nombre de vaisseaux détruits par les *Jeedai* au-dessus de Myrkr et savait comment ceux-ci avaient réduit l'escouade principale du *Ksstarr* – Fléau Un – à un seul guerrier. Quand bien même ces pertes auraient été plus importantes, il les aurait jugées insignifiantes.

— Qu'il ne soit fait aucun mal aux jumeaux Solo. (Cela devait bien être la quatrième ou la cinquième fois que Tsavong Lah donnait cet ordre. Mais il tenait, maintenant plus que jamais, à ce que Nom Anor le comprenne bien.) Tes soldats sont au courant du sort réservé à celui qui tuerait l'un d'entre eux ?

— Oui, et moi aussi, Maître de Guerre, dit Nom Anor. Les jumeaux sont considérés comme des cibles interdites. J'ai également ordonné à Yal Phaath de ne pas intervenir avec ses propres troupes. Mais il se joue de mon autorité. Il serait certainement fort sage de votre part d'appuyer ma requête.

— Comme tu voudras, acquiesça Tsavong Lah, ignorant pour l'heure l'audace de son subalterne qui venait de lui dire ce qu'il avait à faire. J'ai besoin de ces sacrifices, Nom Anor. Et plus j'attends que tu en aies fini, plus notre situation se détériore.

— Vous n'aurez plus à attendre longtemps, Maître de Guerre, promit Nom Anor. Mon plan est excellent.

— Je l'espère, surtout pour ta santé, Nom Anor, l'avertit Tsavong Lah. J'attendrai donc que tu me contactes à nouveau.

Il appuya son pouce contre la joue du villip, interrompant ainsi la communication et obligeant la drôle de créature à redevenir inerte. Le Maître de Guerre posa le villip à côté de lui et s'empara de celui qui lui permettait de contacter Viqi Shesh. Il réfléchit quelques instants, se demandant si le moment était opportun pour jouer cet atout. Depuis son renvoi du comité de surveillance militaire, Shesh redoublait d'efforts pour apporter la preuve de son utilité aux Yuuzhan Vong. Tsavong Lah se dit que ses actions étaient certainement plus animées par une simple soif de vengeance que par la cupidité ou un désir de pouvoir. Un tel atout pouvait se révéler une arme hautement volatile. Ce qui avait du bon … et du mauvais. Tout dépendait du moment que l'on choisissait pour la faire exploser.

L'iris de la porte s'ouvrit derrière lui, laissant entrer une brise fraîche qui caressa plaisamment son dos nu. Sans même se retourner, il lança :

— N'avais-je point dit que j'étais en train de me purifier ? Qui ose ainsi me déranger ?

— Je vous offre ma vie en échange de cet affront, Maître de Guerre. (La voix appartenait à Seef, la jeune assistante chargée des communications.) Mais je n'ai pas eu le choix. Le villip du Seigneur Shimrra s'est animé.

Sans prendre soin de se couvrir, Tsavong Lah se leva de son bain, fit volte-face et tendit la main vers le coufee que Seef lui tendait. Sauf en cas de rituel de reproduction, il était strictement interdit à tout subordonné de le voir nu sous peine de mourir dans l'instant. Mais il remarqua que les yeux de Seef se détournaient de la chair tuméfiée, suppurant au niveau de sa greffe. S'il la tuait tout de suite, les dieux pourraient être amenés à croire qu'il tentait vainement de garder le secret au sujet de l'état de son bras.

Tsavong Lah regarda la jeune assistante pendant un long moment. Il repoussa le coufee et plissa les yeux d'une façon qui ne laissait planer aucun doute sur ses intentions.

— Tu vas te préparer.

— Oui, Maître de Guerre. (Seef rangea son coufee dans sa gaine et inclina la tête. Son expression n'indiquait en rien si le sort qui l'attendait était plus enviable que la mort elle-même.) Je vous attends dans votre chambre.

Après que Seef se fut retirée, Tsavong Lah quitta sa cellule de vapeur purificatrice. Il se drapa d'une cape en l'accrochant à ses ergots d'épaules, prenant bien soin de couvrir son coude afin que sa greffe ne soit pas visible. Il trouva le villip du Seigneur Shimrra posé sur la table, ses traits disparaissant dans l'ombre produite par le simulacre de capuche formé par la crinière d'épiderme de la créature. Le Maître de Guerre se frappa la poitrine en guise de salut. Il aplatit la paume de sa main et sa nouvelle griffe sur la table devant le villip et s'inclina, posant son front contre l'arrière de sa main.

— O Suprême, dit-il. Pardonnez ce retard. J'étais en train de me purifier.

— Les dieux accordent leurs faveurs aux êtres purs. (La voix de Shimrra n'était qu'un marmonnement souffreteux.) Mais aussi à ceux qui triomphent. Parle-moi de cette flotte que tu as perdue.

— Les dieux ont bien raison d'être mécontents. La perte a été totale. Six divisions.

— Une feinte bien coûteuse, mon serviteur...

La gorge de Tsavong Lah se dessécha.

— O Suprême, ce n'était pas...

— Je suis certain que ton plan nécessitait un tel sacrifice, dit Shimrra, l'interrompant. Mais ce n'est pas de cela que je souhaite te parler.

Tsavong Lah n'essaya pas de corriger Shimrra. Si le Seigneur Suprême estimait que la perte de la flotte était une feinte, il en serait selon son désir. L'esprit du Maître de Guerre se concentra alors immédiatement sur le problème de l'élimination des formidables systèmes de défense de Coruscant avec une seule et unique attaque directe. Peut-être se servirait-il de la technique d'attraction des mines spatiales, comme il avait eu l'intention de le faire sur Borleias. A moins qu'il n'utilise des vaisseaux de réfugiés. Les vaisseaux de réfugiés étaient de bons atouts. La fureur au sujet des otages de Talfaglio avait prouvé que la Nouvelle République pouvait vraiment être très vulnérable à ce genre de méthodes. Alors que sa tactique commençait à se dégrossir dans sa tête, le Maître de Guerre déclara :

— Je vous assure que mon plan est excellent, Seigneur Suprême, mais je suis très honoré de pouvoir m'entretenir avec vous, quel que soit le sujet que vous aurez choisi.

Avant de continuer, Shimrra hésita suffisamment longtemps pour exprimer son mécontentement silencieusement.

— Le succès de ta greffe est-il compromis ? demanda-t-il.

— Je le crains, répondit Tsavong Lah. (Il n'osa même pas demander comment le Seigneur Shimrra pouvait en savoir autant sur les problèmes rencontrés avec la patte de radank.) J'ai bien peur que mon bras n'ait offensé les dieux.

— Ce n'est pas ton bras, mon serviteur. Cela n'a rien à voir avec ma vision.

Tsavong Lah demeura silencieux, essayant désespérément de deviner mentalement si la vision de Shimrra était la raison, ou l'excuse, de leur entretien.

— Ce sont les jumeaux, mon serviteur, dit enfin Shimrra. Les dieux nous offriront Coruscant lorsque nous leur sacrifierons ces jumeaux.

— Il en sera ainsi, Seigneur Suprême, dit Tsavong Lah. A l'heure qu'il est, mes serviteurs sont sur le point de les capturer.

— En es-tu certain ? demanda Shimrra. Les dieux n'accepteront pas d'être déçus à nouveau.

— Mes serviteurs m'assurent que leur plan est infaillible. (Tsavong Lah se rendit alors compte que les propos qu'il était en train de tenir au Seigneur Shimrra reflétaient ceux que lui avait tenus Nom Anor quelques instants auparavant.) Ils ne peuvent plus s'échapper.

— Bien, bien. (Shimrra garda le silence pendant quelques instants, avant de déclarer :) Regarde et montre-toi, mon serviteur.

Tsavong Lah releva la tête, mais ne dit rien. Il avait été invité à regarder, pas à parler.

— Sois bien conscient d'une chose, Tsavong Lah, dit Shimrra. En laissant vivre celle qui a troublé ta purification, tu donnes l'impression de vouloir garder pour toi une créature qui devrait déjà appartenir aux dieux.

Le Maître de Guerre se sentit parcouru d'un frisson glacé.

— O Seigneur Suprême, c'est effectivement le cas, mais ce n'était pas dans mes intentions de...

— Il sied aux dieux de te la laisser. Ne les insulte pas en essayant de leur expliquer ce qu'ils savent déjà. (Le villip de Shimrra commença à se rétracter sur lui-même.) Fais-en bon usage, mon serviteur. En cas de victoire, beaucoup de choses sont pardonnées.

40

A peine tatoué autour de ses yeux boursouflés, ne portant aucune mutilation rituelle à part un trou percé sous sa lèvre inférieure évoquant une seconde bouche, le guerrier Yuuzhan Vong était sans aucun doute une jeune recrue. On lui avait certainement assigné ce poste à l'avant-garde en sachant très bien que sa mort ne causerait pas une grande peine. Priant pour que les ombres du tunnel soient assez obscures pour la dissimuler correctement, Jaina se servit de la Force pour s'aplatir encore plus le dos contre le plafond. Elle retint son souffle lorsque le guerrier parcourut en rampant un mètre de plus à l'intérieur de la cavité. Tenant un cristal lambent actif à bout de bras, il se servit de son bâton Amphi pour sonder le sol juste en dessous de la jeune femme. Jaina distingua la tête reptilienne de l'arme. Elle en déduisit que sa propre silhouette devait, elle aussi, être visible. Mais le Yuuzhan Vong ne releva pas la tête. Il se contenta de plisser le nez en raison de l'odeur nauséabonde qui régnait dans le tunnel et battit en arrière. Lorsqu'il regagna l'embouchure, il se releva et cria « *Fas !* » avant de continuer à marcher dans le passage principal.

Jaina demeura à sa place, observant par l'ouverture le défilé des jambes parées d'armures de crabe vonduun, espérant que la prochaine chose qui viendrait fouiner dans le tunnel ne serait pas un voxyn. Ils avaient déjà abattu quatre de ces créatures – Lowbacca avait désintégré le dernier lors du conflit survenu sur les éboulements –, mais la possibilité que Nom Anor en ait amené d'autres avec lui subsistait et c'était là le réel point faible dans le plan du commando. Les Yuuzhan Vong pourraient effectivement manquer le tunnel par lequel les Jedi s'étaient enfuis, mais pas un voxyn. Un voxyn détecterait le changement de direction des fugitifs.

Un deuxième Yuuzhan Vong, cette fois arborant les scarifications et les lobes d'oreilles découpés d'un vétéran, tendit son cristal lambent par l'ouverture du tunnel. Comme la plupart des Jedi du commando, Jaina avait caressé l'idée de s'emparer de l'un de ces cristaux. Mais le jeu n'en valait probablement pas la chandelle. Le lien qu'entretenait Anakin avec le sien était unique, sans doute parce que le jeune homme avait supervisé de très près le développement de l'étrange roche. Il était d'ailleurs lui-même incapable de dire si reproduire ou non un tel exploit était du domaine du possible. Effectivement, personne dans le Programme Eclipse n'avait été en mesure de deviner comment ces choses se reproduisaient et se développaient. Cette fois, le guerrier inspecta autant le sol que le plafond. Heureusement, il ne s'engagea pas dans le tunnel. Il se releva et reprit sa marche avec les autres.

S'autorisant un réel soupir de soulagement, Jaina décrocha une mine fléchette de son harnais d'équipement. Elle en régla le signal sur la fréquence de leurs comlinks et la ficha dans le plafond juste devant elle. En revanche, elle ne pressa pas la commande d'activation. Une fois qu'elle aurait réglé le détonateur sur « détection de mouvement », elle ne disposerait que de trois secondes pour quitter la zone du capteur sensible. C'était un risque qu'elle ne pouvait pas prendre tant que les Yuuzhan Vong étaient encore dans les parages.

Le détachement mit ce qui parut une éternité à défiler. Sans l'aide de leurs voxyns apprivoisés, susceptibles de leur signaler la présence des Jedi, les Yuuzhan Vong se déplaçaient avec prudence, marchant l'un derrière l'autre avec cinq mètres d'écart, cherchant d'éventuels pièges. En dépit de la situation, le commando était toujours d'attaque, vivant, mobile et – grâce à l'aide de la Force – capable de détruire la reine voxyn. Si Anakin avait été en meilleure santé, Jaina aurait déjà considéré tout ceci comme une victoire.

Ses sentiments à l'égard de son frère passaient alternativement de la crainte à la colère. Elle ne pouvait pas décemment blâmer Anakin d'être venu à son secours – elle en aurait fait de même pour lui ou pour Jacen –, mais elle lui en voulait néanmoins. Anakin avait encore fait preuve de son imprudence légendaire. Son action avait été spectaculaire, brutale et efficace. Et parfaitement dingue. Tekli n'avait fait aucun mystère de ce qui se produirait si le commando ne trouvait pas de temps à accorder à Anakin afin qu'il plonge dans une transe curative. Anakin, de son côté, n'avait fait aucun mystère de ce qui se produirait si on continuait ainsi à considérer que sa santé était plus importante que le succès de la mission. Jaina était bien déterminée, tant qu'elle le pouvait, à considérer les deux à parts égales. Mais quand viendrait le moment de choisir… Elle n'avait que deux frères et n'avait certainement pas l'intention d'abandonner l'un d'entre eux derrière elle.

Jaina sentit Jacen la contacter mentalement. Elle découvrit que, plus loin dans le tunnel, les autres venaient de rencontrer leur premier voxyn sauvage. Elle s'ouvrit au lien psychique et fut soulagée de constater que la blessure d'Anakin avait renforcé l'union du groupe. Zekk était cependant toujours perturbé par la présence des Jedi Noirs, mais les autres s'étaient unis pour se soucier de concert de l'état de son jeune frère. Inquiète que le bruit d'un combat puisse résonner jusque dans le passage principal, elle forma dans son esprit l'image de quiétude chère aux temples Massassi et projeta ce silence tout autour d'elle, espérant créer ainsi une sphère de calme dans le tunnel qui isolerait les membres du commando de leurs adversaires.

D'autres jambes parées de plaques d'armure en crabe vonduun passèrent devant l'extrémité de la cavité. Puis deux autres jambes, plus minces et articulées vers l'arrière, passèrent à leur tour. Elles marquèrent une pause et se plièrent sur elles-mêmes. Un torse couvert de plumes se matérialisa à l'entrée. Jaina dut se calmer, de peur que les battements de son cœur ne rompent la sphère de silence. Un visage simiesque, avec des yeux en amande et de délicates moustaches, se dessina au-dessus des plumes du torse et inspecta l'intérieur de la caverne.

Vergere. Ou bien quelqu'un de son espèce.

Une présence inconnue effleura l'esprit de Jaina. Celle-ci en fut si surprise qu'elle perdit momentanément sa concentration et manqua de se décrocher du plafond. Elle recouvra ses sens et se renfonça dans sa cachette, dégainant son blaster pour le pointer en direction de la figure de Vergere.

Un sourire malin se forma sur les lèvres de la drôle de créature. Jaina comprit que Vergere lui avait sciemment envoyé une onde mentale. Mais comment ? Par le truchement de la Force ? Cela ne semblait guère plausible. Si Vergere était effectivement capable de maîtriser la Force, les voxyns se lanceraient également à ses trousses, non ?

Plusieurs autres paires de jambes en armures de crabe vonduun se rassemblèrent à l'embouchure du tunnel. La barrière de silence empêcha Jaina d'entendre ce que disaient les Yuuzhan Vong, mais elle ne douta pas un seul instant que Vergere l'avait effectivement repérée, même si elle ne l'avait pas réellement vue. La présence étrangère se manifesta à nouveau dans son esprit, se moquant d'elle, l'obligeant presque à attaquer.

Jaina activa la mine fléchette et se glissa prestement en arrière dans le tunnel, hors de portée des capteurs. Le sourire de Vergere céda la place à un petit rire espiègle. La présence inconnue dans l'esprit de Jaina disparut de façon si soudaine que la jeune femme commença à se demander si elle ne l'avait pas tout simplement imaginée.

Vergere s'adressa à quelqu'un qui se trouvait derrière elle. D'un coup de pouce, Jaina désactiva le cran de sûreté de son blaster. Mais le drôle d'oiseau détourna les yeux et se remit à sautiller dans le passage principal avant même qu'elle n'ouvre le feu. Les Yuuzhan Vong la suivirent. Quelques instants plus tard, même le souvenir de l'étrange présence s'évanouit à son tour.

Jaina baissa son blaster. Elle tremblait tellement qu'elle dut utiliser ses deux mains pour remettre le cran de sécurité en place. Elle ne comprenait pas pourquoi elle était si effrayée. La créature ne savait certainement pas qu'elle était devant elle, cachée dans le tunnel.

L'autre extrémité du passage creusé par les voxyns s'ouvrait sur un grand corridor. Il mesurait environ six ou sept mètres sous plafond et était suffisamment large pour laisser le passage à des aéroglisseurs. Cependant, l'endroit était toujours aussi humide et sentait toujours aussi mauvais. Depuis la minuscule zone éclairée par le bâtonnet lumineux que venait d'activer Jacen, le corridor, de part et d'autre du groupe, disparaissait en courbe dans les ténèbres. Le mur qui faisait face à la cachette du commando était percé de deux arches, distantes de vingt mètres l'une de l'autre, et assez grandes pour accueillir un rancor. Entre ses arches s'ouvraient des alcôves ogivales, assez hautes pour qu'un Wookiee puisse s'y tenir debout, qui contenaient toutes des statues de Yun-Yammka, le dieu de la guerre Yuuzhan Vong, avec sa tête globuleuse et ses multiples tentacules. Au-dessus de chaque alcôve s'ouvrait une autre alcôve, vide, avec la pointe de l'ogive tournée vers le sol.

Quelque temps auparavant, Lomi leur avait expliqué que le vaisseau-monde tournait autour d'un axe, créant ainsi une pesanteur artificielle par la seule action de la force centrifuge, comme c'était le cas sur les vaisseaux de plus petite taille. Il arrivait cependant, au cours des voyages entre les galaxies, que le cerveau central perde de son aptitude à contrôler la rotation. Cela causait des dégradations à la surface et déstabilisait complètement le système de gravitation artificielle. Les laborantins avaient recours à une puissance gravifique induite par des basals dovins spéciaux pour orienter le vaisseau. On avait donc procédé à des aménagements à l'intérieur pour s'accommoder du sens de déplacement de l'engin. On trouvait encore çà et là, comme c'était actuellement le cas pour le corridor dans lequel ils étaient cachés, quelques vestiges de ces aménagements.

Entre les arches résonnaient les bruissements incessants des écailles et, plus occasionnellement, le grondement d'un voxyn.

Jacen sentit que près d'une douzaine de ces créatures demeuraient tapies dans les ténèbres, juste en bordure du halo de lumière. Elles semblaient aussi patientes que des araignées d'épice, mais beaucoup, beaucoup plus dangereuses.

— On dirait l'extérieur d'une arène, chuchota Anakin, allongé sur le sol du tunnel, juste à côté de Jacen. D'une très grande arène, même.

— Ou bien d'un temple, suggéra Lomi. (Elle et Ganner étaient accroupis juste derrière les deux frères. Tesar et Krasov se tenaient à quatre pattes juste à côté d'eux. Les autres membres du commando attendaient, encore dissimulés dans le tunnel.) Si Jacen peut se servir de son pouvoir pour nous dégager le corridor, on pourrait peut-être se glisser…

— Non, on ne peut pas, l'interrompit Anakin. A un moment ou à un autre, il faudra bien se battre. Combien sont-ils, Jacen ?

— Beaucoup trop nombreux.

Jacen n'arrivait pas à détecter chaque créature de façon individuelle afin d'en recenser le nombre exact. Mais il sentait bien qu'elles étaient cachées dans les ténèbres, par-delà les arches, éparpillées sur les pentes d'une dépression concave qui devait bien mesurer un kilomètre de diamètre. Il ressentit chez les monstres cette même détermination à défendre leur territoire qu'il avait déjà décelée chez d'autres espèces. Mais leur détermination frisait presque le fanatisme, un dévouement désintéressé qui lui était presque familier.

— Des nids ! (Les grandes lignes d'un plan commencèrent à se dessiner dans l'esprit de Jacen.) Ce sont leurs nids qu'ils défendent !

— Des nids ? demanda Lomi. Qu'est-ce que des clones peuvent bien…

Anakin leva la main pour lui intimer l'ordre de se taire.

— Laissez Jacen se concentrer.

— Pas trop longtemps, annonça Ganner, quelque part derrière. Tôt ou tard, Nom Anor va bien finir par découvrir que nous lui avons faussé compagnie.

Jacen se focalisa sur les voxyns qui se trouvaient juste de l'autre côté du corridor. Il ne perçut aucun instinct de protection, ni même de faim. Il sentit quelque chose qui ressemblait plus à de l'envie. Il projeta son esprit sur les créatures, l'une après l'autre, et ressentit le même désir. Il comprit qu'il avait deviné juste. Il recula dans le tunnel pour s'adresser à Tesar et à Krasov.

— J'ai une idée…

— D'accord, gronda Tesar. Bela en serait très honorée.

— D'accord pour quoi ? demanda Welk, regardant les Jedi un à un. Comment se fait-il que personne ne finisse jamais sa phrase chez vous ?

— Pas le temps, dit Ganner. Allons-y. Les Yuuzhan Vong ont dû deviner que nous avons disparu.

Jacen l'ignora et demanda à Krasov :

— Est-ce que tu comprends…

— Elle a donné sa vie pour les Jedi, dit Krasov. (Elle et Tesar s'écartèrent un peu sur le côté, puis soulevèrent le cadavre de leur compagne de portée en lévitation, avant de le glisser devant eux.) Son corps ne signifie plus rien.

Ils frottèrent brièvement leurs museaux contre celui de la défunte, puis débarrassèrent Bela de son harnais d'équipement et de sa combinaison pressurisée. Tesar régla le retardateur d'un détonateur thermique de classe A sur quatre minutes et glissa l'explosif au fond de la gorge de sa congénère. Krasov colla le sabre laser de sa sœur dans la main de celle-ci au moyen de bandes de synthéchair. Puis les deux Barabel changèrent de place avec Lomi et Ganner et entreprirent de faire flotter le corps de Bela dans le grand corridor.

Retenant ses larmes – et se demandant s'il aurait été capable du même acte avec le corps d'Anakin –, Jacen vit, terrifié, une douzaine de voxyns sauvages s'approcher dans le halo du bâtonnet lumineux. Les créatures commencèrent à pousser leurs attaques soniques et le jeune homme sentit ses protections auditives se sceller. Tesar se servit de la Force pour activer le sabre laser de Bela. La lame trancha la gueule du premier voxyn qui s'était approché. Un deuxième sauta sur le cadavre et lui arracha l'un des bras à hauteur de l'épaule. Un troisième fit tomber le corps et commença à le piétiner.

Les autres voxyns se précipitèrent sur le troisième monstre, grognant et essayant de coincer ses pattes entre leurs dents. Certains commencèrent à entraîner leur congénère dans le corridor. La bataille se transforma en une mêlée vicieuse où fusèrent de nombreux jets acides. Petit à petit, les combattants les plus téméraires furent réduits à l'état de petits tas d'écailles fumantes. Des voxyns plus prudents s'en prirent au corps de Bela, de façon moins brutale, chacune essayant d'attraper sa part du trophée en s'agrippant à elle. D'autres monstres essayèrent de déloger ceux qui s'accrochaient à la Barabel et celle-ci fut traînée de l'autre côté du corridor jusque dans l'une des arches.

La bataille s'enfonça dans les ténèbres et le commando resta immobile à écouter les grondements et les sifflements des animaux sauvages se faire de plus en plus distants et étouffés. Enfin, la déflagration du détonateur thermique déchira le calme relatif. Un éclair brillant illumina brièvement l'intérieur de l'arche jusque dans corridor. Jacen concentra son esprit sur les voxyns, leur adressant des pensées réconfortantes, leur assurant que la lumière ne se produirait plus. Les créatures qui avaient survécu à l'explosion – et il semblait qu'il y en avait beaucoup – répondirent à sa suggestion par des décharges soniques et des claquements de pinces. Petit à petit, elles se calmèrent et retournèrent à leurs nids.

Jacen vérifia qu'aucun voxyn ne les attendait, tapi en embuscade, puis emmena le groupe dans le grand corridor. La puanteur était si forte que même son masque n'arrivait plus à la filtrer. Il projeta les ondes de sa pensée pour demander à Jaina de le rejoindre et constata qu'elle était déjà en train d'approcher, inquiète, déconcertée, mais ne cédant pas à la panique.

Anakin rejoignit les deux Barabel et commença à s'entretenir avec eux à voix basse. Jacen savait que Tesar et Krasov se sentiraient plus gênés que réconfortés par des condoléances. Il préféra se tenir à distance. Anakin, en revanche, avait besoin de cette conversation avec les Barabel, pensant peut-être que ceux-ci comprendraient mieux que Jacen le désarroi dans lequel il se trouvait.

Jaina arriva enfin et, à l'insistance de Ganner, le commando se mit en route dans le vaste corridor. A contrecœur, Anakin laissa Tesar et Krasov assumer leur position habituelle à la tête du groupe, uniquement parce que tous deux paraissaient presque offusqués à l'idée que quelqu'un puisse prendre leur place. Tous les trente mètres, une autre arche s'ouvrait sur des ténèbres au fond desquels retentissaient de lointains bruissements d'écailles. Même si Jacen confirmait à chaque fois qu'aucun voxyn ne se trouvait réellement à proximité des ouvertures, les Barabel ne préféraient prendre aucun risque. A chaque nouvelle arche, Tesar et Krasov escaladaient le mur et, fichant leurs puissantes griffes dans les parois pour se retenir, inspectaient les tunnels pour s'assurer qu'aucun piège ne leur était tendu.

Jacen rejoignit sa sœur jumelle.

— Tout va bien ? Tu sembles mal à l'aise…

— Effectivement, dit Tenel Ka, en venant marcher à côté d'eux. Il y a plus de rides qui barrent ton front que de plis sur la peau d'un Hutt.

— Super, merci, répondit Jaina. J'ai vu Vergere.

Jacen attendit un moment.

— Et ? finit-il par demander.

Les yeux de Jaina demeurèrent distants.

— Et rien… Elle est partie. (Elle pointa le menton vers l'avant du groupe.) Comment se débrouille le petit frère ?

Jacen se tourna vers la tête du commando, où Anakin essayait de marcher à grands pas aux côtés de Lowbacca. Leur frère était si puissant dans la Force qu'il leur semblait difficile de deviner combien sa blessure était en train de l'affecter et combien d'énergie il dépensait pour ne rien montrer de sa souffrance. Mais Jacen commençait à percevoir une certaine fatigue chez son frère, une fatigue qui était en train de ronger tout doucement cette façade vigoureuse que souhaitait afficher Anakin.

— Difficile à dire, répondit-il. J'ai un peu peur.

Jaina garda le silence et prit le bras de Jacen, à la grande surprise de celui-ci.

— Il ne faut pas avoir peur. Nous ferons en sorte qu'il ne lui arrive rien.

Tenel Ka prit l'autre bras de Jacen.

— Effectivement ! confirma-t-elle.

Anakin suivait Tesar et Krasov dans le vaste corridor. A chaque fois que les Barabel entreprenaient l'ascension d'une des parois pour inspecter l'intérieur des arches, il frissonnait. Ses efforts pour tenter d'expliquer combien il s'en voulait à propos de la mort de Bela n'avaient fait que les surprendre. En retour, les deux êtres reptiliens s'étaient excusés auprès de lui pour toutes les pertes qu'avait subies le commando. Le jeune homme s'était senti encore plus coupable qu'auparavant et les Barabel vaguement offusqués par l'idée qu'on puisse songer qu'ils avaient besoin de réconfort. Rappeler aux compagnons de portée qu'ils devaient faire preuve de prudence était hors de question, mais la Force qui imprégnait l'immense chambre par-delà les arches était animée d'une férocité brutale. A tout moment, Anakin s'attendait à voir jaillir un vomissement bileux et brunâtre qui aurait raison de l'un de ses camarades.

Soudain, il perçut un flux de désir primal. Anakin alluma son sabre laser et, en même temps que tous les autres, poussa un cri de stupeur. Des mâchoires avides grandes ouvertes surgirent dans les ténèbres. Krasov siffla et se rejeta en arrière. Mais pas assez vite. Des crocs se plantèrent dans son masque respirateur et le lui arrachèrent de la tête.

Anakin fit un bond en avant en frappant le voxyn juste sous la mâchoire et exécuta un balayage en retour avant de lui trancher le museau. La créature eut un mouvement de recul. Tesar et Krasov se laissèrent retomber à terre et tranchèrent ses griffes acérées.

Ce qui restait de la gueule du voxyn commença à s'ouvrir. Krasov plongea sa lame blanche en travers de sa gorge, avant de se mettre à tituber, le visage couvert de mucus acide. Tesar invoqua la Force pour soulever le voxyn pendant qu'Anakin attaquait. Le jeune homme plongea sa lame violette dans la poitrine du monstre, exécuta un mouvement tournant et lui transperça tout le corps. Le voxyn mourut sur le coup et demeura suspendu dans les airs.

Le visage de Krasov disparaissait sous les vapeurs toxiques. Mais le crépitement de la kératine en train de fondre ne laissait planer aucun doute sur ce qui lui arrivait.

— Tesar ! éructa-t-elle. Mes yeux...

— Je suis là, Krasov...

Il lâcha son emprise sur le voxyn et la bête s'effondra, puis il aida Krasov à s'écarter de l'arche.

Un claquement sonore retentit dans les ténèbres. Anakin décrocha un détonateur thermique de son harnais d'équipement et le lança aussi loin que possible dans l'ouverture. Il entendit le sifflement caractéristique de l'arme, bientôt suivi par un éclair aveuglant. Il n'y eut aucune onde de choc, aucune vague de chaleur. La précision était un des atouts principaux du détonateur thermique. Tout ce qui se trouvait dans le diamètre de la déflagration était intégralement détruit. Tout ce qui se trouvait au-delà demeurait intact.

Lorsque Anakin sentit que plus aucun voxyn ne viendrait les attaquer à la porte, il se tourna pour appeler Tekli. Il découvrit qu'elle était déjà en train de s'occuper de Krasov, la guidant jusqu'à une anfractuosité du mur pour qu'elle puisse s'y asseoir. La Chadra-Fan commença à nettoyer la bile visqueuse avec la lame d'un multi-outil. De nombreuses écailles se détachèrent aussi.

Anakin détourna les yeux et ne dit rien. Il semblait que chaque nouvelle décision coûtait quelque chose à quelqu'un. Leur mission semblait leur échapper, devenir de plus en plus impossible à accomplir.

— On va avoir des ennuis...

Anakin entendit à peine les paroles de Jacen. Il ne voulait plus prendre de décision, il ne voulait plus causer la mort de l'un des siens.

— Anakin ?

Il sentit Jacen le sonder mentalement, pour savoir si le récent affrontement avait entraîné une aggravation de sa blessure. Ce n'était pas le cas. La douleur était encore supportable et la Force insufflait suffisamment d'énergie à Anakin.

Un bruissement étouffé s'éleva dans le corridor, provenant des deux directions à la fois.

— Par le sang des Sith ! jura Jaina. Ils reviennent !

Quelqu'un décocha un tir de blaster. Quelqu'un d'autre ouvrit le feu dans la direction opposée. La Force s'imprégna alors d'un désir sauvage et les voxyns investirent le corridor, coupant la route des deux côtés aux membres du commando. Le fracas des blasters devint assourdissant. Anakin dégaina son arme. Ce serait bien plus facile comme ça. Il fallait agir, sans prendre de décision. Tout ce qu'il avait à faire, c'était viser et presser la gâchette.

Anakin fit un pas en avant. Lowbacca le retint par l'épaule, indiqua l'une des arches qui se trouvait dans leur dos et gronda une question.

Anakin secoua la tête.

— Non, Tahiri peut monter la garde. Moi, je vais me battre avec les autres.

— Il vaudrait mieux que tu nous couvres, grogna Tesar. Pour la sécurité de Krasov.

— Mais je ne suis pas blessé à ce point, dit Anakin, suivant le Barabel qui avançait vers la mêlée. Je peux toujours me battre.

— Anakin ! Tu vas aller te planquer, oui ? dit Jaina en indiquant l'arche du canon de son blaster. Ressaisis-toi, tu veux ?

Même si sa sœur n'avait pas élevé la voix, les mots frappèrent le jeune homme avec la brutalité d'un coup de poing. Sa propre sœur ne voulait pas qu'il combatte à ses côtés. Avait-il tout fichu en l'air à ce point ?

Jaina rejoignit les autres dans la bataille. Anakin s'accroupit derrière le cadavre du voxyn et fixa le regard sur les ténèbres bruissantes, attentif au moindre changement de son, à la moindre perturbation dans la Force qui lui signalerait l'arrivée d'autres monstres. Même si Jacen était beaucoup plus réceptif que lui aux ondes produites par les animaux, il parvint tout de même à deviner que la plupart des voxyns qui se trouvaient dans les profondeurs de l'arche étaient assoiffés de sang mais sur la défensive, presque immobiles.

— Tu n'es pas obligé de te laisser donner des ordres, dit Tahiri, tombant à genoux à côté de lui, haussant le ton pour se faire entendre dans le vacarme de la bataille. Tu es toujours le chef de l'équipe.

— Tu parles d'un chef… dit Anakin.

Tahiri attendit plus d'une seconde avant de reprendre :

— Qu'est-ce que tu veux dire ?

— Je n'arrête pas de laisser les gens mourir.

— C'est un fait, les gens meurent. Mais qui dit que c'est de ta faute ?

— Moi, je le dis. (Anakin regarda en direction des combats.) Et eux aussi.

— Laisse tomber ! Ils ne veulent qu'une chose, c'est que tu nous fasses sortir d'ici. (Une grenade à fragmentation ébranla le tunnel. Une douzaine d'attaques soniques retentirent en réponse.) Et moi aussi ! Réfléchis à quelque chose. Et vite !

Tahiri l'embrassa et retourna au combat, blaster dégainé. Pour l'heure, la tornade de rayons laser parvenait à maintenir les voxyns en respect, mais cela ne durerait pas. Les choses changeraient bientôt. Plusieurs Jedi étaient déjà en train d'utiliser leur dernière cellule énergétique et, tôt ou tard, les voxyns lanceraient une attaque sur l'arche où se tenait Anakin. A moins que le commando ne décampe en premier.

Tesar gronda un juron, pointa son mini-canon sur un voxyn et invoqua l'arme de Krasov pour qu'elle atterrisse dans sa main tendue. Sa cible se rua vers sa tête en claquant des mâchoires. Raynar Thul intercepta la créature avec son sabre laser crépitant, pratiquant une ouverture de près de trois mètres de long dans les flancs du monstre. Le Jedi humain fit un bond en arrière et se retrouva dans le passage de la queue de la bête.

Le dard pénétra la combinaison de Raynar. Il tituba et battit en retraite dans les rangs des Jedi, tranchant au passage un bon mètre de la queue de la bête, laissant le morceau coupé pendre à son vêtement. Anakin se tourna pour appeler Tekli. Il vit que celle-ci se précipitait déjà, antidote en main.

Il fallait dégager de là. Le plus rapidement possible.

Anakin régla son bâtonnet lumineux sur la puissance maximum et le lança dans l'arche. Il invoqua la Force et maintint le bâtonnet en suspension. Les voxyns vomirent de l'acide sur la petite lampe, mais se calmèrent peu à peu en s'accoutumant à son éclat. Anakin dénombra plusieurs douzaines de créatures. Il ne devait pas y en avoir plus de cent. Elles étaient installées sur les gradins d'une vaste arène. La plupart étaient en train de se repaître des corps d'esclaves qu'elles avaient dû enlever dans la cité, s'épiant du regard, faisant crisser leurs écailles en signe d'avertissement.

Impossible de pratiquer la lévitation pour traverser l'immense hall. Les Jedi ne pouvaient pas voler, après tout, et la distance devait bien dépasser un kilomètre. Peut-être en pratiquant des acrobaties appuyées par la Force…

Jacen apparut aux côtés d'Anakin et, sentant les pensées de son frère dériver dans le lien psychique, regarda en direction de l'arène.

— On ne veut surtout pas les provoquer. Ils ne quitteront pas leurs… heu… leurs nids, tant qu'ils ne se sentiront pas menacés. Je peux peut-être parvenir à les convaincre de ne pas bouger du tout.

— Parfait, dit Anakin. Ce serait bien que, pour une fois, les choses se déroulent correctement.

Il se tourna et découvrit Ganner en train de se diriger vers une cavité creusée par l'acide des voxyns un peu plus loin dans le corridor, criant à tout le monde de s'y engouffrer. De peur de ne pas être entendu dans le vacarme des combats, Anakin activa son comlink.

— Bonne idée, Ganner. Mais mauvaise direction. (Il indiqua l'arche.) Par ici, plutôt.

— Dans l'arène ? demanda Jaina. Mais tu ne peux pas…

— Je me soignerai quand nous en aurons terminé, l'interrompit Anakin. (Il ne voulait pas que tout le monde se précipite dans un tunnel à voxyns au risque de s'y retrouver pris au piège.) Par ici !

Tesar Sebatyne fut le premier à acquiescer.

— A tes ordres ! (Il commença aussitôt à créer un barrage de laser avec son mini-canon.) En arrière tout le monde !

Lowbacca fit de même, de son côté, afin de protéger l'autre flanc des Jedi. Jacen ouvrit la marche et emmena le groupe dans l'arène. Il abandonna momentanément le lien psychique pour se concentrer sur les voxyns et leur adresser des pensées rassurantes. La créature la plus proche fit crisser les écailles de son cou et planta ses griffes, creusant ainsi de profonds sillons, dans la roche des gradins. Mais les voxyns restèrent dans leurs nids et n'attaquèrent pas.

Anakin poussa un soupir de soulagement et se tourna vers Krasov. Malgré le respirateur de Bela qui lui couvrait en partie la figure, la chair avait disparu en bien des endroits, révélant de l'os et des crocs autour du masque. Anakin chercha Tekli des yeux et lui adressa une question silencieuse.

— Plus la peine, Petit Frère, dit Krasov d'une voix à peine plus audible qu'un râle. Autorise au moins cette Barabel à couvrir votre… retraite.

— Non, dit Anakin. Nous allons lancer un détonateur et…

— Trop tard. (Krasov ouvrit la main, révélant un détonateur thermique dont le déclencheur exploserait trois secondes après qu'elle aurait enlevé le pouce de la goupille.) Ça c'est beaucoup mieux…

Alema Rar passa en trombe devant eux, soutenant un Raynar Thul saisi de stupeur. Son état était dû à l'antidote, pas au poison. Anakin envoya Tekli après eux et donna un coup de main à Lowbacca pour renforcer le barrage de laser.

— Allez, Krasov, range ton détonateur, ordonna Anakin. (Une demi-douzaine de voxyns firent irruption dans le corridor. Il abattit celui de tête d'un trait de laser dans l'œil.) Krasov ?

— Krasov n'est plus. (Tesar lança une grenade à fragmentation au milieu de la meute. Lorsque l'explosion se propagea dans le tunnel, il tomba à genoux et pressa sa joue contre celle de Krasov. Il resta ainsi immobile jusqu'à ce que l'acide résiduel des blessures de sa congénère commence à ronger ses propres écailles. Il se leva prestement et montra la main de Krasov. Son pouce commençait à relâcher la détente.) Ce Barabel suggère que nous décampions au plus vite !

41

Anakin passa sous l'arche et se rua dans l'arène, Tesar sur ses talons. Le reste de l'équipe avait déjà franchi trois niveaux de gradins en contrebas, éclairant leur passage au moyen de bâtonnets lumineux et zigzaguant nerveusement entre les nids de voxyns. Les deux retardataires leur emboîtèrent le pas et contournèrent un cratère d'une quarantaine de mètres de diamètre, creusé quelques instants auparavant par le détonateur thermique qu'avait lancé Anakin.

Un tumulte de grognements et de sifflements retentit depuis l'arche juste derrière eux. Anakin et Tesar plongèrent dans les gradins la tête la première. Le détonateur thermique que Krasov serrait dans sa main au moment de sa mort exploserait trois secondes après que les voxyns affamés se seraient rués sur son corps. Quelque chose se déchira à l'intérieur de la plaie d'Anakin et il sentit une douleur, à peine calmée par les anesthésiants, se propager dans son estomac. Il l'ignora et termina son saut périlleux avant. Il retomba lourdement, deux niveaux de gradins plus bas. Ses jambes défaillirent et il faillit basculer dans le vide.

Deux choses se produisirent. D'abord, le voxyn qu'il venait de déranger dans sa chute se mit en colère et ouvrit la gueule pour vomir un jet d'acide. Ensuite, le détonateur thermique explosa juste au-dessus du jeune homme, envoyant un éclair d'une brillance aveuglante à travers toute l'arène et creusant un trou de quarante mètres dans la paroi. Des tonnes de corail yorik s'effondrèrent sur les fuyards.

Mais Anakin se souciait beaucoup plus du voxyn furieux. Cherchant son sabre laser à tâtons, il roula sur le côté et se remit sur pied. C'est alors qu'il s'aperçut que la créature était en train de se lacérer la gorge, s'étouffant mystérieusement avec sa propre langue, laissant des gouttes d'acide brun s'écouler de part et d'autre de sa gueule entrouverte. Anakin sentit un frisson sinistre lui parcourir la colonne vertébrale. Il se tourna et découvrit Welk qui se tenait à côté de lui, la main tordue en un geste d'étranglement, le visage déformé en un masque malfaisant de concentration.

— Jacen a besoin de tout le monde en bas ! déclara Tenel Ka à voix basse dans le comlink. Cachez-vous et gardez le silence !

Anakin obéit prestement. Welk fut un peu moins prompt. Le jeune homme regarda silencieusement le Jedi Noir se servir de la Force pour arracher sa dernière étincelle de vie à la créature. Il était évident que ni Anakin, ni personne d'autre au sein du commando, ne se serait ainsi servi de la Force pour tuer directement. En appeler à son pouvoir pour éliminer la vie qui était l'essence même de sa puissance était le chemin le plus court qui menait au Côté Obscur. Mais, dans ce cas précis, il aurait été malvenu de la part d'Anakin de juger de l'immoralité de la situation. Si les rôles avaient été inversés, il n'aurait pas hésité une seule seconde à utiliser un blaster, ou son sabre laser, pour sauver la vie de Welk.

Le fracas des éboulements de corail yorik s'apaisa et les voxyns reprirent leurs grognements tout en lacérant le sol de leurs griffes. Anakin sentit Jacen projeter les ondes de la Force pour calmer les créatures, leur adressant des pensées rassurantes, essayant de les persuader qu'il n'y aurait plus d'autre explosion. Considérant tout ce qui s'était passé au cours de la dernière heure, la tâche n'était guère aisée. Mais les voxyns ne semblaient pas vouloir quitter leurs nids et finirent par se calmer.

— C'est bon, vous pouvez avancer doucement, conseilla

Tenel Ka. Mais ne faites rien de menaçant. On ne doit attaquer en aucun cas, compris ?

Anakin se releva et fut pris de nausée. Il s'appuya contre le mur, mais personne ne le remarqua. Tous les yeux étaient à présent braqués sur Zekk, qui avançait, l'air furieux, vers Welk.

— Tu t'es servi du Côté Obscur ! siffla-t-il entre ses dents serrées.

— Et alors ? Tu aurais préféré qu'on laisse le monstre tuer le jeune Solo ? demanda Lomi, s'interposant entre les deux hommes.

— Vous n'avez pas tenu votre promesse ! dit Zekk.

— Il m'a sauvé la vie, dit Anakin en rejoignant son compagnon. (Il lança un regard insistant sur les environs. Les premiers voxyns se trouvaient à moins de vingt mètres d'eux, mais toutes les créatures qui apparaissaient dans le halo de leurs bâtonnets lumineux faisaient crisser les écailles de leurs cous et épiaient les membres du commando.) Et je te signale que si nous sommes sensibles à ta fureur dans la Force, eh bien eux aussi…

La colère disparut du visage de Zekk.

— Je suis désolé, Anakin. (Il se tourna vers Welk et Lomi.) Ne vous servez plus de la Force comme ça. Pas tant que je suis dans les parages.

Sur ce, il tourna les talons et descendit les gradins pour rejoindre Jacen et Jaina. Anakin le regarda partir, soudain bien trop las pour se soucier des préoccupations rigides de Zekk concernant le Côté Obscur. Ses jambes arrivaient à peine à le soutenir. Il s'accorda quelques instants pour se concentrer, invoquant la Force pour retrouver un semblant d'énergie. Puis il fit signe à Lomi et à Welk d'avancer et se mit en route.

— Au fait, merci de m'avoir sauvé la vie, dit-il à Welk.

— J'en déduis que tu ne te sens pas corrompu par le Côté Obscur, intervint Lomi.

— Le Côté Obscur ne me fait pas peur, si c'est ce que vous voulez dire, répondit Anakin. Mais Zekk a raison. Vous avez failli à votre promesse.

— Ne te fais pas de bile, dit Welk sans se retourner. Je ne recommencerai pas.

Ils descendirent les derniers rangs de gradins en zigzaguant, suivant un chemin tracé par Jacen qui visait à éviter le plus grand nombre de nids de voxyns possible. En dépit des masques respirateurs, la puanteur devenait presque insoutenable. Ils découvrirent des tas de corps en décomposition, gardés farouchement par des voxyns espérant s'en servir pour nourrir des progénitures qui n'écloraient jamais de leurs œufs stériles. Par endroits, Anakin remarqua que des mères voxyns, incapables d'amasser de la nourriture, s'étaient laissées mourir dans leurs nids pour offrir une pitance à leur hypothétiques rejetons. Le jeune homme fut frappé par cette vision aussi morbide que triste, mais il ne laissa pas la surprise le submerger. Il savait – suite à ses études et aux interminables exposés que lui avait faits Jacen au cours de non moins interminables voyages à travers l'espace – que de nombreuses espèces n'hésitaient pas à se laisser mourir dans le seul but de pérenniser la génération suivante. Cette volonté indomptable et le fait que certaines créatures se livraient instinctivement à ce genre d'acte témoignaient de l'évidence tangible de la nature éternelle de la Force, professait souvent Jacen.

Arrivés à mi-chemin des gradins, ils se retrouvèrent au sommet d'un vide de dix mètres, surplombant un péristyle percé d'arches similaires à celle qu'ils avaient franchie pour rejoindre l'arène. Plutôt que d'attirer les foudres des voxyns qui risquaient de nicher dans ces portails, le commando décida de faire le tour de l'arène, changeant à plusieurs reprises de niveau pour éviter les nids des créatures. L'effort supplémentaire commençait à peser sur la résistance d'Anakin, même si le jeune homme parvenait encore à invoquer la Force pour tenir le coup. Il ne fallut que très peu de temps pour que ses jambes se mettent à trembler et que son estomac commence à le brûler.

Tahiri, bien entendu, fut la première à le remarquer.

— Anakin, tu trembles !

Anakin hocha la tête.

— Ouais, l'odeur commence vraiment à m'incommoder…

— Il n'y a que toi que l'odeur fait trembler, nota Tesar, arrivant derrière le jeune homme. Ce Barabel va te porter.

Avant qu'Anakin puisse émettre la moindre objection, le puissant reptile le prit dans ses bras. Tahiri insista pour aller rendre compte de l'état de santé d'Anakin à Tekli. Celle-ci voulut procéder à un examen, mais elle fut interrompue lorsque la tête d'un voxyn surgit de la rangée de gradins supérieurs et cracha un jet d'acide dans leur direction. De peur d'exciter le reste des créatures, le commando reprit sa marche, Anakin toujours niché au creux des bras écailleux de Tesar.

En progressant autour de l'arène, Anakin remarqua que les gradins en contrebas étaient en meilleur état que ceux que venaient de franchir les membres de l'équipe. Les murs étaient ornés de statues de Yun-Yammka. Bon nombre d'entre elles représentaient le dieu en train d'arracher ses propres membres ou bien de se saigner à blanc. D'autres montraient le dieu en train de dévorer des guerriers Yuuzhan Vong afin de renaître, resplendissant, au milieu d'une couronne de tentacules. Lorsqu'il commença à noter que de longs pieux et des crochets acérés étaient fichés dans les murs entourant le sol de l'arène, Anakin songea que l'endroit devait être une sorte de stade où les Yuuzhan Vong venaient se distraire, assistant à des combats d'esclaves, dressés les uns contre les autres, comme des gladiateurs.

C'est alors qu'Anakin remarqua une série de rampes qui partaient des premières rangées de gradins pour descendre jusqu'au sable de l'arène. Il comprit qu'il se trompait. C'était bien les Yuuzhan Vong qui devaient se battre entre eux, ici. Enfin, au moins ceux qui avaient le privilège d'occuper les premiers degrés de sièges. A cette pensée, les statues de Yun-Yammka en prenaient presque une allure religieuse. Anakin se dit que l'arène devait en fait être comme une gigantesque église. Il imagina l'endroit plein de Yuuzhan Vong, tous perdus en dévotions, pendant que le vaisseau-monde sillonnait la noirceur de l'espace. Les citoyens les plus influents et les chefs les plus vénérés devaient se rassembler sur le sol de l'arène, honorant les dieux de leur propre sang, de leurs propres morts, dans l'espoir d'assurer ainsi aux Yuuzhan Vong la garantie de trouver une nouvelle patrie dans la distante galaxie de la Nouvelle République.

— Repose-moi, dit Anakin. (De tels guerriers ne pouvaient assurément être vaincus par un combattant niché dans les bras d'un compagnon.) Je ne veux plus qu'on me porte. Pas ici. Pas tant que nous n'en aurons pas terminé.

Tesar déposa délicatement Anakin à terre. Celui-ci avança d'un pas incertain.

Lowbacca gémit, puis gronda une question.

— Comment espérez-vous...

— Tesar va m'aider, dit Anakin, interrompant la traduction de M-TD. (Il se tourna vers le Barabel.) Lorsque Ulaha a été torturée, je sais que tu lui as insufflé de l'énergie pour qu'elle résiste.

— Je ne peux pas t'en promettre autant, l'avertit Tesar. Nous étions trois, à ce moment-là.

— Eh bien je prendrai ce que tu pourras me donner, dit Anakin. Je veux pouvoir terminer cette mission debout sur mes pieds.

Tesar dévoila ses crocs aiguisés comme des couteaux.

— Alors ce Barabel sera très honoré de t'aider dans ta tâche.

Anakin sentit Tesar le contacter dans la Force. Il ressentit un curieux frisson reptilien le parcourir lorsque le Barabel accorda les deux flux de leurs émotions. Le monde sembla s'empourprer. Anakin sentit sa douleur dériver vers Tesar et il perçut la puissance du Barabel affluer en lui. Avec cette puissance émana un étrange sentiment de solitude, assez peu comparable à la tristesse qu'aurait pu éprouver un être humain, évoquant plus la douleur de deux absences qui ne pourraient plus jamais être comblées.

Sans se rendre compte qu'il les avait fermés, Anakin ouvrit les yeux.

— Ce... Ce n'est pas exactement ce à quoi je m'attendais...

— Ah oui ? gronda Tesar. Tu espérais qu'il te pousserait des écailles ?

Stupéfait de découvrir qu'il comprenait la plaisanterie, Anakin pouffa et commença à marcher à la suite des autres. Sa connexion avec Tesar ressemblait au lien psychique du groupe si ce n'est qu'en plus de ses émotions il partageait l'énergie du Barabel.

Quelques minutes plus tard, Alema annonça qu'ils avaient fait le tour de l'arène et venaient d'atteindre le point opposé à celui par lequel ils étaient arrivés. Le commando entreprit de gravir les degrés. Anakin fut à même d'escalader les gradins tout seul, mais Raynar, souffrant toujours des effets secondaires de l'antidote au poison, titubait et on dut le soulever par le truchement de la Force pour le faire monter de niveau en niveau. Alors qu'il ne leur restait plus qu'un seul étage à franchir, Raynar, qui attendait Alema grimpant à sa suite, indiqua quelque chose à une dizaine de mètres de là.

— Regardez ! (Sa langue était si enflée qu'Anakin eut du mal à comprendre ce qu'il disait.) C'est Eryl !

Il s'élança dans la direction qu'il venait d'indiquer, provoquant au passage des crissements d'avertissement de la part d'un voxyn. Alema se rétablit sur le niveau d'un geste agile et élégant et courut après le Jedi. Anakin et quelques autres invoquèrent immédiatement la Force pour retenir Raynar.

Le voxyn cracha un jet d'acide et manqua sa cible. Il se rua en avant et griffa Raynar deux fois. Sa première attaque déchira la combinaison en tissage renforcé et la seconde creusa quatre profondes entailles dans la chair. Laissant ses compagnons s'occuper du jeune homme blessé, Anakin décrocha son sabre laser de son harnais et activa la lame.

— Non, Anakin ! l'avertit Jacen. Laisse-le retourner à son nid !

Anakin éteignit la lame, mais conserva son arme en position de défense. Tesar fit flotter le corps agité de soubresauts de Raynar jusqu'à Ganner et Alema. Ceux-ci l'aidèrent alors à franchir le dernier niveau et disparurent à l'étage supérieur. Le voxyn continua de lancer des regards courroucés, braquant ses yeux perçants sur le sabre laser qu'Anakin tenait toujours en main.

— Un peu d'aide, jeune Solo ? demanda Lomi. Je peux le tuer, mais, évidemment, ce serait rompre ma promesse.

— Non, tenez votre promesse, dit Anakin, baissant doucement son arme avant de reculer. Vous ne voudriez pas que Zekk
se mette en colère…

— Ce n'est pas dit, rétorqua Lomi. Je crois savoir, justement,
qu'il devient très puissant lorsqu'il se met en colère.

Le voxyn retourna à son nid. Anakin osa respirer à nouveau
et il rejoignit les autres pour escalader la dernière rangée de
gradins. Alema et Zekk s'étaient déjà engagés sous l'arche pour
rejoindre Tekli et Raynar. Jacen et les autres attendaient encore
sur le pas du portail.

Anakin les dépassa et alla auprès de la Chadra-Fan prendre
des nouvelles de Raynar. Il observa le blessé par-dessus les
petites épaules de Tekli. Quatre profondes blessures lui entail-
laient la poitrine en diagonale, mais il ne semblait pas y avoir
d'hémorragie grave, pas plus que d'os apparents.

— Comment va-t-il ?

— Pour l'instant, ça va, dit Tekli, pansant les blessures avec
de la mousse antiseptique. Mais son état dépendra grandement
de l'efficacité des agents anti-infectieux mis au point par
Cilghal.

Anakin continua d'observer Raynar. Un autre blessé. Cette
fois, un bon ami de Jacen et de Jaina. Mais ils avaient réussi à
traverser le secteur des voxyns. Il se sentit à la fois triste, soulagé,
mais pas coupable. Il avait apparemment fait le meilleur choix
possible.

Même si Raynar était probablement trop assommé pour s'en
rendre compte, Anakin s'agenouilla à côté de lui et lui posa la
main sur l'épaule.

— Est-ce qu'on peut le transporter ?

— Il faut que quelqu'un le fasse flotter en lévitation, répondit
Tekli. Je resterai à califourchon sur lui.

Zekk souleva le patient dans les airs avant même qu'Anakin
n'en donne l'ordre. Alema se trouvait juste à côté de lui, trans-
portant le nécessaire médical de Tekli, le visage ravagé par la
détresse. Anakin lui serra gentiment le bras, puis la débarrassa
du nécessaire médical pour le confier à Tahiri.

— On a besoin de toi en éclaireur, dit-il à Alema. Lomi ne

s'est jamais aventurée en dehors du terrain d'entraînement et nous autres, nous sommes complètement paumés par ici...

Alema réfléchit quelques instants, puis les entraîna dans un passage, semblant emprunter une direction opposée à celle qu'ils avaient suivie jusqu'à présent. Ce corridor ressemblait à celui qui les avait menés jusqu'à l'arène, sauf que celui-ci n'était pas percé d'un réseau de tunnels parallèles, creusés à l'acide par les voxyns. Enfin, le commando déboucha sur une fourche. Chaque passage était scellé par un gros bouchon de corail yorik, probablement pour empêcher les voxyns d'aller envahir le reste du vaisseau-monde. Alema passa devant le premier bouchon, puis devant un deuxième, et s'arrêta devant le troisième.

— J'ai l'impression que nous sommes proches de la surface, par ici. (Tout en parlant, ses lekkus tressaillirent légèrement.) Je pense que nous sommes loin de la porte vers laquelle les Vong essayaient de nous pousser. Peut-être que nous allons finalement réussir à les prendre par surprise.

Jaina vérifia son comlink.

— Peut-être. Apparemment, ils n'ont toujours pas déclenché les mines fléchettes.

Anakin fit un geste en direction du scellement.

— A qui l'honneur ?

Lowbacca et Tesar activèrent leurs sabres laser et se mirent au travail. Ce corail yorik était bien plus résistant que celui rencontré à bord de la *Mort Exquise*. Il leur fallut plus de vingt minutes pour se frayer un passage dans le bloc de près d'un mètre d'épaisseur. Anakin profita de ce délai pour méditer et s'occuper du mieux possible de sa blessure. Tekli se refusa cependant à ouvrir la plaie. Si quelque chose avait effectivement cédé à l'intérieur, ils ne disposaient plus de matériel assez solide pour suturer à nouveau.

Finalement, Ganner souleva le dernier morceau de corail yorik par lévitation et dégagea l'embranchement. Ils se retrouvèrent à l'entrée d'un tunnel qui remontait en pente douce vers la surface. A une cinquantaine de mètres de là, il se terminait sur une paroi membraneuse transparente et une valve-écoutille hermétique, donnant sur l'une des nombreuses routes de service qu'ils avaient aperçues depuis l'espace. Ce passage, cependant, paraissait abandonné depuis longtemps. Il était encombré de toutes sortes d'engins réquisitionnés par les Vong : des landspeeders, des chariots utilitaires, des taxis volants et même un scooter des nuées de chez SoroSuub. Tout ce matériel avait dû être entreposé ici, à l'abri, attendant de servir aux exercices pratiqués sur le terrain d'entraînement.

Et là, au milieu du fatras, reposant de guingois sur un seul train à moitié déployé, tous ses sas verrouillés, se trouvait un cargo léger hors d'âge.

— Eh bien, dit Anakin. Il semblerait que la Force soit enfin avec nous.

42

Il fallait quarante secondes pour que le turbo-élévateur descende jusqu'au niveau où se trouvait l'appartement des Solo dans la tour résidentielle d'Eastport. Mais ces quarante secondes parurent durer une éternité. Leia sortit son sabre laser de la poche de cuisse de sa combinaison de vol maculée de taches de graisse. Han vérifia le niveau de chargement de la cellule de son légendaire BlasTech DL-44. Puisque la résidence disposait d'un service de sécurité compétent et zélé, Leia fut certaine que deux droïdes de garde et un officier – vivant, lui – les attendraient à la sortie de l'ascenseur avec un scanner réti- nien. Si Han ne se mettait pas en colère et ne déclenchait pas une bagarre, leur présence serait certainement une bonne chose. Dans des situations pareilles, il était préférable de recueillir toute l'assistance possible.

— Ce machin-là ne peut pas aller plus vite ? grogna Han.

— Il n'y a pas de compensateurs d'accélération sur les turbo- élévateurs, lui rappela Leia. Sois patient, Han. Nos jambes nous seront bien plus utiles si nos genoux ne se tassent pas jusqu'au niveau de nos poitrines…

Han demeura silencieux quelques instants, puis demanda :

— Qu'est-ce que t'a dit Adarakh ? Qu'ils étaient en chemin ou bien qu'ils venaient de pénétrer dans l'immeuble ?

— Qu'ils sont à notre étage, dit Leia. Il a dit qu'ils se trou- vaient déjà à notre étage.

Avec ses rares ladalums et son sol laiteux de pierres de larmal, l'atrium des Solo semblait aussi désert et paisible que la première fois que Viqi Shesh l'avait visité. Au lieu de faire mine de chercher son chemin, comme la fois d'avant, Viqi marcha d'un pas décidé jusqu'au couloir en impasse. Les silhouettes menaçantes d'un détachement entier d'espions imposteurs Yuuzhan Vong la talonnaient de près.

Vêtus de la combinaison bleue du Bureau Sanitaire Municipal et tous parés du même grimage Ooglith, les compagnons de Viqi évoquaient plus une escouade de sextuplés assassins qu'une équipe chargée de la désinsectisation, mais cela n'avait guère d'importance. Les droïdes étaient incapables de faire montre de la perspicacité qui leur permettrait d'interpréter l'étrange similarité des ouvriers comme une menace. Normalement, les éventuels êtres vivants seraient endormis et personne ne remarquerait leur venue. Dix minutes auparavant, elle avait déjà arpenté l'étage, utilisant un sifflet à ultrasons, intimant l'ordre à ses sensilimaces de surveillance de s'autodétruire et de libérer un nuage invisible de spores soporifiques. A l'heure qu'il était, tout le monde dans l'appartement des Solo, y compris Ben Skywalker, devait dormir paisiblement.

Viqi venait à peine de pénétrer dans l'atrium qu'un bruissement retentit soudainement derrière elle. Elle se tourna et vit que les espions venaient d'ouvrir leur col de combinaison afin de s'emparer des gnulliths qu'ils dissimulaient sur eux.

— Pas encore, messieurs. (Afin d'empêcher le système de sécurité de détecter le stress de sa voix, Viqi avait juste murmuré ces mots.) On ne veut alarmer personne.

— Mais les spores…

— Ils deviennent inopérants au bout de cinq minutes. Enfin, c'est ce qu'on m'a dit. (Viqi n'était guère enchantée d'entendre son jugement mis en doute par un mâle inférieur.) Et cela fait plus de dix minutes, maintenant…

— Ils se déposent sur le sol au bout de cinq minutes, la corrigea le chef. (Il s'appelait Inko ou Eagko, ou quelque chose du même tonneau.) Si on les foule à nouveau…

— Nous mettrons nos masques une fois à l'intérieur, Inkle.

(Viqi repoussa la main du chef pour qu'il range son gnullith sous sa combinaison. Elle tendit alors le menton vers le Serv-O-Droïde GL-7 qui attendait patiemment devant la porte de cristalacier.) Si le droïde d'accueil voit débarquer une équipe de désinsectisation portant des gnulliths, il convoquera les services de sécurité de l'immeuble avant que nous ayons franchi l'atrium. Nous devons le désactiver avant de révéler notre présence.

Le chef réfléchit à la question pendant un moment, puis adressa un signe de tête à ses guerriers, qui rangèrent prestement leurs masques.

— Ingo Dar, dit-il. Je me nomme Ingo Dar.

— Oui, bien sûr, où avais-je la tête... (Viqi leva les yeux au ciel et se tourna de nouveau vers l'atrium.) Suivez-moi, Ingo, et ne faites que ce que je vous ordonne.

Même si Viqi Shesh s'apprêtait à devenir le plus célèbre traître de la très courte histoire de la Nouvelle République, elle n'avait pas pris la peine de camoufler son apparence ou de déguiser sa voix. Une analyse poussée des banques de données par les systèmes de sécurité aurait eu raison de la mascarade, de toute façon. Elle savait également pertinemment, grâce aux informations fournies par un espion appartenant au service de surveillance, qu'il était vain de tenter d'échapper aux microphones et caméras holographiques dissimulés un peu partout dans l'immeuble. De plus, une bonne partie d'elle-même – une grande partie, même – souhaitait que Luke Skywalker découvre rapidement qui était le ravisseur de son fils. Personne ne pouvait ainsi bafouer Viqi Shesh et s'en tirer à si bon compte, pas même le Maître des Jedi.

Les conséquences seraient également graves pour Viqi. Elle passerait dans les rangs des traîtres et deviendrait une femme recherchée par la justice. Sa planète tout entière serait certainement choquée par son acte. Mais pas pour longtemps. Depuis qu'elle avait été destituée de ses fonctions au sein du Comité de Surveillance Militaire de la Nouvelle République, elle avait réussi à obtenir la confiance du Maître de Guerre en recrutant un réseau d'espions, tous convaincus qu'elle travaillait ardemment à regagner son prestige perdu. Elle avait fourni au chef des Yuuzhan Vong non seulement le secret des bombes furtives des Jedi, mais également les plans des projecteurs gravifiques installés à bord du *Mon Mothma* et de l'*Elegos A'Kla*. Elle avait aussi récupéré le schéma des champs de mines hyperspatiales installés par la Nouvelle République entre Borleias et Coruscant. Tsavong Lah savait qu'en ordonnant à Viqi de distraire ainsi l'attention des Jedi il obligeait son espion le plus précieux à se dévoiler. Et Viqi Shesh ne voyait qu'une seule raison à cela.

Tsavong Lah s'emparerait de Coruscant. Et très bientôt.

Lorsque Viqi approcha de la porte, le GL-7 fit pivoter son visage souriant vers elle. Il passa ses traits au scanner, mais Viqi sut qu'il avait déjà procédé à une première analyse quand elle avait marché sur une dalle sensible à une vingtaine de mètres de l'entrée de l'atrium. Elle sourit chaleureusement et glissa une main dans son élégante sacoche accrochée à sa taille, à la recherche du minuscule blaster à deux coups dissimulé dans sa trousse à maquillage à l'épreuve des détecteurs.

— Sénateur Shesh, comme c'est gentil à vous de nous rendre visite ! s'exclama le GL-7 avec son enthousiasme électronique. C-3PO m'informe que les occupants de l'appartement font la sieste, mais il s'attend à ce qu'ils se réveillent d'un instant à l'autre. Si vous et vos amis voulez bien attendre, il a proposé de vous préparer des rafraîchissements.

— Des rafraîchissements ? (Ce n'était pas vraiment le type d'accueil auquel Viqi s'attendait. Peut-être que la programmation du droïde n'avait pas encore été modifiée depuis son départ précipité de SELCORE. Il ne faisait aucun doute que Leia Solo souhaitait réserver le meilleur accueil possible au sénateur qui contrôlait les cordons de la bourse des aides fournies aux réfugiés. Laissant son blaster au fond de sa sacoche, Viqi répondit :) Oui, merci, des rafraîchissements seraient les bienvenus.

— C-3PO vous attend à l'intérieur. (La porte de cristalacier s'ouvrit en coulissant.) J'espère que votre visite sera agréable.

Seule son expérience de politicienne empêcha Viqi de rester bouche bée.

— Merci. Je n'en doute pas un seul instant.

Espérant que ses espions ne commettraient pas l'imprudence de tenter de décrocher leurs bâtons Amphi, assouplis et enroulés autour de leurs tailles, Viqi passa le seuil et pénétra dans le foyer. C'était un atrium surplombé d'une rotonde, semblable à celui qu'ils venaient de quitter, un peu plus petit et un peu moins grandiose. Sur la gauche, une large double porte donnait sur le grand balcon. Viqi savait que, deux mètres juste en dessous, attendait le chariot volant d'un vendeur de matelas gonflables très réputé qui leur fournirait un moyen sûr de s'échapper.

Le droïde de protocole doré des Solo apparut par une autre porte de l'appartement.

— Bonjour, je suis C-3PO, relations humains cyborgs.

— La galaxie tout entière sait qui tu es, C-3PO, remarqua sèchement Viqi.

— Comme c'est aimable à vous de le rappeler, Sénateur Shesh. (C-3PO fit un geste en direction des sofas et coussins arrangés autour d'une jardinière de ladalums.) Si vous voulez bien vous asseoir. Nous vous attendions. Je vais tout de suite prendre vos commandes afin de vous servir le plus rapidement possible des boissons, à vous et à vos amis.

Le ton du droïde était plaisamment dégagé et la signification de ses propos ne frappa Viqi que lorsqu'il eut disparu dans un couloir. Les espions commencèrent à fouiller dans leurs combinaisons, à la recherche de leurs gnulliths. Viqi dégaina son petit blaster et se lança aux trousses de C-3PO.

— C-3PO ? Tu nous attendais ?

— Mais bien sûr, Sénateur Shesh. (Le droïde sortit à nouveau du couloir, tenant entre ses doigts métalliques une délicate sphère de verre Vors contenant une sorte de substance organique.) On m'a laissé comprendre que ceci vous appartenait.

Luttant pour essayer de trouver un sens à la situation, Viqi pointa son petit blaster vers la tête du droïde.

— Ne bouge pas !

C-3PO se figea.

— Ciel ! (La sphère de verre lui glissa entre les doigts.) Est-ce bien nécessaire ?

Viqi eut à peine le temps de respirer une fois. La sphère explosa sur les dallages du sol et un curieux extraterrestre à la peau grise jaillit de derrière le droïde, tenant à la main un blaster T-21 à répétition. Viqi s'aperçut qu'il était équipé d'un masque respirateur.

Elle tira une fois dans sa direction, entendit l'un de ses espions s'écrouler. En passant devant elle, l'extraterrestre tira deux fois et deux autres guerriers tombèrent. Lorsque le quatrième espion s'affaissa, Viqi comprit que la situation était désespérée et se tourna pour fuir. Même si les Yuuzhan Vong avaient tenu le coup suffisamment longtemps pour se parer de leurs gnulliths, ils n'auraient jamais réussi à tenir tête au Noghri.

Viqi courut vers la porte du balcon. Celle-ci coulissa automatiquement et un autre Noghri apparut devant elle. Viqi fit pas de plus en avant et tira un second coup de blaster. Le rayon manqua sa cible, mais obligea l'extraterrestre à rouler sur le côté pour esquiver.

C'était exactement ce dont Viqi avait besoin. Elle traversa le balcon en courant et enjamba le parapet.

Avec un peu de chance, le chariot volant serait bien là, deux mètres plus bas.

Au creux de ses bras, Luke sentit comme un vide en l'absence de Ben. Régulièrement, il lui arrivait de tenir ses deux mains devant lui, au niveau de son estomac, les coudes légèrement décollés de son corps, se balançant d'un pied sur l'autre et fredonnant doucement pour lui-même. De temps en temps, comme aujourd'hui, il lui semblait même que sa poitrine était chaude, là où son fils aimait à s'appuyer. Il avait même l'impression que l'air était sucré, imprégné de l'haleine lactée du petit Ben.

Percevant un silence soudain, Luke releva les yeux et vit les trois femmes – Mara, Danni et Cilghal – qui se trouvaient avec lui dans la pièce le regarder en affichant un petit sourire entendu. Il sentit le rouge lui monter aux joues et comprit qu'il n'était pas nécessaire de nier le fait que ses pensées étaient ailleurs.

— Bon, eh bien puisque rien d'autre ne fonctionne... (Il haussa les épaules et sourit de façon penaude. Puis il regarda par le hublot de transparacier qui donnait sur le bassin rempli de liquide nutritif dans lequel gigotait une masse de tentacules.) Je me disais qu'on pourrait peut-être essayer avec de la musique, non ?

— C'est cela, oui, dit Mara. Je suis persuadée qu'aucun coordinateur de guerre yammosk ne pourrait résister à « La danse des petits Ewoks »...

— Et pourquoi pas ? demanda Cilghal. Je ne vois pas comment ça pourrait être pire que tout ce que nous avons déjà tenté. Nous savons qu'ils communiquent par modulations gravifiques, mais il doit bien y avoir quelque chose, dans les longueurs d'ondes, qui nous échappe. Toutes nos tentatives pour communiquer avec lui ont échoué.

— Ont-elles échoué ou bien a-t-il refusé de répondre ? demanda Luke, étudiant la créature plus attentivement. Nous n'arrêtons pas de considérer les yammosks comme des animaux. Mais je ne suis pas aussi certain de leur nature. Imaginons qu'il ne veuille pas nous répondre. Après tout, si on considère qu'ils sont assez malins pour coordonner des batailles...

— Alors ils peuvent être assez malins pour refuser de coopérer, dit Danni, secouant la tête d'un air las. A chaque fois qu'on fait des progrès...

Le comlink de Luke se mit à sonner, bientôt suivi par celui de Mara.

Mara fut la première à décrocher.

— Ici Mara.

— Tout va bien, mais Leia tient à ce que vous sachiez qu'on a eu un peu d'agitation de notre côté. (La voix de Han était ténue et crachotante car le signal en provenance de Coruscant, relayé par le centre des communications d'Eclipse, était envoyé à deux comlinks en simultané. Luke éteignit le sien et la voix de Han retrouva toute sa superbe.) Aucune raison de s'inquiéter.

Luke et Mara échangèrent un regard.

— Comment cela, « aucune raison de s'inquiéter » ? demanda Mara. Si nous n'avons aucune raison de nous inquiéter, pourquoi nous appelles-tu pour nous dire qu'il n'y a aucune raison de s'inquiéter, hein ?

— Viqi Shesh nous a rendu une petite visite, intervint Leia. Elle était accompagnée d'une escouade d'imposteurs espions.

— Ils en avaient après Ben ? demanda Luke.

— On dirait bien, répondit Han. Adarakh et Meewahl les ont interceptés. Certains Yuuzhan Vong sont morts. D'autres viennent d'être emmenés au centre d'interrogatoire des services d'espionnage de la Nouvelle République.

— Et Viqi ? demanda Mara.

— Elle a sauté du balcon, dit Leia.

— Le plongeon a été court, ajouta Han. Un chariot volant l'attendait. Les services de renseignement sont en train de le pister.

— Je pense qu'on la retrouvera rapidement, s'empressa d'ajouter Leia. Dans l'heure qui vient, tous les scanners vocaux de Coruscant seront à la recherche de l'empreinte de sa voix.

Luke et Mara se regardèrent à nouveau et Mara haussa les épaules.

— Qui a dit que je m'inquiétais ? demanda Mara. S'il y a des gens, dans cette galaxie, qui savent comment s'occuper des ravisseurs d'enfants, ce sont bien Leia et Han Solo.

Ce qui déclencha un éclat de rire chez les intéressés, qui avaient eux-mêmes perdu le compte du nombre de fois où leurs propres enfants avaient été enlevés.

— Bon, tenez-vous un peu à carreau, vous deux, ordonna Mara. Fini les petites missions secrètes de reconnaissance alors que vous êtes supposés vous occuper de mon fils.

— Bien, m'dame ! dit Han. J'ai besoin de coincer un peu la bulle, de toute façon.

Après avoir coupé la transmission, Luke perçut le sentiment de malaise qui planait chez son épouse. Ils gagnèrent la coursive glaciale. Le système de chauffage d'Eclipse semblait toujours fonctionner en dessous des espérances de tout le monde. Luke se tourna vers Mara et l'aida à remonter la fermeture de sa combinaison thermique jusqu'à sa gorge.

— Ce n'est pas très rassurant d'être ici, dit-il. Surtout quand les Yuuzhan Vong se rendent sur Coruscant pour tenter de s'en prendre à Ben.

Mara parvint néanmoins à sourire.

— Et puis, tout est si calme...

— Tu pourrais peut-être t'absenter quelques jours. Ben serait drôlement content de revoir sa maman.

— Et sa maman serait drôlement contente de le voir ! ajouta Mara. (Elle garda ensuite le silence quelques instants, réfléchissant aux possibilités, et finit par secouer la tête.) Mais sa maman veut aussi le protéger et la seule façon d'y arriver, c'est d'empêcher les Yuuzhan Vong d'envahir Coruscant. Avec tous ces convois de réfugiés qui ont disparu de Ralltiir et de Rhinnal, tout est devenu calme, beaucoup trop calme.

Luke hocha la tête.

— J'éprouve la même chose. (Il lui prit la main et l'emmena vers le hangar principal, où Corran Horn souhaitait leur montrer les toutes dernières modifications des systèmes de visée qu'il venait de faire installer sur les XJ3.) Le calme avant la tempête. Les ténèbres avant la supernova.

43

— Bonnes nouvelles. Maître Lowbacca souhaite vous informer que le *Tachyon* sera prêt au lancement avant même que vous n'attaquiez la reine.

Epouvantés à l'idée que la voix aiguë de M-TD ne retentisse sur les parois inclinées, poussiéreuses et couvertes de ronces qui entouraient le laboratoire, Anakin et les autres tâtonnèrent à la recherche de leurs oreillettes. Ils étaient en train d'observer le centre de clonage à une distance de cent mètres environ. L'air, dans cette section du vaisseau-monde, était si peu en mouvement que le moindre son pouvait porter.

— Il est en train d'insérer le noyau du réacteur au moment où je vous parle, reprit M-TD. Nous allons rentrer chez nous, vous entendez, Maître Anakin ? Nous allons survivre, après tout…

— Affirmatif. (La voix d'Anakin ne fut qu'un murmure. Quelques instants plus tôt, Jacen avait perçu un seul et unique voxyn dans les environs. Il y avait fort à parier qu'ils avaient enfin trouvé la reine. Tout ce qui leur restait à faire, c'était de la tuer avant que les Yuuzhan Vong ne soient avertis de leur présence.) Maintiens le silence radio, maintenant.

— Le silence radio ? (La voix de M-TD était beaucoup plus calme.) Est-ce que ça veut dire que vous avez atteint…

La question fut brutalement interrompue lorsque le droïde fut mis hors circuit. Lowbacca leur adressa un signal d'un seul cliquetis de son comlink. Anakin répondit d'un double clic et continua son inspection. L'espèce de matrice en forme de cône se trouvait au centre d'un immense bassin. Puisque les laborantins avaient été obligés de modifier l'orientation du vaisseau-monde, il devait certainement s'agir au départ d'une grande salle voûtée. Comme les membres du commando s'en étaient rendu compte depuis l'autre côté du spatioport, le sommet de l'immense structure crevait la paroi extérieure du vaisseau. Au vu du nombre impressionnant de réparations pratiquées dans la membrane du plafond, elle devait également servir de colonne de soutènement.

Impossible de deviner si Nom Anor savait que cet endroit était l'objectif que visaient ses proies. Anakin sentit cependant une sorte d'urgence dans la Force. Le commando était parvenu à sortir du quartier des voxyns sauvages depuis plus d'une heure et l'Exécuteur avait dû certainement finir par remarquer que son gibier lui avait échappé. Considérant qu'il connaissait certainement les raccourcis à bord du vaisseau, pouvait-il déjà être en train de les attendre à l'intérieur de la matrice ? Quelqu'un devait bien pouvoir aider Anakin à répondre à cette question, mais qui ? Alema ? Tahiri ? Toutes deux avaient l'expérience des bases Yuuzhan Vong, mais leurs connaissances de ce complexe n'étaient guère plus avancées que celles des autres membres de l'équipe. Il secoua la tête. Il y avait bien quelqu'un d'autre, mais Anakin avait beau se triturer la cervelle, il n'arrivait pas à se souvenir...

A bord du *Tachyon* – un petit cargo hors d'âge mais parfaitement utilisable, de type YV-888, construit par la Corporation d'Ingénierie Corellienne –, Lowbacca resserra le dernier boulon du bouclier de blindage et procéda à des tests préliminaires. Le panneau d'instrumentation s'anima d'une ribambelle de témoins lumineux pendant que le cerveau du réacteur vérifiait ses propres circuits. Enfin, une vapeur verte commença à s'élever au travers du petit hublot d'observation de la porte blindée. Ne constatant aucune fuite au niveau des joints du bouclier, le Wookiee enclencha une vérification des taux de pression, glissa son hydropince dans sa ceinture d'outils et retourna vers le pont pour s'assurer de l'état de santé de son patient. Tekli lui avait assuré que la dose de tranquillisant pouvait endormir même le plus tenace des Jedi, qu'il continuerait même de dormir longtemps après le retour des autres membres de l'équipe. Mais Lowbacca préférait s'en assurer. Il avait déjà été obligé d'attacher Raynar avec un harnais de vol après que le Chevalier Jedi, pris de fièvres, se fut blessé les poignets sur le garde-corps de sa couchette.

Lowbacca passa devant le sas étanche et entendit quelque chose cogner contre la coque extérieure. Il se rendit jusqu'au panneau des systèmes de sécurité et activa le moniteur de surveillance extérieure. L'objectif de la caméra vidéo était tellement couvert de poussière qu'il ne parvint à distinguer que la vague silhouette d'un humain vêtu d'une combinaison pressurisée, frappant le duracier avec la crosse de son mini-canon. Il activa son comlink pour demander ce qui n'allait pas puis se rappela qu'Anakin avait ordonné le silence radio. Il franchit donc le sas, enfila sa propre combinaison et court-circuita deux câbles pour enclencher le processus de dépressurisation.

Lorsque le panneau extérieur s'ouvrit enfin, il perçut une perturbation dangereuse et décrocha son sabre laser de sa ceinture. La porte s'ouvrit et la voix de Lomi Plo retentit dans ses écouteurs :

— J'ai plus besoin de ça. (Elle lança le petit canon blaster, obligeant Lowbacca à le rattraper au vol.) Viens avec moi. Les balafrés ont coincé tes amis.

Elle tourna les talons et commença à descendre la rampe, décrochant dans le mouvement son propre blaster T-21 à répétition qu'elle portait à la ceinture. Lowbacca s'arrêta le temps de raccrocher son sabre laser à son harnais et se lança après elle.

Le Wookiee venait d'atteindre le bas de la passerelle lorsqu'il perçut une autre présence humaine derrière lui, rôdant dans l'ombre du *Tachyon*. Relevant instinctivement le mini-canon, il fit volte-face et vit Welk apparaître de derrière l'un des trains d'atterrissage de l'appareil, un pistolet blaster pointé vers sa poitrine. Comprenant immédiatement qu'il avait été trahi par les deux Jedi Noirs, Lowbacca pressa la détente du mini-canon.

La cellule de l'arme ne contenait même plus assez d'énergie

pour sonner le signal d'absence de munitions. Frappé par la profondeur de la trahison, Lowbacca baissa son canon, activa son comlink, le régla sur la fréquence de celui de Welk et posa une question résumée à un seul mot.

— Parce que tes amis vont finir par se faire tuer, eux et tous ceux qu'ils ont entraînés, voilà pourquoi, répondit Welk.

Il ouvrit le feu. Lowbacca fut frappé en plein torse par l'onde bleutée d'un rayon paralysant. Le Wookiee poussa un râle douloureux, tomba un genou en terre, invoquant la Force pour tenter de rester conscient. Il jeta le mini-canon vers Welk et décrocha son sabre laser. Il roula sur l'épaule et se redressa à genou, sa lame de bronze incandescente pointée vers la taille du Jedi Noir.

D'autres rayons paralysants le touchèrent dans le dos.

— Couché, le Wookiee, dit Lomi. Et estime-toi heureux que nous ayons réglé nos armes au minimum de leur puissance.

Anakin avait à peine fini d'exposer son plan qu'un cône de lumière bleue étincela à travers la membrane transparente et rapiécée du plafond. Il releva les yeux pour découvrir la silhouette du *Tachyon* se découper sur le disque verdâtre de Myrkr. Les tuyères de ses réacteurs virèrent au blanc lorsque les propulseurs ioniques entrèrent en action.

— Lowie ? balbutia-t-il.

Jaina et les autres se ruèrent instantanément sur leurs comlinks, essayant de contacter Lowbacca et de découvrir pourquoi il tentait de s'en aller sans eux. En guise de réponse, ils ne reçurent que des parasites.

— Etrange, dit Tesar Sebatyne. Ce Barabel a toujours cru qu'il n'y avait pas plus loyal qu'un Wookiee.

— Exact, dit Jacen. Et Lowbacca est encore plus loyal que la plupart de ses congénères. Quelque chose ne va pas.

— Effectivement, acquiesça Tenel Ka.

Les membres du commando échangèrent des regards interrogateurs. Anakin essaya de contacter Lowbacca à nouveau. Sans résultat. Jaina décida alors de changer de fréquence pour activer M-TD.

— ... votre cible ? dit le droïde, terminant la question qui se trouvait dans ses circuits de synthèse vocale au moment où Lowbacca l'avait débranché. Ciel ! Mais quand avons-nous donc décollé ?

— M-TD ? Qu'est ce que fiche Lowie ? demanda Jacen. Pourquoi il s'en va ?

— S'en aller ? Mais non, Maître Lowbacca ne s'en va pas, il est là avec... (Le droïde laissa sa phrase en suspens avant de pousser un crissement.) Au secours ! On veut me voler !

— Qui ? demanda Anakin. Qui ça ?

— Qui ça ? répéta le droïde. Mais Lomi et...

La réponse se termina par des parasites.

— Welk, dit Zekk, finissant la phrase à sa place, d'une voix dure et chargée de colère. Lomi et Welk...

Dès qu'il entendit les deux noms, Anakin se souvint des Jedi Noirs qui les avaient guidés à travers tout le terrain d'entraînement. Les dernières paroles que Lomi avait prononcées étaient quelque chose du genre « Oubliez que vous nous avez rencontrés ». Le jeune homme avait vu Lomi lever la main et senti la Force appuyer ses propos. Lomi était aussi subtile qu'elle était puissante. Il ne parvenait même plus à se rappeler si son esprit avait essayé de résister à la persuasion.

Ganner n'était peut-être pas le mieux placé pour comprendre ce que la perte du vaisseau signifiait pour Anakin. Mais, encore une fois, il fut le seul, doté de suffisamment de courage, pour lui faire part de ses pensées.

— Anakin, je suis désolé. Lorsque nous avons découvert qu'ils étaient des Jedi Noirs, nous n'aurions jamais dû...

— Bien au contraire, répondit Anakin. (Il fut lui-même surpris par son propre calme, par sa concentration sur la tâche qui leur incombait.) Sans eux, nous ne serions jamais allés aussi loin. Sans eux, j'aurais péri dans l'arène...

— Ne soyons pas fatalistes, insista Tahiri. Nous allons trouver un autre moyen de quitter ce tas de cailloux.

— Chaque chose en son temps, murmura Anakin. (Tekli était toujours en train de lui prodiguer des soins, projetant les ondes de la Force sur sa blessure pour tenter de colmater ses organes déchirés. Il sentait à présent que son énergie était en train de l'abandonner et que la douleur se faisait de plus en plus présente.) Concentrons-nous sur notre mission.

Les traînées bleutées des propulseurs ioniques du *Tachyon* disparurent à l'horizon. Soudain, un escadron de coraux skippers franchit une membrane du vaisseau-monde et s'élança dans l'espace. Quelques instants plus tard, la silhouette obscure de la frégate de Nom Anor passa dans le ciel, lancée elle aussi à la poursuite du YV-888.

— J'espère que les balafrés vont les rattraper, dit Alema Rar, d'un ton très amer. J'espère qu'ils les jetteront dans une fosse pleine de voxyns !

— Pas moi. (Tenel Ka lui tendit son communicateur. Le petit appareil produisit des parasites, témoignant que les premières boules à plasma venaient de s'écraser contre les boucliers du *Tachyon*.) Notre ami Raynar est toujours à bord.

Le sentiment de désespoir qui germa dans la poitrine d'Anakin lui parut bien trop familier. Il programma son comlink pour activer celui de Lowbacca à distance. Seul le silence lui répondit.

— Lowie, lui, n'est pas à bord, dit-il. Et si quelqu'un l'avait tué, je suis certain que nous l'aurions senti.

Personne ne répondit quoi que ce soit. Anakin releva les yeux de son comlink et s'aperçut que ses camarades étaient tous tournés vers lui, à l'observer. Il vit des larmes perler dans les regards de Jaina et de Jacen. Tahiri s'essuya les joues d'un revers de sa manche.

— Bon, finissons-en, dit Anakin, souhaitant ne pas se laisser décontenancer. (Il fit un signe à Tekli, lui demandant de cesser ce qu'elle était en train de faire, décrocha le blaster G-9 de son épaule et en déploya la lunette à longue portée.) Jaina, laisse un canal ouvert avec le comlink de Raynar. Peut-être que nous entendrons ce qu'il advient de lui.

Ou peut-être pas, songea le jeune homme. Au combat, il arrivait que les gens disparaissent. Personne ne saurait ce qu'il était advenu d'eux. Leurs amis, leurs familles passeraient le restant de leur existence dans le doute et la tristesse.

Personne ne semblant faire mine de se mettre en mouvement, Anakin déclara :

— Bon, on ne va pas passer la nuit là-dessus…

Se ressaisissant, les membres du commando préparèrent leurs armes et ouvrirent leurs émotions à la Force. En dépit des sentiments de fureur et de culpabilité qui flottaient encore du fait de la trahison des Jedi Noirs, le lien psychique parut plus soudé qu'il ne l'avait été au moment de leur emprisonnement. Anakin s'agenouilla à quelques mètres de l'embouchure du tunnel par lequel ils étaient arrivés et leva son arme vers l'une des sombres silhouettes qui se détachaient en bordure du cône et de sa lisière de ronces. Lorsqu'il sentit que les autres tenaient aussi leurs cibles en joue – deux Jedi pour chaque garde – il ouvrit le feu.

Huit rayons de couleur convergèrent le long de la pente, franchirent le roncier et frappèrent les quatre silhouettes. Aucun rayon ne manqua sa cible. Aucun Jedi ne se serait permis de rater une telle attaque, surtout avec la force pour appuyer son aptitude à viser. Malheureusement, seuls deux rayons furent réellement efficaces. Les six autres rebondirent sur les armures de crabe vonduun des gardes, allant ricocher dans la poussière ou bien crevant les parois de la matrice.

Les gardes survivants se jetèrent à terre et rampèrent pour se mettre à l'abri. La moitié du commando commença à dévaler le long de la pente, ouvrant le feu tout en courant, obligeant les Yuuzhan Vong à rester à couvert, dégageant – à grands coups de blasters T-21 à répétition – une ligne de mire pour les armes plus puissantes maniées par les autres membres du groupe.

Anakin et Jaina tirèrent à nouveau. A cette distance, les rayons de leurs blasters avaient tendance à se dissiper, mais ils parvinrent à tenir les gardes en respect. L'un des soldats succomba au long blaster d'Alema. L'autre fut blessé par le mini-canon de Tesar. Puis achevé au T-21 lorsque le Barabel fut enfin parvenu à la distance requise pour conférer aux rayons leur efficacité habituelle. La seconde vague d'assaut accéléra le pas. En dépit de l'énergie que Tesar partageait avec lui, Anakin ne réussit pas à conserver l'allure. Tahiri, Jaina et le Barabel ralentirent pour rester auprès de lui.

— Allez-y ! Je vous rejoindrai.

— C'est ça, quand les Jawa iront aux bains ! cria Tahiri.

— Anakin, tu n'es pas en condition, dit Jaina. Retourne dans le tunnel où est entreposé le matériel et essaie de retrouver Lowie. Peut-être que tu y trouveras une bonne planque pour tenter une transe curative…

— C'est trop tard pour ça, répondit Anakin. Je vais jusqu'au bout.

— Même si cela signifie mettre la vie des autres en jeu ? demanda Jaina. Si tu es trop lent, tu représentes un danger pour nous tous. Essaie au moins la transe…

Anakin savait que les choses étaient allées trop loin pour croire encore aux vertus de la transe. Il avait tellement soif qu'il aurait bu sa propre sueur. Ses entrailles se remplissaient de sang et son abdomen était dur comme le roc. Le moindre effort pour trouver un lieu suffisamment sûr pour plonger dans la transe aurait raison de lui, de toute façon. Mais la seule pensée de se retrouver en position de mettre la vie des autres en danger l'obligea à marquer une pause. C'était une chose que d'accepter de faire face à l'inévitable, mais une tout autre chose que d'entraîner les autres avec soi. Il chercha conseil dans la Force, s'ouvrant complètement à ses flux et reflux, essayant de deviner la voie qu'il devait emprunter.

Un crissement d'écailles de voxyns retentit dans sa tête. Il sentit à nouveau ce même respect teinté de crainte qu'il avait éprouvé lorsque, plus tôt dans l'arène, il avait découvert que c'étaient bien les patriciens Yuuzhan Vong qui venaient s'y battre. La Force lui avait parlé à ce moment-là.

— Je viens avec vous, dit-il.

Jaina serra les dents et détourna les yeux.

— Je m'en doutais.

La première vague d'assaut atteignit le périmètre de la matrice et descendit dans un cratère. Les plantes redoutables déployèrent leurs épines et commencèrent à attaquer comme des serpents. Une demi-douzaine de sabres laser s'allumèrent en même temps, tranchant à droite et à gauche dans la végétation mortelle. Les Jedi gagnèrent l'autre versant du cratère, se débarrassant, tout en courant, des ronces encore accrochées à leurs jambes et à leurs cous. Les ronces voulurent attaquer à nouveau dès que la seconde vague plongea dans le cratère. Les attaquants de la première vague laissèrent leurs camarades se débrouiller et continuèrent leur course vers la matrice. Anakin repéra une compagnie de Yuuzhan Vong. Il sentit leur présence à quelques centaines de mètres derrière la structure du centre de clonage, attendant probablement à l'endroit où le commando aurait dû déboucher en quittant le quartier des voxyns.

Lorsque Anakin et ses compagnons achevèrent leur traversée du roncier, la première équipe s'était déjà mise au travail pour découper les parois de grashal de la matrice. Tenel Ka, Zekk et Alema s'appuyèrent contre le pan de rocher et accompagnèrent sa chute pendant que Ganner se servait de la Force pour le repousser vers l'intérieur.

Une nuée de scarabées en furie jaillit par l'ouverture. Les Jedi, toujours parés de leurs combinaisons au tissage renforcé, firent jouer leurs sabres laser, créant de crépitants éventails de couleurs au fur et à mesure qu'ils détruisaient les insectes. Une grenade explosa à l'intérieur de la matrice, puis une autre et encore une autre, et la tornade de scarabées volants cessa presque immédiatement.

— La voie est libre ! cria Zekk.

Ganner et Jacen se ruèrent à l'intérieur. Jaina empoigna son blaster et courut à leur suite. C'est alors que tous les comlinks des membres de l'équipe émirent un craquement sinistre, bientôt prolongé par un crachotement de parasites. Il y eut une perturbation dans la Force, suffisamment puissante pour leur laisser comprendre que Raynar était mort. Anakin regarda vers le plafond et ne vit rien d'autre, à travers la membrane rapiécée, que l'éclat verdâtre de Myrkr. Il ne saurait jamais ce qui était arrivé.

— Ils le paieront, dit Jaina, détachant ses yeux du plafond. Ils le paieront.

— Et nous aussi, ajouta Anakin. (Les yeux de sa sœur étaient gonflés de fatigue, sa bouche tordue par la tristesse. Elle avait l'air plus frêle et plus inquiète qu'elle ne l'avait jamais été auparavant, selon Anakin.) Nous sommes ici pour détruire la reine. Pas pour nous venger.

— Tu as raison, dit Jaina en s'engageant dans la brèche. La vengeance, ce sera pour plus tard.

Anakin posta Tahiri et Tekli devant l'ouverture, leur confiant au passage le blaster long d'Alema, puis suivit Jaina à l'intérieur de la matrice. Il eut alors l'impression de se retrouver sur Yavin Quatre, en plein orage nocturne. Un épais brouillard flottait dans les hauteurs, quelque part, au-delà de la nuée, des lichens luminescents dessinaient de curieux halos. Ici ou là apparaissaient des rayons de blasters ou des lames de sabres laser, pareils à des éclairs de foudre colorée. L'air humide semblait étouffer tous les cris et les fracas des combats et toute cette aura de mort paraissait soudain plus distante qu'elle ne l'était réellement.

Anakin pivota sur ses talons, juste devant le bloc de grashal écroulé dans l'ouverture, et abattit un scarabée paralysant en plein vol. Il se retrouva face à une véritable jungle de plantes mortelles. Chaque brin torsadé poussait d'un pot de culture rempli d'une boue à l'odeur saumâtre. Les Yuuzhan Vong étaient partout, mais leurs présences étaient trop peu distinctes, trop éparpillées, pour qu'il en sache plus à leur sujet. Deux autres scarabées paralysants fusèrent vers lui, l'obligeant à plonger pour esquiver leur vol. Il échangea son sabre laser contre son puissant blaster et se releva en tirant.

Les rayons l'éblouirent et il ne parvint à deviner qu'une silhouette incertaine, de l'autre côté des alignements de plantes en pots, courant pour se cacher. Le jeune homme contourna les plantations, entendit le sifflement caractéristique d'un sabre laser, puis un autre sifflement caractéristique, celui de Tesar Sebatyne. Le Yuuzhan Vong qui venait de l'attaquer ne lancerait plus de scarabées dans cette vie.

Anakin projeta les ondes de la force et découvrit que le reste de l'équipe était l'objet d'un feu nourri, coincé quelque part dans les ténèbres. La situation serait facile à régler. Il voulut s'emparer d'une de ses grenades incendiaires, mais sentit que Tesar était déjà occupé à faire voler trois objets dans le brouillard obscur qui les entourait.

Une présence Yuuzhan Vong attira l'attention d'Anakin vers l'une des autres jardinières. Roulant hors de sa cachette, il vit une sombre silhouette bondir dans l'allée juste devant lui, bâton Amphi prêt à frapper. Il leva son blaster… et fut projeté en avant lorsqu'un scarabée tranchant, surgissant derrière lui, lacéra son cou en plongeant ses mâchoires vibrantes à travers le tissu renforcé de sa combinaison de protection. L'insecte fit volte-face et fusa, les pinces tendues vers le visage du jeune homme. Celui-ci pivota. L'insecte lui entama la joue. Anakin ouvrit le feu sur sa cible initiale.

Le rayon frappa le Yuuzhan Vong juste à la jointure de l'épaule, le faisant tournoyer sur lui-même. Son bras fut arraché et s'envola au loin dans une odeur de chair carbonisée. Mais le guerrier ne poussa pas le moindre cri. Il se retourna et, de son bras valide, abattit son bâton Amphi.

Le scarabée tranchant qui avait déjà frappé deux fois repassa à l'attaque, fonçant cette fois-ci vers la gorge. Anakin l'esquiva à la dernière seconde. Juste derrière, le sabre laser de Tesar fouetta les ténèbres. Anakin bloqua un insecte d'un revers de son blaster, mais en reçut deux autres au flanc, qui le précipitèrent au sol. Il entendit alors le choc sourd d'un bâton Amphi entrant en contact avec un solide crâne reptilien. Soudain, le flot d'énergie transmit par Tesar fut interrompu et le Barabel sombra dans l'inconscience.

Anakin ouvrit inconsciemment le feu. Il était bien trop occupé à espérer les trois grenades qui n'allaient pas tarder à retomber. Encore combien de secondes ? Le blaster mugit une nouvelle fois et le Yuuzhan Vong qui s'était attaqué à Tesar s'écroula.

Anakin trouva enfin ce qu'il cherchait et poussa les ondes de la Force. Une sensation de danger l'obligea à rouler sur le côté. Un scarabée tranchant s'écrasa contre le sol à l'endroit où se trouvait sa tête une fraction de seconde plus tôt. Il écrasa la créature pour s'assurer qu'elle était bien morte et entendit la détonation caractéristique d'une grenade. Souhaitant être toujours vivant lorsque le vacarme cesserait, il ferma les yeux et se concentra sur son cristal lambent dans l'espoir de repérer le Yuuzhan Vong embusqué.

Ce n'était guère facile. Il y avait beaucoup trop de Yuuzhan Vong en beaucoup trop d'endroits différents. Il sentit quelque chose sur sa gauche, pivota et tira.

L'alarme du blaster, indiquant une surchauffe de la cellule énergétique, retentit suffisamment fort pour être entendue dans le crépitement des coups de feu. La présence Yuuzhan Vong était beaucoup plus proche, à présent. Rengainant le blaster devenu inutile, Anakin décrocha son sabre laser de sa ceinture et en activa la commande d'un revers du pouce. Il leva son arme en diagonale pour faire écran et intercepta un coup de bâton Amphi qui descendait vers sa tête. Les yeux toujours fermés pour ne pas être ébloui par l'incendie provoqué par les grenades, il ramena ses jambes et prit les genoux de son assaillant en ciseaux. L'affrontement fut prestement réglé d'un coup de sabre laser.

La tornade infernale des grenades commença à s'apaiser et Anakin ouvrit les yeux. Il vit les lichens phosphorescents étinceler et les derniers nuages de vapeur se dissiper dans l'air brûlant. Il resta étendu pendant un long moment, évaluant son état de santé, essayant de chasser son angoisse. Il lui fallut l'équivalent de cinq respirations pour établir que la douleur n'était causée que par sa précédente blessure et dix battements de cœur pour en reprendre le contrôle.

Graduellement, Anakin reprit conscience du lien psychique et de la joie croissante éprouvés par le reste du commando. Repoussant son agonie dans les tréfonds de son être, il invoqua la Force pour y puiser l'énergie nécessaire à se remettre sur pied. Les Jedi étaient en train de progresser par le flanc gauche de la matrice, repoussant les derniers guerriers et laborantins Vong, détruisant les plantes nourricières et les cocons de clonage au fur et à mesure de leur avancée. Dans l'enchevêtrement des plantes, il ne parvint pas à discerner ce que ses camarades étaient en train de pourchasser. Mais il sentit une présence près du mur de grashal, piégée juste au niveau du sol. Une présence perturbée, sauvage, féroce. Effrayée.

Derrière Anakin retentit un coup de blaster long. Il sentit une décharge de panique émaner de Tahiri et se tourna pour la voir jaillir par une brèche de la paroi. Une énorme boule de feu surgit à ses trousses et explosa à l'intérieur de la matrice. La jeune femme fut catapultée vers l'avant.

Anakin se lança à sa rescousse. A peine avait-il fait deux pas qu'il la vit se relever.

— Des cracheurs de magma ! Ils ont coupé notre retraite !

Anakin ne prit pas la peine de regarder.

— Et Tekli ?

Tahiri indiqua un point juste derrière lui. Anakin vit la Chadra-Fan occupée à saupoudrer des sels sur la langue fourchue de Tesar. Le Barabel souriait, mais n'avait toujours pas repris conscience.

— Emmenez-le avec vous, partez d'ici ! (Chaque mot semblait lui déchirer les entrailles. Il indiqua le reste du groupe.) Il va falloir que vous perciez une autre porte de sortie.

— Et toi ? dit Tahiri. Je ne vais pas…

— Exécution ! aboya Anakin. (Il vit le visage de son amie se décomposer et il ajouta, plus gentiment :) Il faut… que tu aides Tekli. Je vous rejoindrai.

— Oui, Tahiri, déclara Tekli. (Elle adressa un regard entendu à Anakin, puis s'agenouilla près de Tesar et commença à le gifler.) Tesar ne revient pas à lui. Je ne peux pas le déplacer et le soigner en même temps.

Tahiri les observa d'un air dubitatif. Elle ne pouvait pas cependant leur refuser son aide. Elle ravala ses larmes et se pencha pour embrasser Anakin sur les lèvres. Elle se ravisa, s'écarta et secoua la tête.

— Non. Pour ça, il faudra que tu nous rejoignes.

Anakin lui adressa l'un de ses sourires en coin dont il avait le secret.

— Ce ne sera pas long.

— C'est cela, ce ne sera pas long, répéta Tahiri. Que la Force soit avec toi.

Elle avait terminé sa phrase presque en chuchotant et Anakin se demanda si elle avait dit cela dans l'intention qu'il l'entende. Bien trop conscient de la faiblesse croissante de ses jambes, il s'approcha de la brèche et jeta un coup d'œil à l'extérieur. Des batteries d'artillerie avaient été installées au-delà du roncier et quatre cracheurs de magma étaient à présent braqués sur la matrice. Personne ne semblait vouloir attaquer, ce qui signifiait que la principale intervention aurait lieu par le versant opposé. Anakin se tourna en direction de l'entrée principale et se concentra sur les informations que lui relayait le cristal lambent. Il ne fut pas surpris de détecter une importante présence Yuuzhan Vong sur les lieux présumés de l'embuscade.

Il se mit en route, essayant de courir, lentement, péniblement. Par deux fois, ses jambes défaillirent et il dut mettre un genou à terre. La seconde fois, il dut simultanément repousser les assauts d'un Yuuzhan Vong au regard vitreux, bien plus entraîné au combat au corps à corps que lui. Il remporta la victoire en fracassant l'une des jardinières, se servant de la Force pour se soulever dans les airs pendant que le torrent de boue nutritive balayait son adversaire. Il ne faillit en revanche pas survivre à l'affrontement suivant. Un bâton Amphi s'abattit sur sa blessure et fit sauter une partie des sutures. Sa vie ne fut sauvée que lorsqu'il se servit de la Force pour projeter violemment son blaster contre le front tatoué de son agresseur.

Ramassant son arme et essayant de se relever, Anakin se mit à vomir du sang. Avant même de s'essuyer la bouche, il invoqua de nouveau la Force pour se redresser dans l'espoir de se remettre à courir. Il fallait qu'il atteigne la porte principale avant la section d'assaut ennemie. Enfin, il dépassa la dernière jardinière et aperçut la membrane du portail à vingt mètres sur sa gauche. L'ouverture était aussi large qu'une Aile-X et deux fois plus haute. Le coin le plus éloigné de la membrane se souleva légèrement. Anakin se cacha le long d'une jardinière. De sa main libre, il décrocha un détonateur thermique de son harnais d'équipement.

Lorsqu'il vit la silhouette qui venait de pénétrer à l'intérieur de la matrice, le jeune homme faillit en lâcher son projectile. Le nouveau venu lui tournait le dos, il portait une combinaison renforcée en piteux état et devait bien dépasser d'une tête la plupart des êtres humains. Il se mit aussitôt en route vers les enclos à voxyns.

— Lowie ? appela Anakin, se servant de la Force pour que sa voix, très faible, atteigne l'individu.

Le jeune homme projeta une onde, mais perçut la même présence Yuuzhan Vong qu'auparavant. Le nouveau venu se retourna et révéla un profil presque humain, agrémenté de longs cheveux couleur de sable. Il leva un vieux fusil blaster E-11.

Anakin se cacha à nouveau derrière une jardinière et activa son comlink.

— Attention, des imposteurs Vong ont infiltré le complexe, lança-t-il. L'un d'entre eux se dirige vers les enclos.

Une tempête de feu blaster se déclencha dans un vacarme assourdissant. Elle fut accompagnée, dans le lien psychique, d'un sentiment de frustration de la part des Jedi. Les angles de tir étaient tous obstrués. Quelque part, une grenade retentit et Jaina cria un ordre de charge.

La porte membrane s'enroula vers le haut, révélant quarante paires de pieds Yuuzhan Vong attendant de se précipiter à l'intérieur. Anakin s'ouvrit complètement à la Force. Il l'attira à lui par le seul pouvoir de ses émotions. Il ne se servit pas de la colère ou de la peur, comme le ferait un Jedi Noir, mais plutôt de l'amour qu'il éprouvait pour sa famille et ses camarades Chevaliers, de la foi qu'il nourrissait pour l'Ordre Jedi et de sa confiance en des jours meilleurs. La Force afflua de toute part, emplissant son être, saturant et dévorant son corps d'un maelström de puissance et de détermination. Il n'y avait pas de raison d'avoir peur, pas de raison de pleurer. Il la sentait couler en lui tout en se sentant lui-même couler en elle. Anakin était la Force et la Force était Anakin.

Le jeune homme se releva. Son corps semblait émettre une faible aura lumineuse – le dernier éclat de ses cellules en train de se consumer – dans l'air qui crépitait tout autour de lui. Sa blessure ne lui faisait plus mal. Il était à présent complètement au fait de tout ce qui se passait dans l'enceinte de grashal : l'odeur moisie des scarabées paralysants en plein vol, la chaleur étouffante montant des jardinières, le souffle court de ses compagnons Jedi et l'acharnement des Yuuzhan Vong. Leur présence était maintenant aussi distincte que celle de ses camarades, comme si la Force s'était soudainement propagée afin d'y inclure aussi les ennemis du commando.

Ouvrant le feu tout en courant, Anakin s'élança contre la porte en train de s'ouvrir. Chaque rayon alla frapper, un à un, les pieds des guerriers Yuuzhan Vong. Des grondements étouffés s'élevèrent de derrière la membrane. Sous l'ouverture, une demi-douzaine de guerriers se jetèrent à terre et se laissèrent rouler à l'intérieur de la matrice. Il les abattit avant qu'ils n'aient le temps de se relever. Atteignant enfin le portail, Anakin aplatit sa main sur la zone sensible d'activation et la membrane commença à se refermer.

— Bave de Hutt ! cria Jaina dans le comlink. Elle s'échappe !

Anakin venait également de le sentir. La reine avait réussi à se glisser dans les sous-sols pour fuir le commando. Il activa son propre comlink.

— L'imposteur a dû ouvrir une brèche pour elle ! (Parler ne lui faisait plus mal. Son aura, de faible, avait considérablement gagné en éclat. Ses cellules le brûlaient, comme rongées par le feu.) Jacen, prends le commandement. Emmène tout le monde avec toi et rattrapez la reine !

La surprise de Jaina de ne pas entendre son nom se répercuta dans la Force comme un cri à la surface de l'eau. Elle ravala ses rancœurs et demanda :

— T'es coincé, frérot ?

— Le passage sera bientôt dégagé.

Anakin, d'un coup de sabre laser, défonça la plaque de commande de la membrane et contourna ensuite l'enclos à voxyns à présent vide. Il perçut des Yuuzhan Vong devant lui, cachés entre les rangées de jardinières, confortés à l'idée que leurs renforts allaient bientôt arriver. Cet optimiste changea brusquement quelques instants plus tard lorsque Anakin commença à arroser leurs flancs de rayons de son blaster. Son angle de tir n'était pas des plus pratiques pour les toucher en pleine tête et ses rayons étaient trop faibles pour pénétrer leurs armures de crabe vonduun. Mais le temps que les Yuuzhan Vong s'en aperçoivent, le Jedi leur aurait déjà réglé leur compte.

Une boule de plasma rugit à travers le portail de grashal et enflamma les plants de lianes nourricières sur une longueur de vingt mètres. Anakin fit volte-face et chargea à nouveau vers la porte membrane, à présent fondue. De petites décharges électriques dansaient maintenant sur ses bras et ses jambes. La Force était en train d'investir son corps en entier, le consumant un peu plus à chaque seconde qui s'écoulait. Il était à présent complètement investi par le Côté de la Lumière. Son corps meurtri ne résisterait plus longtemps. L'énergie était à présent en train de s'échapper, détruisant une enveloppe beaucoup trop faible pour la contenir.

Des Yuuzhan Vong aux pieds intacts surgirent par l'ouverture par rangées de cinq. Il abattit le premier rang à une distance de quinze mètres, son pistolet blaster mugissant deux fois entre chaque foulée ennemie, chaque rayon transperçant un visage ou une gorge. Le canon volcan mugit à nouveau. Une sphère de feu immaculé, semblant surgir de nulle part, explosa juste devant lui. Anakin plongea, roula vers le mur, heurta la paroi avec ses bottes et rebondit en un saut périlleux arrière. Il se rétablit à une dizaine de mètres de la boule de feu.

— Anakin !

Les pleurs de Jaina ressemblèrent à un cri.

File ! lui ordonna-t-il mentalement dans la Force. *La reine va s'échapper !*

Le blaster cracha à nouveau dans la main d'Anakin, abattant des guerriers Yuuzhan Vong aussi vite que le jeune homme pouvait appuyer sur sa gâchette. D'autres soldats firent irruption. Un scarabée tranchant se ficha dans son épaule dénudée. Sa combinaison, en partie désintégrée par les décharges de Force qui émanaient de ses membres, ne le protégeait plus. Il accompagna l'impact de l'insecte et pivota sur lui-même avant de faire feu à nouveau. L'alarme de surchauffe retentit encore une fois. Les Yuuzhan Vong lancèrent sur lui des volées de scarabées, tout en chargeant. Certains déroulèrent leurs bâtons Amphi accrochés autour de leurs tailles.

Anakin lança son pistolet blaster vers le premier et l'assomma. Il bondit par-dessus le deuxième, activant son sabre laser en plein vol. Il atterrit juste en face de l'entrée et se lança dans une danse d'attaques et de parades, alternant un blocage toutes les deux attaques, frappant de façon mortelle à chaque coup. Son aura était à présent si vive que les ombres de ses adversaires se projetaient au loin sur les murs. Il fit fouetter sa lame de droite à gauche, para une attaque, trancha deux gorges et sonna un autre guerrier d'un coup de pied en revers à la tête.

D'autres se jetèrent sur lui, l'assaillant de trois directions à la fois. Il sentit les crocs d'un bâton Amphi lui labourer les chairs. La Force brûla le venin dans son système avant même qu'il ne s'en aperçoive. Ces nouvelles blessures lui causeraient moins de tort que celle qu'il avait à l'abdomen. Mais une douzaine d'autres guerriers étaient en train d'accourir. Il ne pourrait plus les retenir longtemps. Il en tua un autre, puis un autre, et reçut un coup critique à la cuisse, l'obligeant ainsi à perdre du terrain face à ses adversaires. Les Yuuzhan Vong s'élancèrent et tentèrent de le contourner par la droite.

Le blaster long mugit depuis l'autre côté de l'enclos à voxyns. L'arme perça un trou de la taille d'une tête humaine dans la poitrine d'un Yuuzhan Vong et un second trou, de la taille d'un poing, dans le guerrier qui se trouvait juste derrière. Anakin se lança dans une pirouette arrière et retomba cinq mètres plus loin. Son aura crépitait de plus belle, au fur et à mesure que toutes les cellules de son corps explosaient. Il risqua un coup d'œil par-dessus son épaule et aperçut Jaina, en bordure de l'enclos, des larmes coulant sur ses joues, le blaster long calé au creux de son épaule. Jacen se trouvait juste à côté d'elle, pleurant lui aussi, essayant de tirer sa sœur jumelle par le bras.

Filez ! leur dit Anakin. *Je ne peux plus les retenir.*

Les Yuuzhan Vong chargèrent encore et Jaina ouvrit de nouveau le feu. Un autre guerrier s'écroula, mais les autres continuèrent d'avancer. Anakin fit un autre bond de cinq mètres en arrière et sentit quelqu'un – certainement un ennemi – tenter de se glisser le long de la paroi de grashal. Il recula jusqu'à être en mesure d'identifier la silhouette. C'était l'imposteur qui, se faisant passer pour un Jedi, était en train de pousser un imposant conteneur de cargo afin de boucher la brèche par laquelle les Jedi comptaient s'échapper.

Mais un guerrier le rattrapa et Anakin fut obligé de se défendre. Sa lame violette darda d'avant en arrière, bloquant, parant, esquivant coup après coup. Découvrant une faille dans la défense de son adversaire, Anakin lança ses deux pieds et planta ses talons au centre de la poitrine du Yuuzhan Vong. Le sabre laser trancha deux fois, décapitant au passage les deux guerriers Yuuzhan Vong se trouvant à proximité. Le jeune homme poussa sur ses pieds et battit en retraite en exécutant un enchaînement de pirouettes assisté par la Force.

Il continua ainsi jusqu'à découvrir l'endroit d'où provenait l'imposteur. Il s'agissait d'une zone technique se trouvant près de l'enclos de la reine. Des douzaines de lianes étaient étalées en travers d'un plan de travail, toutes terminées par des petits cocons de clonage. Certains étaient ouverts, d'autres fermés. L'endroit ressemblait à une station où pouvaient être transférés les tissus vivants.

C'était probablement ce que l'imposteur était en train de transporter. Un conteneur plein à ras bord de tissus voxyns. De quoi créer un million d'autres clones de la reine. L'aura d'Anakin crépita et se réduisit un petit peu. Elle crépita de nouveau et faiblit encore sous le coup de la réaction en chaîne résultant de la détérioration des cellules. Le cycle se fit de plus en plus rapide, au fur et à mesure que tombaient les dernières barrières de son corps capables de contenir l'énergie. Anakin ne se sentit pas partir. Il eut plutôt l'impression qu'il était en train de se fondre dans la Force. Il décrocha son dernier détonateur thermique de son harnais et appuya trois fois sur le minuteur.

Filez maintenant !

— Non, Anakin, je ne peux pas ! cria Jaina dans son communicateur.

Anakin leva le détonateur au-dessus de sa tête pour que son frère et sa sœur puissent le voir. *Trente secondes.* Il lâcha le bouton. *Emmène-la, Jacen. Et embrasse Tahiri de ma part.*

Les guerriers chargèrent à nouveau. Anakin lança son détonateur vers la paroi de grashal. Il n'eut pas conscience qu'il se servait de la Force pour guider son projectile, mais celui-ci heurta l'imposteur en pleine tête.

Anakin fut trop occupé à se défendre pour voir ce qui se produisit au cours des secondes suivantes. Lorsqu'il parvint enfin à échapper à ses attaquants, se contentant de reculer, trop faible pour exécuter une nouvelle série de pirouettes, il aperçut l'imposteur en train de se relever, se frottant la tête et cherchant ce qui avait bien pu le frapper. Et même à trente mètres de distance, son nez fracturé et son orbite balafrée révélèrent clairement son identité. Nom Anor.

Le regard de l'Exécuteur se posa enfin sur la petite sphère métallisée. Il écarquilla son seul œil valide, au point que celui-ci atteignit presque la taille de la bille de plaeryin qui remplaçait son globe oculaire manquant. Il se pencha pour la ramasser.

Anakin invoqua la Force pour repousser la sphère. C'est alors qu'il prit un coup de bâton Amphi dans les flancs. Il s'écroula en lâchant son sabre laser. Son aura n'était plus qu'un faible scintillement, n'apparaissant que par intermittences. Le maelström qui l'avait jusqu'alors animé était en train de l'abandonner pour se fondre à nouveau dans la Force.

Nom Anor courut jusqu'au détonateur. Anakin attendit. Il attendit que l'Exécuteur l'ait presque rejoint. Puis le jeune homme utilisa une dernière fois la Force et fit rouler la sphère jusqu'au conteneur.

Il n'entendit pas le juron qui résulta de son action, pas plus qu'il ne vit Nom Anor détaler à toutes jambes.

Lorsque l'explosion se produisit, Anakin n'était plus.

44

— Non, pas possible, ils ne peuvent pas s'en prendre à Eclipse. Pas avec la flotte qui a quitté Borleias, déclara Kenth Hamner. (Il servait à présent de liaison officielle entre les Jedi et la Nouvelle République. Il était arrivé à la base une heure auparavant avec des informations alarmantes concernant les mouvements de la flotte Yuuzhan Vong.) Même en imaginant qu'ils soient capables d'amener autant d'appareils jusqu'ici, il leur faudrait une année standard pour passer les chicanes des routes hyperspatiales.

Les meilleurs tacticiens Jedi étaient rassemblés dans la salle de guerre d'Eclipse et étudiaient trois schémas mis en place par Luke Skywalker. Le premier hologramme représentait le réseau de routes hyperspatiales qui partait de la planète Borleias. Le deuxième montrait le chemin tortueux qui conduisait jusqu'à Eclipse, ainsi que la base elle-même, retranchée derrière sa ceinture d'astéroïdes, à l'abri de géantes gazeuses voisines. Le troisième hologramme affichait le système de Coruscant dans son intégralité et c'était vers cette carte que les yeux de tous ne cessaient de revenir. Particulièrement vers un obscur amas de comètes croisant devant la face la plus essentielle de la planète capitale.

Mara indiqua du doigt la masse grouillante de queues de comètes.

— Et il y aurait donc des astéroïdes non référencés qui se trouveraient dans les environs d'OboRin ?

— Nous gardons l'œil sur eux, répondit Kenth. On peut les éliminer à n'importe quel moment.

Personne n'osa suggérer que les astéroïdes en question pourraient bien être des appareils de reconnaissance ennemis. Corran Horn, l'un des Jedi qui étudiaient les schémas, avait expliqué quelque temps auparavant que l'aérolithe était le type de camouflage de prédilection des éclaireurs Yuuzhan Vong.

— Bon, c'est réglé, dit Luke.

Il ajusta le projecteur holographique, fit disparaître le schéma des routes hyperspatiales de Borleias et celui du système d'Eclipse. Il allait agrandir l'image représentant Coruscant lorsque sa connexion avec Anakin se renforça soudainement. Dans son esprit, il eut une vision furtive d'un guerrier Yuuzhan Vong chargeant au travers d'une sorte de jungle. Il vit une lame violette zébrer l'air de part et d'autre. Il devina une lumière dorée brillant au fond des ténèbres. Luke sentit que son neveu était calme et concentré, en harmonie avec la Force et avec lui-même. Mais il était faible et continuait de faiblir de minute en minute.

— Maître Skywalker ? demanda Corran. Que se passe-t-il ?

Luke se détourna et ne répondit rien. Il savait que Saba Sebatyne avait perçu la mort des sœurs Hara et la disparition de certains autres. Mais il n'arrivait pas à savoir qui avec exactitude. Il y avait juste une absence de plus en plus marquée des Jedi dans la Force. Et, à l'heure qu'il était, le commando était en train de perdre Anakin. Et c'était Luke qui l'avait envoyé là-bas. Qui les avait tous envoyés là-bas.

— Luke ? demanda Mara, se tenant à côté de lui pour lui prendre la main.

Luke la laissa faire, mais projeta les ondes de la Force pour contacter Jacen et Jaina. Il les trouva tous deux envahis par la tristesse et l'horreur, la peur et la colère. Mais ils étaient toujours vivants et toujours forts.

Et soudain, il sentit qu'Anakin n'était plus.

Luke eut l'impression que les Yuuzhan Vong venaient de plonger leurs mains au fond du corps de son neveu pour le retourner tel un gant. Il y eut alors un grand vide obscur dans son cœur, une tempête si féroce et si glacée qu'il ne put s'empêcher de trembler de façon incontrôlable.

— Luke ! Arrête ! (Les doigts de Mara se fichèrent dans le bras de son époux et elle le fit brusquement tourner pour pouvoir lui faire face.) Ferme ton esprit ! Ben va sentir ce qui est en train de t'arriver. Réfléchis aux conséquences que cela pourrait avoir !

Luke posa la main sur celle de sa femme et se ressaisit, estompant sa propre présence dans la Force, perdant sa connexion avec les jumeaux. Incapable de contenir la colère qui était en train de monter en lui et soucieux de ne pas l'infliger à son propre fils, il s'ébroua et aplatit ses mains sur le projecteur holographique.

— Maître Skywalker ? s'étrangla Kenth.

— C'est Anakin… répondit Mara.

— Anakin ? Oh…

Des murmures et des cris d'étonnement étouffés se propagèrent dans la pièce. Corran parvint à reprendre la parole :

— Maître Skywalker ? Qu'est-ce qu'on peut faire ?

Que pouvaient-ils faire, effectivement ? songea Luke. Il regarda Mara, luttant pour recouvrer un peu de contenance et concentra ses pensées. La question n'était pas ce qu'ils *pouvaient* faire, mais ce qu'ils *devaient* faire.

— Anakin… dit Luke, butant sur les mots. Anakin est mort pour notre cause.

Corran et les autres attendirent en silence, observant leur chef, attendant de lui qu'il prenne une décision.

— Ce que nous devons faire, c'est nous préparer à la bataille, dit enfin Mara, prenant le contrôle de la situation. (Elle se tourna vers Kenth.) Contactez l'Amiral Sovv. Il va nous falloir une baie d'accostage lorsque nous arriverons à Coruscant.

Avec des cernes sous les yeux aussi sombres que ses pupilles vitreuses de Sullustain, l'image vidéo du Général Yeel évoquait un peu un enfant Yuuzhan Vong doté de bonnes joues. Un enfant gâté, même. Han aplatit violemment la paume de sa main sur la console des communications – loin du micro et de l'objectif de la caméra vidéo – et se força à adopter un sourire tolérant.

— Non, je ne vous dis pas qu'il y a des lacunes dans les systèmes de sécurité, Général Yeel, dit Han. (Il se trouvait avec Lando dans le petit bureau aménagé dans la résidence d'Eastport, essayant de rendre encore une fois service à la Nouvelle République et constatant, encore une fois, combien cela pouvait se révéler difficile.) Mais je vous rappelle que Viqi Shesh faisait partie du comité de surveillance militaire. Elle peut très bien avoir infiltré un espion, ou un imposteur, au sein de l'équipe chargée des déflecteurs au cours des deux dernières années. Pourquoi prendre des risques ?

— Avez-vous la preuve de ce que vous avancez, Solo ? (Pas « Général Solo » ou bien « Général de réserve » ou encore Han. Juste Solo.) Si vous disposez de preuves, je les soumettrai au comité immédiatement.

— Je n'ai pas de preuves, c'est bien le problème, dit Han, se passant la main sur le front. Ecoutez, quel mal y aurait-il à assigner deux CYV par générateur de station ? C'est pourtant une bonne affaire qu'on vous propose, non ?

— Certes. Ce qui est gratuit est toujours une bonne affaire, répondit Yeel. Mais qu'est-ce que ça cache ? Qu'est-ce qui ne va pas chez ces droïdes ?

Lando se glissa dans le champ de la caméra vidéo.

— Ces droïdes sont en parfait état, Général, je vous le garantis. Je suis un loyal citoyen de la Nouvelle République, désireux de faire tout son possible pour aider.

Yeel lui adressa un regard dubitatif.

— Mais c'est pourtant un droïde CYV qui a failli à sa mission de protection du Chef d'Etat Fey'lya lorsque des imposteurs Vong l'ont attaqué…

— Nous avons découvert une petite défaillance dans le programme de démonstration, dit Lando, d'un ton très patient. Les droïdes que je m'apprête à donner à la Nouvelle République seront opérationnels, parfaitement prêts pour le combat.

— C'est bien ce qui me fait peur, Calrissian. (Yeel cligna deux fois des yeux, puis croisa les bras sur la table devant lui et se pencha vers la caméra vidéo.) Le Chef d'Etat Fey'lya m'a demandé de prendre votre appel et je me suis exécuté. En revanche, je me refuse à affecter des unités issues d'une nouvelle technologie aux générateurs de stations sans avoir procédé au préalable à une totale évaluation de leurs compétences. Et les Défenses Planétaires se refuseront à procéder à une telle évaluation tant qu'elles n'auront pas des certitudes au sujet de ce qu'il est advenu de la flotte de Borleias. Je suis désolé, Calrissian…

Un gémissement angoissé retentit dans le couloir. Un cri si aigu et si syncopé que Han ne parvint pas à discerner si la voix était humaine. Lorsqu'il comprit qu'il s'agissait de celle de Leia, il bondit de sa chaise et ramassa précipitamment son blaster sur la table.

— Leia !

Le gémissement s'amplifia et sonna encore moins comme une voix humaine. Han dévala le couloir et fit irruption dans le bureau de Leia. Il y découvrit Adarakh et Meewahl, de part et d'autre du grand bureau, l'air confus et désespérés. Le visage poilu du Général Ba'tra du centre de commandement des Défenses Orbitales, sur l'écran vidéo, avait l'air tout aussi perplexe et l'officier ne cessait de répéter : « Princesse Leia ? Princesse Leia ? » Leia était elle-même allongée sur le sol, recroquevillée en position fœtale, hurlant quelque chose d'incompréhensible.

Lorsque Han constata qu'il n'y avait pas de menace directe dans la pièce, il s'agenouilla au côté de son épouse et lui prit le bras.

— Leia ?

Elle ne sembla pas se rendre compte de sa présence. Ses yeux étaient cernés de rouge et de grosses larmes coulaient sur ses joues et gouttaient sur le sol. La seule chose que Han parvint à obtenir d'elle fut un long « aaaaaaaaa… ».

Et le Général Ba'tra de répéter : « Princesse Leia ? Princesse Leia ? »

Lando arriva dans la pièce et, ignorant ce qui se passait sur l'écran de la console de communication, posa une main sur l'épaule de Han.

— Qu'est-ce qui se passe ?

Han secoua la tête et regarda les Noghri.

— Dame Vador était en train de s'entretenir avec le Général Ba'tra, expliqua Meewahl. Elle venait de lui annoncer que Dame Risant Calrissian venait de se mettre en route avec un contingent de mille droïdes-chasseurs et puis, soudain, elle a cessé de parler...

Leia saisit le bras de Han.

— Aaaaaa... Aaaaa... balbutia-t-elle.

Han comprit. Anakin n'était plus.

Leia avait ressenti sa mort à distance.

— Princesse Leia ? demanda encore le Général Ba'tra. Est-ce que vous allez...

Se rendant compte qu'il tenait encore en main son fidèle blaster DL-44, Han fit feu, réduisant la console de communication au silence. Cela lui fit tellement de bien qu'il en profita pour braquer son arme sur le générateur holographique pour le désintégrer également. Tout le réseau vidéo et tous les équipements électroniques se mirent à crépiter et à produire des étincelles au fur et à mesure que fusaient les puissants rayons de particules de l'arme à feu.

— Han ! cria Lando. Han ? Qu'est-ce qui t'arrive ?

— Il est mort. (Han désintégra un datablos posé sur le bureau de Leia. Il tourna son blaster vers un tableau holographique accroché au mur et Lando fut obligé de plonger pour ne pas être touché.) Ils ont tué notre gamin !

Han pressa à nouveau la gâchette et regarda l'image du tableau – les tours élancées de Terrarium City – disparaître dans une tornade d'étincelles. Adarakh se jeta sur lui, exécuta une prise au bras qui tenait le blaster et envoya voler l'arme au loin. Han retomba sur son derrière en sanglotant, trop las pour être en colère, trop certain de ce qu'il lisait dans le regard de Leia pour douter de la vérité.

Mais Leia n'y prêta pas attention. Toujours en train de pousser des gémissements d'angoisse, elle se releva et quitta précipitamment la pièce. Han la regarda partir, comprenant, dans un petit coin de sa tête, que Ben était en train de pleurer.

Lando s'accroupit à côté de lui. Le bras toujours coincé dans la clé exécutée par Adarakh, Solo releva les yeux vers son vieil ami.

— Anakin est mort…

— Han, je suis désolé. (Il reporta son poids d'une jambe sur l'autre, releva les yeux vers Adarakh et fit un signe de tête en direction de la porte.) D'abord Chewie et puis… Ça… Je ne peux pas imaginer…

— Moi non plus… Et toutes ces terribles choses que je lui ai dites… gémit Han. (Dans le fond de l'appartement, Ben pleurait, de façon plus violente. Leia joignit ses pleurs à ceux du bébé.) Je l'ai poussé à cela… Il a voulu me prouver que…

— Non. (Lando se pencha et regarda Han droit dans les yeux.) Ecoute-moi, mon vieux. Anakin est mort parce qu'il était un Chevalier Jedi et, en tant que tel, il a fait ce que tout autre Chevalier Jedi aurait fait. Pas à cause de ce qui est arrivé à Chewbacca. Pas parce qu'il voulait te prouver quelque chose…

— Et comment tu sais ça, toi, hein ? aboya Han. (Il n'avait pas eu cette réaction parce que Lando lui avait dit quelque chose de douloureux, mais tout simplement parce que la fureur était de nouveau en train de gronder en lui et qu'il avait besoin de passer sa colère sur quelqu'un.) Ce n'est pas ton fils !

— Non, c'est vrai. (Une lueur peinée, presque coupable, scintilla dans les yeux de Lando.) Mais c'est moi qui l'ai livré aux Yuuzhan Vong. Il avait cessé de s'accuser de la mort de Chewbacca… Et il savait combien tu l'aimais. Tout le monde s'en était rendu compte.

La gentillesse dans la voix de Lando contribua à calmer la colère de Han. Cette dernière céda la place au désespoir. Il savait pourtant que son ami était en train d'essayer de le réconforter, de l'empêcher de se laisser aller comme il l'avait fait après la mort de Chewbacca. Mais les mots semblaient résonner, étrangement creux. Han était bien conscient du comportement qu'il avait adopté après le trépas de Chewie. Il savait qu'il avait reporté sa colère sur Anakin et qu'il avait laissé le reste de sa famille partir à la dérive pendant qu'il pleurait dans son coin. Il avait presque failli les perdre. Et voilà que cela se produisait à nouveau. Cette fois-ci, Leia ne serait pas assez forte pour souder le moral de tout le monde. Cette fois-ci, Leia aurait besoin que quelqu'un soit fort à sa place.

C-3PO arriva dans la pièce d'un pas sonore. Sa voix électronique poussa un cri d'alarme.

— Au secours ! Quelqu'un ! Maîtresse Leia a débranché Nana et maintenant elle essaie de l'étrangler !

Gardant une main posée sur l'épaule de Han, Lando se releva.

— Etrangler qui, C-3PO ?

— Ben ! s'exclama C-3PO en levant ses bras dorés vers le ciel. Elle ne veut plus le lâcher !

— Je vais voir ce que je peux faire ! (Lando poussa C-3PO vers Han et se tourna vers la porte.) Surveille-le !

— Non, Lando, je vais y aller, moi... (Han prit la main que lui tendait C-3PO et se releva.) Il faut que ce soit moi...

Lando souleva un sourcil dubitatif.

— Tu te sens d'attaque ?

— Il le faut bien, répondit Han en hochant la tête.

Il alla jusqu'à la nursery, qui se trouvait au fond de l'appartement. Leia se tenait devant la fenêtre de transparacier, observant le trafic aérien de Coruscant, serrant Ben contre son épaule en lui tapotant le dos, se balançant d'un pied sur l'autre. Même si elle entendait pleurer le bébé, elle ne devait probablement pas se rendre compte que c'était parce qu'elle était en train de le serrer trop fort.

Han vint se poster à ses côtés et fit signe aux Noghri de les laisser seuls. Il glissa délicatement une main entre Leia et le bébé.

— Lâche-le, Leia, dit-il en libérant tout doucement Ben. Laisse-moi m'occuper de lui.

Le regard de Leia dériva jusqu'au visage de Han, mais ses yeux ne semblaient toujours pas le voir.

— Han ?

— Tout juste... (Han adressa un clin d'œil à Lando et lui tendit le bébé. Puis il passa ses bras autour des épaules de son épouse.) Je suis là, Princesse. Je serai toujours là.

45

Ils apparurent comme de la neige : quelques contacts se matérialisant à la sortie de l'hyperespace, bientôt suivis d'un déluge fondant sur l'amas de comètes d'OboRin, pour ensuite se transformer en un blizzard de données vectorielles entrecroisées et de symboles divers sur l'écran tactique de Luke.

— Senseurs longue portée confirment contacts hostiles. (Même sur le réseau alloué aux combats, la voix du Coordinateur de Signaux – CorSig – semblait nerveuse.) Attendez le message de l'Amiral Sovv.

La voix nasillarde de l'amiral retentit sur le canal de combat, s'adressant à ce qui devait représenter près de la moitié des effectifs de la Marine Spatiale de la Nouvelle République, sur le ton monocorde et peu enthousiaste si caractéristique des Sullustains. L'attention de Luke se mit à dériver presque immédiatement. Toujours bouleversé par la disparition d'Anakin, il ne pouvait s'empêcher de douter de lui-même, examinant à nouveau sa décision d'avoir ainsi laissé son neveu s'embarquer dans une mission si dangereuse. Avait-il surestimé les capacités du commando ? Ou bien sous-estimé celles des Yuuzhan Vong ?

La voix de Mara s'éleva sur une fréquence privée :

— Luke ? Arrête de t'en vouloir comme ça, tu veux ? Tu ne peux pas aller au combat avec un tel poids sur les épaules.

— Je sais, Mara. (Luke aurait tellement souhaité que, en certaines occasions, ses émotions ne soient pas aussi discernables pour son épouse.) Mais ce n'est pas si facile. Je n'arrête pas de penser que je les ai envoyés en mission suicide.

— Non, ce n'est pas le cas, rétorqua Mara. Est-ce que Leia t'en veut ?

— Leia n'est pas en état d'en vouloir à qui que ce soit, dit Luke. (Il pouvait percevoir l'angoisse de sa sœur au travers de sa propre angoisse. Une douleur lancinante, presque physique, assez peu éloignée de ce qu'il avait ressenti lorsqu'il avait perdu une main lors de son duel contre Dark Vador. Elle était en état de choc, luttant désespérément pour accepter le fait qu'une part essentielle de son existence était perdue à jamais.) Mais tu as entendu Han...

— Il est inquiet au sujet de Leia.

— Oui, enfin c'est ce qu'il dit, répondit Luke.

Cette fois-ci, elle ne chercha pas à le contredire. Luke pouvait sentir combien elle était effrayée à l'idée d'avoir laissé Ben à Leia et à Han alors que ceux-ci pleuraient la perte de leur fils. Mais il savait aussi que l'instant n'était pas bien choisi pour lui suggérer de retourner sur Coruscant. Elle lui avait bien spécifié qu'elle regagnerait la capitale après la bataille. Et même Luke Skywalker – surtout Luke Skywalker – savait combien il était inutile de tenter de faire changer Mara Jade d'avis.

Quelques instants plus tard, Mara reprit la parole :

— Luke, il aurait été injuste de refuser à ton neveu cette chance de défendre les Jedi. Han et Leia en sont conscients, eux aussi. Repense à la réunion que nous avons tenue sur Eclipse. Ce sont eux qui t'ont dit de le laisser partir.

Sachant que Mara devinerait son hochement de tête même si elle ne pouvait pas le voir, Luke demeura silencieux et se concentra sur sa respiration, se servant d'une technique de relaxation Jedi pour regrouper ses pensées. La vérité était qu'il n'éprouvait rien de bon au sujet de la bataille qu'ils s'apprêtaient à livrer et cela n'avait rien à voir avec Anakin. Selon le plan prévu, Eclipse perdrait beaucoup de pilotes. Enormément de pilotes.

L'Amiral Sovv parvint à capter à nouveau l'attention de Luke en les remerciant, lui et les systèmes d'espionnage déployés par les Jedi, pour les informations concernant l'heure et le lieu d'arrivée de l'ennemi. Mara et les autres Chevaliers Jedi se retinrent de rire. Le système d'espionnage en question n'était autre qu'une sensation éprouvée par les plus puissants des maîtres, indiquant que les problèmes viendraient de l'amas de comètes d'OboRin. Dans la mesure où la Force était incapable de repérer les Yuuzhan Vong, les Jedi avaient d'abord été mystifiés par la sensation et peu enthousiastes à l'idée d'agir sur un simple pressentiment. Jusqu'à ce que Talon Karrde leur confirme qu'une énorme flotte d'assaut Yuuzhan Vong venait de quitter Borleias au moment même où la sensation s'était fait sentir. L'Amiral Sovv, cherchant un soutien politique pour organiser les défenses autour de Coruscant, s'était emparé de la sensation. Il l'avait transformée en « un rapport extrêmement fiable provenant des espions Jedi » et s'en était servi comme d'une excuse pour rappeler toutes les flottes de navires en mission. Wedge avait dit à Luke en privé que l'amiral ne s'attendait pas vraiment à ce que les Yuuzhan Vong montrent le bout de leur vilain nez, mais il avait tout de même mis en place une stratégie de combat afin de sauvegarder les apparences.

Lorsque les contacts finirent enfin de surgir de l'hyperespace sur l'écran tactique, l'Amiral Sovv prit la parole :

— Le moment est arrivé, mes amis. Veuillez à présent vous conformer aux fréquences de combat qu'on vous a allouées. Que la Force soit avec vous.

Luke brancha le canal réservé à Eclipse.

— Vous savez tous ce que nous allons tenter et pourquoi nous le faisons. Restez en formation et suivez bien les ordres de vos chefs d'escadrille. Cette bataille repose sur nous...

— Et la guerre repose sur cette bataille ! répondirent plusieurs voix à l'unisson.

— Nous le savons bien, Maître Skywalker, dit Saba Sebatyne. Vous nous l'avez déjà dit sept fois !

Un petit rire nerveux parcourut tous les membres du détachement d'Eclipse.

Luke aurait bien aimé pouvoir contribuer ainsi à l'apaisement des tensions avec une réponse du tac au tac, mais une trop grande partie de son cerveau était encore comme anéantie par le chagrin.

— Désolé. Je voulais juste en être sûr. Contrôle ?

— Paré à l'identification des cibles, annonça Corran Horn. Siffleur, partez en tête et allez voir de quoi il retourne. Les autres, restez en attente.

La barge d'assaut de Saba rompit la formation et glissa le long de la comète – un immense éventail scintillant – derrière laquelle les escadrons d'Eclipse se dissimulaient. Luke changea la vue de son écran tactique, interrompant les transmissions de la flotte pour se concentrer sur les Jedi. L'image pivota à quatre-vingt-dix degrés afin que l'amas de comètes se trouve sur l'un des bords et que les signaux traversent le moniteur en suivant un axe horizontal. Le compteur affiché au bas du schéma dénombrait déjà plusieurs dizaines de milliers d'ennemis et le chiffre ne cessait de croître.

Un petit carré se matérialisa au centre du moniteur tactique de Luke, soulignant cinq signaux se trouvant au centre de la flotte d'assaut Vong. La voix de Danni Quee retentit sur le canal des communications :

— Yammosk repérés. Nous vous indiquerons précisément les vaisseaux dès que les combats auront commencé.

— Tout le monde est paré ? demanda Corran.

Luke vérifia son écran de commandement afin de vérifier la situation de tous les membres de son équipe, s'assurant qu'ils étaient tous au maximum en matière de PBA, à savoir Propulseurs, Boucliers, Armements. Lorsqu'il constata que les niveaux étaient satisfaisants, il ouvrit ses émotions à Tam, le troisième membre de son trio. Il fit tinter son microphone.

— Sabres, tout est paré !

Quand les autres escadrons confirmèrent la même chose, Corran donna le signal du lancement. Les deux formations complètes – soixante-douze Ailes-X et huit barges d'assaut – surgirent de derrière la comète et accélérèrent pour atteindre presque la vitesse de la lumière. Ils se rapprochèrent si rapidement qu'ils franchirent les avant-postes ennemis avant que les Vong décochent leur premier missile au magma. Luke prit la tête, calculant un vecteur d'interception qui les conduirait droit sur le cœur de la flotte sans pour autant apparaître comme des cibles trop faciles.

— Bien joué ! déclara Corran Horn.

L'écran tactique changea d'échelle et montra à Luke deux détachements de signaux bleus entourés d'un océan de symboles Yuuzhan Vong de couleur jaune. Chaque symbole détaillait la masse du vaisseau, sa classe et parfois même un nom, lorsque les banques de données du *Joyeux Drille* parvenait à comparer les attributs retransmis. Toujours dans l'intention de se servir de l'amas de comètes pour dissimuler leur attaque surprise le plus longtemps possible, les ennemis conservaient une formation assez lâche afin que chaque vaisseau ait le champ libre pour manœuvrer. Lorsque Luke regarda par son cockpit, les étoiles distantes étaient occultées à intervalles réguliers par la silhouette noire des vaisseaux. Si loin du soleil de Coruscant, il n'y avait pas ou peu de lumière pour illuminer leurs sombres coques.

Une frégate – identifiée comme le *Reaver* – cracha la première salve Yuuzhan Vong. Une seule boule de plasma prit suffisamment de vélocité pour rejoindre les escadrons et toucher une cible. Elle frappa l'une des Ailes-X des Shockers. Les boucliers furent instantanément saturés et le chasseur stellaire disparut dans un éclair de photons et d'atomes.

— Economisez vos tirs ! ordonna Luke. (Il commença à virevolter de droite et de gauche, conservant délibérément ses escadrilles entre deux vaisseaux ennemis afin que les artilleurs Vong se retrouvent en train de se tirer dessus au cas où ils manqueraient leurs cibles.) Si nous arrêtons le combat, nous sommes perdus.

Alors que les chasseurs républicains s'enfonçaient plus avant au cœur de la flotte, les vaisseaux Yuuzhan Vong commencèrent à les arroser d'un feu régulier, mais relativement peu efficace. Ils entreprirent de manœuvrer afin de dégager leurs lignes de tir. Mais l'exercice était bien futile contre les agiles Ailes-X et leurs escortes de barges d'assaut. Avec l'équipe de surveillance embarquée à bord du *Joyeux Drille* et chargée de protéger les arrières, Luke était averti dès qu'une ligne de mire se dégageait afin de pouvoir calculer de nouveaux vecteurs d'attaque. Les Shockers perdirent une de leurs barges, touchée par un missile au magma. Mais l'équipage riposta, en décochant toutes ses réserves de missiles et de bombes, juste avant de s'éjecter dans l'espace. Une bonne moitié des projectiles parvinrent à pénétrer les anomalies gravifiques de défense du croiseur Vong et une longue brèche, vomissant gaz, matériel et cadavres, s'ouvrit dans le flanc bâbord de l'engin.

Un porte-skips décéléra et pivota pour leur couper la route. Dès que les coraux skippers décollèrent de l'appareil et se mirent à voler en formation, les réticules de visée de Danni Quee se concentrèrent sur un unique croiseur lourd non identifié, évoluant au centre du groupe de cinq vaisseaux repéré précédemment.

— Yammosk confirmé !

Luke étudia son écran tactique et posa le doigt sur le symbole d'un destroyer qui se trouvait en retrait de leur cap actuel. L'ordinateur l'identifia comme le *Sunulok*.

— Vecteur secondaire, R2. (Un cercle apparut autour du vaisseau et Luke ouvrit un canal de communications pour s'adresser à Corran.) Contrôle ? Est-ce qu'on a l'autorisation pour une diversion sur celui-ci ? On pourrait rebondir par-dessus et se glisser de l'autre côté...

— La voie est libre, Fermier. (Corran divisa la cible en secteurs d'attaques et les assigna à chacun des escadrons, puis rappela Luke :) A propos, CorSig indique qu'ils ont détecté des traînées ionisées à l'avant de la flotte.

— Des traînées ionisées ?

Les Yuuzhan Vong n'utilisaient pas de propulseurs ioniques.

— Peut-être qu'ils ont amené les Brigades de Paix avec eux, dit Mara. Ce qui expliquerait pourquoi nous avons réussi à sentir leur approche.

Luke projeta sa conscience sur les ondes de la Force. Pendant un moment, il ne discerna rien, puis il perçut un véritable mur de feu sur les avant-postes ennemis.

— Ils sont trop nombreux pour un cartel criminel... Je devine deux ou trois millions d'individus là-bas.

— Alors il doit s'agir d'une de leurs armées d'esclaves, avança Tam.

Luke n'en était pas si sûr. La présence était dénuée de ce mutisme, de cette inertie causée par les implants qu'utilisaient les Yuuzhan Vong pour maîtriser leurs esclaves. Mais il n'avait pas le temps de s'attarder sur la question. Le porte-skips était en train de vomir ses dernières escadrilles de coraux skippers et la première vague arrivait déjà à leur rencontre.

— A tous les chasseurs, ralentissez ! Barges d'assaut, rompez la formation ! ordonna Luke.

Les sept barges se lancèrent dans des virages serrés, pivotant derrière l'escorte de frégates en poste à la poupe du destroyer. Luke attendit que ses camarades volent à nouveau selon un cap plus régulier et ordonna aux Ailes-X de les suivre. Les quatre escadrons virèrent sur les ailes, chaque engin inversant la propulsion de deux de ses moteurs et augmentant la poussée des deux autres pour accélérer la manœuvre. Ils dépassèrent ainsi très rapidement les barges d'assaut et fusèrent sur les frégates d'escorte.

Une tornade de feu rubis se déclencha à la poupe rocailleuse des frégates et des salves de missiles au plasma filèrent sur les attaquants. Luke fit plonger le nez de son engin et piqua pendant deux secondes afin d'obliger les artilleurs Yuuzhan Vong à épuiser leurs munitions. Puis il monta brusquement en chandelle et accéléra derrière les frégates, ne laissant ainsi pas le temps aux batteries ennemies de s'adapter au changement de cap. Il vérifia son écran tactique et vit une douzaine d'escadrons de coraux skippers se lancer à leurs trousses depuis leur énorme vaisseau de transport. Apparemment, leur angle de poursuite était mal calculé et ils n'atteindraient pas la zone de combat entourant les Ailes-X dans les temps.

Lorsque Luke releva les yeux de son moniteur, il découvrit que l'espace autour de lui était en feu. Il songea un instant qu'il avait peut-être été touché, mais ne sentit aucune réelle inquiétude émaner de Mara ou de Tam. Il se coula dans la Force et continua de manœuvrer en parfaite coordination avec ses ailiers. La tempête de feu cessa, laissant place à des volées de balles de plasma et de missiles au magma. Une décharge d'électricité statique dans le haut-parleur lui indiqua qu'un des membres de son escadron avait été détruit. R2 réprimanda son maître d'une longue série de sifflements courroucés.

— Je sais, R2, je n'aime pas ça non plus, dit Luke. Mais l'Amiral Sovv dépend de nous.

Le maelström infernal se termina aussi rapidement qu'il avait démarré et Luke vérifia à nouveau son écran tactique. Il avait emmené son escadron exactement à l'endroit où il souhaitait se rendre, à mi-distance entre les deux frégates d'escorte. Malheureusement, les deux engins n'avaient apparemment eu aucun scrupule à se tirer l'un sur l'autre. Luke avait perdu l'une des barges d'assaut des Sabres. Les Apôtres et les Shockers avaient, de leur côté, chacun perdu un chasseur. Les deux frégates avaient cependant payé le prix de cette attaque. Sur l'écran, leurs symboles clignotaient, indiquant des dégâts modérés.

— Je pense qu'on tient le bon bout, appela Kyp dans son comlink. Apparemment, ils ne veulent vraiment pas qu'on s'approche de ce gros tas de cailloux.

Deux autres appareils d'escorte firent leur apparition, leurs proues s'illuminant sous l'action des lancements de missiles. L'arrière du *Sunulok* était à présent bien discernable entre eux, un disque sombre de la taille d'un pouce. Luke entreprit une manœuvre de plongée et de remontée soudaine. Les traînées de missiles fusèrent alors au-dessus et en dessous de lui. Il vérifia son moniteur tactique et s'aperçut que la douzaine d'escadrons lancés par le porte-skips étaient toujours à leurs trousses.

— Il me semble qu'il va nous falloir ruser jusqu'au bout, appela-t-il. Séparons-nous par escadrons et arrosez les coques des frégates d'escorte le plus possible. Les Shockers et les Apôtres par la gauche, les Sabres et les Chevaliers par la droite.

L'ordre fut confirmé par une longue série de cliquetis sur le canal de communications, puis les quatre escadrons se séparèrent en deux paires. Luke emmena les Sabres et les Chevaliers le long d'un cap sinueux vers la frégate d'escorte se trouvant sur la droite. Echappant de justesse à un trio de boules au plasma lancées en un éventail désespéré, il conduisit ses Ailes-X au-dessus des batteries d'artillerie de la frégate et passa en rase-mottes à environ deux mètres de la coque de l'engin ennemi. A sa grande surprise les deux vaisseaux d'escorte continuèrent leurs attaques sur les escadrons, se lardant mutuellement de projectiles. L'échange de feu devint si intense que R2 fut obligé de renforcer les écrans de particules afin de protéger le chasseur des éclats de corail yorik volant en tous sens sur leur passage.

— Danni ? Tu es sûre que le yammosk est à bord du croiseur ? appela Kyp. Parce que, vu la façon dont ils...

— Sûre et certaine. Le yammosk est en train de devenir dingue. (La transmission de Danni fut interrompue par une tornade de parasites. Lorsque sa voix revint, la jeune femme était en train de crier :) Drif !

Luke n'eut pas besoin de vérifier son écran de commandement pour savoir que Saba venait de perdre l'un de ses pilotes Jedi. Il sentit que le Barabel venait de mourir. Les Sabres atteignirent la proue de la frégate et Luke se lança immédiatement dans une manœuvre pour contourner son étrave afin de duper les artilleurs ennemis et de lancer simultanément une attaque de diversion.

Soudain, une décharge statique retentit dans le haut-parleur de la console de communication. Un éclair aussi intense que celui d'une supernova illumina l'espace juste derrière Luke. Il jeta un coup d'œil à son écran tactique et vit la frégate voisine se disloquer juste derrière les Shockers, engloutissant les Apôtres de Kyp dans une tornade de flammes et de débris, obligeant les Ailes-X à se disperser dans toutes les directions. Trois, quatre, puis cinq symboles disparurent du moniteur, indiquant qu'autant de chasseurs stellaires avaient explosé. Deux autres barges d'assaut succombèrent et deux autres pilotes furent forcés de s'éjecter dans l'espace.

— Chasseur de Têtes ? appela Corran. Chasseur de Têtes, est-ce que tu me reçois ?

Pas de réponse.

— Les Apôtres ? Quelqu'un ?

Toujours pas de réponse.

— Je crois qu'il y a eu pas mal de circuits grillés, dit Rigard, de façon optimiste. On a pris une bonne patate, nous aussi.

— Espérons que c'est bien ça, dit Luke. (Il vérifia son écran et vit que six des escadrons de skips lancés à leur poursuite étaient en train de manœuvrer pour pourchasser ce qui restait des Apôtres.) A tous les Apôtres ! Si vous pouvez m'entendre, vous êtes hors jeu. Dégagez pendant que vous le pouvez encore. Ou bien essayez de vous planquer.

L'ordre fut confirmé par un simple mais distant cliquetis d'acquiescement. Luke sentit Mara le contacter dans la Force, le priant instamment de ne pas faire attention à cette sensation de désespoir qui était en train de gronder au creux de son estomac et de se concentrer sur la tâche à exécuter. Luke se tourna vers le *Sunulok* et vit que la poupe du destroyer était en train de grandir à vue d'œil, atteignant bientôt la taille d'un sandcrawler Jawa. Une demi-douzaine de batteries d'artillerie vomirent alors des balles de plasma de la taille d'un bantha.

— Armez chacun une torpille à protons, ordonna Luke. Feu à mon signal, ensuite remontez en chandelle par-dessus le vaisseau et tenez-vous prêts à prendre la tangente.

A cet instant, Luke perdit sa deuxième barge d'assaut, qui succomba à l'une des boules au plasma. Les escadrilles de coraux skippers du *Sunulok* remontèrent le long des flancs du destroyer pour se lancer contre les Ailes-X.

— Parés ? Feu ! cria Luke.

L'éclat bleuté de cinquante traînées ionisées illumina les ténèbres avant de s'écraser contre un mur invisible, produisant à l'impact des séries de cercles concentriques. Les équipes ennemies, chargées des boucliers, venaient d'activer les basals dovins, capturant près d'un tiers des missiles à protons, obligeant les déclencheurs de proximité à faire exploser les torpilles à bonne distance du *Sunulok*. Luke tira sur son manche, se braquant vers le sommet du destroyer, et regarda avec satisfaction le reste des torpilles atteindre leur cible. La poupe commença à se disloquer, projetant flammes et débris de corail yorik dans le passage des Ailes-X.

Se reposant sur leurs écrans de particules pour les protéger, les chasseurs traversèrent les nuées de débris et filèrent le long de l'arête dorsale du vaisseau endommagé. Luke continua ainsi pendant près d'un demi-kilomètre, puis vira brusquement et plongea vers le croiseur. R2-D2 sifflota pour proposer son aide et afficha un message à l'attention de Luke sur son écran.

— Oui, merci, R2. (Luke arma le reste de ses torpilles et activa ses bombes furtives.) Vingt secondes jusqu'à la cible. Préparez-vous à l'assaut principal.

— Bien compris. (Corran demeura silencieux quelques secondes puis déclara :) Message relayé. Bonne chasse.

Ils avaient à peine parcouru la moitié de la distance les séparant de leur cible lorsqu'un véritable mur de feu de turbolasers républicains jaillit de l'amas de comètes, illuminant brièvement l'intégralité de la flotte Yuuzhan Vong. De l'endroit où Luke se trouvait, elle n'évoquait rien de plus menaçant qu'un vaste champ de noirs astéroïdes en forme de losanges. Mais une terrible perturbation se produisit dans la Force et plusieurs milliers d'êtres vivants, alliés et originaires de la même galaxie, furent désintégrés en un brouillard d'atomes.

Et tout redevint sombre. Un silence inconfortable pesa alors sur les canaux de communications d'Eclipse. Même si seulement la moitié des pilotes d'escadrille étaient des Jedi sensibles à la Force, les autres combattants avaient fréquenté les Chevaliers suffisamment longtemps pour se rendre compte de ce que leurs camarades étaient en train de ressentir.

Quelques instants plus tard, l'avant-garde de la flotte des Yuuzhan Vong répondit à l'embuscade en déployant des décharges électriques écarlates et des boules de feu. Les turbolasers de la Nouvelle République frappèrent à nouveau. Une autre perturbation, attestant qu'un autre millier de personnes avaient trouvé la mort, ébranla la Force. Et la bataille bascula enfin dans l'horreur totale.

Luke vit une paire de frégates accélérer pour intercepter les escadrons avant qu'ils n'atteignent le croiseur. Il pressa son doigt sur son écran tactique, désignant le plus éloigné des deux comme cible secondaire.

— On va passer au travers, annonça-t-il. Siffleur ? Tu peux prendre la tête ?

— Tout l'honneur est pour moi ! répondit la Barabel.

Les Chevaliers Errants se rassemblèrent en formation serrée et avancèrent. Une aura dorée se matérialisa autour de la barge d'assaut de Saba. Les frégates lâchèrent leurs skips et commencèrent à braquer leurs tirs sur la sphère étincelante. L'éclat de cette dernière ne fit qu'augmenter car Izal Waz était en train de se servir de la Force pour capturer la lumière. Lorsque la sphère eut atteint la taille souhaitée, Luke fit aligner ses deux escadrons juste dans son prolongement, profitant de la manœuvre pour abattre les skips qui tentaient de franchir la boule lumineuse pour intercepter les Chevaliers Errants.

Comme Danni le leur avait décrit, et conformément à ce qui s'était produit sur Arkania, la frégate sembla s'inquiéter de l'approche de la sphère et elle concentra une anomalie gravifique sur elle. La boule s'allongea légèrement, coincée et aspirée par le trou noir miniature.

— Larguez le bloc ! ordonna Saba.

Lorsqu'elle eut fini de donner l'ordre, le globe avait adopté une forme ovoïde, deux fois plus longue que haute. Izal Waz laissa la sphère se dissiper et les Ailes-X des Chevaliers Errants se dispersèrent en vomissant leurs torpilles à protons. Les équipes ennemies chargées des boucliers s'activèrent pour modifier l'anomalie et ne remarquèrent pas le bloc de deux tonnes de duracier qui fonçait sur eux à la vitesse croissante de plusieurs centaines de milliers de kilomètres à l'heure. La frégate n'explosa pas. Elle fut presque instantanément vaporisée et les escadrilles d'Eclipse se retrouvèrent bientôt à filer vers leur cible au milieu d'un nuage de grains de poussière chauffés à blanc.

Une escadrille entière de skips surgit de derrière le croiseur pour les intercepter. Le vaisseau fit donner toutes ses batteries d'artillerie, déversant un feu constant depuis sa poupe et sa proue dans l'espoir d'obliger les Ailes-X à conserver leur cap intermédiaire afin d'être abattues par les skips.

— Il est temps d'essayer le nouveau système de visée mis au

point par Contrôle, dit Luke. Séparez-vous en trios de protection et concentrez-vous sur le centre du vaisseau.

— Et n'essayez pas de vous arrêter en chemin pour dégommer des skips. Ceux du gros porteur sont toujours à vos trousses, dit Corran. (Il passa sur une fréquence privée :) Fermier ? Il faut que tu réussisses du premier coup. Ecoute ça.

Il y eut une pause, le temps pour Corran de relayer les canaux de communications civiles sur la fréquence d'urgence. Un véritable brouhaha emplit soudainement le cockpit de Luke. Petit à petit, celui-ci commença à entendre des voix plus distinctement tout en souhaitant ne les avoir jamais entendues :

« ... sur nous ! S'il vous plaît ! Nous sommes des civils de...

— ... ici le *Hutt Heureux* avec cinq mille réfugiés...

— ... *Chasseur de Météores*, terminé... »

— Et six cents signaux de transpondeurs viennent de nous parvenir, Luke, dit Corran. Ce qui atteste l'authenticité de ce que tu viens d'entendre.

— Bien sûr...

Luke n'eut pas besoin de plus amples explications pour comprendre ce qui était en train de se produire. Il savait que le *Hutt Heureux* était l'un des vaisseaux de réfugiés qui avaient disparu pendant l'évacuation de Ralltiir. Il savait aussi qu'en fouillant ses banques de données il trouverait également la trace du *Chasseur de Météores*.

L'escadrille de skips envoyée par le croiseur du yammosk ouvrit le feu à distance de tir maximale, essayant sans aucun doute de forcer les attaquants à ralentir. Plutôt que de se laisser faire, les Ailes-X et les barges d'assaut continuèrent sur leur erre à la vitesse la plus élevée possible.

Luke interrompit sa conversation avec Corran et demanda à R2 d'activer le système de visée supplémentaire. Le réticule se concentra rapidement sur les pulsations gravifiques émanant des basals dovins installés dans la proue du croiseur. Réglant ses quadrilasers sur leur puissance maximale, il pressa la détente. Un rayon prit une avance d'un millième de seconde sur les trois autres, suivant une course qui le conduirait droit sur l'étrave du skip le plus proche. Les autres se dispersèrent, selon un ratio savamment calculé tenant compte de la distance et de la vélo-cité, avant de se laisser happer par l'aspirateur gravifique des systèmes de défense de l'engin ennemi. Attirés par l'anomalie, ils convergèrent soudainement. Le premier rayon disparut dans le trou noir. Les trois autres frappèrent trois mètres derrière lui, atteignant directement le corail skipper au niveau du comparti-ment du pilote.

— C'est presque aussi bien que la Force, ça ! déclara Luke.

Il vit une paire de skips échapper à la série d'explosions en train de ravager l'escadrille tout entière du croiseur. Il braqua son réticule de visée sur celui de gauche.

— Déjà pris ! annonça Mara. (Elle et Tam ouvrirent le feu simultanément. Quelques instants plus tard, les skips explosè-rent.) Désolé, Fermier !

— Tu es pardonnée ! dit Luke.

Ayant perdu son escadrille de skips en un éclair, le croiseur concentra ses tirs sur la vague d'assaut en approche. Tout en sachant que l'une des énormes balles de plasma finirait par atteindre et détruire l'un des trios de chasseurs, Luke ordonna tout de même un déploiement des appareils. Même si les pilotes furent très rapides pour obéir, un trio d'Ailes-X disparut dans une tornade de flammes et les Shockers perdirent leur dernière barge d'assaut.

Mais, à présent, le croiseur était droit devant eux, un losange de corail yorik noir, long d'un kilomètre, bardé de protubé-rances aux emplacements de ses batteries d'armements. Avec Mara d'un côté et Tam de l'autre, Luke virevolta et compta jusqu'à trois, transformant les tirs de ses quadrilasers en tour-billons infernaux et laissant ainsi aux autres pilotes de l'escadron la possibilité d'atteindre leurs positions.

Ils furent enfin prêts.

— Paré à tirer. Tout ce que vous avez en réserve. On ne s'y reprendra pas à deux fois.

Luke décocha deux torpilles à protons d'une de ses réserves de munitions et trois de son autre réserve, puis il largua les bombes furtives stockées dans le troisième compartiment à munitions du XJ3 et invoqua la Force pour les guider. Il vit les deux premières torpilles disparaître dans une anomalie gravifique de bouclier. Une boule de plasma jaillit d'un des nodules d'armements juste devant lui. Elle fondit si rapidement sur lui qu'il eut à peine le temps de l'esquiver, heurtant au passage une des ailes du chasseur de Mara.

— C'était moins une, Fermier !

Luke reprit sa position et frissonna intérieurement en voyant une autre boule de plasma s'écraser contre les boucliers du chasseur de Mara.

— Tu peux parler ! lui répondit Luke.

C'est alors qu'un répit se produisit au cœur de la bataille. Des flammes et des débris jaillirent des brèches que les bombes furtives et les torpilles avaient créées dans la coque du croiseur. Par endroits, des explosions dues à des réactions en chaîne révélèrent des sections entières de ponts. Cadavres et équipements furent bientôt aspirés par le vide de l'espace. Luke ralentit autant que possible – toujours conscient de la présence des skips à ses trousses – et enclencha le tir automatique de ses canons laser afin d'arroser de façon ininterrompue les entrailles du vaisseau à présent exposées.

— Danni ? Des nouvelles du yammosk ?

— Ça se calme, mais il est toujours vivant.

Luke vérifia son écran tactique et constata que les chasseurs lancés par le porte-skips étaient toujours à trente secondes derrière lui.

— Dans quelle section du vaisseau ?

— Négatif, Fermier, l'interrompit Corran. Nous avons déjà parlé de cela. Tu as eu ta chance, maintenant tu dois dégager.

— Danni ? Quelle section ? insista Luke.

Les appréhensions de Mara s'intensifièrent.

— Fermier ? Un héros mort…

— Beaucoup de héros sont morts aujourd'hui. Beaucoup trop pour laisser ce travail en plan. (Luke jeta un coup d'œil à son moniteur. Vingt secondes.) Alors, où est-il ?

— Essaie le pont inférieur, à peu près au milieu, dit Danni. Mais c'est sans certitude.

— D'accord, je vais tenter le coup. (Luke braqua en direction

562

du milieu du croiseur et continua de décélérer.) Vous autres, dégagez de là.

— Et puis quoi encore ? déclara Mara.

Elle et Tam ralentirent en même temps que lui. Pendant que le reste de l'escadrille allait se mettre à couvert, ils commencèrent à remonter le long de la coque du croiseur, zigzaguant au milieu des débris, s'arrêtant presque pour inspecter chaque brèche et chaque hublot.

— Fermier, il te reste quinze secondes avant que les skips ne te rejoignent, dit Corran. Et puis il y a autre chose...

Il bascula la fréquence sur celle du commandement de la flotte :

« ... de cesser le feu ! criait la voix nasillarde de l'amiral Sovv. La marine spatiale de la Nouvelle République ne massacre pas ses propres unités !

— Nous ne les massacrons pas, contra le Général Garm Bel Iblis. Ce sont les Yuuzhan Vong qui les massacrent. Nous, nous essayons de tirer tout autour.

— Et vous échouez lamentablement, Général, intervint Traest Kre'fey.

— Et Coruscant ? reprit Garm. Et les Jedi ? Savez-vous combien de pilotes ils ont perdus pour nous laisser cette chance ? »

Corran interrompit la communication.

— Luke, les Yuuzhan Vong sont déjà en train de franchir l'amas de comètes. Plutôt que d'essayer de tirer à travers le bouclier de réfugiés, Traest est en train de ralentir et de manœuvrer. Garm va bientôt être obligé de le rejoindre, sinon sa route sera coupée. Wedge a deux minutes de retard sur le programme parce que la bataille est en train de se déplacer vers Coruscant.

D'après le plan original de l'Amiral Sovv, Wedge devait être le marteau retombant sur l'enclume formée par Garm et Traest, balayant les Yuuzhan Vong par l'arrière pour les obliger à tomber dans une embuscade.

— Wedge peut encore les surprendre, à condition que le yammosk soit mort, dit Luke. (Il perçut chez Mara le sentiment d'avoir été trahis par la décision de Sovv de ne pas tirer sur les réfugiés. Mais la sensation était incertaine. La Nouvelle République refuserait-elle de tirer sur ses propres citoyens dans sa tentative de sauvetage de la galaxie ?) Ce n'est pas encore fini...

— Cinq secondes, Fermier.

Luke introduisit le nez de son appareil dans une brèche juste en dessous d'une batterie d'artillerie inerte. Il ouvrit le feu et désintégra deux ponts supplémentaires, perforant au passage une cloison étanche. La soudaine dépressurisation projeta une ribambelle de guerriers Yuuzhan Vong éberlués dans le vide cosmique.

— Tu l'as trouvé ! s'exclama Danni.

Il fut bientôt rejoint par Mara et Tam. Leurs tirs combinés furent assez puissants pour traverser le vaisseau de part en part. Luke vit une créature dotée de nombreux tentacules disparaître par la nouvelle brèche au milieu d'un nuage de vapeur glacée.

— C'est...

La confirmation de Danni fut engloutie par des parasites lorsqu'une boule de plasma, décochée par un skip, s'écrasa contre les boucliers de la barge d'assaut. Il fut immédiatement répondu à l'attaque par une tempête de feu de canons laser. Perdre du temps à se battre était la dernière chose que Luke souhaitait faire. Il dégagea son chasseur de la brèche et plongea en piqué.

— Rompez la formation !

Luke ouvrit la voie sous le croiseur et remonta de l'autre côté, obligeant ainsi les skips à décélérer sous peine de se retrouver dans la ligne de mire des Ailes-X. Sans le yammosk pour coordonner leurs actions, la pagaille s'installa dans les rangs des coraux skippers. Certains filèrent au-dessus du croiseur à pleine vitesse, d'autres plongèrent en dessous. La plupart s'arrêtèrent précautionneusement de l'autre côté du vaisseau de guerre.

Luke poussa un soupir de soulagement silencieux, puis il activa sa radio.

— Allons retrouver Wedge. Il faut refaire le plein de carburant et de munitions...

— Et revenir se battre, dit Saba. (Elle semblait plus impatiente que déterminée.) Il y a encore suffisamment de Yuuzhan Vong à dégommer pour tout le monde.

46

Il leur était arrivé de manger de bien pires pitances – la première chose venant à l'esprit étant les champignons amers qui poussaient sur les murs des mines Ryll de Nolaa Tarkona – et Jacen comprit que ce n'était pas l'estomac délicat de sa sœur jumelle qui l'empêchait d'avaler la pulpe insipide qu'Alema avait extorquée à leur hôte Yuuzhan Vong terrifiée. Ce n'était pas non plus la gravité de la situation. Le commando était retranché dans une cellule d'habitation, constituée d'une seule pièce, quelque part à la périphérie des quartiers dortoirs des profondeurs du vaisseau-monde. Tous attendaient patiemment que Tesar les contacte afin de leur révéler la cachette de la reine des voxyns. Depuis l'affrontement survenu près de la matrice de grashal, ils avaient réussi à semer Nom Anor et ses troupes en faisant s'effondrer le plafond derrière eux et en disparaissant dans le dédale du vaisseau.

Jacen ramassa une bonne cuillerée de pulpe visqueuse au fond d'un saladier en forme de conque et la déposa dans le bol de Jaina.

— Moi non plus, je n'ai pas très faim, lui dit-il. Mais tu as besoin de te requinquer.

Jaina envoya voler la portion de gruau contre le mur biolumi-nescent. Leur prisonnière Yuuzhan Vong, une ouvrière de basse caste sans le moindre tatouage ni la moindre mutilation – ce qui la rendait presque séduisante –, se recroquevilla dans un coin de la pièce, comme si le bol avait été lancé sur elle. Le lichen mural se mit à briller un peu plus en absorbant la substance nutritive. Personne ne formula le moindre mot.

Jacen perçut la culpabilité et la colère qui étaient en train de tirailler sa sœur. Les émotions de Jaina étaient si entremêlées avec les siennes qu'il eut toutes les peines du monde à les différencier. Ils partageaient un vide immense qui ne se comblerait jamais, un abîme qui semblait aspirer Jaina comme une brèche dans la coque d'un vaisseau dépressurisé. Il posa une main sur son genou, espérant que ce geste lui apporterait un peu de réconfort.

— On ne peut pas laisser tomber. Nous devons toujours détruire la reine.

Jaina releva la tête. Une vague lueur de compréhension brilla enfin dans son regard.

— Tu l'as laissé aux mains des Yuuzhan Vong...

— On ne pouvait rien faire d'autre, dit Jacen, acceptant l'accusation. (Lui-même très peiné, Jacen préférait cependant que Jaina épanche le désarroi qui la rongeait sur son épaule plutôt que de tout garder pour elle.) Ils se sont jetés sur lui, tu l'as vu comme moi.

Jaina repoussa la main de son frère posée sur sa jambe.

— Il t'a confié le commandement et tu l'as abandonné.

Jacen ne dit rien. Même en étant conscient que le sentiment de culpabilité éprouvé par sa sœur la poussait à l'accuser, il ne sentait pas assez sûr de lui pour lui tenir tête.

— Jacen ne mérite pas que tu le blâmes ainsi, annonça Tenel Ka, raide comme à son habitude, assise les jambes repliées sous elle à l'autre bout de la petite pièce. Tout le monde a entendu son ordre et nous savons tous pourquoi il l'a donné. Ne pas tenir compte d'un tel ordre serait comme déshonorer la mémoire d'Anakin et oublier son sacrifice.

— Reste en dehors de tout ça, Tenel Ka, dit Jaina. Tu ne peux pas comprendre. Ta profondeur émotionnelle est probablement équivalente à celle d'un ronto de Tatooine...

La vitesse à laquelle Tenel Ka déploya ses jambes pour contourner la table prouva à Jaina combien elle avait tort. Jacen songea un instant que la Dathomiri allait gifler sa sœur, mais

Tenel Ka se contenta de foudroyer Jaina du regard, jusqu'à ce que celle-ci commence à se sentir mal à l'aise et détourne les yeux.

Remarquant sa réaction, Tenel Ka reprit la parole :

— Nous avons tous de la peine, Jaina. Y compris ton frère.

Impossible de définir si la remarque de Tenel Ka était sincère ou acerbe. En tout cas, elle incita Jaina à se lever. Jacen voulut retenir sa sœur par la main, mais n'en eut pas le temps. Zekk s'était déjà interposé entre les deux jeunes femmes, prêt à intercepter le premier coup qui serait décoché.

— Et ça nous avancera à quoi, de nous battre, hein ? (Zekk semblait s'adresser plus à lui-même qu'à Jaina ou Tenel Ka.) Calmez-vous.

Les deux femmes desserrèrent les poings, mais continuèrent de se dévisager, chacune attendant que l'autre présente ses excuses. Un malaise s'installa dans la pièce et un silence pesant s'instaura. Les autres Jedi plongèrent le nez dans leur gruau.

L'attente fut cependant de courte durée. Un grondement sourd retentit dans les comlinks. Jacen s'empara prestement de son petit appareil de communication.

— Tesar ? demanda-t-il. (En tant que membre le plus discret du commando, et expert en chasse nocturne, le Barabel avait semblé un choix évident pour aller inspecter les ruelles sombres du quartier dortoir.) Tu l'as trouvée ?

La voix qui répondit n'était pas celle du Barabel. Il s'agissait d'un autre type de grognement grave. Il fallut à Jacen un petit instant pour reconnaître les mots prononcés en Shyriiwook. En général, les voix des Wookiees ne portaient pas très bien dans les comlinks.

— Lowie ? s'étrangla Jaina en approchant son propre comlink de sa bouche. C'est toi ?

Lowbacca confirma son identité d'un grondement, puis se lança dans une longue série d'excuses à propos de son incapacité à empêcher le vol du *Tachyon*.

— Lowie, laisse tomber. Ils nous ont bien bernés, nous aussi, dit Jacen. Où es-tu, à présent ?

La réponse que gronda Lowbacca était bien trop longue pour

ne représenter qu'un simple renseignement sur l'endroit où il se trouvait.

— Pourquoi feraient-ils une chose pareille ? demanda Jacen.

Lowbacca grogna une suggestion.

— Garde un œil sur eux, dit Jaina. Et quoi que tu fasses, reste avec lui. Je te rejoins dès que possible.

Elle éteignit son comlink et Jacen eut à peine le temps de la retenir par le bras avant qu'elle n'atteigne la porte.

— Qu'est-ce que tu vas faire ?

— Récupérer le corps d'Anakin, qu'est-ce que tu crois ? (C'était Tahiri qui avait répondu, prenant la parole pour la toute première fois depuis qu'ils avaient quitté la matrice de grashal.) Hors de question de le leur laisser.

Elle se leva et vint se placer à côté de Jaina. Alema fit de même et, quelques instants plus tard, Zekk se joignit à elles. Jacen les ignora tous, continuant de tenir le bras de sa sœur.

— Qu'est-ce que tu fais des dernières paroles d'Anakin, hein ? demanda-t-il. Il nous a bien dit d'aller détruire la reine…

— Tu n'as qu'à aller la détruire, toi ! (Jaina dégagea son bras et posa la main sur la commande d'ouverture de la porte-valve.) Moi, en tout cas, j'y retourne.

Sans même s'assurer que personne ne les attendait à l'extérieur, Jaina décrocha son sabre laser de sa ceinture et entraîna son petit groupe dans les ténèbres.

47

Outre le fait qu'elle sentait l'haleine sucrée de Ben, plutôt que sa propre transpiration due à la nervosité, et que son siège ne gigotait pas dans tous les sens, Leia se dit que la guerre était bien pareille, qu'elle soit retransmise sur un écran holographique mural ou vue de l'intérieur du cockpit du *Faucon Millennium*. Les balles de plasma roulaient toujours sur leurs cibles dans des tornades de feu blanc, les turbolasers lacéraient toujours les cieux de leurs stupéfiants traits de couleurs, les vaisseaux endommagés vomissaient toujours de sombres nuages constitués des cadavres de leurs équipages, congelés en un éclair par le froid sidéral. Dans un coin de l'écran, un correspondant de guerre Durosien décrivait d'une voix sinistre comment l'énorme flotte des Yuuzhan Vong était en train de progresser derrière son bouclier constitué de vaisseaux de réfugiés, cela en dépit des attaques répétées du Groupe Trois de Wedge Antilles sur l'arrière-garde ennemie. Les envahisseurs avaient déjà franchi l'orbite de Nabatu, dixième planète du système de Coruscant, et atteindraient les étendues glacées d'Ulabos avant la fin de la journée standard.

L'image du journal holographique changea et montra le paquebot stellaire *Rêves Rapides* qui se frayait un passage au milieu des tirs de turbolasers. Leia se dit qu'elle aurait dû ressentir quelque chose – de la colère, de la peur… – face à la menace des Yuuzhan Vong, prêts à fondre sur Coruscant, mais elle n'éprouvait rien. Tout ce qui lui importait, c'était de tenir

Ben entre ses bras, de le maintenir au chaud en le serrant contre son corps. Le paquebot commença à vomir des flots tourbillonnants de cadavres de réfugiés. Un correspondant Bith apparut en incrustation et annonça que le Groupe Deux de Garm Bel Iblis continuait ses attaques à travers le bouclier de vaisseaux de réfugiés, ignorant les accidents causés par des tirs perdus – comme celui qui était en train de se produire – et les ordres répétés de l'Amiral Sovv de cesser le feu. Plusieurs sources dignes de confiance affirmaient que l'Amiral Sovv avait d'ailleurs relevé Bel Iblis de ses fonctions. Un ordre que le général et l'ensemble de ses troupes avaient également ignoré. D'autres rapports non fondés commencèrent à arriver, indiquant qu'une bonne partie de la flotte du Groupe Un de Traest Kre'fey avait abandonné sa position pour rejoindre les vaisseaux de Bel Iblis afin de tenter d'arrêter l'avancée des Yuuzhan Vong à tout prix.

Deux analystes militaires apparurent à l'écran et commencèrent à se disputer, cherchant à savoir si les actions de Garm Bel Iblis représentaient le seul moyen de retarder la flotte ennemie en attendant les renforts ou bien si elles représentaient les premiers signes de dégradation au sein de la hiérarchie militaire de la Nouvelle République.

— Quel bazar… dit Han.

Leia ne répondit rien. Il avait été le premier des deux à parler depuis qu'ils avaient allumé le journal holographique et elle avait totalement oublié qu'il était assis à côté d'elle. Il n'avait cessé de la suivre partout depuis l'incident, de peur qu'il ne soit nécessaire de lui enlever à nouveau Ben des bras. Sa présence constante commençait à ennuyer Leia, mais elle ne se sentait pas d'attaque à subir le bouleversement émotionnel que lui causerait le simple fait de lui en faire part.

Les analystes furent bientôt remplacés par des images de Luke et de Mara débarquant de leurs chasseurs stellaires. Ils rejoignirent tous deux une longue colonne de Jedi épuisés, titubant à travers la baie d'accostage d'un destroyer stellaire. Un journaliste Devaronien apparut au premier plan et expliqua que les escadres Jedi de combat continuaient leurs audacieuses missions de pénétration. Il ajouta que quinze vaisseaux du cœur de la flotte Yuuzhan Vong avaient déjà été détruits. Même si les pertes d'Eclipse étaient classées secrètes pour des raisons évidentes, la rumeur voulait que le coût en vies et en matériel soit déjà très élevé. Personne ne savait ce qu'étaient devenus le célèbre Kyp Durron et ses Apôtres depuis le commencement des affrontements.

Han utilisa la commande vocale pour changer de chaîne et l'image du Sénat se matérialisa. Ce cher vieux Han, inquiet qu'elle se fasse du souci à propos de son frère et des dangers qui le menaçaient. Elle aurait tant aimé se faire du souci. Elle aurait tant aimé ressentir quelque chose – n'importe quoi – d'autre que ce creux douloureux qui était en train de la ronger. Pourquoi Han avait-il donc changé de chaîne ? Tout ce qu'elle souhaitait, c'était qu'il s'en aille et la laisse tranquille.

L'écran holographique se sépara en deux parties. Une première image représentait la chambre du conseil, pleine à craquer. La seconde était un hologramme de l'Amiral Sovv se tenant à la console des orateurs. Le Sullustain était en train de demander au CSMNR de l'appuyer dans sa décision de limoger le Général Bel Iblis ainsi que la longue liste d'officiers qui avaient déserté pour servir sous son commandement. Borsk Fey'lya apparut en incrustation, la fourrure emmêlée et les yeux cernés de rouge.

— Connaissez-vous un autre moyen de tenir l'ennemi en respect, Amiral Sovv ? demanda Fey'lya.

L'hologramme du Sullustain continua de regarder en l'air.

— La mutinerie de Bel Iblis est en train de ronger l'intégrité de tout notre commandement militaire.

— J'en déduis que la réponse est non, dit Fey'lya. Dans ce cas, je suggère qu'au lieu d'essayer d'interférer dans les efforts du Général Bel Iblis, vous joigniez vos troupes aux siennes. Vous n'arriverez pas à arrêter les Yuuzhan Vong en leur mordant les mollets.

La phrase causa un tel tumulte dans la chambre du Sénat que Ben ouvrit les yeux et se mit à pleurer. Le droïde-nurse arriva immédiatement à côté de Leia, tendant ses quatre bras synthétiques pour s'emparer de l'enfant. Leia s'interposa, protégeant Ben de son propre corps, et fit signe au droïde de s'en aller. Personne ne lui prendrait cet enfant.

S'adressant apparemment à Fey'lya en connexion directe depuis son poste, l'Amiral Sovv répondit quelque chose, ne sachant pas que le canal audio avait besoin de s'égaliser, et la phrase fut perdue au milieu du vacarme généralisé.

— Je suis également conscient du nombre de vies que nous risquons de perdre si nous laissons l'ennemi pousser leur bouclier de réfugiés contre nos défenses planétaires, ajouta Fey'lya. Amiral Sovv, en tant que haut dirigeant du CSMNR, je ne vais pas me contenter de vous demander de tirer à travers l'écran d'otages, je vous ordonne de le faire ! Tirez même sur les vaisseaux alliés, si c'est nécessaire.

Encore une fois, l'Amiral Sovv n'attendit pas que la transmission audio se soit stabilisée et sa réponse fut de nouveau absorbée par le brouhaha.

La phrase suivante de Fey'lya, en revanche, ne le fut pas :

— Je me vois donc contraint de vous relever de votre commandement, Amiral Sovv. Je suis certain que le Général Bel Iblis comprendra la nécessité de mon ordre.

Cette fois, le vacarme fut tel que même les systèmes audio très sophistiqués ne parvinrent pas à filtrer le bruit. Des centaines de sénateurs se levèrent et commencèrent à crier leur colère face au Chef d'Etat. Un plus petit nombre se mit à applaudir le courage de la décision du Bothan. Puis, un par un, les hologrammes des protégés Sullustains de Sovv commencèrent à apparaître sur les bancs des orateurs, à côté de l'amiral. Il y avait les Généraux Muun et Yeel, l'Amiral Rabb, le Commandeur Godt et une douzaine d'autres. Tous de puissants personnages de l'armée républicaine, tous redevables de leur grade à l'Amiral Sovv. Fey'lya ne sembla guère surpris de les voir apparaître sous ses yeux. Mais la fourrure de sa barbe se hérissa lorsque le Général Rieekan, le Commodore Brand et même son compatriote Bothan Traest Kre'fey ajoutèrent leurs hologrammes à ceux qui épaulaient l'Amiral Sovv.

— On n'a pas besoin de regarder ça, dit Han, essayant

toujours de protéger son épouse de la moindre contrariété. Et si on se tapait une des holo-sitcoms de Garik Loran ? En général, ça te fait toujours bien rigoler, non ?

Leia secoua la tête.

— Non, laisse, c'est très bien…

La désintégration de l'armée de la Nouvelle République l'aidait au moins à concentrer son esprit sur autre chose que le grand vide douloureux dans ses entrailles. Elle fit signe au droïde de lui apporter une pochette-biberon vitaminée et entreprit de nourrir Ben. Maintenant, si elle parvenait enfin à prier Han de la laisser en paix, elle réussirait à tenir le coup jusqu'à la fin de la journée.

Sur l'écran, Fey'lya se leva de son siège et essaya quelques instants de calmer l'assemblée. Cela ne fit qu'amplifier les cris et les huées. Il abandonna et retourna à son fauteuil. Il disparut alors derrière sa console d'instruments et se mit au travail sur les commandes. Il remarqua alors que son visage apparaissait encore à l'écran. Il lança un regard noir vers la caméra, appuya sur un bouton et son image disparut.

L'unité de communication des Solo se mit à sonner. Han fronça les sourcils et commença à se lever.

— Han ? (Surprise par l'inquiétude dans sa propre voix, Leia retint son époux par le bras.) Où vas-tu ?

Han fit un vague geste en direction du bureau.

— Je vais répondre…

Leia secoua la tête et tira son mari près d'elle sur le canapé.

— Ne me laisse pas.

Le visage de Han s'adoucit.

— Jamais. Je ne vais nulle part.

L'unité de communication continua donc de sonner. L'écran vidéo se sépara en trois parties. L'une affichait le tumulte dans les galeries du Sénat, la deuxième présentait les hologrammes de Sovv et de ceux qui le soutenaient, la troisième montrait le sommet de la tête de Borsk Fey'lya, affairé derrière sa console d'instruments.

C-3PO apparut à la porte du salon.

574

— Je vous prie de m'excuser, Messire Han, mais l'unité de communication requiert votre attention.

— On sait, Bouton d'Or, répondit Han. Ce sont nos gosses que nous avons perdus, pas l'audition…

Les photorécepteurs de C-3PO perdirent quelque peu de leur éclat.

— Oh… Heu, oui, bien sûr…

Il sortit de la pièce en se dandinant. Le vacarme dans le Sénat commença enfin à s'estomper, mais le bruit environnant était encore trop important pour que le droïde chargé de la retransmission audio puisse capter ce que l'Amiral Sovv était en train de dire à Borsk Fey'lya.

Le Chef de l'Etat releva la tête pour signaler aux commandeurs d'attendre un peu, puis il reporta son attention sur la console et parla brièvement.

Quelques instants plus tard, C-3PO entra de nouveau dans la pièce avec un terminal portable de communication. Il regarda l'écran vidéo et hocha la tête – une façon toute robotique d'exprimer la perplexité – avant de se tourner vers le canapé.

— Je vous prie d'excuser cette interruption, mais le Chef de l'Etat Fey'lya souhaiterait s'entretenir avec Maîtresse Leia.

— Avec moi ? (L'esprit de Leia se serait, en temps normal, immédiatement lancé dans des spéculations sur les raisons de l'appel de Fey'lya en un moment pareil, mais les seules choses qui lui traversèrent la tête furent qu'elle n'avait pas dormi, ni pris de bain, ni coiffé ses cheveux depuis les événements.) Non. Hors de question.

C-3PO regarda à nouveau l'écran vidéo avant d'ajouter :

— Il m'a prié de vous dire qu'il s'agit d'une question de sécurité galactique.

Leia regarda Han. Elle n'eut pas besoin de lui dire quoi que ce soit. Il se contenta de prendre le terminal des mains du droïde et de le poser sur le canapé entre sa femme et lui, avec la petite caméra holographique incorporée tournée vers son visage.

— Ici Han Solo, Chef Fey'lya. Leia ne peut pas prendre l'appel pour le moment.

Sur l'écran mural, Fey'lya se passait les mains dans la crinière.

— Oui, j'ai cru comprendre que quelque chose était arrivé à Anakin. Si c'est le cas, j'aimerais non seulement vous faire part de mes condoléances, mais également exprimer toute la sympathie de la Nouvelle République.

— Merci, nous apprécions... (Han regarda l'affichage mural, leva les yeux au ciel et reporta son attention sur la caméra holographique du petit terminal de communication.) J'espère que vous comprenez à présent que je vais être obligé de raccrocher.

Les mains de Fey'lya surgirent de sous la console d'instruments.

— Non, attendez... Il y a autre chose, Général Solo.

— Général ? (Han se tourna vers Leia en soulevant un sourcil interrogatif.) Ne me dites pas que vous souhaitez m'affecter à un nouveau commandement. Vous n'avez pas à ce point besoin d'officiers, tout de même...

Leia comprit enfin que son mari était en train de se moquer du Chef d'Etat de la Nouvelle République non pas pour son propre compte, mais pour tenter de la dérider, elle. Ses efforts la touchèrent, même si cela ne parvint pas à lui tirer la plus petite esquisse de sourire.

— Pas encore, Général Solo. (Les oreilles de Fey'lya se tordirent vers l'arrière, un rare signe de trouble chez le Bothan.) En fait, j'espérais parvenir à convaincre la Princesse Leia de prononcer quelques mots en faveur de mon gouvernement auprès de certains de ses vieux amis encore dans l'armée...

Han releva les yeux au-dessus du terminal de communication.

Fey'lya sembla réaliser que Leia devait être à l'écoute car il s'empressa d'ajouter :

— Je suis certain que la Princesse Leia comprend combien j'ai pu soutenir les Jedi ces derniers temps. J'ajoute que l'armée est en attente d'approbation pour d'importantes commandes de droïdes passées à Tendrando Armements...

Leia soupira et regarda le plancher. Etait-ce donc pour cela qu'Anakin avait donné sa vie ? La pensée était si déprimante qu'elle se mit de nouveau à sangloter.

— Désolé, Chef Fey'lya, dit Han, tendant la main vers

l'interrupteur du terminal. Mais cette fois-ci, vous devrez vous débrouiller tout seul.

Pour les naseaux sensibles de Cilghal, les mousses de bactéries qui étaient en train de ronger le métal carbonisé de la coque des chasseurs encore en état produisaient une odeur aussi incommodante que les combinaisons crasseuses des huit pilotes survivants et épuisés. Il y avait un vague relent acide, des effluves de métal moisi et corrodé. Un parfum assez courant sur des mondes océaniques comme sa planète natale de Mon Calamari. Beaucoup plus rare lorsqu'il provenait de l'alliage à l'épreuve de la rouille normalement utilisé sur les coques des chasseurs stellaires.

Cilghal se servit d'un agitateur en plastifibre pour prélever la moisissure jaunâtre et la recueillir dans un sac d'échantillonnage. L'odeur de pourriture devint presque insupportable. Elle avait déjà procédé à quelques analyses sur cette toxine si étrange déployée par les Yuuzhan Vong, mais elle commençait à se demander si elle ne ferait pas mieux d'aller chercher son masque respiratoire dans son laboratoire.

Derrière elle, Kyp Durron éternua avant de demander :

— Qu'est-ce que vous en pensez ? (Après plusieurs douzaines d'heures angoissantes passées dans sa combinaison étanche, en raison d'une fuite de la verrière de son cockpit, Kyp était, de loin, celui qui sentait le plus mauvais de tous les pilotes survivants.) Une nouvelle sorte d'arme ?

— Si c'est le cas, elle n'est pas très efficace, dit Cilghal. Si c'est tout ce qu'elle est parvenue à produire pendant tout le temps qu'il vous a fallu pour revenir au ralenti jusqu'à Eclipse, elle n'a guère de chance de détruire beaucoup de chasseurs avant que les techniciens chargés de l'entretien ne la vaporisent.

Elle continua de gratter la moisissure et atteignit enfin la coque. Comme ses narines le lui avaient laissé suspecter, le métal était rongé par la corrosion. La moisissure était en train de modifier le métabolisme du chasseur lui-même. Mais pourquoi ? Les Yuuzhan Vong ne se seraient pas donné la peine de créer un champignon résistant au vide et au froid cosmique sans raison.

Kyp éternua de nouveau et Cilghal se tourna vers lui.

— Ça fait longtemps que vous éternuez ? demanda-t-elle. Est-ce que cela vous est arrivé pendant que vous étiez enfermé dans votre combinaison pressurisée ?

Kyp secoua la tête et s'essuya le nez sur le revers de la manche de sa combinaison.

— Ça a commencé lorsque je l'ai enlevée.

— Des spores… (Faisant signe à Kyp de la suivre, Cilghal ramassa son sac de prélèvements et se dirigea vers la porte du hangar.) Les Vong voulaient donc que cela produise des spores…

Cilghal était sur le point d'appuyer la paume de sa main sur la commande d'ouverture du panneau lorsque le mugissement d'un signal d'alarme retentit dans la soute caverneuse. Il continua de sonner de façon assourdissante pendant une quinzaine de secondes, puis fut remplacé par la voix de l'officier de surveillance :

— Attention, à tous les équipages : ce n'est pas un exercice. Vaisseau de corail yorik en approche !

— Par le sang des Sith ! Encore cette frégate ! (Kyp avait expliqué à l'officier de surveillance que leur retour vers Eclipse avait été considérablement retardé en raison d'une frégate qui les poursuivait inlassablement.) J'aurais pourtant juré l'avoir semée.

Avant que Cilghal puisse le retenir, Kyp tourna les talons et se précipita pour rejoindre l'agitation qui régnait autour de l'assortiment hétéroclite des chasseurs de réserve prévus pour la défense d'Eclipse. Avec l'*Aventurier Errant* toujours en orbite de protection autour de la base et doté d'un équipage expérimenté constitué de réfugiés de Reecee, il était hors de question qu'une simple frégate puisse détruire le repaire fortifié des Jedi.

Malheureusement, Cilghal comprenait qu'il était maintenant impossible de continuer à garder le secret de l'emplacement de la base. Lorsqu'un vaisseau voyageait à travers l'hyperespace, sa coque se chargeait en tachyons. Ceux-ci n'étaient libérés qu'au moment du retour en espace réel. Si elle avait raison à propos des moisissures qui croissaient sur la coque des huit chasseurs – et elle avait apparemment raison, puisqu'on avait détecté une frégate Yuuzhan Vong en approche –, les spores avaient dû forcer la propagation des tachyons dans l'hyperespace, créant ainsi une longue traînée de particules hyperluminiques qui conduisait directement jusqu'à Eclipse.

Toujours absorbée dans ses pensées, Cilghal regagna son laboratoire et entreprit de démonter un fusil à tachyons qu'un pilote avait abandonné dans la soute. La Mon Calamari n'était pas des plus à l'aise avec les équipements mécaniques humains – elle préférait, en général, s'en remettre à Jaina ou à Danni pour de telles opérations – et la tâche absorba toute son attention pendant le quart d'heure qui suivit. Le signal d'alarme de la base retentit à nouveau et l'officier de surveillance, perplexe, annonça que la frégate s'était sacrifiée pour détacher trois skips par-delà les barrages de défense extérieurs d'Eclipse.

La base tout entière vibra lorsque ses deux puissants turbo-lasers ouvrirent le feu sur les trois appareils ennemis. Tout d'abord, Cilghal crut que le cliquetis erratique qu'elle entendait était dû à des vibrations sous la surface causées par les batteries d'artillerie. Mais elle remarqua alors que le son se produisait selon un schéma répétitif fort compliqué et qu'il provenait du décodeur de pulsations gravifiques installé près du bassin du yammosk captif.

Cilghal se précipita jusqu'au hublot d'observation. Elle vit que les tentacules de la créature se tendaient hors du bassin et que toutes les membranes de son corps battaient en rythme avec les pulsations retransmises par le décodeur gravifique.

— Alors, comme ça, tu peux parler !

La Mon Calamari se rendit jusqu'au décodeur et découvrit que l'appareil était en train d'inscrire des séries d'ondulations sur un tambour de filmplast. Ils ne disposaient pas encore de suffisamment de données pour convertir les sinusoïdes en un message cohérent, mais il semblait évident que les marques correspondaient à des codes d'identification, des instructions de cap et des énumérations de cibles prioritaires. Cilghal activa son propre modulateur de fortune d'ondes gravifiques, ajusta l'amplitude pour correspondre à ce qui était en cours d'enregistrement et commença à générer une sorte de brouillage.

Le yammosk cessa de battre la mesure pendant un instant. Il gigota dans son bassin et se propulsa contre le hublot en produisant un choc sourd et humide. Cilghal fit un bond en arrière. La créature s'accrocha au panneau de transparacier et ses tentacules en lacérèrent les jointures à la recherche d'une ouverture possible.

La Mon Calamari éteignit son modulateur. Le yammosk se laissa retomber dans l'eau et se remit à émettre des pulsations. Cilghal comprit qu'elle avait marqué un point.

La voix de l'officier de surveillance résonna dans le système de communications internes :

— Attention, probabilités de mission suicide ! Fermez toutes les écoutilles, préparez les combinaisons pressurisées. Impact dans dix, neuf...

Cilghal jeta un coup d'œil au tambour de filmplast du décodeur et comprit immédiatement ce qui y était enregistré. Certes, elle était incapable de le traduire mot pour mot, mais elle était persuadée que le message disait : « Je suis là. Détruisez-moi. Détruisez-moi à tout prix. »

Plus le temps de déconnecter tous les câbles d'alimentation et de transferts de données pour tenter de sauver le décodeur de modulations gravifiques. Cilghal arracha la feuille de filmplast de son tambour et s'enfuit du laboratoire condamné, oubliant presque dans l'urgence d'en sceller l'écoutille d'accès.

48

Les Sabres jaillirent de la baie d'accostage des chasseurs s'ouvrant à l'avant du *Mon Mothma*. Les pilotes découvrirent le petit disque de Coruscant – à peine plus gros que l'ongle d'un pouce – clignotant entre les hordes de vaisseaux de la flotte Yuuzhan Vong. L'aura de la planète, produite par ses milliards et ses milliards de lumières, apparut comme un rappel insistant de ce que les combats devraient protéger coûte que coûte. Ben était là, en bas, quelque part, derrière l'une de ces lumières, dormant profondément dans l'appartement de sa tante, rêvant au retour prochain de sa maman. C'était en tout cas ce que Mara réussissait à percevoir dans la Force. Ce qu'elle n'arrivait pas à deviner, en revanche, c'était si, oui ou non, elle parviendrait à concrétiser ce rêve. En dépit du flot continu de renforts de la Nouvelle République – la rumeur prétendait que même l'Amiral Ackbar était sorti de sa retraite pour prendre la tête de la flotte Mon Calamari –, les Yuuzhan Vong continuaient d'avancer inlassablement. Leur progression à l'intérieur du système se suivait à la trace en raison du grand nombre de carcasses de vaisseaux flottant dans l'espace. Mais il leur restait encore près de la moitié de leur flotte et ils se trouvaient à présent en vue de Coruscant.

Et Mara n'avait pas l'intention de les laisser s'approcher davantage de son enfant.

Une nuée d'énergie bleutée illumina l'espace droit devant lorsque les batteries de turbolasers du *Mon Mothma* ouvrirent de nouveau le feu. Quelques instants plus tard, une frégate Yuuzhan Vong disparut des écrans tactiques. Le signal d'alarme des senseurs de détection retentit dans le cockpit, signalant l'arrivée d'une escadrille de skips venant à leur rencontre.

La voix de Wedge Antilles s'éleva dans le haut-parleur :

— A tous les escadrons, préparez-vous à une défense rapprochée. Ce coup-ci, on ne veut pas se contenter d'attirer leur attention.

Mara fut immédiatement submergée par la chaleur rassurante déployée dans la Force par son époux.

— Tout va très bien aller, dit Luke. Nous n'allons pas laisser qui que ce soit lui faire du mal.

Ecarquillant ses yeux bleus face à la zone de sécurité qui, sur son écran, semblait se réduire à vue d'œil, la jeune recrue des communications du *Bail Organa* demanda à son supérieur :

— Général ? Dois-je contacter les Défenses Planétaires pour les prier de désactiver un secteur entier du champ de mines pour nous ?

Garm Bel Iblis tortilla nerveusement sa moustache et, ignorant l'immense écran tactique mural de la passerelle de commandement, se tourna vers les hublots avant. Il observa la tornade de plasma en train de se déchaîner contre les déflecteurs de proue du destroyer stellaire. Entre les éclairs, il eut tout juste le temps d'apercevoir les silhouettes massives qui constituaient l'avant-garde de la flotte ennemie. Rapidement, ces silhouettes incertaines se transformèrent en paquebots et gros transports de la Nouvelle République. N'étant pas du genre à laisser la technologie l'emporter sur son propre jugement, il comprit instinctivement que le bouclier de vaisseaux de réfugiés serait sur lui dans moins d'une minute. Il savait également que les Défenses Planétaires auraient besoin de désactiver deux secteurs de mines – et non pas un seul – si le Groupe Deux devait battre en retraite selon la procédure prévue.

— Général ? demanda la jeune femme. J'ai libéré une fréquence pour contacter les Défenses Planétaires.

— Parfait, Anga. (Les yeux de Garm se posèrent brièvement

sur le moniteur tactique. Il constata que, en raison du grand nombre d'appareils ayant déserté le Groupe Un pour se joindre à lui, sa propre flotte était bien plus conséquente qu'au commencement de la bataille.) Dites aux Défenses Planétaires de conserver tous les secteurs de mines actifs. Nous ne battrons pas en retraite.

Le visage d'Anga devint aussi pâle que sa chevelure.

— Je vous demande pardon, Général ?

— Ouvrez un canal pour transmettre à tous les groupes de la flotte, ordonna Garm. J'ai besoin de dire quelques mots.

Installé dans un satellite équipé de répulseurs, en vol stationnaire dans l'axe du tracé d'invasion des Yuuzhan Vong, le quartier général de la Défense Orbitale était aussi grand qu'une cité flottante de Mon Calamari. Le centre de contrôle qui se trouvait en son cœur était lui-même aussi grand qu'un terrain de shock-ball. Malgré la foule de coordinateurs de batteries et de responsables du trafic, l'endroit était, au moment où Lando et son escorte passèrent l'écoutille de sécurité, aussi silencieux que l'espace lui-même.

Remarquant que tous les yeux de toutes les personnes présentes étaient braqués vers le plafond, Lando releva la tête et découvrit un vaste dôme de transparacier au-delà duquel s'étendait un océan de traînées de plasma et de boules de feu incandescentes. Certaines explosions se produisirent à proximité des boucliers déflecteurs. Lando voulut, d'instinct, se jeter à terre et ramper jusqu'à la *Dame Chance* aussi vite que ses mains et ses genoux le lui permettraient. Mais c'était pour lui une question d'honneur de ne jamais être le premier à céder à la panique. En dépit de ce que ses yeux lui apprenaient, la station demeurait stable et, dans cette salle pleine à craquer d'appareillages électroniques de toutes sortes, il ne se produisait aucun craquement ni aucun parasite.

D'une voix délibérément calme, Lando demanda :

— Plafond optique ?

— Tout juste, lui répondit son escorte, une jeune femme sous-officier qui aurait même arraché à Tendra une grimace de jalousie. De temps en temps, ça nous aide à orienter la station afin de voir réellement ce qui se passe dehors.

— Mmh… dit Lando.

Maintenant qu'il comprenait comment la scène s'organisait, il vit les cercles bleus de plusieurs milliers de propulseurs ioniques surgir de la tempête infernale. Garm Bel Iblis avait réussi à coincer les envahisseurs comme de vulgaires wampas. Le Groupe Deux de la flotte était en train d'accélérer à travers le bouclier de vaisseaux de réfugiés pour aller attaquer l'ennemi de front. Les corvettes et les frégates de la Nouvelle République disparaissaient par douzaines. Croiseurs et destroyers stellaires crachaient des salves de feu avant de succomber les uns après autres.

Lando décrocha son comlink de sa ceinture et appela Tendra :

— Où en es-tu avec les plates-formes armées ?

— On est en train de procéder à la dernière livraison, répondit-elle. Il y a toujours une section de bouclier ouverte de l'autre côté de la planète. Je pense que je vais en déposer quelques-uns au Palais Impérial.

— N'y compte pas trop, dit Lando. Je pense qu'ils vont refermer la brèche d'un instant à l'autre. Je te retrouve au point de rendez-vous convenu.

— Quand ? demanda Tendra d'un ton inquiet.

— Bientôt, répondit Lando. Très bientôt.

Le jeune sous-officier se pencha par l'écoutille et fit un signe aux deux droïdes de guerre CYV que Lando venait de livrer, puis elle ouvrit la marche jusqu'au centre de contrôle. Au moment où ils rejoignirent le turbo-élévateur, après s'être frayé un chemin dans le dédale de passages et de points de contrôle, ils constatèrent que le Groupe Deux avait franchi le barrage de réfugiés et striait à présent les cieux obscurs de traits de turbo-lasers. Les vaisseaux des otages se mirent à accélérer, leurs silhouettes sombres illuminées de l'arrière par les halos bleus de leurs traînées ionisées.

La jeune femme pressa sa paume sur un bloc tactile afin d'obtenir une autorisation d'accès, puis conduisit Lando et ses droïdes jusqu'au pont de commandement. Le Général Ba'tra était déjà bien entouré d'assistants et de sous-officiers – essayant tous de lui parler en même temps –, mais le Bothan fit cependant signe aux nouveaux venus de s'approcher. Le museau plissé en une vague grimace, il scruta les deux droïdes et émit un grondement d'approbation.

Trop heureux de trouver enfin quelqu'un qui appréciait la qualité de fabrication de ses droïdes, Lando sourit chaleureusement et tendit la main.

— Général Ba'tra, très heureux de vous rencontrer…

— Epargnez-moi les politesses, Calrissian, nous sommes en pleine bataille.

Lando laissa sa main retomber. Il sentit sa bonne humeur l'abandonner, mais continua cependant de sourire.

— Certainement, mon Général, c'est pour cela que je confie ces droïdes de guerre aux bons soins du personnel de la sécurité.

— Vous confiez ?

— C'est gratuit, mon Général, confirma Lando.

Ba'tra lui lança un regard dubitatif.

— Et qu'attendez-vous en échange ?

— Rien. Pour le moment. Ce sont de bons droïdes. J'essaie d'entretenir le marché suffisamment longtemps pour que les clients potentiels puissent s'en rendre compte.

— Entretenir le marché ? (Le Bothan esquissa un sourire entendu, puis tapota avec une de ses griffes contre le blindage de CYV 1-302A.) C'est du quantum ?

— Encore mieux, dit Lando, imitant sciemment les manières un peu brusques du militaire. (Jouer le même jeu que son client était l'une de ses méthodes de vente les plus efficaces.) C'est du laminanium. Nous avons développé ça nous-mêmes.

— Ah…

Devinant l'approbation du Bothan, Lando s'empressa d'ajouter :

— J'en ai vingt de plus à bord de la *Dame Chance*, si cela peut vous être d'une quelconque utilité.

— Ils ne sont pas destinés à quelqu'un d'autre ?

— Cette station est mon dernier point de livraison, dit Lando, secouant la tête.

Un halo orangé se mit à clignoter par-delà le dôme d'observation du centre de contrôle. Deux mines spatiales venaient d'activer leurs fusées de propulsion et se dirigeaient à présent vers un vaisseau de réfugiés Ralltiiri. Les écrans protecteurs du cargo reconverti en transport encaissèrent la détonation de la première mine. Mais la deuxième le heurta à la proue, déclenchant une vague d'incendies en chaîne qui détruisirent le vaisseau de la tête à la queue.

— Cela répond à la question, commenta Ba'tra tout en observant l'explosion du vaisseau. Il devait y avoir des gardes Vong à bord.

La lueur orangée s'intensifia dans le centre de contrôle. Douze autres mines spatiales venaient de se mettre en route.

Les visages des assistants du général se décomposèrent. Une jeune Bith prit la parole :

— Dois-je demander au secteur deux-vingt-trois de désactiver leurs mines, Général ?

Avant de répondre, Ba'tra se tourna pour consulter un écran tactique qui était suspendu au mur de la passerelle de commandement. Le Groupe Trois de Wedge était en train de pousser l'ennemi par l'arrière, mais un coup d'œil rapide à la situation lui indiqua que la flotte de Garm ne serait pas suffisante pour tenir les Yuuzhan Vong en respect. Même si les restes du Groupe Deux avaient déjà créé une brèche conséquente dans l'avant-garde de la flotte d'invasion, les appareils ennemis commençaient à se détacher de la formation pour obliger les vaisseaux de réfugiés à se jeter contre les barrages de mines.

Le halo orangé du centre de contrôle s'atténua considérablement et fut soudainement remplacé par l'éclair aveuglant des mines en train d'exploser. Ba'tra tourna la tête et vit une douzaine de vaisseaux de réfugiés franchir le barrage de mines sans en être affectés.

Le Bothan fit volte-face vers la jeune Bith qui avait émis la suggestion concernant la neutralisation des mines dans ce secteur.

— Je n'ai pas donné l'ordre de désactivation, que je sache...

Le peu de couleur qui restait au visage de la jeune femme disparut aussitôt.

— Mais moi non plus...

Ba'tra sortit son comlink de sa poche et avança jusqu'au panneau de transparacier qui donnait sur le centre de contrôle.

— Activez le secteur de mines deux-vingt-trois !

Le Bothan dévisagea une Mon Calamari esseulée, assise à une quarantaine de mètres de là à sa console. Elle se contenta de croiser les mains sur ses genoux et de regarder le plafond. Les contrôleurs de mines assis de part et d'autre firent de même.

— Je vois... (Ba'tra éteignit son comlink et se tourna vers Lando.) Est-ce que vos droïdes sont aussi efficaces avec les traîtres qu'ils le sont avec les imposteurs ennemis ?

Lando regarda les contrôleurs et déglutit, guère convaincu qu'il lui faille répondre honnêtement.

— Savez-vous à quelle vitesse nos ennemis seront sur nous une fois qu'ils auront franchi le champ de mines ? demanda Ba'tra. Et dois-je également vous rappeler que vous ne quitterez pas cette station tant que je n'aurai pas obtenu de réponses ?

— Vous devez désigner les cibles et donner un ordre qui prévaudrait sur le reste, dit Lando.

— C'est-à-dire ?

Lando ne répondit pas tout de suite, l'esprit perdu dans des calculs de poussées et de marges d'erreurs.

— Calrissian ?

— Général, avez-vous un moyen d'empêcher les mines de cibler vos plates-formes de défenses orbitales ?

Ba'tra lui adressa un regard noir et se tourna vers un assistant venu d'Arcona.

— On peut leur envoyer des codes de désactivation, suggéra le jeune sous-officier. Avec une transmission en faisceau restreint, on pourrait désarmer les têtes explosives et laisser les mines rebondir sur les déflecteurs des plates-formes.

— Parfait, dit Lando. Alors je vous suggère de désactiver tous les secteurs.

— Quoi ?

— Laissez-les passer, expliqua Lando. Les réfugiés, les Yuuzhan Vong, tout le monde...

Ba'tra plissa les yeux en réfléchissant. Lando comprit que le général était déjà en train de songer à la même chose que lui. Voilà au moins un Bothan qui semblait bien mériter son poste.

Au bout de quelques instants, Ba'tra demanda :

— Vous savez ce qui se passera lorsque ces vaisseaux atteindront notre bouclier planétaire, non ?

Lando haussa les épaules.

— Vos mines pourraient détruire la première centaine d'appareils...

— Pas autant que ça, à mon avis, dit la jeune femelle Bith.

— Alors autant garder vos atouts essentiels pour un usage plus judicieux.

Ba'tra releva les yeux vers le flux continu de vaisseaux de réfugiés traversant le secteur de mines désactivées en direction de la surface de Coruscant. Les premiers transports disparurent par-delà les bords du vaste dôme d'observation, leurs longues traînées ionisées, pareilles à des aiguilles, restant en suspens derrière eux au fur et à mesure que les appareils accéléraient vers le bouclier.

— J'espère que vous comprenez que cela ne sauvera pas les otages, déclara le Bothan.

— Certes, mais au moins ils ne se feront pas massacrer par les tirs de la Nouvelle République, répondit Lando. Et puis, ça pourrait bien sauver Coruscant.

Une sphère de lumière dorée émana de la planète lorsque le premier vaisseau de réfugiés se désintégra contre son bouclier.

Ba'tra frissonna et hocha la tête.

— Très bien, Calrissian. A vous de jouer.

— Moi ? demanda Lando, sentant sa mâchoire se décrocher.

— C'est votre idée. C'est votre mission, dit le Bothan. Je vais demander à quelqu'un de vous amener des épaulettes et des étoiles, Général. Vous venez juste d'être rappelé dans vos fonctions militaires.

Au moment où le Groupe Trois rejoignait la flotte du Groupe Deux, l'espace environnant était tellement jonché d'épaves qu'il était impossible de se mouvoir à grande vitesse. A travers la nuée de débris, Mara aperçut une demi-douzaine de destroyers stellaires et peut-être vingt ou trente vaisseaux plus petits en train de se frayer un chemin à grands coups de turbolasers. Tous se déplaçaient effroyablement lentement. Près de la moitié vomissaient cadavres et jets d'oxygène. Une bonne douzaine se mouvaient uniquement parce qu'ils étaient remorqués par les rayons tracteurs d'autres engins. Visiblement, Garm Bel Iblis et ses troupes n'étaient plus en état de se battre.

L'arrière-garde des Yuuzhan Vong semait la dévastation de toute part, échangeant des tirs nourris avec le Groupe Un en traversant le champ de mines désactivées. Traest Kre'fey avait apparemment choisi de ne pas forcer son offensive tant qu'il n'aurait pas rejoint le groupe de Wedge. Les quelques milliers de vaisseaux qui lui restaient demeuraient sur leur réserve, se contentant d'attaquer à distance pendant que les envahisseurs investissaient l'orbite de Coruscant et s'en prenaient aux plates-formes de défense. Les effectifs du Groupe Un étaient certes très inférieurs en nombre, mais Mara n'arrivait pas à croire que l'amiral puisse faire preuve d'une telle couardise. En dépit de son passif de Bothan, Kre'fey lui avait toujours donné l'impression d'être un honorable soldat et un citoyen loyal.

La scène qui se produisait en périphérie de Coruscant la sortit de sa réflexion et son cœur se mit à battre en pensant à la sécurité de Ben. Un disque doré de près de mille kilomètres de diamètre se dessina à la surface du champ déflecteur de la planète, sous les impacts constants des vaisseaux de réfugiés. Chaque nouvelle collision produisait une colonne de feu qui s'élevait sur plusieurs kilomètres dans l'espace et envoyait des ondes de choc à la ronde. De temps en temps, un vaisseau de réfugiés parvenait à prendre la tangente à la dernière seconde lorsque son équipage réussissait à reprendre le contrôle. Mais la tentative finissait toujours mal. L'appareil allait s'écraser contre le bouclier ou bien était détruit par l'une des frégates ennemies en attente, quand il n'explosait pas tout seul suite au stress imposé à sa structure par la difficulté de la manœuvre. Pour la plupart, les pilotes Yuuzhan Vong des escadrons suicides – installés aux commandes des vaisseaux otages – concentraient leurs crashes sur une même zone. Les explosions les plus conséquentes étaient déjà en train de causer des tornades de décharges statiques à la surface du bouclier.

La voix de Danni Quee résonna sur le canal de communications :

— On a repéré un autre yammosk.

Mara posa les yeux sur son écran tactique. Un rectangle lumineux apparut autour d'un croiseur lourd qui était déjà bien engagé dans le champ de mines. Une douzaine de soupirs de lassitude retentirent sur la fréquence. Ce serait le quatrième yammosk qu'Eclipse aurait à éliminer. Ils avaient détruit le deuxième grâce à la tactique de la sphère lumineuse déployée par Saba, mais le troisième avait coûté la vie à de très nombreux pilotes. Luke avait été obligé de repenser l'organisation des forces d'Eclipse en un seul détachement constitué de deux escadrons de quinze chasseurs. Lorsque Danni n'était plus parvenue à détecter des modulations gravifiques, tous avaient espéré avoir réglé son compte au dernier yammosk. Apparemment, l'envahisseur en avait encore au moins un autre en réserve.

Luke ouvrit une fréquence pour appeler le *Mon Mothma*.

— Commandement ? On va avoir besoin de tout le soutien possible. (Pendant leur dernière phase de réarmement, Wedge leur avait proposé l'aide des Rogue et des Spectres – même si ceux-ci n'étaient supposés rejoindre le combat que pour des missions d'espionnage – pour les attaques qu'ils auraient à mener contre les yammosks.) Ça risque d'être plus difficile, ce coup-ci.

— Négatif, Fermier, répondit Wedge. Tu n'es pas autorisé à lancer cet assaut.

Mara sentit Luke se raidir et comprit combien il était fatigué. Luke ne se laissait jamais aller à la colère au point qu'elle puisse s'en apercevoir.

— On n'a plus le temps de jouer les chaperons, là,

Commandement. Tu vois bien que la situation est désespérée. Si nous n'éliminons pas ce...

— J'ai dit non, l'interrompit Wedge. Je ne peux pas t'ordonner de battre en retraite, mais je te demande au moins de me faire confiance sur ce coup. Il y a certaines choses que je ne peux pas révéler sur cette fréquence.

Mara sentit Luke invoquer une technique de relaxation Jedi. Il n'y avait aucune raison de croire que les Yuuzhan Vong puissent détecter leurs communications, encore moins déchiffrer les codes militaires, mais on ne pouvait pas en dire autant des vaisseaux de réfugiés. Si l'un d'entre eux appartenait à un pilote ou à un contrebandier de la trempe d'un Han Solo ou d'un Talon Karrde, il y avait fort à parier que l'appareil devait être équipé du système d'écoute le plus perfectionné de toute la galaxie.

— Bien compris, dit Luke. Dis-nous quand nous aurons l'autorisation.

— Tu peux compter sur moi.

— Wedge ? (Mara fut aussi surprise que les autres de s'entendre prononcer le nom de Wedge sur la fréquence. Elle ne comprit d'ailleurs pas pourquoi elle l'avait fait jusqu'à ce qu'elle s'avise de terminer sa phrase :) Est-ce que tu as un moyen de me relayer les canaux de communications civiles de Coruscant ?

Il y eut une courte pause, puis Wedge répondit :

— Bien sûr qu'on peut le faire. A qui veux-tu parler ?

— A mon beau-frère, dit-elle.

La curiosité qu'elle ressentit chez Luke dura le temps qu'il fallut à un autre vaisseau de réfugiés pour s'écraser contre les déflecteurs. Cette fois, la décharge statique resta concentrée au point d'impact et pénétra le bouclier. Deux autres appareils explosèrent près de la brèche, agrandissant considérablement le trou. Un troisième engin – un vieux paquebot décrépi – réussit à s'introduire dans l'ouverture et commença à prendre la fuite. Les canaux de communications furent bientôt envahis par les cris de joie des représentants du Groupe Trois, heureux de constater qu'un vaisseau de réfugiés allait peut-être s'en tirer. Les réjouissances furent de courte durée car deux frégates

Yuuzhan Vong se lancèrent très rapidement aux trousses du paquebot par l'ouverture.

La voix de Han Solo retentit alors sur la fréquence.

— Mara ? Qu'est-ce qui se passe ? (Il y avait beaucoup de parasites.) Est-ce que Luke...

— Il va bien, l'interrompit Mara. Ecoute-moi. Les boucliers sont en train de rendre l'âme. Est-ce que tu peux emmener Ben à l'abri, loin de la planète ?

— C-3PO est déjà en train de boucler les valises ! dit Han. Nous décollerons dès que nous aurons rejoint le *Faucon*.

— Merci. (Il y eut une pause un peu inconfortable, au cours de laquelle Mara hésita entre lui faire part de sa tristesse et lui présenter des excuses pour avoir pensé que la mission d'Anakin était une bonne idée. Elle se contenta de demander :) Comment va Leia ?

— Elle tient le coup, répondit Han. (Dans son esprit, Mara vit une image se dessiner, celle de Leia serrant Ben contre sa poitrine.) Bon, allez, ajouta Han, à plus tard.

Il coupa la communication, laissant Mara et Luke seuls, face à la guerre. Elle sentit Luke la toucher dans la Force, essayant de lui infuser des pensées rassurantes dont il ne semblait guère lui-même imprégné.

Je vais bien, Luke, songea-t-elle.

Mais Mara sentit monter l'irritation de Luke. Même lui, cet exemple de maîtrise parfaite, commençait à se lasser d'attendre ainsi. Plus d'une douzaine d'engins Yuuzhan Vong pénétrèrent dans la brèche de l'atmosphère de Coruscant avant que les Défenses Planétaires ne parviennent à remettre en route un générateur de remplacement.

La flotte du Groupe Trois était sur le point d'aborder le champ de mines lorsque Wedge ordonna de cesser la poursuite. Cela faisait près de vingt minutes qu'aucun vaisseau ennemi n'était tombé sous le feu des Ailes-X. Luke ordonna aux Sabres et aux Chevaliers Errants de se rendre à leurs postes de combat statique à deux cents kilomètres au-devant du destroyer stellaire. Perplexes devant l'hésitation de Wedge, les deux escadrons prirent position, observant les mortelles décharges électriques qui, dans le lointain, fusaient entre les gros vaisseaux.

Il fut répondu à cette perplexité moins d'une minute plus tard, lorsque que toutes les mines du champ de protection allumèrent simultanément leurs fusées directionnelles. Les vaisseaux cessèrent le feu. Un silence effrayant tomba sur les canaux de communications lorsque les mines se braquèrent sur les appareils ennemis et commencèrent à converger vers eux. Les Yuuzhan Vong manœuvrèrent de façon désordonnée. Ils étaient à présent coincés entre les mines et le bouclier protecteur de Coruscant, sans la moindre issue possible. Dès que l'un d'entre eux réussissait à échapper à une mine, c'était immédiatement pour se retrouver sur la trajectoire d'une autre. Certains vaisseaux approchèrent de trop près le bouclier planétaire et furent instantanément réduits en poussière cosmique. Quelques appareils en éperonnèrent accidentellement d'autres. Certains, visiblement subjugués par le retournement soudain de la situation, tombèrent alors sous les tirs nourris des turbolasers des platesformes de défense orbitale.

A terme, les Yuuzhan Vong comprirent enfin qu'il leur valait mieux cesser d'avancer pour régler le problème, se reposant alors sur leurs armements et leurs anomalies gravifiques leur servant de bouclier pour détruire les mines à l'approche. Beaucoup échouèrent et furent désintégrés. Un millier d'autres furent touchés et vomirent matériel, corps désarticulés et gaz par les brèches de leurs coques. Tous les vaisseaux encaissèrent au moins un impact de mine chacun. Mais un nombre ahurissant d'appareils ne semblaient présenter que des dégâts mineurs. Ils retournèrent à leurs missions initiales, concentrant leurs tirs sur les plates-formes orbitales et obligeant les vaisseaux de réfugiés à s'écraser contre le bouclier de Coruscant.

C'est alors qu'en parfaite coordination tous les engins Yuuzhan Vong endommagés par les mines se jetèrent volontairement contre les déflecteurs planétaires. Des décharges statiques parcoururent toute l'atmosphère. Des sections entières de boucliers étincelèrent brièvement avant de se volatiliser. Les stations de générateurs, installées à la surface, disparurent dans un rayonnement si aveuglant qu'il fut visible depuis l'espace. Des volées de skips jaillirent des appareils Yuuzhan Vong ayant échappé à la destruction massive et plongèrent vers la surface.

Sur l'écran tactique de Mara, le croiseur qui transportait le quatrième yammosk clignotait doucement, indiquant qu'il avait subi des dégâts. Mais il était toujours intact et dérivait lentement vers la face diurne de Coruscant.

— Fermier ? C'est tout bon ! appela Wedge. Tu as maintenant l'autorisation d'attaquer.

49

Bien avant d'avoir le loisir de jeter un coup d'œil à l'intérieur de l'enceinte qui se trouvait en contrebas, Jaina eut peur qu'il ne soit déjà trop tard. La colonne noirâtre d'une fumée de bûcher s'élevait déjà du puits. Les volutes montaient vers une valve du plafond qui, de temps en temps, s'ouvrait et se fermait rapidement pour éjecter la fumée dans le vide de l'espace. L'air était empli de la puanteur de la chair carbonisée et des os brûlés. Il y avait également des remugles de décomposition et de pourriture, ce qui expliquait certainement pourquoi ce lieu était si éloigné du reste des installations. Quoi que les Yuuzhan Vong fassent de leurs morts, tout semblait indiquer qu'ils n'étaient guère enclins à les conserver avec eux.

En dépit du guidage assuré par le détecteur de signal de son comlink, Jaina ne parvenait pas à repérer Lowbacca. Soudain, un bras jaillit des cendres et leur adressa un salut poussiéreux depuis le balcon d'observation qui se trouvait de l'autre côté de l'embouchure du tunnel. Jaina tomba à terre et rampa, essayant de ne pas trop penser qu'elle progressait au milieu des restes incinérés de milliers et de milliers de Yuuzhan Vong inconnus. Elle atteignit le rebord du puits.

Ce qu'elle vit en contrebas lui fit plus songer à un centre de retraitement qu'à un crématorium funéraire. Mesurant environ un dixième de la taille du spatioport, ce lieu à la structure pentagonale se trouvait à la croisée d'une douzaine de larges voies d'accès, dont la plupart semblaient provenir des profondeurs obscures du vaisseau-monde. Une grande partie des passages souterrains avaient été scellés de façon permanente avec des colmatages de corail yorik. Les autres grouillaient de Yuuzhan Vong venus apparemment pleurer leurs morts. Des morts dont le nombre ne cessait de croître, attestant ainsi de la redoutable efficacité du commando. Une pensée qui apporta à Jaina un semblant de réconfort. Les Yuuzhan Vong étaient enfin parvenus à briser la conque émotionnelle qui s'était accumulée tout autour d'elle depuis qu'Anni Capstan, son équipière régulière au sein de l'Escadron Rogue, avait trouvé la mort au-dessus d'Ithor. Ils avaient de nouveau réussi à blesser Jaina au plus profond de son être et, à présent, elle souhaitait leur rendre la monnaie de leur pièce.

Tout comme dans le spatioport, de longues colonnades disposées à l'extérieur des cinq murs donnaient sur des séries d'enclos utilitaires dont la fonction échappait quelque peu à Jaina. Non pas qu'elle en ait quelque chose à faire, d'ailleurs. Les cinq grottes qui s'ouvraient aux cinq angles de la structure étaient bien plus intéressantes. L'effigie d'un dieu Yuuzhan Vong important était installée dans chacune des cavités. Chaque statue était orientée vers un puits qui s'ouvrait juste devant elle. A côté de chaque puits se trouvaient un prêtre et plusieurs assistants, chantant des prières à l'intention des divinités et invitant les familles des défunts à s'avancer, groupe par groupe, afin de jeter les restes du cher disparu dans le brasier. Chaque effigie semblait correspondre à une partie du corps. Dans un puits, on jetait la peau du cadavre, dans un autre, les os principaux. Dans un troisième – et Jaina reconnut qu'il s'agissait de celui du dieu Yun-Yammka – on versait le sang.

La préparation des corps avait lieu dans l'une des nombreuses stations, de plus ou moins grande taille, disposées tout autour des installations. La sélection d'un préparateur nécessitait d'âpres négociations. Jaina vit plusieurs personnes se disputer, et violemment parfois, avec telle ou telle personne chargée du sinistre travail. Une fois le corps préparé, le premier arrêt avait lieu près d'un puits qui se trouvait au centre de l'enceinte et dans lequel on jetait le crâne et les mains.

Jaina sentit un frisson glacé lui traverser le corps.

— S'ils ont fait ça à Anakin...

Lowbacca gronda doucement et fit un signe par-dessus le rebord. Faisant bien attention à ne pas trop soulever de cendres, Jaina s'avança doucement et vit, à vingt mètres en contrebas, une poignée de guerriers Yuuzhan Vong pratiquer un drôle de jeu. Il s'agissait de se renvoyer, à coups de pied, une créature grognante couverte d'épines, en la frappant suffisamment fort pour qu'elle aille se ficher dans la poitrine de l'adversaire et y reste accrochée. Légèrement en retrait, manipulant le sabre laser d'Anakin avec une aisance surprenante, se tenait Vergere.

— Alors, où est Anakin ? siffla Tahiri.

Lowbacca fit un signe en direction de la remise qui se trouvait juste derrière les guerriers. Puis il indiqua un sas qui s'ouvrait à proximité, expliquant d'un grondement sourd que l'écoutille conduisait à une baie d'accostage dans laquelle reposait une navette destinée à Vergere et à ses compagnons. Jaina et les autres enfilèrent leurs combinaisons pressurisées, puis se camouflèrent en se couvrant d'une couche de cendres. Ils passèrent l'heure suivante à observer les rites sinistres qui se déroulaient dans le complexe. S'ils n'avaient pas repéré le manège de deux Yuuzhan Vong, sortant d'une remise avec le corps d'un de leurs camarades enchâssé dans une sorte de coquille et embarquant à bord d'une de ces petites navettes de corail yorik que les Vong utilisaient parfois pour se déplacer à l'intérieur du vaisseau-monde, l'attente leur aurait paru interminable. Repérant leurs allées et venues, Jaina n'eut guère le loisir de contempler le sinistre spectacle de la crémation des corps. Elle se contenta d'espérer que les dépouilles des guerriers qui avaient assassiné Anakin faisaient partie de celles qu'on était en train d'offrir aux dieux.

Enfin, un subalterne Yuuzhan Vong sortit de la remise et fit signe à deux soldats de le rejoindre. Les autres guerriers s'empressèrent d'enfiler des cagoules et d'activer leurs armures vivantes afin de pouvoir s'en vêtir plus rapidement. Jaina leva son puissant blaster avec précaution hors de la cendre. Elle en nettoya le canon et le collimateur de visée d'abord en soufflant dessus, puis d'un vague balayage du revers de la manche.

— Tirez-leur dessus uniquement quand ils auront amené Anakin. Attendez de l'avoir bien en vue, ordonna-t-elle dans le comlink. (L'intimité du lien psychique lui manquait. Mais c'était probablement mieux que Jacen ne soit pas là pour les unir mentalement. Elle était tellement en colère qu'elle ne souhaitait pas ouvrir ses émotions au reste du groupe.) On va descendre le récupérer. Puis nous prendrons la navette et nous irons chercher Jacen. Finissons-en une bonne fois pour toutes.

— Pigé, dit Zekk.

Au moment où le dernier membre du groupe confirmait qu'il avait bien compris, le subalterne apparut de nouveau. Derrière lui avançaient les deux soldats, portant – suspendue entre eux deux – une coquille correspondant à la taille d'Anakin.

— Je peux me faire l'officier ? demanda Alema, réglant la visée du blaster long sur le subalterne.

— Je t'en prie, dit Jaina.

Les autres se choisirent également une cible. Tahiri s'occuperait du porteur de coquille qui avançait en premier et Zekk de celui de derrière. Lowbacca leva son arme vers le pilote et Jaina visa en direction de Vergere.

— C'est bon, j'ai le sac de plumes dans mon collimateur, dit-elle. Feu à…

Quatre rayons de blasters traversèrent le crématorium, mais la main de Zekk s'était brusquement abattue sur le canon de Jaina, déviant son tir. Les traits de laser allèrent frapper le sol à côté de Vergere. La créature avait déjà exécuté un bond de côté, ramenant devant elle, et en souplesse, le sabre laser d'Anakin comme si elle savait s'en servir. Cette notion se dissipa très vite lorsque l'arme lui échappa des mains et alla rebondir sur le sol en s'éteignant.

Jaina pivota vers Zekk.

— Mais qu'est-ce qui t'a pris ? Je l'avais en joue !

— Mais nous ne sommes pas sûrs qu'il faille l'abattre ! répondit Zekk tout aussi vertement. Elle ne nous a fait aucun mal, même quand elle en a eu l'occasion, non ?

— Ouais, peut-être, mais ses fréquentations en disent assez long sur ses affinités ! (Jaina regarda en contrebas. Sa cible s'était empressée de ramasser le sabre laser d'Anakin et avait disparu.) Zekk, ne recommence jamais cela. Ne t'avise jamais plus de te mettre en travers de mon chemin !

Un murmure de stupéfaction s'éleva du fond du puits. La foule commençait à se rendre compte qu'une attaque était en train de se produire. Jaina raccrocha son blaster sur son épaule, s'empara de son sabre laser et se jeta la tête la première dans le ravin. Elle invoqua la Force pour ralentir sa chute et exécuta une pirouette sur elle-même. Elle atterrit sur le sol du crématorium, juste entre Tahiri et Lowbacca. Alema les rejoignit et vint se poster près de Tahiri. Elle épaula son blaster long. Le guerrier épargné par Zekk était acculé au mur. Se servant de la coquille contenant le corps d'Anakin comme d'un bouclier contre le fusil de la Twi'lek, il dégaina son coufee.

— Vous deux, occupez-vous de la navette, ordonna Jaina à Lowie et Tahiri. Alema et moi, on va se charger d'Anakin.

Le Wookiee et la jeune femme se précipitèrent. A ce moment précis, le Yuuzhan Vong plongea la lame de son coufee dans la coquille et pratiqua une incision près de l'endroit où devait se trouver la tête d'Anakin.

— Vous voulez récupérer votre *Jeedai* ? (Il enfonça la lame à travers plusieurs couches gélatineuses et transparentes et appuya la pointe de son couteau contre la joue du défunt.) Reculez ! Ou bien je vous le rends en pièces !

Le blaster long mugit. Le rayon manqua le Yuuzhan Vong, mais réduisit en poussière la clé de voûte de l'arche qui se trouvait juste derrière lui. Le guerrier sursauta et regarda par-dessus son épaule, vers les tonnes de gravats menaçant de lui tomber dessus. Il fit glisser son coufee jusqu'à l'œil d'Anakin.

Sentant la rage bouillonner en elle comme du magma, Jaina invoqua la Force et poussa violemment sur le corps de son jeune frère. Le Yuuzhan Vong poussa un cri de surprise et tituba en arrière vers l'arche en train de s'écrouler. Jaina, par la pensée, arracha son frère à l'étreinte du soldat et le fit flotter en direction d'Alema.

— Occupe-toi d'Anakin, dit-elle.

Tout en parlant, elle laissa la colère affluer en elle, se servant du pouvoir de ses émotions pour aspirer la Force. C'était exactement ce que les Maîtres Noirs Brakiss et Tamith Kai avaient tenté d'obtenir d'elle, il y avait bien longtemps, lorsqu'elle avait été retenue prisonnière à l'Académie des Ombres avec Lowbacca. Le pouvoir gronda en elle, se propageant dans son corps par vagues glacées successives, se nourrissant de sa haine des Yuuzhan Vong et redoublant de puissance.

Dans un mouvement si rapide que Jaina eut à peine le temps de le discerner, le guerrier se releva prestement des décombres et lança son coufee en direction de sa gorge. Elle aurait pu éviter ou bien parer avec son sabre laser. Elle n'en fit rien. Animée de la féroce énergie qui brûlait en elle, Jaina se servit de sa main libre pour chasser le coufee comme s'il s'agissait d'un vulgaire insecte. Puis elle leva la main vers l'assaillant et libéra toutes les puissances obscures. Des décharges électriques jaillirent à quelques centimètres de l'extrémité de ses gants, fusèrent vers le Yuuzhan Vong, lui transpercèrent la poitrine et envoyèrent voler son cadavre fumant au milieu des gravats.

Jaina sentit qu'elle était observée. Elle se retourna et vit Vergere la dévisager depuis une arche voisine dans laquelle elle s'était retranchée. Elle tenait en main le sabre laser d'Anakin et ses yeux en amande se plissèrent en une curieuse expression de consternation. Jaina sourit dédaigneusement à la créature. Elle leva la main et envoya une nouvelle volée d'éclairs de Force.

Le sabre laser d'Anakin s'alluma brusquement dans la main de Vergere et la lame se leva pour parer la tornade énergétique. Puis, écarquillant les yeux, la créature disparut dans la remise, traînant le sabre derrière elle comme une queue lumineuse et colorée.

Alema vint se poster à côté de Jaina et lui prit le bras pour tenter de la ramener à la raison.

— On ferait mieux de partir.

Jaina entendit soudain un grondement monter de l'autre côté du vaisseau spatial. Elle comprit que les prêtres étaient en train d'inciter les familles des victimes à passer à l'attaque.

— La navette ?

— C'est bon, annonça Alema. Tout le monde est à bord, sauf nous deux.

— Parfait. (Jaina prit le corps d'Anakin des mains de la Twi'lek, puis pénétra dans le sas. Lorsque la porte-valve extérieure s'ouvrit, elle déclencha le minuteur d'un détonateur thermique d'un revers du pouce et programma un retardement de dix secondes. Elle laissa tomber l'explosif entre les deux portes de l'écoutille.) La dépressurisation soudaine devrait faire imploser quelques poumons de balafrés…

50

L'endroit ressemblait à une version insectoïde du paysage urbain de Coruscant. Cela faisait des années et des années que les multiples casiers des ruches s'étaient empilés les uns sur les autres. Leurs tours serpentines, partant d'un monticule d'une trentaine de mètres de haut constitué de détritus, morceaux de carapaces et de chrysalides vides, atteignaient presque le plafond. La colonie était aussi déserte que le reste du vaisseau-monde, pourtant, le lichen mural négligé depuis des lustres brillait encore suffisamment pour qu'on puisse distinguer les jambes d'un Yuuzhan Vong dépassant d'un tunnel creusé à l'acide. L'ouverture était pratiquée à la base de la tour la plus en retrait dans la ruche et les jambes du guerrier étaient tordues d'une façon qui témoignait que le reste de son corps avait été dévoré par un voxyn.

Par *le* voxyn, espéra Jacen. Les bras lourds et les jambes tremblantes, le jeune homme avait l'impression d'avoir traqué la créature à travers l'intégralité du vaisseau-monde. Il était cependant impossible de savoir exactement quelle distance il avait parcourue en l'absence d'Alema et de son sens de l'orientation hors du commun.

— Les données sont encourageantes, chuchota Tekli. (Elle leva, à deux mains, l'analyseur de cellules pour montrer les résultats à Jacen.) Est-ce que tu veux qu'on procède à un autre test d'échantillon ? Il y a des excréments pas loin.

— Pas la peine, répondit Jacen. (Ils étaient en train d'étudier la colonie depuis l'embouchure d'un passage sombre. Impossible d'aller effectuer des prélèvements sans quitter leur cachette ou bien sans invoquer la Force. Dans un cas comme dans l'autre, ils seraient bien obligés de révéler leur présence au voxyn.) Tesar nous a déjà dit que la piste était bien celle de la reine. Contentons-nous de la tuer, c'est tout.

— Dommage qu'on n'ait pas le blaster long avec nous, dit Ganner tout doucement. Je crois deviner où elle se planque. On pourrait faire un beau carton en plein dans son nid.

— Ce Barabel pense qu'il pourrait la contourner et la prendre à revers, siffla Tesar. Si elle prenait la fuite, vous seriez là pour lui barrer la route.

Jacen hocha la tête. Tesar s'accrocha au mur et commença à l'escalader jusqu'au plafond. Là, il sembla soudainement se fondre avec les ombres. Un picotement commença à se produire à la base du cou de Jacen. Un picotement qui perdura et s'intensifia au fur et à mesure que Tesar se rapprochait de l'entrée du nid. Quelque chose n'allait pas, quelque chose qu'ils ne pouvaient pas voir. Tenel Ka posa sa main sur le bras de Jacen. Celui-ci devina qu'elle l'avait également ressenti.

— Tesar ! chuchota Jacen. (Il ne souhaitait pas invoquer la Force pour contacter le Barabel. L'expérience leur avait prouvé que cela avertirait la reine de leur présence.) Attends !

— Attendre ? demanda Ganner, incrédule. Mais attendre quoi ?

— Tais-toi, murmura Tekli. (Ganner avait autant le sens du danger qu'un mynock. Par deux fois déjà, il avait failli se jeter tête baissée dans un détachement Yuuzhan Vong.) Quelque chose ne va pas !

Le Barabel mettait du temps à revenir. Jacen commençait à craindre d'avoir perdu le dernier apprenti de Saba. Prenant soin de bien rester dans l'ombre, il se glissa le long de la paroi et faillit pousser un cri de surprise en entendant un choc sourd ébranler le passage. Tesar rétracta ses griffes et se laissa retomber à terre le long du mur, manquant dans le mouvement d'assommer Jacen. Ils battirent en retraite dans le tunnel, les yeux braqués sur le faible éclairage du plafond de la colonie.

— Un vaisseau vient d'atterrir ? demanda Ganner.

— Un gros vaisseau, dit Tesar, hochant la tête.

— Ah ! Cela nous prouve qu'ils étaient bien en train d'essayer de nous attirer dans un piège, dit Tenel Ka en donnant un coup d'épaule à Jacen. Peut-être qu'il serait temps pour nous de leur tirer notre révérence, mon jeune ami.

— Peut-être, dit Jacen sans se retourner. (Quelque chose n'allait toujours pas, quelque chose qu'il leur fallait découvrir.) Mais si c'est un piège, pourquoi nous auraient-ils vendu la mèche ?

Un autre choc sourd, moins violent que le précédent, se répercuta sur les parois de corail yorik.

— Ce Barabel pourrait aller jeter un coup d'œil, suggéra Tesar.

Jacen lui passa les macrobinoculaires et le Barabel disparut à quatre pattes dans le passage. Cette section particulière du vaisseau-monde semblait dédiée à la production de nourriture et d'autres produits de première nécessité. Tous les kilomètres, environ, s'ouvrait un large sas étanche qui conduisait à la surface. Pour avoir parcouru le vaisseau-monde de long en large, Jacen savait bien que les réseaux routiers de la surface étaient bien plus commodes pour le convoyage des marchandises que les tunnels, souvent tortueux, encombrés ou bouchés, des sous-sols.

Une minute plus tard, Tesar les contacta :

— C'est une frégate. Peut-être celle avec laquelle Nom Anor a débarqué. Sa navette est manquante.

Malgré l'armement important et les nombreux effectifs que devait transporter un vaisseau de ce type, Jacen ne s'en trouva pas plus inquiet qu'auparavant. Les frégates de cette taille étaient connues pour être dotées de trois compagnies d'assaut. D'après leurs comptes, ils avaient déjà certainement détruit l'une d'entre elles et pas mal décimé les deux autres. Si Nom Anor avait l'intention de lancer une attaque depuis son appareil, il le ferait certainement avec le personnel du vaisseau-monde ou bien avec l'équipage de la frégate. Dans un cas comme dans l'autre, aucun Yuuzhan Vong ne disposerait de suffisamment d'expérience pour empêcher les Jedi de s'échapper.

— Des signes d'une éventuelle compagnie d'assaut ? demanda Jacen.

— La rampe d'accès est baissée, répondit Tesar. Mais ceux qui s'en sont servis sont partis depuis un moment.

— Alors ils ne doivent pas être très nombreux, dit Tekli, d'une voix qui exprimait plus l'espoir que la confiance.

— Bon, d'accord… Tesar ? demanda Jacen. Garde l'œil ouvert pendant que nous décidons de la marche à suivre.

— On pourrait utiliser la lévitation pour lancer un détonateur thermique sur le voxyn. En espérant que ça soit efficace, suggéra Ganner. Ou bien je peux y aller, moi…

— Explique-moi pourquoi ça marcherait mieux que les autres fois ? demanda Tenel Ka. Il ne nous reste plus que deux détonateurs. Il faut les économiser.

Ganner accepta la réponse d'un haussement d'épaules. Les Jedi étudièrent la situation en silence. Personne n'avait réellement l'intention de fuir, tout du moins pas tant qu'on ne disposait pas de certitudes à propos de ce qui était en train de se produire. Ils avaient réussi à éviter les détachements de Yuuzhan Vong lancés à leur recherche depuis qu'ils s'étaient échappés de la matrice de grashal. L'arrivée de cette frégate était un indice leur indiquant que l'ennemi savait où ils se cachaient.

Quelques minutes plus tard, Tenel Ka reprit la parole :

— Peut-être que c'est la Force qui a conduit cette frégate jusqu'à nous, après tout.

Elle fit un geste en direction de la colonie. Plusieurs douzaines de silhouettes Yuuzhan Vong venaient d'émerger de différentes cachettes autour du nid du voxyn. Le chef, sans armure, apparut à l'entrée de l'une des tours et descendit le long du tas de détritus d'un pas pesant. Il contourna le monticule et vint se poster au fond du puits, à environ soixante-dix mètres de l'endroit où se terraient les Jedi. Un laborantin à huit doigts le rejoignit à l'entrée de la colonie. Il portait avec lui une cage contenant des scarabées luisants et, dans la faible lueur, le visage du chef se révéla être celui de Nom Anor.

Les deux Yuuzhan Vong commencèrent à échanger des propos à grands renforts de gestes violents. Quelques instants plus tard, Vergere sortit en sautillant d'un tunnel. Elle portait la ceinture d'équipements d'Anakin en bandoulière. Le sabre laser du jeune homme et les différentes sacoches utilitaires y étaient toujours accrochés. Le comlink avait été glissé dans l'étui vide du blaster.

La vue de l'équipement de son frère tombé ainsi aux mains de l'ennemi emplit Jacen d'un sentiment de tristesse et de remords. Les accusations véhémentes de Jaina l'avaient obligé à repenser à tout ce qu'il avait fait depuis l'erreur commise à bord de la *Mort Exquise*. Il ne pouvait, à présent, pas s'empêcher de croire que s'il s'était moins soucié de son désir de s'amender pour s'occuper davantage de tempérer les ardeurs de son frère, Anakin serait peut-être toujours en vie. Jacen était toujours perturbé par l'apaisement qu'il avait éprouvé suite à la calme réaction de son frère lors de la disparition du *Tachyon*. Si Jaina, capable d'ordinaire de garder son sang-froid même au cœur de la plus violente des batailles, ne pouvait pas supporter la disparition de leur frère cadet, comment lui, Jacen, pouvait-il encore se préoccuper de la mission ? Comment se faisait-il que son propre chagrin ne soit pas en train de le rendre complètement fou ?

Vergere regarda dans la direction du Jedi. Sa main caressa le comlink d'Anakin. Soudain deux voix Yuuzhan Vong en colère retentirent sur la fréquence de communication.

Jacen n'y prêta pas attention. Son regard était toujours braqué sur Vergere. Même si cela lui faisait une peine immense de voir ainsi la créature porter le matériel d'Anakin comme un trophée de guerre, il ne ressentit aucune envie pressante de l'attaquer. Ni même d'attaquer Nom Anor, d'ailleurs. En vérité, étant pourtant déterminé à liquider la reine, il se dit qu'il ne voulait pas la tuer non plus. Tout cela ne ramènerait pas Anakin.

Tenel Ka lui serra le coude puis, se penchant délicatement, coupa le micro de son comlink.

— Je ne sais pas à quel jeu elle joue mais, ce que je sais, c'est qu'il vaudrait mieux qu'ils ne nous entendent pas.

— Merci, chuchota Jacen.

Même s'il ne comprenait pas vraiment la conversation qu'il entendait dans son comlink, il reconnut deux mots : *Jeedai* et *Anakin*. Nom Anor fit un geste énervé en direction de la cachette du voxyn. Vergere écarta les mains puis indiqua le passage par lequel elle était arrivée en compagnie du laborantin. Elle croassa quelque chose qui comprenait le mot *Jaina*, ce qui incita le laborantin à huit doigts à se tourner vers les ruches et à gesticuler en prononçant le mot *voxyn* inlassablement.

Nom Anor lui aboya après. Alors, le laborantin et Vergere se mirent à hurler à l'encontre de Nom Anor et, bientôt, tous trois se mirent à crier simultanément.

— J'ai l'impression que Jaina ne s'est pas tourné les pouces, observa Ganner.

— Pourquoi ne suis-je pas surprise ? demanda Tenel Ka. Mais ça va être difficile de détruire la reine, à présent. Cette frégate risque de nous compliquer les choses.

— Pas pour longtemps, répondit Jacen. (Il perçut une sensation dans son cœur, dans cet endroit secret qu'il réservait à Jaina. Une sensation obscure et furieuse, en train de fuser vers eux.) Pas si je connais bien ma frangine...

Se reposant principalement sur la technologie des sabres laser et sur plusieurs cristaux de focalisation afin de contrôler l'énorme puissance nécessaire au brouillage des ondes du yammosk, le nouveau modulateur d'amplitude gravifique de Cilghal était également équipé d'un générateur de gravité et d'une antenne de rectification des micro-ondes en plastacier. L'appareil était aussi beaucoup plus gros que celui qui avait été détruit lorsque les skips Yuuzhan Vong avaient attaqué le laboratoire. Lorsque Cilghal et Kyp s'engagèrent dans le hangar, traînant derrière eux l'imposant assemblage, Booster Terrik n'eut pas l'air des plus réjouis. Il descendit la rampe d'accès de l'*Ombre de Jade* pour aller à leur rencontre, secouant la tête et agitant nerveusement les doigts.

— Vos ordres sont d'évacuer, pas de déménager, gronda-t-il. L'*Aventurier* est déjà plein jusqu'à la gueule de réfugiés de

Reecee. On n'a pas la place d'emmener votre espèce de sculpture Jedi.

— Ce n'est pas une sculpture, dit Kyp. C'est un MAG, un modulateur d'amplitude gravifique. Et il pourrait bien nous aider à gagner cette guerre.

— C'est ça, dit Booster en levant les yeux au ciel. Et le prochain chef de l'Etat pourrait bien être un Gamorréen. Non, désolé, pas possible.

Le visage de Kyp s'empourpra sous l'effet de la colère.

— Ecoutez, espèce de vieux...

— Ça suffit, Kyp, dit Cilghal pour l'interrompre. (Elle lui passa les contrôles du chariot flottant, se tourna vers Booster et leva une main.) Je suis certaine que le capitaine Terrik, lorsqu'il aura vu notre appareil à l'œuvre, sera très content de nous faire une petite place à bord de l'*Aventurier Errant*.

Booster la foudroya du regard et voulut réitérer son refus. Il poussa alors un cri de stupeur, sentant ses pieds décoller du sol. Cilghal était en train de le faire flotter pour qu'il s'écarte du passage.

— Bon, d'accord, d'accord, grogna-t-il. Si c'est si important pour vous, je veux bien voir comment marche votre bazar.

— Sage décision, dit Cilghal. (Elle n'aimait pas beaucoup se servir ainsi de la Force sur ses amis. Mais Booster était têtu et le temps commençait à faire défaut.) Je suis certaine que vous serez très impressionné. Si impressionné que vous nous laisserez utiliser l'un des conduits d'alimentation de vos réacteurs à fusion.

Booster se renfrogna de nouveau.

— N'exagérez pas, Cilghal. Nous en reparlerons une fois que vous m'aurez montré ce que cette chose peut faire.

Aussi las qu'il était d'observer Vergere et le laborantin en train de se disputer avec Nom Anor, Jacen n'arrivait pas à réfléchir à un autre moyen d'atteindre le voxyn. Avec une frégate pleine de Yuuzhan Vong dans les parages, essayer de s'approcher en catimini était hors de question. Inutile non plus de songer à faire flotter un détonateur thermique ou une grenade incendiaire jusqu'au nid. La créature leur avait prouvé à maintes reprises qu'elle détalerait dès qu'elle sentirait quelqu'un se servir de la Force. La seule option restante était donc l'attente. Et Jacen attendrait cinquante ans si nécessaire pour réussir à détruire la reine. C'était la promesse qu'il avait faite à Anakin.

Vergere et les autres étaient toujours en train de se disputer lorsqu'une série de cliquetis frénétiques retentirent sur le canal de communication. Jacen projeta une onde de la Force vers Tesar et sentit que le Barabel était toujours à son poste à la surface, préoccupé – mais pas vraiment excité – par l'affrontement qui n'allait certainement pas tarder à se produire. Un simple signal confirma que Tesar avait perçu l'onde. C'est alors qu'une sourde détonation – probablement un missile – résonna sur les parois de corail yorik. Vergere tourna les talons et entreprit de faire le tour du tas de détritus. Nom Anor et le laborantin restèrent à leur place et aboyèrent des flots de questions en la voyant disparaître.

— Jaina ? s'étrangla Ganner.

— Et qui d'autre ? répondit Tenel Ka.

Jacen invoqua la Force pour tenter de contacter sa sœur. Il ne perçut que la même colère froide qu'il avait sentie depuis la mort d'Anakin. Il essaya donc de franchir ce rempart dans l'espoir de trouver ne serait-ce qu'un vestige de la Jaina qu'il avait connue toute sa vie. Il ne toucha qu'un tourbillon de ténèbres, une tempête déchaînée, dénuée de la moindre raison, chargée de haine. Ne voulant pas utiliser son comlink – il n'avait aucune certitude à propos des fréquences que connaissait Vergere –, Jacen ouvrit ses émotions aux autres membres du groupe, les invitant à s'unir dans un lien psychique afin de contacter Tesar et de lui poser la question qui brûlait les lèvres de tout le monde : l'explosion avait-elle été déclenchée par Jaina ?

On leur répondit d'un simple cliquetis de confirmation.

— Un excellent plan, attaquer ainsi la frégate par surprise, dit Tenel Ka. Ça va bien nous aider pour notre évasion finale.

Une autre détonation ébranla le tunnel. Plus proche, cette fois-ci. Et puis une troisième. Plus assourdissante encore. Des

609

fragments de lichen lumineux se détachèrent du plafond. Dans la colonie, les jambes du cadavre du guerrier Yuuzhan Vong disparurent brusquement au fond du tunnel duquel elles dépassaient. Le voxyn, visiblement inquiet, entraîna sa proie avec lui et disparut à l'arrière de la ruche, sans laisser aux Jedi la possibilité de lui tirer dessus. Une quatrième explosion fit tomber la poussière des parois et des segments du plafond commencèrent à pleuvoir sur la cité insectoïde.

La voix désespérée de Tesar retentit dans le comlink :

— Sticks ! Non, pas par là ! Arrête !

Pendant que Tesar criait, une autre détonation fit s'écrouler une avalanche de roches sur la colonie. Un secteur tout entier de la ruche disparut sous les décombres, à quelques pas de Nom Anor et du laborantin. Un impénétrable nuage de poussière se propagea sur tous les environs.

Une pluie de corail yorik de plus en plus conséquente se mit à choir du plafond endommagé. Jacen battit en retraite à l'intérieur du tunnel et décrocha son harnais d'équipement de ses épaules.

— Il vaudrait mieux enfiler nos combinaisons de survie, chuchota-t-il.

Après avoir failli détruire la frégate lors des deux premiers passages, Tesar se dit que la navette d'assaut aurait dû faire demi-tour et prendre la fuite. Telle aurait été la tactique d'un chasseur avisé face à une proie si dangereuse. Mais Jaina était dévorée par une folie meurtrière, incapable de résister à la tentation de canarder cette frégate Yuuzhan Vong de cent cinquante mètres de long, immobile sur son aire d'atterrissage, sa rampe d'accès déployée, sa soute grande ouverte comme la gueule d'un dewback hors d'haleine. Elle fit demi-tour et fila en rase-mottes pour tirer à bout portant. Elle décocha deux boules de plasma qui furent immédiatement absorbées par les anomalies des boucliers déflecteurs.

La navette d'assaut passa en trombe au-dessus de sa cible et remonta prestement en chandelle, se préparant à virer afin de procéder à une nouvelle attaque.

La frégate répondit enfin, crachant une tornade de missiles au magma et de boules de plasma par ses batteries d'artillerie de bâbord. A si courte portée, les missiles n'eurent pas le temps de se braquer sur leur cible et ils filèrent dans l'espace sans causer le moindre dégât. Deux boules à plasma explosèrent en revanche sur la poupe de la navette et l'engin partit dans un tourbillon enflammé à travers l'espace.

Tesar eut peur, l'espace d'un instant, que la navette n'aille exploser ou bien se disloquer dans la manœuvre. Mais Jaina – le Barabel se dit que c'était elle qui devait être aux commandes – parvint à en retrouver le contrôle et vira sur l'aile. L'appareil fit un bond de cinq cents mètres. Des flammes jaillirent de ses flancs. Et la navette commença une longue et chaotique descente en spirale par-delà l'horizon.

Tesar, furieux, fit claquer sa langue reptilienne contre la visière intérieure de son casque. Il réfléchit quelques instants puis se décida finalement à courir le risque de contacter Jacen sur sa fréquence personnelle de communication. Même si les Yuuzhan Vong étaient à l'écoute, il s'agissait là d'une situation qu'il ne pouvait pas se permettre de détailler par des cliquetis de comlink ou par de vagues sensations dans la Force.

— Non ! s'étrangla Jacen.

Il avait senti que quelque chose allait de travers avant même que Tesar ne l'appelle. Il avait simplement été incapable de définir exactement de quoi il s'agissait. Ne se souciant guère du comlink d'Anakin, toujours aux mains de l'ennemi, il ouvrit un canal général. Il était sur le point de rapporter les faits lorsque Tenel Ka lui arracha le micro du larynx.

— Ça ne servira à rien si tu nous fais tous tuer, dit-elle. Jaina va les éliminer en douceur. Tu le sais bien.

— Non, je ne le sais pas. Je ne le sais plus. (Jacen inspira profondément, se servant d'une technique de relaxation et de méditation pour regagner le contrôle de ses émotions.) Mais tu as raison pour le reste.

Jacen essaya de contacter sa sœur par le truchement de la Force. Il passa une bonne minute à lutter pour tenter de maintenir la connexion avec les obscures émotions qui avaient envahi Jaina. Elle ne semblait pas effrayée. Juste furieuse et concentrée sur ce qu'elle était en train de faire. Soudain, alors que le jeune homme sentait les efforts de sa sœur redoubler d'intensité, Jacen perçut que la colère de Jaina venait d'atteindre un niveau de violence qu'il ne pouvait supporter. Et il perdit le contact.

— Elle est partie… lâcha-t-il dans un souffle.

— Morte ? demanda Ganner.

— Je ne sais pas. (Jacen releva la tête.) Ce n'est pas ce que j'ai ressenti. Je n'arrive plus à percevoir sa présence.

Tenel Ka passa un bras autour des épaules de Jacen et serra le jeune homme contre elle.

— Oh, Jacen, je suis désolée.

Dans la ruche, la poussière s'était déposée suffisamment pour leur permettre de constater que les Yuuzhan Vong étaient déjà à l'œuvre pour dégager les décombres. Des morceaux du plafond continuaient de tomber régulièrement et l'effondrement avait apparemment causé quelques pertes dans les rangs ennemis. Nom Anor se tenait en bordure de la structure, observant d'un œil amer deux assistants en train d'aider le laborantin à s'extirper de sous un tas de gravats.

Une fois sur ses pieds, et ayant recouvré un semblant de dignité, le laborantin s'épousseta et commença à s'adresser vertement à Nom Anor. Jacen songea un instant qu'ils allaient reprendre leur dispute mais, au bout d'un moment, Nom Anor se contenta de hocher la tête et d'indiquer le tunnel qui conduisait vers la surface et leur vaisseau spatial. Le laborantin acquiesça et, ayant rassemblé les guerriers, commença à traverser la colonie pour partir à la recherche de la reine voxyn. L'Exécuteur secoua la tête d'un air las et regagna le tunnel qui menait à la frégate.

A peine avait-il quitté les lieux qu'une voix stridente retentit dans les comlinks :

— Vous pouvez sortir maintenant, jeunes Jedi. Vous n'avez rien à craindre de moi.

Jacen fit signe aux autres de dégainer leurs armes avant d'activer le microphone de son communicateur.

— Qui est là ?

— Pas le temps d'expliquer pour le moment. (Tout en leur parlant, Vergere apparut à l'autre bout de la colonie, surgissant d'un tunnel opposé à celui qu'elle avait initialement emprunté. Elle indiqua la direction par laquelle la reine voxyn s'était enfuie.) Dépêchez-vous, votre proie va vous échapper.

51

Le groupe des Solo venait de parcourir près de la moitié de la passerelle piétonne des zones d'accostage d'Eastport lorsqu'un craquement assourdissant retentit dans le ciel, faisant trembler les immeubles avoisinants. Ses réflexes parfaitement conditionnés pour avoir bien trop de fois frôlé la mort de près, Han s'accroupit et chercha l'origine du problème. Il vit alors les boules de feu orangées se refléter sur les panneaux de transparacier des tours d'observation environnantes. Il reporta son attention sur la silhouette indistincte de son épouse serrant Ben entre ses bras.

Comme la plupart des autres personnes sur la passerelle, Leia était toujours debout, se dévissant le cou pour essayer de voir ce qui pouvait bien faire tant de bruit. Han la saisit par le coude et l'attira vers lui.

— Chérie ! Baisse-toi !

Une odeur d'ozone et de cendres afflua, portée par un souffle brûlant. Une boule de feu de la taille d'un engin spatial passa en grondant au-dessus d'eux. Elle alla s'écraser à près de cinq cents mètres de là dans le canyon de duracier, désintégrant près de quarante étages d'une tour résidentielle et faisant s'écrouler les murs de trois immeubles adjacents. L'onde de choc dispersa tous les engins volants du trafic aérien et vint frapper le pont. L'air devint aussi chaud que pendant une épidémie de sécheresse sur Tatooine. Adarakh et Meewahl lâchèrent les bagages et offrirent leurs corps comme boucliers à Han et à Leia. C-3PO fit trois pas sur la passerelle avant que lui, et le pot de ladalums qu'il transportait, soit rattrapé par le droïde de guerre CYV que Lando leur avait prêté. Le droïde-nounou de Ben fut balayé du pont, tout comme une centaine de passants hurlant de terreur.

— Quelle horreur ! dit C-3PO en se penchant par-dessus la rambarde. Elle va être réduite en miettes. On ne pourra pas la réparer !

— Et nous non plus, si nous ne décampons pas d'ici, dit Han en se relevant.

Tenant toujours le bras de Leia, il commença à se frayer un chemin à travers la foule. La bataille de Coruscant avait à présent lieu en orbite basse et les décharges de l'artillerie créaient un mortel feu d'artifice dans les cieux. La planète était également l'objet d'un bombardement incessant d'épaves de vaisseaux spatiaux en flammes. Ils avaient parcouru un kilomètre depuis qu'ils avaient quitté l'appartement et la progression avait été des plus hasardeuses. A deux reprises, ils avaient été obligés de se détourner de leur chemin pour contourner des impacts qui avaient troué le pont au niveau des restes fumants d'immeubles décapités.

Plus ils approchaient de l'aire d'accostage et plus la foule semblait se mouvoir lentement. Han finit par comprendre la situation en arrivant à quelques mètres du building suivant. Deux soldats bien charpentés des Forces de Défense, intégralement recouverts d'une combinaison de protection et d'un casque, gardaient la porte d'accès à moitié ouverte. Ils procédaient à une inspection méticuleuse des identipuces de chacun et laissaient passer les piétons un par un. Etant donné les circonstances, leur comportement semblait des plus extravagants.

L'un des gardes se tourna vers Han, fixa le Corellien à travers sa visière fumée et leva son scanner.

— Identipuce ?

— Vous ne savez pas qui on est ? demanda Han, présentant les plaques d'identification de tous les membres de son groupe. (Leia et lui avaient décidé de ne pas se grimer pour franchir la foule. Depuis leur départ de l'appartement, ils avaient été l'objet de chuchotements constants et de doigts pointés dans leur direction. Seule la présence menaçante du droïde CYV de Lando avait empêché les citoyens apeurés de les harceler de questions auxquelles ils ne pouvaient pas répondre sous peine de trop se mettre en retard.) Où vous a-t-on recrutés, les gars ? Sur Pzob ?

— C'est le règlement... (Le soldat regarda l'écran de son scanner analytique.) Solo, hein ? Je ne vois que quatre identipuces. Et vous êtes cinq.

— Oh, lâchez-moi un peu, vous voulez ? dit Han. (Il sentit le droïde de guerre CYV se poster à côté de lui. Il lui fit un signe discret de ne pas se mêler de ça.) Le bébé n'a que quatre mois...

Le soldat continua de le dévisager derrière ses verres fumés.

— Et il faut six mois pour obtenir une identipuce, bluffa Han. (Si ce type était incapable de reconnaître Han et Leia, il y avait fort à parier qu'il n'était pas non plus au courant des procédures administratives de Coruscant.) En attendant, les gosses sont supposés voyager sur l'identipuce de leurs parents.

— Bien sûr. (Le soldat baissa son analyseur. Il indiqua alors une passerelle extérieure conduisant à un vaste balcon où attendait une foule de droïdes.) Vous pouvez passer mais vos mécaniques doivent rester ici. Pas de place pour les évacuer.

— Rester ici ? répéta C-3PO. Mais ma place est aux côtés de...

Han fit signe au droïde de protocole de se taire.

— Mes droïdes ne prendront la place de personne. Nous disposons de notre propre vaisseau.

— Vaisseau que vous devez aussi employer pour aider à l'évacuation des êtres vivants, dit le second garde en s'approchant. Pas de ces choses dénuées de vie...

— Veuillez rester calme, dit le droïde de guerre CYV en se glissant entre Han et Leia. Il s'agit d'une urgence militaire.

— Qu'est-ce que... ? commença à demander Han en se tournant vers le droïde.

Deux rayons de blaster filèrent sous ses yeux et s'en allèrent perforer les poitrines des deux gardes. Leia poussa un cri. Ben se mit à pleurer. Un murmure stupéfait parcourut la foule. C-3PO, tenant toujours son pot de fleurs en tremblant – les ladalums de

Leia ayant été vaporisés par le tir de blaster –, entreprit de s'écarter de son imposant congénère.

— Mais enfin, 1-507A ! En voilà une idée ! Ta programmation doit être perturbée…

Le droïde de guerre émit un signal en langage électronique, qui obligea C-3PO à reculer un peu plus, puis il se tourna vers Han.

— Je vous présente mes excuses pour ce retard d'identification. Les combinaisons intégrales ont perturbé mes critères.

— Tes critères ? (Han fit sauter le verrou du casque d'un des gardes et découvrit un grimage Ooglith en train de se rétracter du visage de son hôte.) Moi qui pensais que tu avais peur d'être abandonné…

Les bureaucrates, hommes d'affaires, banquiers et tous les gens qui affluaient par la porte trente-sept-zéro-zéro de la baie d'accostage d'Eastport n'étaient pas des réfugiés ordinaires. Ils allaient et venaient dans le grand hall d'embarquement escortés de droïdes et d'assistants tirant derrière eux des chariots flottants chargés d'œuvres d'art et de coffres-forts portables. La plupart étaient protégés par des serviteurs armés jusqu'aux dents, des gardes du corps appartenant à des espèces particulièrement intimidantes, voire des droïdes de sécurité S-EP1 de chez Ulban Armement. Mais une seule famille pouvait se targuer d'avoir à sa disposition des porteurs Noghri, un droïde de protocole équipé d'un pot de ladalums carbonisés et un droïde de guerre CYV parfaitement configuré pour les interventions d'urgence. Comme d'habitude, les Solo étaient les moins discrets au milieu d'une foule qui ne brillait pourtant pas par sa discrétion.

Les pores de sa peau complètement irrités par le grimage Ooglith qu'elle portait depuis la tentative d'enlèvement ratée, Viqi Shesh se tourna vers l'enfant qui se tenait à côté d'elle, appuyé à la rambarde de la passerelle d'observation. Avec une tignasse de cheveux blonds en bataille, de grands yeux ronds et bleus semblables aux médailles du mérite de l'Ancienne

République, le gamin était le portrait craché d'Anakin Solo à l'âge de douze ans, tel qu'il apparaissait sur certaines bandes d'archives des journaux holographiques. Et comment, qu'il lui ressemblait… Viqi avait dépensé une petite fortune en chirurgie cosmétique et en Bacta pour qu'il lui ressemble à ce point.

— Tu les vois, Dab ? Ce sont ceux qui ont le gros droïde de guerre…

— Difficile de les manquer, répondit le gamin. Tout le monde dans la galaxie connaît les Solo. Vous ne m'aviez pas dit que c'était eux.

— Je ne t'ai pas dit grand-chose, dit Viqi. (Grâce à une espèce de sangsue Yuuzhan Vong logée dans sa gorge, la voix d'ordinaire soyeuse de Viqi était à présent presque aiguë et chevrotante.) Mais, si toi et ta famille vous voulez vraiment vous enfuir de Coruscant, je n'ai pas besoin de t'en dire plus.

Le garçon détourna le regard.

— Je comprends.

Sa mère et ses deux sœurs se trouvaient déjà à bord du yacht de Viqi, parqué sous un faux nom de l'autre côté du *Faucon*, juste à côté d'un paquebot stellaire républicain baptisé le *Byrt*. Elle observa le gamin, se demandant si elle n'avait pas mal jugé ce drôle de petit bonhomme, lorsqu'elle l'avait surpris dans les étages inférieurs à faire les poches d'un Arconan ivre de sel. Si cet enfant se révélait posséder le moindre sens de l'honneur – ou bien l'ombre d'une conscience – Viqi serait vouée à la perdition, autant que Coruscant elle-même. Après l'annonce, sur le réseau HoloNet, de son échec à l'appartement des Solo, le villip de Tsavong Lah s'était animé pour bien le lui faire comprendre.

— T'as intérêt, Dab, dit Viqi. Je ne prends pas l'échec à la légère. Je ne supporte pas l'échec, en fait.

On pouvait faire confiance au responsable de l'accostage d'Eastport pour faire rentrer un ronto dans un trou de rabac. En conservant l'iris du dôme ouvert en permanence et en invitant le *Byrt* à se poser sur des clamps magnétiques, l'excellent Shev Watsn était parvenu à caser un paquebot stellaire de deux cents mètres de long dans un logement initialement prévu pour un yacht ou un transport léger.

Mais Leia lui aurait tout de même bien administré un grand coup de sabre laser.

Dix mille personnes terrifiées attendaient pour embarquer sur un vaisseau qui ne pouvait en contenir que cinq mille tout au plus. Et la plupart se tenaient devant la baie d'accostage trente-sept trente-trois où était posé le *Faucon* sous une fausse identité. Leia avait hâte d'embarquer à bord du cargo et de quitter Coruscant avec Ben. Mais elle savait qu'ils seraient assaillis par la foule de réfugiés désespérés à l'instant où ils tenteraient de se frayer un chemin parmi eux. Pour l'heure, le mieux était d'attendre à proximité du *Byrt* que l'embarquement commence et de rejoindre la baie d'accostage du *Faucon* dès que la foule se mettrait en mouvement.

Leia espéra qu'ils auraient suffisamment de temps. Dans le ciel, visible par l'étroite ouverture en croissant au-dessus de la proue du *Byrt*, elle vit un flot régulier de yachts gouvernementaux prendre leur envol de la Cité Impériale. Les sénateurs et les officiels du gouvernement de la Nouvelle République étaient en train d'abandonner leurs postes. Jusqu'à présent, les Yuuzhan Vong avaient été trop occupés avec les forces militaires républicaines pour s'en prendre aux civils en fuite. Mais les choses changeraient très prochainement. Elle avait même entendu des sénateurs demander à des amiraux de leurs propres secteurs de les escorter et, dans la plupart des cas, ces requêtes avaient été honorées. Elle eut du mal à croire qu'il s'agissait de la même Nouvelle République qu'elle avait tant aidé à constituer. Cette même Nouvelle République pour laquelle Anakin avait sacrifié sa vie.

— Général ? (La voix qui posait cette question était aiguë et chevrotante.) Général, c'est vous ?

Leia, Han, les Noghri et les droïdes se tournèrent. Ils virent une femme croulant sous ses bagages, avec un nez épaté et des yeux fatigués, fendre la foule pour les rejoindre. A côté d'elle avançait un garçon aux cheveux blonds qui devait être âgé d'une douzaine d'années. Lui aussi ployait sous d'innombrables valises et balluchons.

— Général ! (Disant cela, la femme se retrouva immédiatement interceptée par Adarakh et Meewahl.) Mais oui, c'est bien vous !

— Cela fait bien longtemps que je ne suis plus général, dit Han tout doucement, évitant de se faire remarquer et observant les alentours pour voir si quelqu'un n'était pas en train de les écouter. On se connaît ?

— Vous ne vous souvenez pas de moi ?

La femme donna un coup de sac dans le dos du gamin pour qu'il avance. Leia fut stupéfaite de constater combien il ressemblait à Anakin lorsqu'il avait le même âge. Et ce n'était pas uniquement dû au nez retroussé et aux grands yeux bleus glacés. Son visage tout entier était de la même forme, il possédait le même petit menton arrondi. Leia s'attendrit devant cet enfant et sa mère.

Han observa attentivement la femme et le petit garçon.

— Non, désolé, je ne me souviens pas de vous.

La femme ne parut pas s'en offusquer.

— Bien entendu. Je suis certaine que c'est plus important pour moi que ça ne l'est pour vous. Après tout, vous étiez général et Ran n'était qu'un sous-officier de l'Escadron Rogue.

— Ran ? demanda Han. Ran Kether ?

— Oui, répondit la femme. J'étais sa petite amie, à l'époque, mais je vous ai rencontré deux fois sur Chandrila…

— Ah, d'accord, dit Han, adoptant instantanément une voix plus chaleureuse. (Il fit signe aux Noghri de s'écarter.) Désolé de ne pas vous avoir reconnue. Comment va Ran ?

Le visage de la femme se décomposa.

— Ah… Vous n'êtes pas au courant ?

— Heu… commença Han en secouant la tête. Non, j'ai un peu perdu le contact avec tout ça.

— Il pilotait un transport de réfugiés pour le compte de SELCORE. Nous l'avons perdu à Kalarba. (La femme regarda Leia pour la toute première fois.) Je crois comprendre que votre fille a été blessée là-bas également.

— Elle s'en est remise. (Leia se déhancha, pour pouvoir appuyer Ben contre son flanc, et tendit la main pour saluer la femme. C'était la première fois depuis la mort d'Anakin qu'elle éprouvait de la tristesse pour quelqu'un d'autre qu'elle-même. Et, de façon presque égoïste, cela lui procura un certain soulagement.) Je suis désolée pour Ran. Ce genre de chose se produit beaucoup trop souvent en ce moment.

— Merci, Princesse.

— Je vous en prie, appelez-moi Leia. (Elle posa la main sur l'épaule du garçon.) Je suis désolée pour ce qui est arrivé à ton père, jeune homme.

Le gamin hocha la tête, mal à l'aise.

— Merci.

— Il s'appelle Tarc. Moi, je suis Welda. (La femme sourit en voyant le bébé dans les bras de Leia.) Comme les actualités vidéo n'ont pas mentionné le fait que vous auriez eu un autre enfant, je suppose que ce beau bébé est Ben Skywalker, non ?

— En fait, nous essayons d'être discrets à ce sujet, dit Leia. (Elle adressa un regard chargé de sous-entendus à la foule environnante.) J'espère que vous comprenez.

— Désolée, dit Welda d'un ton confus. (Elle ne rougit pas.) Quelle gaffeuse je fais…

Un claquement sonore retentit à l'intérieur du *Byrt* et un jet de vapeur s'échappa de l'écoutille d'embarquement dont on venait de déverrouiller les scellements. La rampe d'accès n'était pas encore complètement baissée que la foule commença à pousser vers l'avant.

— J'ai l'impression qu'ils ont réussi à réparer leur problème d'alignement de gravité artificielle, dit Welda, observant l'affluence des réfugiés, dont le nombre devait à présent approcher les douze mille. J'espère qu'il y aura de la place pour tout le monde.

Han jeta un coup d'œil par-dessus la tête de la femme puis souleva un sourcil interrogateur à l'adresse de Leia. Celle-ci hocha la tête. Ils devaient, de toute façon, embarquer autant de réfugiés que le *Faucon* pouvait en contenir. Hors de question de laisser cette femme et son petit garçon sur le carreau.

Solo eut un petit sourire en coin et se pencha à l'oreille de Welda.

— Je pense que ce ne sera pas un problème pour vous...

La rampe du paquebot s'abaissa enfin complètement. La foule commença à embarquer rapidement. Chaque groupe était retenu au niveau de l'écoutille pour que les gardes procèdent à des analyses épidermiques afin de démasquer d'éventuels espions Yuuzhan Vong.

Les Noghri profitèrent du mouvement pour pousser les Solo vers la baie d'accostage du *Faucon*. Quelques regards furieux et quelques marmonnements à voix basse fusèrent dans leur direction mais la présence du droïde de guerre, ajoutée au fait que le groupe n'essayait pas de passer devant tout le monde pour atteindre le paquebot, empêcha tout geste violent à leur encontre. Leia fit bien attention à garder Tarc et Welda près d'elle. Et le groupe atteignit enfin la baie d'accostage sans encombre. Mais les choses se corsaient. Il fallait à présent embarquer sans se laisser submerger par les réfugiés désespérés. Han posta CYV 1-507A devant le panneau de duracier et se dirigea vers le bloc de commande.

— Si vous essayez de forcer les sécurités de cette porte, autant vous dire tout de suite que ce n'est pas la peine d'insister, dit une voix rocailleuse. (Leia se retourna et vit un Gothal aux cornes saillantes, vêtu d'une tunique voyante en tissage synthétique, qui s'adressait à eux depuis la foule.) Je ne sais pas qui est le propriétaire de ce tas de ferraille mais, en tout cas, il n'a pas payé son droit d'accostage. Du coup, les autorités ont débranché tous les câbles d'alimentation.

— Quoi ? (Han se fit des œillères avec ses mains pour regarder par le petit hublot.) C'est une blague ? Il y a du liquide de refroidissement répandu sur le sol...

Même après plusieurs jours d'inactivité, le *Faucon* pouvait aisément être démarré à froid. A la seule et unique condition de disposer d'un plein réservoir de liquide de refroidissement pour son unité de fusion. Bien trop atterrée pour demander au Gothal si serviable pourquoi il s'était intéressé de si près au *Faucon* – nul doute qu'il avait dû tenter de forcer le panneau de sécurité pour s'emparer de l'appareil –, Leia se tourna vers Welda afin de lui présenter des excuses.

La femme avait disparu.

Quelque chose de métallique roula sur le sol à quelques mètres de là et Leia vit Tarc se faufiler précipitamment dans la foule. Elle installa Ben sur son autre hanche, afin de libérer la main qui lui permettrait de tenir une arme. C'est alors que CYV 1-507A s'avança en direction du son métallique, repoussant aussi gentiment que possible les réfugiés de ses bras puissants.

— Restez calmes et gagnez un abri, lança-t-il. Un détonateur thermique actif vient d'être détecté dans cette zone.

Bien entendu, la foule fit tout sauf rester calme. Déterminé à embarquer à bord du *Byrt* coûte que coûte, quelqu'un donna malencontreusement un coup de pied dans le détonateur, ce qui envoya l'engin rouler plus loin encore. La horde de réfugiés se pressa encore plus vers la rampe d'embarquement.

— Ne touchez pas à ce détonateur, ordonna CYV 1-507A. Restez calmes et écartez-vous.

Quelqu'un donna un autre coup de pied, retournant l'engin à son envoyeur. Le droïde bondit par-dessus une famille Aqualish qui essayait de forcer le passage. La foule continua de se presser vers le paquebot, contournant le groupe des Solo ou bien passant au milieu d'eux. Souhaitant à tout prix ne pas être séparée de Han, Leia sortit son sabre laser de la poche intérieure de sa veste et se tourna vers la baie d'accostage. Elle vit que Welda lui bloquait le passage. La femme dégaina un petit pistolet blaster et le braqua sur la poitrine de Leia.

Adarakh, sans lâcher les bagages qu'il transportait, planta ses dents dans le bras de Welda. Il y eut un craquement sinistre. Welda ouvrit la main et laissa tomber le blaster. Le Noghri glissa une valise entre les jambes de la femme pour la faire tomber et se jeta sur elle, essayant de griffer son visage à deux mains. Cela n'empêcha pas la foule de continuer à avancer et de se fendre en deux flots continus pour éviter le pugilat.

Bien trop habituée aux assassins et aux ravisseurs pour perdre du temps à se demander qui avait commandité le geste et pourquoi, Leia se tourna afin de positionner son corps entre Welda et le bébé. Elle contourna à son tour le Noghri et la femme, toujours à terre. Han se trouvait à deux pas de là. Il avait dégainé son propre blaster et, de sa main libre, était en train de pianoter son code d'accréditation sur le panneau de contrôle de la baie.

— C-3PO ? Où est Meewahl ? demanda Leia.

— Elle s'est lancée aux trousses de Tarc, Madame. (Tenant toujours le pot de ladalums carbonisés, le droïde de protocole avait suivi Leia à la trace pour contourner le combat.) J'espère seulement que le garçon a programmé un délai suffisamment long sur ce détonateur thermique. 1-507A peut être si maladroit, parfois.

Le doux bourdonnement d'une vibrolame s'éleva derrière Leia. Constatant avec surprise qu'Adarakh n'en avait pas terminé avec sa proie, elle se tourna et vit Welda, de sa main valide, lever un redoutable coutelas powershiv. Le Noghri intercepta le coup et contra d'un revers de ses griffes qui lacérèrent la tête de la femme juste derrière l'oreille. Le coup détacha purement et simplement la peau du visage de Welda. Pourtant, le cri de la femme ne fut pas aussi douloureux que ce à quoi tous s'attendaient. La peau de son visage se recroquevilla dans la paume d'Adarakh, comme douée de vie propre. Et, l'espace d'un instant, ni Leia ni le Noghri ne comprirent ce à quoi ils étaient en train d'assister.

Et cet instant fut suffisant pour que Welda plante son powershiv dans la poitrine d'Adarakh. Le Noghri écarquilla les yeux de stupeur, entrouvrit la bouche... Et Leia perçut que la vie était en train d'abandonner son corps. Toute la déception et la tristesse qui l'avaient habitée depuis la mort d'Anakin se transformèrent instantanément en fureur. Elle activa son sabre laser et, tenant toujours Ben de son autre bras, s'avança pour attaquer.

Welda catapulta le corps du Noghri vers Leia. Celle-ci perdit l'équilibre et roula sur le côté. Elle eut tout juste le temps d'invoquer la Force pour contrôler sa chute et éviter de s'écraser sur Ben. Deux rayons de blaster, provenant de la direction de Han, fusèrent au-dessus de sa tête, forçant l'attaquante à reculer et déclenchant des cris de panique dans la foule. Leia rassembla ses pieds sous elle et adopta une posture de combat. Elle vit son agresseur, à quelques mètres de là, faire de même alors qu'une famille de Ho'Din éberlués essayait de passer entre elles deux.

Même si la plupart des pores de son visage saignaient abondamment en raison de l'arrachage intempestif du grimage Ooglith, les traits de la femme qui se trouvait devant Leia étaient reconnaissables entre tous.

— Viqi Shesh… dit Leia. (C'est le moment que choisit Ben pour exprimer son mécontentement et il commença à pleurer. Leia, bien trop choquée par la révélation, n'y prêta pas attention.) J'aurais pourtant juré que vous aviez rejoint les cavernes des sous-sols pour attendre vos maîtres en compagnie des autres limaces de granit de votre espèce…

— Cette chère Leia. Toujours le mot juste pour chaque occasion.

Shesh exécuta un preste mouvement du poignet et lança son powershiv vers Ben. Leia para le jet aisément d'un coup de son sabre laser avant de jurer intérieurement, constatant que Han venait de décocher deux autres rayons de son blaster et que ceux-ci avaient fusé bien au-dessus de la tête de Viqi.

— Han ! Je t'ai connu meilleur tireur ! gronda-t-elle. (Elle savait pourtant qu'il avait surtout pensé à éviter de blesser des innocents. Elle confia Ben aux bras de C-3PO.) Tiens, lâche ta plante verte et occupe-toi de lui.

— Moi ? (Le droïde laissa tomber son pot de fleurs et glissa délicatement ses deux mains métalliques sous le bébé.) Mais, Maîtresse Leia, je vous rappelle que vous avez fait effacer mon module de baby-sitting après ce qui s'est passé sur…

— Va attendre sur le *Faucon* ! ordonna Leia.

— Certainement, Princesse. Mais je dois vous dire que…

Les objections de C-3PO disparurent dans le vacarme généralisé. Leia se lança à la poursuite de Shesh, qui ne l'avait pas attendue, à travers la foule. Elle entendit Han crier son nom mais ne se retourna pas. Cette fois, la traîtresse ne s'échapperait pas, pas après avoir trahi la Nouvelle République, pas après avoir dévoyé SELCORE, et certainement pas après avoir organisé l'assassinat d'un grand nombre de Jedi. Peut-être était-elle même en partie responsable de da disparition d'Anakin.

Le chuintement de deux jambes assistées par répulseurs résonna au niveau des poutrelles du hall. CYV 1-507A bondit par-dessus la foule.

— Dégagez le passage ! Détonateur thermique repéré ! (Le droïde retomba lourdement sur un chariot flottant chargé d'inestimables œuvres d'art. Il rebondit immédiatement et repartit dans les airs.) Restez calmes et...

La fin de sa phrase fut perdue dans la déflagration du détonateur. Cinq cents mètres cubes de hangar, avec tous ses occupants et ses structures de duracier, furent engloutis dans la sphère de destruction. Lorsque celle-ci se contracta en crépitant, une longue plainte métallique retentit dans le hall et une large section du plancher s'effondra, là où se dressait une seconde auparavant la porte trente-sept-zéro-zéro.

La foule se mit à courir vers le *Byrt*, poussant, jouant des coudes, soulevant presque les malheureux qui s'étaient déjà engagés sur la passerelle d'embarquement. Leia manqua d'être emportée. Elle invoqua la Force pour rester à sa place. Sa proie s'était éclipsée mais elle repéra un Rodien taché de sang qui venait à sa rencontre. Elle se fraya un chemin au milieu des gens et se planta dans le passage de l'extraterrestre, levant son sabre laser éteint devant elle pour l'obliger à s'arrêter.

Il marmonna une protestation en Huttais.

— Je sais, je sais, tout le monde essaye de monter à bord de ce paquebot. (Tout en parlant, Leia ouvrit la main et exécuta quelques passes délicates sous les yeux du Rodien.) Et je suis certaine que vous allez embarquer dans les plus brefs délais si vous prenez juste le temps de me dire où est allée la personne qui vous a taché comme ça...

Le Rodien répéta mécaniquement la phrase, puis indiqua la porte de la baie d'accostage trente-sept trente-deux. La baie voisine de celle du *Faucon Millennium*. Leia laissa partir le Rodien et entreprit de franchir les cinquante mètres de couloir qui la séparaient de la porte, sentant la colère monter en elle à chaque pas. Les dégâts causés par Viqi Shesh à la Nouvelle

République étaient incommensurables, la douleur causée à la famille Solo impardonnable. Leia allait le lui faire payer. Elle devait bien cela à Anakin et aux millions de gens qui avaient donné leurs vies pour défendre leur idéal.

Leia atteignit enfin la baie et vit que la porte en avait déjà été scellée. N'essayant même pas de manipuler la commande d'activation, elle alluma son sabre laser et plongea la lame dans la jointure du panneau, tranchant le verrou de duracier avec autant de facilité qu'un objet de fer-blanc. L'alarme qui sonna, à l'intérieur comme à l'extérieur de la baie, ne perturba guère le brouhaha qui régnait déjà dans le hangar. Elle invoqua la Force et poussa le panneau de duracier. L'utilisant comme bouclier, elle se précipita à l'intérieur et fut surprise de découvrir qu'un feu nourri de rayons laser faisait déjà des ricochets contre les parois ternes de l'aire d'atterrissage.

Au centre se trouvait un élégant yacht spatial des chantiers navals de Kuat. La tête du pilote apparut par l'un des hublots du cockpit. Il alluma les moteurs à répulsion. Viqi Shesh avait encore un tiers de la distance à parcourir avant de rejoindre la passerelle d'embarquement. Tenant son bras blessé, elle zigzaguait pour éviter les rayons laser que Han était en train de tirer sur elle par un trou percé dans la paroi de duracier qui séparait les baies d'accostage trente-sept trente-deux et trente-sept trente-trois. Deux membres de l'équipage étaient en train de lui tirer dessus en retour, essayant de protéger leur employeur depuis le bas de la passerelle.

Leia commença à traverser la baie à la poursuite de sa proie. Elle entendit alors le vrombissement menaçant de la tourelle d'artillerie, montée sur le toit du yacht, en train de pivoter dans sa direction. Elle eut à peine le temps de se jeter à terre. L'arme tonna, créant un impact de cinquante centimètres de diamètre dans le sol, juste à côté de sa tête.

Leia roula sur elle-même, se releva et alluma son sabre laser.

— Leia ? T'es dingue ? hurla Han, oubliant les tirs et sortant de sa cachette. Tu sais pourtant que tu n'es pas douée avec ce machin-là !

Les deux membres d'équipage décochèrent des rafales de

laser en direction de la paroi, obligeant Han à plonger de nouveau vers le sol. Cela permit à Viqi Shesh de s'élancer vers la passerelle. La tourelle de tir ouvrit de nouveau le feu. Leia esquiva de justesse, un peu maladroitement, certes, mais assez prestement pour éviter d'être touchée. Elle trébucha et manqua de tomber, entendit le mugissement d'un fusil blaster juste derrière elle. Elle voulut se retourner mais se rendit compte, du coin de l'œil, que Viqi s'engageait sous la coque du yacht pour atteindre la rampe.

Essayant d'ignorer les traits de blaster fusant et rebondissant sur les panneaux de duracier tout autour d'elle, Leia bloqua l'allumage de son sabre et lança l'arme en direction de la traîtresse. Elle invoqua la Force pour la faire tourbillonner vers sa cible. La tourelle tira de nouveau, tout comme les deux membres d'équipage, à présent postés en haut de la rampe d'embarquement. Leia laissa son esprit se fondre dans la Force et se concentra sur son attaque.

Shesh commença à remonter le long de la rampe. Au lieu de la trancher en deux, le sabre glissa sur son dos, brûlant ses vêtements et découpant la chair et les os sur une bonne épaisseur. Elle poussa un cri et s'écroula. Puis elle tendit les bras et entreprit de ramper pour se mettre à l'abri à l'intérieur du vaisseau. La passerelle se releva et la derrière chose que Leia vit fut une main d'homme aidant la traîtresse à monter à bord.

Elle se rendit à peine compte qu'on était en train de la tirer par le bras pour la protéger et elle entendit Meewahl lui crier :

— Dame Vador, couchez-vous !

Leia laissa la Noghri l'entraîner à sa suite. Un autre coup de canon laser défonça le mur juste derrière elle. Soudain, les moteurs à répulsion du yacht se mirent à vrombir et l'artillerie se tut. Leia se risqua à relever la tête, le cœur battant à l'idée de la nouvelle qu'elle devait annoncer à Meewahl au sujet d'Adarakh.

Mais, alors qu'elle s'attendait à voir la Noghri, elle découvrit le visage enfantin d'Anakin.

— Vous pouvez me faire ce que vous voulez, lança Tarc. (Il était assis, le dos au mur, les mains prises dans l'une des paires de menottes de plastacier appartenant à Meewahl.) Mais au moins, ma mère et mes deux sœurs sont en sécurité.

— En sécurité ? demanda Leia, secouant la tête. Tu en es sûr ?

— C'est ce que je sais, en tout cas. (Le gamin pencha la tête en arrière et regarda le plafond. Le yacht de Shesh était en vol stationnaire, attendant de la capitainerie qu'on lui ouvre le dôme et qu'on lui donne l'autorisation de mettre le cap sur l'espace.) Elles sont à bord du *Plaisir Pervers*, à présent.

Leia avait déjà la main sur son comlink lorsque Han la rejoignit en courant.

— Laisse tomber, annonça-t-il en indiquant son propre communicateur. J'ai déjà essayé. Shev n'a plus l'intention de retarder le moindre décollage pour qui que ce soit.

Leia hocha la tête. Peu importait Shev. Avec ses énormes canons, le yacht stellaire pouvait tout aussi bien défoncer le dôme pour prendre son envol.

Han lui rendit son sabre laser éteint.

— Tu te sens mieux ?

— Pas vraiment, admit Leia. (Elle se releva, prit le sabre laser des mains de son époux et le rangea dans sa veste.) Et toi ?

— C'est pire, dit Han. (Il fit un signe vers Tarc.) Et qu'est-ce qu'on va faire de lui ?

S'il y avait bien une chose que Leia se refusait à faire, c'était bien d'embarquer ce gosse à bord du *Faucon Millennium*. Mais elle ne pouvait pas, non plus, abandonner un gamin de douze ans sur Coruscant. Elle saisit les menottes et obligea le jeune garçon à se relever.

— Ouais, c'est bien ce que je pensais, grogna Han. (Il lança un regard impatient vers la porte.) Et qu'est-ce que tu as fait de C-3PO et de Ben ?

— Ils devraient être à bord du *Faucon*.

— J'en doute, dit Han, le visage décomposé. Lorsque je suis parti à ta suite, j'ai verrouillé la porte pour empêcher la foule d'entrer.

Un grondement sourd retentit dans la baie d'accostage. L'iris du dôme était en train de s'ouvrir. Ils relevèrent la tête et virent le *Byrt* s'élever dans un nuage de particules ionisées. Le *Plaisir Pervers* se mit en route et se glissa derrière le paquebot pour franchir l'ouverture. C'est alors que la voix de C-3PO s'éleva dans le comlink :

— Messire Han ? Maîtresse Leia ?

Les époux Solo activèrent simultanément leurs communicateurs.

— C-3PO ? Mais où es-tu ?

— Ce n'est pas de ma faute ! déclara le droïde. Mais ma baie était verrouillée et je ne savais pas comment nous défendre !

— C-3PO ? dit Leia. Est-ce que tu es en train de me dire que tu te trouves à bord du *Byrt* ?

— J'en ai bien peur, Maîtresse Leia, répondit-il. Et on menace de me poser un boulon d'entrave !

52

Les skips semblaient empilés les uns sur les autres, comme les pierres du mur d'un ancien temple Massassi, chaque petit vaisseau survolant l'espace situé entre les deux qui se trouvaient sous lui. Les éventuels trous dans cette muraille étaient couverts par les tirs des corvettes disposées en anneau autour du dispositif. Derrière ces corvettes attendaient les frégates et, derrière celles-ci, se trouvait le croiseur à bord duquel était embarqué le yammosk. Luke et ses ailiers décochèrent une nouvelle volée de bombes furtives. Ils regardèrent les projectiles dévier vers les anomalies gravifiques produites par l'ennemi. Les trois Jedi conservèrent le même cap suffisamment longtemps pour inciter les pilotes Yuuzhan Vong à ouvrir le feu de tous leurs canons, pensant ainsi les obliger à prendre la tangente au milieu d'une tornade de plasma et de nuées de grutchins fous furieux. Les trois appareils républicains commencèrent à virer sur l'aile, offrant à leurs adversaires une nouvelle possibilité d'attaque. Mais aucun corail skipper ennemi n'abandonna son poste pour se lancer à leur poursuite. Le Maître de Guerre avait apparemment compris qu'il lui fallait protéger son yammosk et avait dû menacer des pires représailles tout guerrier qui romprait la formation.

Luke ouvrit une fréquence pour appeler le quartier général des Défenses Orbitales. Le commandement y avait été transféré puisque la bataille se déroulait à présent au-dessus de Coruscant.

— Parieur ? Aucune réaction des chasseurs. Le yammosk risque bien de demeurer là.

— Bien compris, Fermier. Pas de quoi être déçu, répondit Lando. Tu les as déjà obligés à se séparer de près de la moitié de leur flotte.

— C'est déjà quelque chose. (Luke n'avait aucune idée de la manière dont Lando était devenu si soudainement le commandeur des opérations spéciales du Général Ba'tra. Mais il était bien trop heureux de disposer enfin de quelqu'un de sa stature et de son expérience comme coordinateur des combats. A en juger par les parasites et les détonations fréquentes qui résonnaient sur le canal, le quartier général devait essuyer des attaques constantes.) Essayons une attaque par vague. Peut-être qu'on pourra créer une trouée.

— Négatif, dit Lando. Attends une seconde. Communication personnelle en provenance de la planète.

Luke sentit une appréhension monter chez Mara. Han et Leia auraient dû quitter Coruscant plus d'une heure auparavant. Mais la communication ne pouvait provenir de personne d'autre.

Han se manifesta sur la fréquence.

— Luke ? Vous pouvez quitter la formation, là-haut ?

— Tu sais très bien qu'on le peut, répondit Mara.

— Vous devez rattraper le paquebot stellaire *Byrt*. (Les écrans tactiques changèrent d'échelle. Un rectangle de visée se dessina, à environ un quart de la distance de l'orbite complète de la planète, soulignant un appareil de transport de deux cents mètres de long en train de fuser vers l'espace.) C-3PO est à bord avec votre colis...

— C'est de ma faute, intervint Leia sur la fréquence. (Sa voix était aussi fluette qu'une toile de glitterstim.) Viqi Shesh nous a tendu une embuscade à la baie d'accostage. J'étais tellement furieuse que...

— Ne t'inquiète pas, Leia, dit Mara. (Il n'y avait aucune accusation, ni aucune préoccupation, dans sa voix, seulement de la détermination.) On va s'en charger.

— D'accord... (Han eut l'air soulagé.) Nous sommes coincés

sur la planète car il faut qu'on refasse le plein de liquide de refroidissement. Shesh a bricolé nos tuyaux d'alimentation et nos câbles.

C'est à ce moment précis que Luke sentit que Mara commençait à se faire du souci. Faire le plein d'une unité de refroidissement pouvait prendre des heures. Et Coruscant ne disposait certainement plus d'un tel délai. Etant donné le nombre de coraux skippers et de vaisseaux d'attaque qui étaient en train de quitter l'orbite pour plonger vers la surface, Coruscant ne disposerait même pas d'une heure entière.

Luke s'apprêtait à envoyer Saba Sebatyne et sa barge d'assaut à la rescousse lorsque la voix de Lando retentit sur la fréquence :

— Ecoute, vieux, ces fichus balafrés vont certainement, d'une minute à l'autre, désintégrer ce tas de boulons sur lequel je me trouve actuellement. Je peux descendre vous chercher avec la *Dame Chance*...

— Et abandonner le *Faucon* ? Jamais de la vie ! l'interrompit Han. Vous autres, occupez-vous donc de ce qui se passe là-haut.

— Pigé, dit Luke. Et que la Force soit avec toi.

— Ouais, t'as raison, p'tit gars, et avec toi aussi, dit Han. Solo, terminé.

Les pensées de Luke se braquèrent sur son fils. Mara avait déjà calculé une trajectoire qui leur ferait frôler l'atmosphère en les plaçant dans l'axe du *Byrt* et d'un millier d'autres vaisseaux décollant d'Eastport ou de la Cité Impériale. Mais il fallait se dépêcher. Les écrans tactiques indiquaient qu'un groupe de frégates Yuuzhan Vong se préparait à intercepter les engins en train de prendre la fuite.

— Parièur ?

— Filez ! répondit Lando. Au point où on en est, on n'est pas à quelques Jedi près.

Luke sortit de la formation juste derrière Mara. Remarquant que Tam était en train de les suivre, il appela son ailier :

— Silencieux ? Reste avec l'escadron. Siffleur ? Prends le commandement. Essaye de tenir le coup le plus longtemps possible. Si les choses se gâtent vraiment, dégagez tous et filez au point de rendez-vous.

— Pas besoin d'aide, Fermier ?

— Si, énormément. (Luke poussa sur son manche et plongea à la suite de Mara sous la structure en flammes d'un croiseur de combat de près d'un kilomètre de long, construit pour la Nouvelle République par les chantiers navals de Kuat.) Mais chaque minute supplémentaire de résistance de votre part peut sauver dix mille citoyens de la Nouvelle République.

— Compris, dit Saba. Compte sur nous pour en sauver au moins un million.

Le haut-parleur produisit un craquement sec. Luke jaillit de l'autre côté du croiseur et découvrit une énorme boule de feu là où, sur son écran tactique, aurait dû se trouver le chasseur stellaire de Mara.

Contournant l'explosion de justesse, Luke appela dans son micro :

— Mara ?

Pas de réponse. Mais elle le contacta dans la Force, l'invitant à ne pas s'inquiéter. *Va chercher Ben !*

R2-D2 siffla un avertissement. Luke vira sur la gauche et évita au dernier moment le barrage de vaisseaux ennemis, dont un croiseur, qui avait canardé le vaisseau républicain. Luke programma R2 pour qu'il surveille cette section et se lança dans une manœuvre tourbillonnante. Il vit le chasseur de Mara se dessiner dans les lueurs artificielles de la face nocturne de Coruscant. Son moteur numéro trois crachait des flammes jaunâtres, son droïde-astromécanicien avait été touché et avait perdu son dôme, ses ailerons d'attaque étaient à moitié ouverts. Tout cela ne laissait rien présager de bon quant à ses capacités de tir et de vitesse.

Si cela avait été quelqu'un d'autre que Mara, ou bien si leur mission avait concerné autre chose que la sauvegarde de Ben, Luke aurait ordonné à son épouse de se replier. Mais avec Mara, un tel ordre serait inconcevable tant que Ben ne serait pas en sécurité. Il plaça son Aile-X à côté de celui de sa compagne et indiqua du doigt son générateur de boucliers.

Mara secoua la tête. Plus de boucliers.

Luke prit peur. Il contacta sa femme par le truchement de la

Force, bien déterminé à raffermir leur lien mental. Mara lui répondit, glissant son chasseur stellaire derrière celui de son époux avant que ce dernier lui ait adressé le moindre geste.

Ils rebondirent le long des couches supérieures de l'atmosphère, contournant au mieux une bataille isolée, livrée autour d'une résidence orbitale qui se trouvait en géostationnaire basse. Ils encaissèrent alors quelques tirs accidentels provenant de l'échange de feu. A l'approche du *Byrt*, R2 modifia l'échelle des écrans tactiques, faisant apparaître de plus en plus de détails au fur et à mesure de leur progression. Il devint vite évident que le groupe de frégates Yuuzhan Vong s'apprêtait à intercepter le même paquebot stellaire que Luke et Mara.

Ils quittèrent l'atmosphère et furent bientôt entourés par une douzaine de petites batailles, livrées par des sections d'assaut Yuuzhan Vong croisant le feu avec des plates-formes de défense orbitale de Coruscant. Les envahisseurs l'emportaient mais très laborieusement et, en grande partie, parce qu'ils étaient supérieurs en nombre. A l'œil nu, une douzaine de vaisseaux ennemis vomissaient leurs entrailles dans l'espace. Une centaine de petits vaisseaux, frappés eux aussi, partaient à la dérive le long d'orbites qui finiraient par se dégrader.

Luke entreprit de contourner les différentes poches de combat, ce qui déclencha un sifflement réprobateur de la part de R2-D2. Deux estimations de temps apparurent sur le moniteur, indiquant que les frégates, dans l'état actuel des choses, rejoindraient le *Byrt* juste avant eux. Luke modifia les alarmes de proximité sur leur réglage le plus sensible et adopta un cap rectiligne.

Quelque chose heurta la partie inférieure de son chasseur stellaire. Luke songea d'abord qu'il était arrivé malheur à Mara. Peut-être avait-elle été de nouveau touchée. Il sentit alors son appréhension dans la Force et comprit qu'elle était toujours là. Son Aile-X fit un autre bond intempestif. Il regarda derrière lui et vit qu'elle avait positionné son appareil légèrement en contrebas du sien. Mara tira sur son manche et heurta son empennage en S contre le flanc du chasseur de Luke. Très violemment.

Lorsqu'elle s'écarta, ses ailerons étaient enfin repliés. Une nouvelle estimation de temps apparut sur l'écran de Luke. Ils allaient intercepter le *Byrt* quelques secondes avant les Yuuzhan Vong.

— R2 ? Est-ce que Mara est au courant ?

Le droïde siffla de façon excédée. Une explication s'afficha sur le moniteur principal. R2-D2 s'était servi de son transmetteur pour relayer toutes les données sur les moniteurs vidéo de l'appareil de Mara.

— Tu aurais pu me prévenir, dit Luke. Demande à Mara combien il lui reste de bombes furtives.

Dans son cockpit, Mara leva trois doigts.

Luke hocha la tête. Il leva à son tour trois doigts mais à deux reprises, puis il ferma ses ailerons d'attaque.

— R2 ? Donne-nous un compte à rebours de deux secondes.

Le décompte apparut et, deux secondes plus tard, ils fusèrent à travers la zone de combat, à environ deux tiers de la vélocité maximale des Ailes-X, puisque l'appareil de Mara ne fonctionnait plus qu'avec trois moteurs sur quatre et qu'il fallait éviter tout risque de surchauffe. Luke perdit ses propres déflecteurs lorsqu'une corvette ennemie lança une demi-douzaine de basals dovins. Les anomalies déchiquetèrent les boucliers un par un, déclenchant le signal d'alarme et saturant le générateur, luimême incapable de programmer de nouveaux systèmes de protection si rapidement. Mais les deux chasseurs dépassèrent les plates-formes de défense et s'éloignèrent des combats, toujours aux trousses du *Byrt*.

Luke ouvrit un canal de communication à l'attention du paquebot stellaire.

— Paquebot *Byrt*, modifiez votre trajectoire pour rendez-vous avec les deux Ailes-X venant à votre rencontre. Nous allons éliminer vos poursuivants.

Il y eut une courte pause, puis une voix grave retentit sur la fréquence :

— Vous avez attrapé la fièvre de l'espace, ou quoi ? Vous n'êtes que deux ! (Un second appareil républicain, un élégant yacht spatial des chantiers de Kuat dont le transmetteur ne fonctionnait plus, apparut sur l'écran tactique, juste derrière le paquebot.) Nous préférons courir le risque. Aucune raison qu'ils veuillent nous intercepter.

— Oh que si, dit Luke. (Sur le moniteur, le groupe ennemi, constitué de deux frégates et d'une corvette, était sur le point de rattraper le *Byrt*.) C'est Luke Skywalker qui vous parle. Vous avez mon fils à votre bord.

— Quoi ? hurla le capitaine. Vous croyez que c'est le moment de plaisanter ?

— Ce n'est pas une plaisanterie, dit Luke. Changez de cap immédiatement !

Même s'il se doutait que cela n'aurait guère d'effet sur les ondes radio, Luke invoqua la Force pour appuyer ses propos.

Et le vecteur du *Byrt* commença à s'infléchir.

Luke sentit le soulagement de Mara. Il vérifia son écran tactique et constata que le yacht stellaire Kuati continuait de progresser sur la même trajectoire initiale. Une cause de souci en moins. Le *Byrt* apparut dans le champ visuel, une aiguille de traînées ionisées longue comme le doigt illuminant la proue de corail yorik des appareils lancés à sa poursuite.

Luke pressa la pointe de son index sur le symbole de la corvette qui se trouvait le plus en retrait.

— R2 ? Indique cette cible à Mara et dis-lui d'être prudente.

R2-D2 siffla son acquiescement. Les Jedi se séparèrent, filant chacun vers leurs cibles en exécutant des séries de tonneaux. Les frégates lancèrent leurs skips et commencèrent à vomir des missiles au plasma. Dépourvus de boucliers, Luke et Mara s'en remirent à leur rapidité d'action, confiant leurs mains à la Force pour prendre le contrôle de leurs appareils. Petit à petit, les vaisseaux ennemis grossirent au point d'évoquer d'immenses monolithes de pierre, silhouettes noires et menaçantes se dessinant derrière des murs de flammes. Mara vira en direction de sa corvette, exécuta une vrille pour éviter une demi-douzaine de skips et lança ses bombes furtives.

Luke pivota derrière elle. Les skips mordirent à l'hameçon et se précipitèrent pour l'intercepter. Il changea de cap et se rabattit sur la frégate, évita un missile au magma et trancha un grutchin en deux avec ses ailerons repliés. Il se lança alors sur une trajectoire oblique en direction du flanc de l'appareil ennemi.

Une équipe Vong de protection parvint à détourner l'une des bombes furtives à une vingtaine de mètres de sa cible. Mais les deux autres missiles explosèrent contre la coque. L'une d'elles créa une brèche au milieu du vaisseau, l'autre en déchiqueta la proue. La frégate s'immobilisa et commença à éjecter des débris. Luke passa par-dessus et mit le cap sur la dernière corvette.

Ayant réduit sa première cible en miettes, Mara était également en train de virer vers ce même appareil. Luke perçut sa résolution aussi clairement que sa propre détermination mais, ayant largué toutes ses bombes furtives et son empennage en S étant coincé en position fermée, c'était bien tout ce qui restait à Mara.

— R2 ? Dis-lui d'accoster le *Byrt*.

Le droïde répondit par la négative. Les deux chasseurs étaient bien trop éloignés l'un de l'autre pour projeter les données sur les écrans vidéo de Mara.

— Génial…

Luke termina sa manœuvre et vit que des skips étaient en train de décoller de la corvette pour l'intercepter. Les deux canons laser du *Byrt* crachèrent des rayons écarlates sur la proue de son adversaire. La corvette maintint son cap tout en déployant des tentacules d'interception.

Luke bloqua alors ses ailerons en position d'attaque et tira en rafales sur les skips. Grâce au nouveau système de visée installé par Corran, il détruisit prestement les deux premiers engins et obligea les autres à se disperser. Une alarme sonna sur l'écran tactique. Le yacht spatial non identifié avait changé de course et était en train de remonter derrière Mara.

— Quoi encore ? grommela Luke. Relaye donc ça sur les moniteurs de Mara.

R2 émit un sifflement dubitatif.

— Eh bien essaye ! (Luke évita une boule de plasma et fit feu de tous ses canons sur le skip qui l'avait lancée.) Et puis ouvre-moi une fréquence pour contacter ce yacht...

Une demi-douzaine de skips filèrent en direction de Mara. Luke voulut se lancer à leur poursuite et il entendit la voix de son épouse dans son esprit :

Non !

L'image de la corvette apparut comme un éclair dans la tête de Luke. Il comprit que Mara voulait qu'il se consacre au sauvetage de Ben.

Derrière toi ! Luke fit prestement volte-face. Il envoya une volée de rayons vers les skips avant de se diriger à nouveau vers la corvette.

— Et cette fréquence, R2, ça vient ?

Une explication apparut sur le moniteur principal.

— Comment cela ?

La raison du silence du yacht spatial devint claire lorsque l'appareil ouvrit le feu sur Mara. Luke se retourna dans son cockpit et vit des rayons s'abattre sur le chasseur stellaire de son épouse. Il y eut un éclair aveuglant et un morceau d'aile enflammée partit en tourbillonnant dans l'espace.

File ! le pressa Mara. La panique qui transpirait de ses pensées était braquée sur Ben, pas sur sa propre sécurité.

Un mot unique se formula dans l'esprit de Luke. *Ejection !* Mara vira sur l'aile et descendit vers la planète, se servant de la Force pour maintenir l'assiette de son Aile-X et éviter de partir dans une vrille incontrôlable lorsqu'elle heurterait l'atmosphère. Luke projeta une onde de la Force pour l'envelopper de tout son amour. Baissant les yeux sur son écran tactique, il découvrit que le chasseur de Mara y était à présent clairement identifié. Tout comme le yacht stellaire. Il était enregistré sous le nom de *Plaisir Pervers*, appartenant au sénateur Viqi Shesh. Luke inspira profondément puis souffla doucement pour évacuer toute la colère qui était en train de monter en lui. Ensuite, il enregistra les coordonnées du yacht pour que l'ordinateur l'assimile comme une cible principale.

Une boule au plasma frôla le nez de son chasseur et l'écran tactique s'éteignit brusquement. R2-D2 poussa un hurlement au milieu des parasites. Le cri du droïde disparut dans un gargouillis électronique. Les relais de communication venaient de fondre et les différents éléments des batteries de senseurs installées à la proue du chasseur s'éparpillèrent dans l'espace.

Luke remonta en chandelle au milieu des skips, évitant, roulant et pivotant, se servant uniquement de la Force pour viser et faisant mouche à chaque tir. Il réduisit un skip en poussière et découvrit une ouverture qui lui permettrait d'atteindre la corvette. Il ferma ses ailerons et accéléra. Les skips virèrent pour le poursuivre, ouvrant le feu de toutes leurs armes. Les moteurs du chasseur perdirent de la puissance et l'engin décéléra.

Luke décocha tout de même ses bombes furtives. La première fut déviée par l'anomalie gravifique produite par un des skips et s'en alla exploser à une centaine de mètres de là. Les deux autres projectiles semblèrent engloutis par la silhouette obscure de la corvette. Luke poussa avec la Force jusqu'à ce que les détonateurs de proximité détectent l'action d'un basal dovin. Les explosions créèrent deux trous dans la coque de l'engin.

Pas mal… Mais pas de brèche conséquente…

R2-D2 siffla pour attirer l'attention de Luke. Celui-ci regarda derrière lui et vit que deux de ses moteurs, peut-être les quatre, étaient en feu. Il pressa l'interrupteur d'urgence des propulseurs et vira en direction de Coruscant. Il projeta une onde de la Force pour contacter Mara à bord de son Aile-X en perdition.

Je n'ai pas pu le rejoindre, lui dit-il. *Je n'ai vraiment pas pu.*

Jaina se réveilla en entendant un éclat de rire. Une lumière aveuglante se braqua sur l'un de ses yeux et une puanteur, pareille à celle d'un cabinet de toilette Gamorréen, envahit ses narines. Le rire n'était qu'un jacassement hystérique, le même type de son qu'on entendait couramment dans les cellules Ryll de Kala'uun. Mais la jeune femme se dit que le mal de tête persistant et sa douleur à l'épaule n'étaient probablement pas dus aux effets secondaires d'un mauvais trip aux épices. Non. Le cauchemar était bien réel. La frégate de Nom Anor avait bien abattu sa navette. Jacen et les autres étaient bien retenus en otages sur un vaisseau-monde ennemi. Et Anakin était bien mort.

Le blaster long gronda et un autre jacassement hystérique éclata juste devant Jaina.

— Tu as vu ça ! gloussa Alema Rar. Je l'ai coupé en deux !

— Super, grogna Jaina. (L'effort ne fit qu'accroître sa migraine. Mais ce n'était pas grave. Elle pouvait tirer un peu d'énergie de cette douleur.) Tu n'as qu'à en tuer d'autres…

— Tais-toi, Jaina, dit Zekk sur le ton du reproche. (La lumière aveuglante se braqua sur l'autre œil.) Tu ne sais pas de quoi tu parles.

— Ah, parce que toi, tu le sais ? dit Jaina, envoyant d'un geste balader le bâtonnet lumineux et la pochette de sels à l'odeur repoussante. Tu n'as même pas de frère !

— Mais je sais ce qu'est le Côté Obscur, dit-il. Et ce n'est pas la solution.

— Qui a dit que j'avais basculé dans le Côté Obscur ? demanda Jaina.

— Tu t'es servie de la Force pour tuer.

Zekk ne dit rien de plus.

Jaina détacha ses yeux du regard du jeune homme.

— Et alors ? Il l'avait cherché… (Son apathie céda bientôt la place à la fureur brute. Et elle en fut ravie.) Tu as bien vu ce qu'il a fait à Anakin, non ?

— Anakin n'a rien à voir avec une telle fureur, dit Zekk d'un ton maussade. Et Vergere ? Tu l'as attaquée elle aussi…

— J'étais en colère.

Serrant les dents contre la douleur, Jaina se redressa et regarda autour d'elle. L'intérieur de la navette était un véritable capharnaüm. Une très longue fissure s'ouvrait dans l'un des flancs, sur toute la longueur de l'engin. Des capuches de commandement et des villips éclatés, vidés de leurs fluides vitaux, étaient éparpillés sur la passerelle. Jaina se remémora brièvement qu'elle avait lutté avec les commandes pour conserver l'appareil en vol. Elle avait rasé les rebords d'un cratère et la navette, se comportant comme le bloc de roc qu'elle était, s'était écrasée lourdement. L'engin avait rebondi plusieurs fois contre la surface poussiéreuse du vaisseau-monde avant de rouler sur le côté. Elle s'était arrêtée brusquement en fichant sa proue dans le sol. Et puis, plus rien. La vague sensation de basculer en avant, le souvenir de voix en train de hurler et une obscurité soudaine.

En face de Jaina, Tahiri était assise sur une litière à côté d'Anakin, un bras – apparemment fracturé – posé sur la conque dans laquelle était enchâssé le corps du jeune homme. A peine lucide, elle était en train de lui parler, décrivant comment ils avaient réussi à le retrouver dans le funérarium des Yuuzhan Vong.

A l'arrière du vaisseau, Lowbacca poussa un long gémissement en déplaçant quelque chose de très lourd. Puis il marmonna doucement, se parlant à lui-même d'une voix de Wookiee souffrant d'un traumatisme crânien, et sembla laisser tomber quelque chose de rocailleux dans une mare de liquide visqueux. Une détonation mouillée retentit, suivie, quelques instants plus tard, du craquement caractéristique d'une boule de plasma en pleine éruption.

— Un peu court ! cria Alema depuis la porte avant. Redresse d'un degré et tu devrais arriver à leur roussir le poil.

— Je suppose que nous sommes attaqués, dit Jaina à Zekk.

— Pas vraiment attaqués, non, mais ils se rapprochent, confirma Zekk. Nom Anor va essayer de nous capturer vivants.

Un sourire dédaigneux se dessina sur les lèvres de Jaina.

— Qu'il essaye un peu… (Elle fit basculer ses jambes par-dessus le rebord de sa litière improvisée et s'empara de son blaster.) On va bien s'amuser…

Après toutes ces décennies passées à arpenter la galaxie de long en large, Han n'avait jamais rien entendu d'aussi glaçant que le gémissement de détresse hululé par une femelle Noghri. Le son évoquait celui que produisait un panneau de duracier en train de se rétracter, ou bien la perturbation qu'émettait une étoile juste au moment où elle se transformait en nova. Même en étant séparé du sinistre hurlement par des portes blindées, et éloigné de près de la moitié de la longueur du *Faucon*

Millennium, Han sentit un frisson lui courir dans le dos et des larmes lui monter aux yeux. Cela faisait dix-huit ans qu'il fréquentait les Noghri et il était toujours incapable de prétendre les connaître ou les comprendre. Mais il savait qu'il leur devait énormément et cela lui faisait une peine infinie chaque fois que l'un d'entre eux perdait sa vie pour sauver celle d'un des membres de sa famille.

Han s'essuya les yeux et regarda par la verrière du cockpit l'averse infernale de vaisseaux en proie aux flammes sur le point de s'écraser. Il vérifia la température de l'unité de refroidissement.

— Il nous reste quatre-vingt-dix secondes. Après cela, on se transformera en boule de feu et on ira s'écraser contre l'un des immeubles des alentours. Tu crois qu'il nous reste assez de puissance pour aller refaire le plein à la Cité Impériale ? A moins qu'on tente le coup aux Plateaux de Calocour... (Il attendit une seconde, puis cinq, puis dix.) T'en penses quoi, Leia ?

Elle ne répondit pas. Han se tourna vers elle. Elle était assise, raide comme la justice, dans ce siège de copilote bien trop grand pour elle, les mains croisées sur les genoux, le regard posé sur ses pieds. Pour la première fois, Han remarqua combien le vieux siège de Chewbacca était démesuré pour elle.

Il lui secoua le bras.

— Leia ? Réveille-toi ! J'ai besoin de toi !

Leia releva les yeux et regarda par la verrière en direction des volutes de fumées s'échappant d'un destroyer stellaire sur le point de s'écraser dans le lointain.

— Pourquoi aurais-tu besoin de moi, Han ? Si c'est pour que je te laisse tomber...

— Me laisser tomber ? répéta Han. T'es dingue ou quoi ? Tu ne m'as jamais laissé tomber !

Finalement, Leia se tourna vers lui.

— Si, Han. Je t'ai laissé tomber. Je suis partie à la poursuite de Viqi Shesh...

— Et moi aussi.

— Mais tu n'as pas perdu Ben et tu n'as pas causé la disparition d'Adarakh.

— Ah oui ? (Han jeta un coup d'œil vers sa jauge de température puis embrassa le cockpit du regard de façon très théâtrale.) Tiens, c'est vrai, ils ne sont pas là...

— Han ! soupira Leia d'un ton excédé avant de porter son regard sur le paysage urbain de Coruscant, ravagé par les incendies. Tu sais très bien ce que je veux dire.

— Je suppose que oui, dit-il, plus sérieux. Je ne pensais pas que tu tournerais le dos à tout ça, comme moi je l'ai fait. Je te croyais plus forte que ça.

Leia pivota dans son siège et, pour la première fois, sembla réellement le regarder.

— Comment peux-tu dire une chose pareille ? (Sa voix, pourtant très calme, trahissait la profondeur de sa colère.) Tu dois avoir de la peine, toi aussi, non ? A moins que tu ne te soucies que des Wookiees...

— Non, j'ai de la peine. (Han parvint à tenir sa propre colère en respect en se rappelant que l'amertume de son épouse était plutôt un bon signe. Toute réaction émotionnelle de sa part était un bon signe.) Et c'est pourquoi je ne vais pas tout laisser tomber cette fois-ci. Je ne laisserai plus jamais rien tomber. Anakin et Chewbacca ont peut-être disparu, tout comme Adarakh, voire Ben, Luke et Mara... Mais nous, nous sommes toujours tous les deux.

— C'est tout ce qui nous reste, dit Leia en regardant à nouveau par la verrière.

— Et l'espoir, aussi, insista Han. Tant que nous sommes ensemble, il y a toujours de l'espoir. Pour nous, pour Jacen, pour Jaina – où qu'ils soient – et pour la Nouvelle République.

— La Nouvelle République ? (La voix de Leia s'était élevée si brusquement qu'elle rivalisait à présent avec les gémissements de Meewahl.) Tu es aveugle ou quoi ? Il n'y a plus de Nouvelle République ! Elle était morte bien avant que les Yuuzhan Vong n'apparaissent !

— Non, ce n'est pas vrai, rétorqua Han, incapable de contenir sa colère plus longtemps. Car, si c'était le cas, Anakin serait mort pour rien !

Il regarda à nouveau la jauge de température de l'unité de

fusion. Il remarqua qu'il ne leur restait plus que trente secondes avant d'être transformés en cratère béant. Han n'ajouta rien. Si son épouse avait réellement abandonné tout espoir, il ne voyait pas pourquoi il perdrait son temps à se battre tout seul.

La bouche de Leia s'entrouvrit, comme si elle s'apprêtait à lui crier dessus, mais c'est alors qu'elle découvrit l'instrument sur lequel étaient posés les yeux de son mari depuis le début de la conversation. Son visage se figea. Han sentit qu'elle était en train de l'observer alors qu'il contemplait la jauge. L'indicateur de la jauge monta encore d'un cran.

— C'est un coup de bluff ? demanda Leia.

— Non, juste un pari très dangereux, répondit Han.

Jaina et Jacen étaient toujours en vie et il n'avait pas l'intention de laisser la détresse de Leia ronger les derniers espoirs qui leur restaient.

Leia vit l'indicateur de température monter d'un autre cran.

— A la Cité Impériale !

— Calocour, c'est plus près, dit Han dans un souffle.

— Han !

Han fit pivoter le *Faucon* et égrena silencieusement les secondes dans sa tête.

— Va te poser sur l'aire réservée au Chef d'Etat, dit Leia. Il faut qu'on parle à Borsk.

— Tu crois que Borsk est encore sur Coruscant ? fit Han en avalant de travers.

— Où veux-tu qu'il soit ? Retourné sur Bothawui ? J'en doute ! (Leia sortit un databloc du logement situé dans l'accoudoir de son fauteuil et, avec l'aisance de la politicienne expérimentée, commença à rédiger des notes.) J'ai un petit service à lui rendre.

53

Le gigantesque quartier général des Défenses Orbitales, ravagé par les flammes, formait un second soleil dans les cieux opalescents de Coruscant. Les flèches effilées et les tours élégantes de la Cité Impériale étaient baignées d'une lueur orangée. En descendant vers la plate-forme d'atterrissage réservée au Chef de l'Etat, Leia eut l'impression de débarquer en plein incendie de forêt. Han posa le cargo à moins d'un mètre des ailerons de queue de l'extravagant Luxuflier de Kothlis Systèmes appartenant à Fey'lya. Il désactiva l'unité de fusion avant même que le *Faucon* se soit stabilisé sur ses trains. Laissant le sosie d'Anakin – dont le véritable nom était Dab Hantaq – aux bons soins de Meewahl, Han et Leia abaissèrent la passerelle de débarquement. Ils se retrouvèrent nez à nez avec le canon d'une mitrailleuse G-40 installée sur son trépied.

— Quelque chose ne va pas avec le transmetteur du *Faucon*, Garv ? demanda Leia, guère surprise par l'accueil prudent qu'on leur réservait. Nous avons essayé de vous appeler mais la communication n'est pas passée.

— Simple précaution, Princesse. (Un homme très maigre, portant l'uniforme de général de la Nouvelle République, s'approcha.) Désolé pour le problème de communication. Les Yuuzhan Vong ont commencé à détruire le réseau satellite. Le Chef Fey'lya a donc ordonné le silence radio total pour toutes les transmissions qui ne concernent pas l'armée.

— Eh bien, voilà qui va faciliter les évacuations, dit Han.

Garv – ou plutôt « Général Tomas », pour tous ceux qui n'étaient pas ses supérieurs, actuels ou anciens – répondit d'un demi-hochement de tête fort énigmatique. Leia avait personnellement promu Garv au rang de responsable de la sécurité du palais. Depuis le temps qu'elle le connaissait, c'était la seule réponse qu'elle l'ait jamais vu adresser à un officier supérieur.

— Garv, nous avons un petit problème. Un sabotage signé Viqi Shesh, expliqua Leia. Serait-ce trop vous demander que de recharger notre réservoir de liquide de refroidissement ? Et puis j'aimerais m'entretenir avec le Chef d'Etat Fey'lya.

— Je peux arranger les deux. (Garv fit signe à un assistant Bothan aux bajoues très fournies d'aller quérir une équipe de maintenance. Puis il se tourna à nouveau vers Leia, avec un air perplexe qui ne lui ressemblait guère.) Je ne voudrais pas avoir l'air de me mêler de ce qui ne me regarde pas, mais j'ai entendu une rumeur concernant Anakin. Je ne sais comment vous exprimer ma sympathie…

— Merci, dit Leia. (Sachant qu'il lui faudrait rapidement s'habituer à recueillir les condoléances des gens qu'ils rencontreraient, Leia posa une main sur le bras de Garv.) Nous sommes très touchés.

— Il va beaucoup nous manquer, dit Han en hochant la tête.

— Il va beaucoup manquer à toute la Nouvelle République, dit Garv.

— En parlant de la Nouvelle République, dit Leia, bien trop contente de pouvoir changer de sujet. J'ai remarqué que les tours des archives sont toujours intactes. Est-ce que quelqu'un ne devrait pas s'occuper de les détruire ?

— Oui, quelqu'un devrait, effectivement, répondit Garv. Mais Fey'lya refuse de donner l'ordre.

— Et qu'est-ce qu'il croit ? Qu'il peut défendre la planète tout seul ? demanda Han, incrédule. L'imbécile ! Si les balafrés s'emparent de ces archives, alors il n'y aura plus un seul lieu sûr dans la galaxie où établir une base secrète !

Garv lui adressa un regard amer.

— Je le lui ai déjà dit.

— Je suis certaine que le Chef de l'Etat donnera l'ordre au moment qu'il jugera opportun, dit Leia. (Avec tous ces tirs de turbolasers contre les vaisseaux ennemis, émanant de toutes les batteries des toits de Coruscant, elle était persuadée que le moment était venu. Mais Garv Tomas était un officier intègre qui connaissait les limites de son autorité, même dans les circonstances présentes.) Cependant, ajouta-t-elle, ce ne serait pas complètement inutile d'armer les charges de destruction dès maintenant, n'est-ce pas, Général ?

— Absolument, Princesse, répondit Garv en souriant.

Il pianota un ordre sur un databloc et envoya un de ses sous-officiers s'assurer que celui-ci serait bien exécuté. Il emmena alors les époux Solo à travers le hangar jusqu'à la suite, installée au dernier étage du bâtiment, qui servait de bureau à Borsk Fey'lya. Après une brève dispute avec un droïde chargé des rendez-vous – à laquelle Garv mit fin en pressant l'interrupteur d'urgence de l'assistant cybernétique –, le général ouvrit les portes de l'appartement avant de se retirer pour vaquer à ses propres occupations. Han et Leia découvrirent Borsk Fey'lya seul, débarrassé de son entourage habituel de conseillers et de lèche-bottes, au milieu de son immense bureau, contemplant une représentation holographique des défenses de Coruscant sur le point de céder.

La situation était désespérée. Les vestiges de la flotte de la Nouvelle République étaient encerclés ou bien coupés de la planète. Souvent les deux à la fois. La moitié des plates-formes de défenses étaient en train de s'abîmer dans les flammes. Les symboles représentant les autres clignotaient de façon répétée, indiquant que les engins orbitaux avaient encaissé d'importants dégâts. Les forces de la sécurité atmosphérique se battaient farouchement à bord de leurs Ailes-V et de leurs Howlrunners. Mais, en dépit de l'excellence de ces appareils dédiés à la défense aérienne, ils n'arrivaient pas à contenir cet ennemi si supérieur en nombre. Les barges de débarquement Yuuzhan Vong étaient déjà en train de se rassembler, prêtes à fondre sur la planète. Leia comprit que, d'ici peu, la bataille se livrerait sur les toits des immeubles des environs.

Il fallut près d'une minute à Fey'lya pour remarquer qu'il avait de la visite.

— Alors, Princesse, vous êtes venue rire de ma défaite ?

Leia se força à adopter un ton chaleureux.

— Pas du tout, Chef. (En espérant que le visage de Han ne trahirait pas l'opinion qu'il avait émise à propos de Fey'lya quelques instants auparavant, Leia tendit les mains et s'avança vers le Bothan.) Je suis venue vous présenter des excuses.

Les oreilles de Fey'lya s'aplatirent en arrière.

— Des excuses ?

— Pour ne pas vous avoir aidé avec le commandement militaire, expliqua-t-elle. J'ai bien peur de m'être laissé emporter par le chagrin.

L'attitude de Fey'lya changea du tout au tout. Il prit les mains de Leia entre ses pattes poilues.

— Non, je vous en prie. C'est moi qui devrais vous présenter des excuses. Faire appel à vous dans un moment pareil…

— C'est que ça doit être très important, sinon, je suis certaine que vous ne l'auriez pas fait… (Persuadée que Fey'lya était déjà en train de réfléchir à la manière dont il pourrait se servir d'elle pour renforcer un pouvoir politique qui était totalement en train de lui échapper, Leia laissa sciemment sa phrase en suspens et posa les yeux sur le graphique tridimensionnel.) Notre situation semble bien précaire. Est-ce qu'on peut tenir ?

— Nous devons tenir, répondit Fey'lya. Si Coruscant tombe, alors mon gouvernement s'effondrera.

— Ah ouais, ce serait terrible, ça… dit Han.

Résistant à la tentation d'écraser le pied de son mari, Leia se força à sourire.

— Ce que mon cher époux veut dire, Chef Fey'lya, c'est que vous pouvez compter sur notre soutien. (Elle tira Han par le bras.) N'est-ce pas, mon chéri ?

— Bien sûr, ma chérie. (La réponse de Han sembla sincère. Suffisamment, en tout cas, pour déclencher un hochement de tête d'acquiescement de la part du Bothan.) Le Chef Fey'lya peut compter sur notre soutien.

Leia adopta une attitude des plus sérieuses.

— Si vous pensez que quelques mots de ma part pourraient soulager un peu la situation…

Le sourire de Fey'lya fut plus une expression de son soulagement que de sa confiance en l'avenir.

— Ça ne peut pas faire de mal, en tout cas. Si l'armée sait que vous êtes de mon côté, ils feront leur possible pour soutenir mon gouvernement. C'est bien là que réside le problème, voyez-vous ? Tous ces sénateurs qui essayent de regagner leurs planètes natales sont en train de réquisitionner les derniers vaisseaux en état afin d'obtenir une escorte.

— Je sais, dit Leia. J'ai vu ça aux actualités. La console des communications est toujours près de la fenêtre ?

— Non. L'endroit était idéal pour tous ces espions Baldavian capables de lire sur les lèvres.

Fey'lya prit Leia par le bras et la conduisit jusqu'à un réduit qui, à l'époque où elle occupait les lieux, servait de vestiaire.

— Une seule étendue d'eau à ciel ouvert sur cette planète et c'est là que tu poses nos Ailes-X ? dit Mara, entourant sa cheville fracturée d'une attelle gonflable. Une seule étendue d'eau… Qu'est-ce qui t'est passé par la tête, Skywalker ?

— Mara, je n'ai pas vraiment eu le choix, répondit Luke. (La chaleur dégagée par l'incendie de ses moteurs avait fait fondre les fibres du dos de sa combinaison de vol. Il aurait également besoin d'une coupe très courte avant que ses cheveux, brûlés eux aussi, ne reprennent leur couleur naturelle.) C'était ça ou bien s'écraser contre une des tours.

Mara et Luke regardèrent l'horizon, éclairé par les flammes, de la Mer Occidentale, un vaste lac artificiel transformé en base de loisirs pour les espèces qui résidaient sur Coruscant, s'étendant sur des milliers – voire des dizaines de milliers – de toits. Une douzaine de tourbillons indiquaient les emplacements d'atterrissages forcés bien moins contrôlés que les leurs. Les vaisseaux avaient dû perforer le fond de duracier du bassin et l'eau était en train de se déverser, comme par des bondes improvisées, sur les niveaux inférieurs de Coruscant. Après tout, l'endroit n'avait pas été si mal choisi pour y abîmer les deux chasseurs après que Luke et Mara se furent éjectés. Mais le fond de la Mer Occidentale devait être tellement jonché d'épaves de speeders et de droïdes usagés que la recherche de leur chère unité R2 au milieu de tout ce fatras se révéla particulièrement difficile, même pour Luke Skywalker.

Mara tira sur la goupille de gonflage de son attelle et serra les dents en sentant l'accessoire comprimer ses os cassés. Elle s'empara alors d'un injecteur dans le nécessaire médical d'urgence qu'elle avait pris soin d'emmener avec elle au moment de l'éjection et s'administra une dose d'anesthésiant au Bacta. D'ordinaire, elle préférait ne pas avoir recours aux analgésiques, mais Luke et elle auraient à se mouvoir très rapidement au cours des prochaines heures et elle ne souhaitait surtout pas que sa blessure puisse les ralentir. Les Yuuzhan Vong commençaient à envoyer leurs plus gros vaisseaux pour éradiquer les batteries d'artillerie des toits de la planète capitale. Mara sentit que le *Byrt*, emportant Ben à son bord, n'avait pas encore réussi à franchir le seuil de l'hyperespace. Il fallait qu'elle retourne en orbite, et vite.

Luke tendit enfin la main vers la surface de l'eau. La pointe de quelque chose s'éleva doucement au-dessus des ondes et la silhouette d'une Aile-X carbonisée creva les vagues de la Mer Occidentale. Deux barges Yuuzhan Vong jaillirent soudain dans le soleil pour attaquer. Une batterie de turbolasers toute proche ouvrit le feu pour les repousser. Pendant quelques secondes, le ciel au-dessus du lac s'embrasa d'un réseau de boules au plasma et de rayons énergétiques. L'une des barges explosa et l'autre partit immédiatement en chandelle, disparaissant dans le soleil avec une nuée de rayons laser aux trousses.

Mara adressa un signe de remerciement aux artilleurs de la batterie. Celle-ci était si bien camouflée dans le toit qu'elle eut besoin d'invoquer la Force pour en repérer l'emplacement. Luke fit planer son Aile-X jusqu'à la berge et dégagea R2-D2 de son alvéole de droïde-astromécanicien. A part quelques traces de brûlure, R2 avait l'air en bon état et, à écouter le salmigondis électronique qu'il ne cessait de produire, ses joints hermétiques

651

semblaient avoir tenu le coup en dépit du feu et de l'immersion prolongée.

Il y eut une énorme explosion, juste au-dessus d'eux. Pendant quelques instants, l'éclat fut plus aveuglant encore que celui du soleil et de longues flammes blanches déchirèrent les cieux. Mara et Luke attendirent que l'intensité lumineuse baisse un peu. Ils virent alors des débris enflammés tomber vers la planète. Impossible de savoir si le vaisseau détruit appartenait à la Nouvelle République ou aux Yuuzhan Vong. Se sentant soudain accablée par le désespoir, Mara passa son bras au-dessus des épaules de Luke. Elle le laissa l'aider à soulager tout le poids qui pesait sur sa cheville blessée.

— Luke... Comment va-t-on y arriver ? (Depuis les airs, ils avaient pu constater que les voies aériennes étaient encombrées de véhicules ou bien obstruées par des épaves. Tous deux savaient que, même s'ils réussissaient à rejoindre un astroport rapidement, tout engin spatial digne de ce nom en aurait déjà décollé depuis belle lurette.) On aura de la chance si on parvient à décoller de cette planète. Alors pour ce qui est de retrouver Ben...

Luke lui prit le bras.

— Fais confiance à la Force, Mara.

— C'est tout ce que tu as à me dire ? demanda-t-elle amèrement. Tu crois que faire confiance à la Force a servi à Anakin ?

— Peut-être que le destin d'Anakin était de nous sauver, dit Luke tout doucement. (Il s'agenouilla face à R2-D2 et utilisa sa manche pour essuyer les capteurs audio du droïde.) Nous ne sommes pas seuls dans cette histoire, Mara. Si R2 peut détecter une fréquence militaire, peut-être que quelqu'un pourra nous venir en aide.

— Ouais, peut-être. (Mara détourna les yeux et essaya de contenir les émotions obscures qu'elle sentait monter en elle. Elle ne souhaitait pas accuser Han et Leia d'avoir mis leur fils en danger mais, après tout, c'était bien leur « aide » qui risquait de coûter la vie à Ben.) Bon, tu te magnes, Skywalker ?

— C'est bon, ça y est, répondit Luke. R2 ?

Le droïde se lança dans un long trille excité.

— Tu en es certain ? demanda Luke en essuyant la grille du haut-parleur du droïde. Tu as trouvé Leia ?

— Ce n'est pas terminé, dit Leia. Il y a deux ans, les Yuuzhan Vong ont débarqué dans notre galaxie. Ils ne sont pas arrivés en amis ou en égaux – nous aurions été très heureux de les accueillir en tant que tels – mais en voleurs et en conquérants. Ils ont vu une galaxie en paix et ont interprété la puissance de nos convictions comme une faiblesse de nos défenses. Ils ont confondu la sagesse de nos compromis avec la timidité des couards. Ils ont attaqué sans provocation, sans pitié, massacrant des milliards de nos concitoyens, faisant sombrer des mondes entiers dans l'esclavage, sacrifiant des millions d'individus pour apaiser la prétendue soif de sang de leurs dieux imaginaires. Ils pensaient pouvoir nous vaincre aisément, convaincus qu'ils étaient que nous céderions sans nous battre. Mais ils avaient tort. Nous avons combattu à Dubrillion, sur Ithor, au Bantha Noir, à Borleias et sur Corellia. Nous les avons combattus tout au long du chemin qui va de la Bordure Extérieure jusqu'au Noyau. Nous avons perdu un nombre incalculable d'êtres chers. Mon propre fils, Anakin, et le meilleur ami de mon époux, Chewbacca, ont perdu leur vie dans ce combat. Aujourd'hui, nous devons nous battre dans les cieux de Coruscant. Et nous devons tenir. Bientôt, l'ennemi sera sur nos toits, dans nos maisons, il investira jusqu'aux sous-sols de nos cités. A ceux qui sont en mesure d'évacuer, à tous ceux qui restent coincés en arrière, je dirai ce que j'aimerais dire à mes jumeaux si j'étais en mesure de les contacter au-delà des lignes ennemies : Continuez le combat. Ce n'est pas terminé. A deux reprises, les unités conduites par les Jedi ont décimé des flottes Yuuzhan Vong. Nous abordons chaque bataille avec de nouvelles armes et de meilleures tactiques. Nous l'avons déjà emporté face à des ennemis redoutables. Face à Palpatine. Face à Thrawn. Face aux Ssi-ruuk. Il s'agit d'une autre guerre et nous savons comment la gagner. Continuez le combat jusqu'à ce que vous ne puissiez plus vous battre. Alors, partez en courant, laissez l'ennemi s'épuiser en essayant de vous poursuivre. Et, quand il s'y attendra le moins, retournez-vous contre lui et battez-vous de nouveau. Continuez le combat. Nous l'emporterons.

La passerelle de pilotage de la *Dame Chance* était aussi silencieuse qu'un Noghri armé d'une vibrolame. Lando fit mine d'ajuster la puissance des déflecteurs, le temps de retenir les larmes qui lui montaient aux yeux. C'est alors qu'il entendit un curieux grognement provenant du fauteuil de copilote, juste à côté de lui. Il se tourna et vit le général Ba'tra essuyer ses joues couvertes de fourrure.

— Bon sang, cette femme serait capable de mettre un Hutt au régime ! (Le Bothan passa les quelques secondes suivantes à observer l'espace par le hublot avant. La silhouette du *Byrt* grossissait à vue d'œil. D'abord de la taille d'un index, elle atteignait à présent celle d'un bras. Un losange plus petit, noir et sinistre, était accroché aux flancs du paquebot par des tentacules. L'élégant yacht stellaire des chantiers navals de Kuat, appartenant à Viqi Shesh, croisait à proximité.) Dites-moi, Général Calrissian, grogna enfin Ba'tra. Je me trompe ou bien aucun de ces appareils ne ressemble à l'*Aventurier Errant*...

— Tout juste, dit Lando, ne cherchant pas à proposer de plus amples explications. (Pour lui, ses fonctions de général avaient pris fin avec la destruction du quartier général des Défenses Orbitales. A présent, Ba'tra et ses hommes n'étaient rien de plus que des réfugiés embarqués à bord de la *Dame Chance* pour évacuer les lieux. Il ouvrit un canal de communication pour contacter son épouse :) Est-ce que...

— Où étais-tu passé ? demanda immédiatement Tendra. Je me suis fait un sang d'encre.

— Tout va bien. Juste un peu... heu... retardé au Q.G. (Tout en parlant, Lando envoya ses coordonnées à sa femme sur une fréquence secondaire.) Lorsque Booster arrivera, est-ce que tu veux bien lui demander de rejoindre ces coordonnées ? C'est un petit service que je veux rendre à un ami commun et ce ne serait pas du luxe d'avoir un destroyer stellaire sous la main.

— Quel genre de petit service ?

— Un truc important. (Même si la fréquence était codée,

Lando ne souhaitait guère en dire plus, au cas où des représentants des Brigades de Paix seraient à l'écoute.) Passe le mot à Booster. C'est tout ? Je te retrouve bientôt.

— Y a intérêt.

— Tu veux parier ?

Ne souhaitant pas alarmer Tendra, Lando coupa la communication sans lui dire combien il l'aimait. Ba'tra l'observait du coin de l'œil.

— Je ne vous imaginais pas en héros, Calrissian.

— Moi ? Je n'ai rien d'un héros. (Lando lui adressa son sourire de commerçant le plus peaufiné.) Mais je ne voudrais surtout pas rater l'occasion de faire la démonstration de mes droïdes auprès d'un public captif !

Ba'tra s'ébroua et eut un petit sourire en coin en observant le moniteur principal. Même à une orbite aussi haute, l'espace était encombré de vaisseaux. Pour la plupart, les Yuuzhan Vong étaient trop occupés à en découdre avec les formidables et vaillantes défenses de Coruscant pour s'en prendre aux appareils civils. Cependant, une douzaine de skips patrouillaient dans la zone aux alentours du *Byrt* et repoussaient tout engin qui s'en approchait d'un peu trop près.

Ba'tra tapota avec une de ses griffes contre l'écran.

— Une petite escorte ne nous ferait pas de mal. On pourrait peut-être demander à cette escadrille Jedi qui se charge du yammosk, non ?

— Et attirer l'attention sur nous ? (Lando lui adressa un malicieux froncement de sourcils puis activa l'intercom.) Serrez vos harnais de sécurité, là, derrière, annonça-t-il. 1-1A ? Est-ce que ton détachement est prêt à partir ?

— Affirmatif, mon Général !

— Je ne suis plus général. Ce grade n'était que temporairement actif.

— Un général est toujours un général, mon Général !

Lando leva les yeux au ciel et ouvrit un panneau dans l'accoudoir de son siège. Il appuya sur un bouton à clenche de sûreté. Une valve dans le moteur tribord se mit alors à diffuser du gaz tibanna non comprimé dans le propulseur ionique. La *Dame*

Chance éjecta une traînée de près d'un kilomètre de long évoquant une flamme blanche. En réalité, ce n'était rien de plus qu'une réaction chimique inoffensive, une décharge causée par l'ionisation soudaine du tibanna. Lando lança son appareil dans une série de tonneaux et programma une trajectoire en oblique vers le *Byrt,* prenant bien soin de conserver un angle suffisamment ouvert afin de frôler le paquebot avec une marge de sécurité acceptable. Les skips s'écartèrent prudemment sur son passage. Tirer sur un appareil en perdition pourrait altérer son cap et entraîner une collision avec les vaisseaux qu'ils étaient chargés de surveiller.

— Mes compliments, Général, dit Ba'tra, fermant les yeux pour éviter la nausée causée par la vision tourbillonnante du champ d'étoiles. Cela faisait bien longtemps que je n'avais pas assisté à une démonstration aussi probante de la célèbre ruse du Bothan Fou en Cavale !

Lando continua sur le même vecteur, une trajectoire qui devait passer à environ cinq cents mètres du paquebot. Les skips virèrent à sa suite mais se tinrent à distance de la traînée de tibanna. Le *Byrt* grossit par le hublot jusqu'à atteindre la taille d'un immeuble. Lando piqua vers le paquebot et décéléra brutalement. Bientôt on ne vit plus qu'une longue étendue de coque de duracier. Les deux appareils fusionnèrent brièvement leurs deux boucliers de particules au point que le paquebot, sous l'impulsion de la *Dame Chance,* s'en alla heurter l'engin Yuuzhan Vong accroché à son flanc. Lando rabaissa brusquement la poupe de son appareil et les deux vaisseaux se retrouvèrent côte à côte.

Deux coraux skippers intervinrent et décochèrent des boules de plasma sur les boucliers déflecteurs de la *Dame.* Lando coupa l'alimentation en carburant de ses subluminiques et ferma les volets d'évacuation des réacteurs. Le gaz tibanna fusa des échappements secondaires et se répandit à l'intérieur même du bouclier. Coincé dans le champ de particules, le gaz sembla engloutir la *Dame Chance* dans une tornade de « flammes » photoniques.

Les deux skips virèrent pour éviter ce faux incendie. Lando

profita de la confusion pour baisser les boucliers qui juxtaposaient ceux du *Byrt*.

— 1-1A ! Go !

Au moment où lui parvint l'ordre du général Calrissian, CYV 1-1A était déjà arrimé avec ses crampons magnétiques au paquebot stellaire, occupé à coller un cordon de détonite élastique à la coque. Toujours perturbé par l'échec essuyé lors de la démonstration sur Coruscant, il avait entièrement dédié l'un de ses processeurs à la vérification perpétuelle de ses circuits d'armements. Tous ses systèmes tournaient à plein régime et toutes ses réserves de munitions étaient opérationnelles. Mais cela avait été également le cas sur Coruscant. Les routines analytiques du CYV passaient continuellement en revue l'image des rayons de blaster rebondissant contre le Yuuzhan Vong en armure et ne cessaient de signaler une défaillance à peine détectable du module d'alimentation. Pourtant, le centre logique du droïde de guerre savait que cette information n'était plus fondée. Peut-être qu'il s'agissait d'un bogue tournant en boucle dans ses mémoires permanentes. Mais pourquoi persistait-il donc si longtemps après la remise à zéro de tous ses circuits ?

Une seconde et deux dixièmes après que le général Calrissian eut donné son ordre d'attaque, deux unités subordonnées vinrent appliquer l'extrémité du tunnel de transfert amovible de la *Dame Chance* contre la coque du *Byrt*, enfermant ainsi CYV 1-1A. Celui-ci recula jusqu'au sas et activa la mise à feu de la détonite. Une section de la coque, de la taille d'une porte, sauta et vint heurter la poitrine blindée du droïde de guerre. Les pressions s'équilibrèrent.

Inspectant les alentours avec ses senseurs optiques et acoustiques, le CYV se précipita par la brèche et déboucha dans une petite station de contrôle des relais d'alimentation. Trois membres de l'équipage gisaient à terre en se tenant les oreilles, poussant des gémissements de douleur à la suite de la dépressurisation subite. 1-1A les ignora et traversa la cabine. Il s'arrêta net. Ses détecteurs à longue portée venaient de repérer une escouade de Yuuzhan Vong de l'autre côté de la paroi, dans le corridor principal.

Embuscade ? demanda 1-24A.

Affirmatif.

CYV 1-1A projeta des points lumineux rouges sur le mur afin de signaler l'emplacement de chacun des soldats ennemis. Il était sur le point d'exposer une stratégie à son congénère lorsque 1-24A passa devant lui, ouvrit violemment la porte et commença à tirer. Les résultats confirmèrent que son système d'armement était parfaitement opérationnel.

Coursive nettoyée, annonça 1-24A.

Efficacité maximale, le complimenta 1-1A.

Les circuits encore frémissants suite à sa propre hésitation, 1-1A assigna des missions aux différents membres de son unité : se débarrasser du vaisseau ennemi accroché au *Byrt,* s'emparer du centre de contrôle des propulseurs du paquebot, rechercher et éliminer tous les Yuuzhan Vong présents à bord. 1-1A laissa deux escouades en faction près de la brèche pour accueillir le général Calrissian et les autres êtres vivants, puis programma ses capteurs audio sur leur réglage le plus sensible et passa la porte de la cabine.

Quatre secondes et demie s'étaient écoulées. Les parois de la coursive étaient constellées de scarabées paralysants fichés au petit bonheur et le sol était jonché de cadavres de Yuuzhan Vong. Les escouades de droïdes investirent la coursive, se séparant en deux groupes partant en des directions opposées. Ils ouvrirent le feu avec leurs bras blasters et le couloir s'illumina bientôt d'éclairs colorés en rafales. 1-1A commença à analyser les détections acoustiques de ses processeurs audio. Il comprit alors qu'il avait sous-estimé la difficulté de sa mission. Rien qu'à portée de ses seuls capteurs, il venait de repérer les vociférations de cinquante-deux enfants exprimant leur mécontentement. Très violemment, même.

1-1A enjamba le corps fumant d'un Yuuzhan Vong et suivit les plaintes à travers un dédale de corridors jusqu'aux cabines de première classe. Un détachement de six soldats ennemis était en train de faire sortir de force les réfugiés de leurs quartiers. Le chef Vong tenait un bébé en pleurs par une jambe. Il le secoua sous le nez d'une femme terrorisée.

— Dis-moi ! Est-ce le bébé *Jeedai* ? demanda-t-il.

CYV 1-1A leva son bras blaster et le ronronnement de ses servomoteurs attira l'attention du guerrier Yuuzhan Vong. Celui-ci fit volte-face. Certains soldats renvoyèrent leurs captifs dans leurs cabines, d'autres les rassemblèrent devant eux pour les utiliser comme boucliers. 1-1A fit un bond en avant et ouvrit le feu. Hors de question de se laisser troubler par un défaut de son module de sélection ou bien par un câble d'alimentation endommagé. Il tira cinq fois, éliminant les cinq soldats. Le chef voulut jeter violemment le bébé contre le mur. Le droïde de guerre se sentit suffisamment en confiance pour tirer, tranchant la main du soldat juste au niveau du poignet.

La mère, abasourdie, rattrapa son bébé dans ses bras. Elle se tourna vers 1-1A en marmonnant d'incompréhensibles remerciements.

— Restez calme, se contenta de dire le droïde. Et veillez à vous trouver un abri.

Viqi Shesh donnait l'impression d'avoir été ressuscitée d'entre les morts par une sorcière de Krath. Ses joues étaient creuses, ses pupilles dilatées, sa peau aussi grise que celle d'un Noghri. Sa démarche laissait comprendre qu'elle était sous l'influence d'un puissant analgésique. Mais elle se tenait la tête haute et semblait bien déterminée à impressionner tous les Yuuzhan Vong qui la suivaient dans la coursive. De peur que la lueur de ses photorécepteurs ne trahisse sa présence, C-3PO fit un pas en arrière dans le sas d'évacuation et continua de regarder en oblique par le hublot de la porte.

— Et c'est alors que le méchant Sénateur Shesh partit à la recherche du gentil Ben Skywalker, dit-il tout doucement. (Dans une futile tentative pour calmer l'enfant en détresse, il avait programmé son module de synthèse vocale TranLang III pour qu'il imite la voix soyeuse de Mara. L'imitation était impeccable, mais il ne pouvait pas faire grand-chose pour modifier la froideur de ses mains métalliques ni influer sur ce que le bébé pouvait percevoir dans la Force.) Alors, le gentil Ben, très courageusement, se calma.

Ben poussa un cri assourdissant.

— J'avais pourtant bien dit à Maîtresse Leia que je n'étais pas le droïde adéquat pour ce travail, gémit C-3PO avec la voix de Mara. (Il ouvrit le nécessaire médical d'urgence qu'il avait décroché de la capsule de sauvetage qui se trouvait juste derrière lui et en sortit une dose de Tranquisûr.) Je vous en prie, taisez-vous, Messire Ben. Je suis certain que votre mère n'aimerait guère que je vous administre un sédatif.

Viqi Shesh s'entretenait depuis quelques instants avec les membres de son escorte. Les soldats entreprirent alors d'ouvrir méticuleusement tous les sas des baies d'évacuation. C-3PO avait, bien entendu, préparé une capsule de sauvetage, mais l'idée de voyager à nouveau à bord d'un de ces petits engins ne lui disait rien qui vaille. De plus, ils ne pourraient que retomber vers la surface de Coruscant.

Les Yuuzhan Vong se trouvaient encore à trois écoutilles de leur cachette lorsqu'un imposant droïde de guerre CYV apparut derrière eux.

— Le ciel soit loué ! dit C-3PO.

Il se dit qu'il devait s'agir d'un modèle de la série 1-1 mais cela n'avait guère d'importance. La série CYV était de la plus haute qualité et le simple fait qu'un exemplaire se trouve à présent à bord était un excellent présage. C-3PO s'empressa de transmettre un signal électronique pour s'identifier, ajoutant que lui-même et son jeune compagnon avaient besoin d'aide. Il reçut une réponse plutôt acerbe l'informant que le but même de la mission des CYV était justement de les sauver, lui et Ben. C'est alors que le droïde de guerre activa son mini-canon et, dans une tornade infernale, désintégra en moins de deux secondes quatre des soldats accompagnant Shesh.

Ben choisit ce moment précis pour crier de plus belle. Etant donné le vacarme qui régnait dans la coursive, C-3PO se dit que les trois centimètres de duracier constituant le mur de la baie empêcheraient certainement le bébé d'être entendu. Cette hypothèse se volatilisa complètement lorsque, s'approchant du hublot pour évaluer la situation dans le couloir, C-3PO aperçut Viqi Shesh, plaquée contre le mur opposé, qui regardait droit dans sa direction.

— Ben ! s'exclama-t-il. Regardez ce que vous avez fait !

C'était très exactement le type de problème tactique qui convenait à l'esprit retors d'un Bothan : un passage étroit, défendu par douze adversaires bien armés tenant en otage un nombre indéterminé de personnes. Ba'tra aurait normalement envoyé un commando par les bouches de ventilation, ou bien il aurait dupé l'ennemi en feignant une retraite. Cette fois, cependant, il se tourna vers un droïde de guerre CYV et indiqua la porte.

— 1-32, emparez-vous du pont !

— Oui, mon général.

CYV 1-32A s'élança au milieu d'un nuage d'insectes paralysant si épais que Ba'tra le perdit rapidement de vue. Le droïde contre-attaqua en déclenchant une tempête de feu laser. Trois secondes plus tard, il se tenait en travers de la porte, bras blasters fumants, son armure de laminanium perforée au point que ses circuits internes étaient visibles par endroits.

— Pont nettoyé, mon Général.

— Bien joué ! (Ba'tra leva son comlink à ses lèvres et s'adressa à un subordonné attendant à bord du yacht de Lando :) Capitaine ? Vous pouvez renvoyer la *Dame Chance*. Faites en sorte qu'elle dégage la zone rapidement. Je suis certain que le Général Calrissian appréciera que son vaisseau soit toujours intact lorsqu'il activera son unité de rappel automatique.

Le général éteignit l'appareil de communication sans attendre confirmation de son ordre puis il suivit une douzaine de soldats jusqu'à la passerelle. Aucun signe ne laissait croire que l'équipage du *Byrt* avait été obligé de se battre. Pourtant, deux des membres avaient été torturés à mort et tous les autres souffraient de plaies et d'hémorragies plus ou moins graves. Ba'tra regarda tout autour de lui. Il aperçut un Rodien dont l'uniforme était encore doté d'une vague trace d'épaulette de capitaine.

— Ce vaisseau est réquisitionné. (Ba'tra lui tendit une feuille de filmplast sur laquelle étaient inscrites des coordonnées.) Emmenez-nous à cet endroit.

— Vous ne nous réquisitionnez pas, Général, vous nous sauvez la vie, dit le Rodien. (Il étudia la feuille de filmplast puis regarda par le hublot. La *Dame Chance*, sans équipage et en vol programmé, filait à toute allure vers les profondeurs de l'espace avec un escadron entier de coraux skippers aux trousses. Les deux antennes sur le sommet de sa tête se tordirent, exprimant une certaine perplexité chez l'officier Rodien.) Mais je ne comprends pas, dit-il. Ces coordonnées ne sont pas très éloignées de la bataille. Nous n'y serons guère en sécurité.

— Nous y serons, Capitaine, dit Ba'tra en souriant. Dès que l'*Aventurier Errant* nous y aura rejoints.

Lando avait descendu plus de la moitié de l'échelle de service lorsqu'une onde de choc ébranla le paquebot si violemment qu'il n'eut pas besoin de finir de compter les barreaux. Il perdit prise, dévala les degrés et se retrouva les quatre fers en l'air sur le pont le plus inférieur du *Byrt*. Il entendit soudain le grondement d'une bataille qui devait se livrer non loin de là.

— Détonateur thermique activé, mon Général, rapporta 1-1A, au garde-à-vous sur le pont. L'appareil qui était accroché au paquebot est détruit.

— Merci de m'avoir prévenu.

Lando se releva. Il entendit un bourdonnement familier et se jeta immédiatement à terre. Un scarabée tranchant surgit au détour de la coursive. La chose fusa vers la gorge de l'humain mais 1-1A décocha un rayon à basse fréquence près de l'oreille de Lando qui pulvérisa la créature en plein vol. Calrissian sourit faiblement, essayant de ne pas trop montrer qu'il avait eu drôlement peur. Il savait pertinemment que le droïde de guerre avait dû détecter l'accélération des battements de son cœur et la très légère augmentation de température de son épiderme. Il dégaina son blaster et risqua un coup d'œil par-delà le coin du couloir.

Viqi Shesh et deux douzaines de Yuuzhan Vong étaient en

662

train de battre en retraite vers la baie d'évacuation quatorze. Sur le sol derrière eux, ils avaient semé de curieuses petites cosses noires. Lando n'avait jamais eu l'occasion de rencontrer ce type d'armement, mais il était persuadé que les drôles de petites coquilles devaient contenir de bien déplaisantes surprises.

— Analyse ? demanda-t-il.

— Spécimen non référencé, répondit 1-1A. Haut risque de contamination aux biotoxines.

— Eh bien, merci pour tous ces précieux renseignements.

Le *Byrt* fit une légère embardée sous l'action de la remise en route de ses propulseurs subluminiques. Lando comprit qu'ils mettaient le cap sur l'*Aventurier Errant*. Il décrocha son masque respirateur de sa ceinture d'équipement de combat.

— Tu es sûr que c'est le bon bébé cette fois ? demanda-t-il. J'espère qu'on n'est pas en train de pister une tronche de pieuvre enfermée dans un placard.

— La signature sonore est identique, dit 1-1A, quelque peu offusqué. Et le niveau de confirmation est très élevé. CYV 1-23A a reçu une brève transmission d'un droïde de protocole 3PO qui prétendait détenir l'enfant recherché.

— C'est bien eux, dit Lando. (Il enfila le masque de protection.) Envoie un de tes gars, 1-1A.

Lando avait à peine fini sa phrase que 1-25A se précipita en dansant adroitement entre les cosses. Il fit deux pas. Les cosses commencèrent à rouler vers lui. Encore deux pas. Et son pied se posa sur l'une d'entre elles. Rien ne se produisit.

C'est alors qu'il releva le pied. Une sorte de noyau en forme de cœur jaillit dans l'air juste derrière le droïde. Celui-ci se figea… et fut immédiatement aspiré par la chose.

— Ces mines sont comme des trous noirs, dit Lando en ôtant son masque. Mauvais plan, très mauvais plan.

— Mon analyse me confirme que cet obstacle est infranchissable, annonça 1-1A. Toute technique visant à nettoyer ou à contourner ce champ de mines serait vouée à l'échec.

Lando, décontenancé, secoua la tête.

— Rappelle-moi de m'entretenir avec ceux qui ont programmé tes centres logiques. J'aimerais bien leur dire deux mots au sujet de tes capacités d'ingéniosité et d'improvisation. (Il sortit son comlink et ouvrit une fréquence pour contacter la passerelle :) Ici Calrissian. J'aurais besoin qu'on coupe pendant deux secondes la gravité artificielle et les compensateurs d'inertie.

— Bien compris.

Lando s'accrocha à une poutrelle de la coursive et les droïdes arrimèrent leurs grappins magnétiques au sol. Un instant plus tard, Calrissian sentit son estomac se soulever et il vit les drôles de mines décoller dans les airs. Elles partirent à la dérive vers la poupe, remplissant la coursive de sinistres crissements, au fur et à mesure qu'elles frôlaient les murs et creusaient des trous de deux mètres de diamètre dans le duracier. Lorsque la gravité fut enfin restaurée, les dernières cosses roulèrent au sol et détruisirent ce faisant une section de plus de cinq mètres de long du corridor de service.

Lando lâcha sa poutrelle et courut vers la baie d'évacuation numéro quatorze. Il voulait diriger l'assaut lui-même mais les droïdes l'avaient devancé, déversant un feu nourri de leurs blasters par l'écoutille.

— Attention ! ordonna Calrissian. Faites gaffe au bébé. Et à C-3PO !

Il jeta un coup d'œil à l'angle suivant de la coursive. Les derniers Yuuzhan Vong étaient en train de s'entasser à bord d'une capsule de sauvetage déjà surpeuplée de leurs congénères. Des volées de scarabées paralysants fusèrent de l'ouverture. Viqi Shesh avait disparu et les gémissements étouffés d'un enfant montaient de l'intérieur de l'habitacle de la capsule.

— Allez ! hurla Lando. Ne les laissez pas s'enfuir !

CYV 1-1A était déjà en train de charger. Les volées de scarabées paralysants cessèrent et la silhouette dorée de C-3PO fut projetée dans le couloir.

— Ne tirez pas ! cria C-3PO. (Il se releva péniblement et leva les bras au ciel.) Je suis l'un des vôtres !

Les droïdes de guerre continuèrent de tirer tout autour de lui et se lancèrent à l'assaut de la baie d'évacuation. L'écoutille de la capsule se referma. CYV 1-1A bondit, la main tendue vers le panneau, mais arriva un millième de seconde trop tard pour l'empêcher de se sceller.

C-3PO appuya alors sur la commande de lancement automatique.

— C-3PO, qu'est-ce que tu fiches ?

Lando se jeta sur la console de contrôle et pressa le bouton d'arrêt d'urgence. Il y eut un claquement léger. Et puis les réacteurs de la capsule sur le point de décoller irradièrent de leurs flammes le bouclier de protection de la baie.

— Quel soulagement ! dit C-3PO. J'ai eu peur qu'ils ne m'emmènent avec eux.

Lando le rejoignit.

— Dis-moi, C-3PO, qui était en train de pleurer à l'intérieur de cette capsule ?

— Oh, ce n'était que moi, Général Calrissian, répondit le droïde avec une voix de bébé. (Il s'arrêta devant une armoire technique et en sortit un grand sac destiné au transport du matériel médical d'urgence. Un bébé s'y trouvait, profondément assoupi.) Ben, lui, ne pleurera plus avant un bon moment. J'en suis sûr et certain.

54

Les deux portes valves du lointain sas extérieur étaient ouvertes. Un croissant étincelant de soleil bleu était en train de se lever derrière le disque de la planète Myrkr, illuminant ainsi les millions de colonnes du hall immense de fantomatiques reflets saphir. Les silhouettes du laborantin et de son escorte, bien ténues à cette distance, se dirigeaient vers la sortie en file indienne. La reine voxyn était invisible. Pourtant, Jacen savait qu'elle était bien là, entre deux des silhouettes qui avançaient en tête du groupe.

— Quelque chose ne va pas, gronda doucement Tesar. Ce sas ne devrait pas être ouvert comme ça.

— Il serait préférable de chercher une explication plutôt que de nier ce que nous pouvons tous voir clairement, répondit Tenel Ka. Il doit y avoir une atmosphère à l'extérieur de ce portail.

— Certes, mais quoi d'autre ? demanda Vergere. Telle est la question, non ?

— Et si tu nous fournissais une réponse ? rétorqua Ganner.

Vergere écarta les bras et haussa ses épaules emplumées. Jacen reporta son attention sur le groupe de Yuuzhan Vong. Il emplit son esprit de peur et de méfiance et projeta ses pensées vers la reine voxyn. C'était la huitième tentative depuis qu'ils avaient quitté la colonie.

Le voxyn réagit encore plus prestement que la fois précédente et le monstre se retourna sur le guerrier qui se trouvait juste derrière lui. La reine avait déjà dû se débarrasser du premier de la colonne avec le dard empoisonné de sa queue. Elle vomit un jet d'acide vers le deuxième puis fit un bond et égorgea le suivant. Les trois soldats s'écroulèrent. Elle s'attaqua au quatrième. Le laborantin et deux de ses assistants réussirent à la maîtriser.

Jacen interrompit la projection de ses pensées et masqua sa présence. La reine se calma, doucement, au point que le laborantin se sentit suffisamment en confiance pour s'approcher d'elle. Il lui caressa le museau et sembla lui parler sur un ton rassurant. Cet acte de bravoure aurait pu facilement se transformer en mortelle erreur. Mais Jacen ne souhaitait pas encore tuer le dresseur de l'animal. Les guerriers étaient déjà bien assez sur le qui-vive, et la mort du laborantin ne ferait qu'entraîner l'arrivée massive de renforts.

Le laborantin recula enfin et fit signe à ses assistants de relâcher les laisses. Tous avaient appris, bien malgré eux, que la reine refuserait de se mouvoir tant qu'elle se sentirait retenue. C'était là le résultat d'une autre sensation de malaise que Jacen avait implantée dans l'esprit de l'animal. Lorsque le voxyn fit montre d'accepter de reprendre la marche sans tuer qui que ce soit, les Yuuzhan Vong s'avancèrent et – abandonnant leurs morts et leurs blessés derrière eux – disparurent dans le sas.

— Plus que quatre, dit Vergere en se relevant pour sortir de la cachette dans laquelle le groupe était dissimulé. Bien joué, Jacen Solo.

Jacen ne répondit pas à l'étrange petite créature. Il détestait tuer et il détestait encore plus duper un animal pour qu'il le fasse à sa place. Mais il avait fait une promesse à Anakin qu'il devait tenir. Il fallait également qu'il retrouve sa sœur car il ne percevait aucune trace de Jaina dans la Force. Encourager le voxyn à suivre son instinct était peut-être leur dernier espoir de découvrir l'endroit où elle se trouvait. Il adressa un signe de tête à Tesar. Celui-ci se leva et se mit en route. Le Barabel, ouvrant la marche, conduisit le commando à couvert le long d'une crête plantée de curieuses moisissures. Cette zone, qu'on appelait le champ des serpents, grouillait d'ouvriers Yuuzhan Vong à la recherche de bâtons Amphi ou Tsaisi à l'état naturel.

Pendant la progression, Ganner demeura derrière Vergere, le canon de son blaster à répétition braqué sur son dos recouvert de plumes. Même si la créature avait apporté une aide considérable aux Jedi dans leur traque du voxyn et des Yuuzhan Vong, les jeunes Chevaliers ne lui faisaient toujours pas confiance. Elle avait refusé de révéler à quelle espèce elle appartenait, prétextant qu'ils n'en auraient jamais entendu parler de toute façon. Elle avait aussi refusé d'expliquer sa présence lors de la tentative d'Elan sur les Jedi, ainsi que la raison pour laquelle elle avait fourni les larmes qui avaient permis de sauver la vie de Mara. Peu convaincu du fait qu'elle serait leur ennemie, Jacen ne pouvait cependant pas la considérer comme une amie. Bien entendu, il avait récupéré le sabre laser d'Anakin et il le portait accroché à sa ceinture avec le reste de son équipement. Ganner, lui, avait confirmé qu'il n'hésiterait pas à transformer Vergere en nuage de plumes au premier signe de trahison. La créature leur avait répondu par un frisson dont le manque de sincérité ne faisait aucun doute.

L'arête couverte de moisissure derrière laquelle ils se cachaient disparaissait dans le sol à l'approche du sas. Pour éviter d'attirer l'attention sur eux, les Jedi activèrent leurs camouflages holographiques. Prenant soin de tenir Vergere à couvert, ils avancèrent vers le portail déguisés en Yuuzhan Vong.

Ils débouchèrent en bordure d'une immense vallée évoquant un cratère dont les pans étaient lisses et la crête curieusement régulière. Il n'y avait pas de plafond, mais l'atmosphère était aussi pesante et chaude que sur le reste du vaisseau-monde. Au fond du bassin se trouvait une sorte de ruche dont les casiers, d'environ un mètre de large, étaient occupés par des basals dovins.

Jacen ne parvint pas à percevoir quoi que ce soit d'eux – ces créatures étaient parfaitement imperméables à la Force – mais il devina, à leurs pulsations erratiques et à leur peau parcheminée, que ces choses souffraient. De grandes étendues de la ruche n'étaient constituées que de cellules contenant des carcasses de basals dovins desséchées. Impossible de savoir si leur décomposition était due au vieillissement, à l'épuisement ou bien à une maladie quelconque, mais elle fournissait une autre explication du fait que les Yuuzhan Vong étaient en train d'abandonner ce vaisseau-monde en pleine décrépitude.

Le laborantin et son escorte venaient d'atteindre le fond du bassin. Ils entreprirent de contourner la ruche en direction de la frégate de Nom Anor, qui était posée à quelques centaines de mètres de là. L'Exécuteur en personne, accompagné d'une cinquantaine de Yuuzhan Vong, s'était aventuré à l'intérieur même de la ruche. Chaque soldat rampait avec précaution au sommet de la délicate paroi qui séparait chacune des cellules, prenant soin d'éviter les basals dovins. Au vu des différentes tenues que portaient les guerriers – certains s'étaient juste revêtus de plaques d'armure, à même leurs torses nus –, il semblait évident que Nom Anor avait recruté les membres d'équipage de son vaisseau pour étoffer les effectifs de sa section d'assaut.

L'Exécuteur et ses soldats avançaient en direction du centre de la ruche, où un grand nombre de cellules étaient garnies de carcasses desséchées ou bien complètement vides. Au cœur de cette zone reposait la navette volée par Jaina, endommagée, écrasée sur le dos mais toujours en un seul morceau. D'après les tirs sporadiques de rayons laser et de boules de plasma qui s'élevaient de l'épave, on pouvait penser que quelques-uns des Jedi avaient survécu au crash.

Vergere vint s'accroupir à côté de Jacen. Ses yeux se posèrent sur la reine voxyn puis sur la frégate de Nom Anor. Quatre guerriers montaient la garde auprès de la rampe d'embarquement abaissée.

— Comme c'est intéressant, dit-elle. Alors, Jacen Solo, que vas-tu choisir ? Détruire la reine voxyn ou bien sauver ta sœur ?

Jacen ignora la question et continua d'évaluer la situation. Le blaster long mugit en contrebas, pulvérisant le guerrier qui se trouvait juste devant Nom Anor. L'Exécuteur eut un vague mouvement de recul. Puis il baissa la tête et reprit sa progression.

— Je ne comprends pas, dit Tekli. La navette est sans défense. La frégate devrait l'attaquer.

— Effectivement, ajouta Tenel Ka. Pourquoi prendre tant de risques et s'avancer sous un feu nourri ?

— Oui, pourquoi ? insista Vergere. Peut-être qu'il y a quelque chose à bord qu'ils souhaitent prendre vivant...

— Jaina, dit Jacen.

Vergere écarta les mains.

— Et toi, Jacen. Tsavong Lah a promis à Yun-Yammka deux Jedi jumeaux en remerciement de la victoire à Coruscant. Les choses risquent de mal tourner pour Nom Anor si Jaina est déjà morte. (Elle s'interrompit et étudia Jacen pendant quelques instants avant de reprendre :) Mais tu pourrais peut-être lui épargner un peu de peine, non ? Je crois savoir que les Jedi jumeaux sont liés l'un à l'autre par... une sorte de perception spéciale.

Jacen la dévisagea du coin de l'œil.

— Je ne croirais pas à toutes ces légendes qu'on raconte dans les gargotes, si j'étais toi.

— Vraiment ? dit Vergere en ricanant. Je me demande si tu es juste précautionneux ou bien de nature soupçonneuse...

— Les deux à la fois, quand on est près de toi, dirait ce Barabel, lança Tesar. (Il vérifia la jauge de chargement de son mini-canon puis installa l'arme sur le rebord de la crête et la pointa sur le voxyn.) Jacen, ce Barabel dispose de deux tirs, peut-être trois. Nous devons détruire la reine.

Jacen hocha la tête.

— Et sauver... (Il faillit dire « Jaina » mais il se corrigea :) Et sauver nos amis qui sont à bord de la navette.

— Tu ne peux pas faire les deux à la fois, l'avertit Vergere. Les Yuuzhan Vong ont un dicton pour ça : « Une flotte qui se bat sur deux fronts à la fois va au-devant de deux échecs. »

— Et alors ? Tu crois qu'on ressemble à des Yuuzhan Vong ? demanda Ganner en se frappant la poitrine de l'index. On est des Jedi !

— Certes, répondit Vergere tout doucement. Mais les

Yuuzhan Vong ont leur puissance et leur résistance pour eux. Ne sous-estimez pas cette puissance et cette résistance sous prétexte qu'ils sont insensibles à la Force.

— Ce n'est pas dans mes intentions, dit Jacen. Mais nous allons livrer bataille sur deux fronts et nous allons gagner deux fois. Voici comment...

Il expliqua son plan aux autres tout en regardant une boule de plasma s'élever de la navette, décrire une parabole au-dessus de Nom Anor et s'écraser à une vingtaine de pas derrière lui. Le projectile produisit un trou d'une dizaine de mètres de diamètre au milieu de la ruche. Lorsque le gaz surchauffé commença à se propager aux cellules avoisinantes, il se condensa et, aspiré par les basals dovins, disparut dans un éclair multicolore.

— Et qu'est-ce qu'on fait d'elle ? demanda Ganner en désignant Vergere du canon de son blaster.

— Quand vous serez à bord de la frégate, elle sera libre de rester ici ou de partir avec nous. C'est comme elle voudra, dit Jacen. En attendant, à la première incartade...

— Flinguez-la, termina Vergere. (Elle fit claquer les quatre doigts de sa main et se tourna vers Tesar.) Sur le pont du *Ksstarr* tu trouveras un pilote, un copilote et un subalterne chargé des communications. Le dresseur du voxyn devrait également se trouver quelque part à bord. Ces quatre-là n'ont pas le droit de quitter le vaisseau pendant la mission.

— Ce Barabel tentera de se souvenir de cette information, dit Tesar. Il essaiera également de se rappeler qui la lui a fournie.

Tesar tendit son mini-canon à Ganner, se débarrassa de sa combinaison et bondit à quatre pattes par-dessus le rebord du cratère. Ses écailles rugueuses lui permirent de se camoufler contre la paroi sombre de corail yorik. Il se déplaçait avec une telle grâce reptilienne qu'il devint rapidement difficile de le repérer.

Jacen emplit son esprit de l'image de la cellule exiguë dans laquelle il avait été enfermé à l'Académie des Ombres. Il se laissa envahir par la sensation de terreur suscitée par son enlèvement, par la peur et l'incompréhension qu'il avait éprouvées lorsqu'il avait compris qu'il ne pouvait plus contrôler son destin. Même après toutes ces années, ces sentiments subsistaient toujours et, probablement en raison du désarroi causé par la disparition d'Anakin, ils refirent aisément surface. Lorsqu'une goutte de sueur glacée perla à son front, Jacen projeta son esprit vers le voxyn, infusant ses propres angoisses à la reine, l'incitant à prendre la fuite.

Le voxyn poussa un cri et ses deux geôliers tombèrent à terre, se tordant de douleur en dépit des membranes protectrices qu'ils devaient porter aux oreilles. Le monstre se tourna pour prendre la fuite et découvrit un troisième guerrier lui barrant le passage. La reine se jeta sur lui et le trancha en deux d'un coup de mandibules. Le laborantin s'élança à ses trousses, aboyant des ordres, essayant de calmer la créature. Jacen invita la bête à ne pas faire confiance à son « bourreau ». Le voxyn fit volte-face et vomit un jet d'acide. Le laborantin fut assez prompt et il esquiva. L'un des guerriers qui l'accompagnaient fut touché par le mucus.

Jacen décrocha son sabre laser de sa ceinture.

— J'ai besoin de me concentrer sur le voxyn. Il va donc falloir agir sans le lien psychique. Que la Force soit avec vous, mes amis.

Empoignant son propre sabre laser, Tenel Ka se pencha pour l'embrasser mais elle fut interrompue par Vergere :

— Que la Force soit avec toi aussi, Jacen Solo. (La petite créature lui fit signe de se mettre en route.) Va, maintenant, avant que ta proie ne t'échappe.

Jacen regarda Tenel Ka et leva les yeux au ciel. Puis il adressa un sourire en coin à la Dathomiri et ajusta son masque respirateur. Se servant de la Force pour franchir l'étendue du bassin en deux bonds, il atterrit en douceur derrière le guerrier d'escorte qui venait d'être frappé par le jet d'acide. Estimant préférable d'assommer le guerrier titubant plutôt que de le tuer, Jacen tendit la main pour lui arracher son casque. Il se rendit compte de son erreur lorsque le Yuuzhan Vong se retourna brusquement pour l'affronter.

Jacen activa la commande de son sabre laser. La lame se déploya vers le bras qui se tendait vers lui de façon menaçante et trancha le membre juste au niveau du coude. Mais la perte d'un bras n'était pas du genre à arrêter un Vong en pleine action. Jacen fit pivoter son arme à quatre-vingt-dix degrés et frappa son adversaire au cou. Le guerrier s'écroula immédiatement.

— Jacen ? (La voix qui venait de s'élever dans le comlink n'était pas celle de Jaina mais appartenait à Zekk.) C'est toi ?

— Et qui d'autre ? dit Jacen en continuant d'avancer, essayant de masquer sa déception de ne pas parler directement avec sa sœur. Comment ça va, là-dedans ?

— Quelques blessés mais tout le monde est d'attaque, annonça Zekk. Nous avons Lowbacca. Et le corps d'Anakin.

— Et Jaina ? demanda Jacen, décontenancé par le silence de Zekk à son sujet.

Zekk marqua une pause, visiblement surpris par la question de Jacen.

— Elle est ici.

Quelque chose dans le ton de Zekk en disait assez long sur cette obscure froideur que Jacen éprouvait depuis quelque temps lorsqu'il essayait de contacter sa sœur dans la Force. Mais, pour l'heure, il était bien trop content d'apprendre qu'elle était toujours en vie.

— Parfait. Ne bougez pas. Quelqu'un va venir vous chercher.

Jacen risqua un coup d'œil en direction de la frégate. Même si les guerriers ne connaissaient probablement pas l'identité du jeune homme, la tentation de s'attaquer à un Jedi isolé était bien trop forte. Trois des gardes de la rampe quittèrent leur poste et se lancèrent après lui, bâton Amphi en main. Derrière eux, Jacen vit la sombre silhouette de Tesar Sebatyne se glisser dans la zone d'ombre sous la proue de la frégate et se préparer à attaquer le quatrième garde.

Jacen s'élança aux trousses du laborantin et du voxyn. Le mini-canon hurla une fois, deux fois, et deux de ses poursuivants s'écroulèrent. Le troisième succomba à un torrent de rayons décochés par un T-21. Jacen ne prit pas la peine de regarder en arrière. A cet instant, Tesar était sûrement déjà à bord de la frégate et les autres devaient être en train de le rejoindre.

Le voxyn prenait de l'avance. En revanche, le laborantin avait un peu de mal à maintenir l'allure. Jacen projeta une onde de la

Force pour tenter d'apaiser le voxyn. Sans succès. Avec les boules de plasma et les rayons laser explosant en tous sens à quelques centaines de mètres de là, la reine n'avait pas l'intention de s'arrêter en pleine course. Jacen essaya de réveiller chez elle ses instincts de chasseur. Sans grand succès non plus. Ses clones étaient dressés pour la traque des Jedi mais elle devait être elle-même entraînée à préserver sa propre existence. Jacen décrocha l'un des deux détonateurs thermiques qui lui restaient, activa le retardateur d'un coup de pouce et le lança, faisant alors appel à la Force pour guider l'arme jusqu'à la reine.

Celle-ci fit brusquement demi-tour devant la sphère argentée. Son dresseur se trouvait dans le passage. Elle l'envoya balader d'un coup de tête. Jacen vit un bras voler dans une direction et le reste du corps du laborantin voler dans une autre. Le voxyn fonça alors sur le jeune homme, relevant la tête pour vomir un autre jet d'acide. Jacen activa son sabre laser et chargea le monstre.

Il éructa son dangereux mucus à trois pas de lui. Jacen se propulsa dans les airs et exécuta un saut périlleux. La substance brune et visqueuse passa juste en dessous de lui. C'est alors que le détonateur thermique explosa et Jacen perdit le voxyn de vue. Il atterrit en douceur et exécuta un demi-tour qui le replaça dans sa direction initiale. Son cœur se souleva dans sa gorge. Plus de voxyn, juste la sphère brillante produite par l'engin explosif en train de se rétracter. Aveuglé, Jacen leva son sabre en position défensive et invoqua la Force pour repérer sa proie.

La reine avait fait un bond de côté et était en train de s'éloigner. Jacen cligna des yeux pour recouvrer un semblant de vision et aperçut le voxyn en train d'escalader les parois de la ruche, tenant d'échapper à la bataille, tentant d'échapper à son chasseur. Son corps était si volumineux que le monstre était obligé de s'appuyer sur plusieurs parois entre les cellules pour progresser. Jacen passa la bride de son T-21 autour de son épaule et s'élança derrière le voxyn. Inutile d'insister. Il ne lui restait que très peu de tirs et les rayons ne pénétreraient probablement pas l'épaisse cuirasse écailleuse de la bête.

La voix de Tenel Ka retentit dans le comlink :

— C'est bon, on tient la frégate. Nous avons un moyen de rentrer chez nous. Mais il y a une petite complication.

Lowbacca gronda une question.

— Non, ça, ça n'a guère d'importance, lui répondit Tenel Ka. En revanche, quand nous avons mis la main sur l'officier des communications, il était déjà en contact avec le spatioport.

Jacen poussa un soupir.

— Et Vergere ? demanda-t-il.

— Elle a dit qu'elle ne souhaitait pas être atomisée. Elle est donc partie, dit Tenel Ka. Apparemment pour te rejoindre.

— Compris. Magnez-vous. (Jacen atteignit le périmètre de la ruche et fut obligé de ralentir l'allure. Les murs qui séparaient les cellules mesuraient environ cinquante centimètres d'épaisseur mais un dépôt s'était formé sur leur tranche et Jacen eut l'impression d'avancer sur le rebord étroit d'une planche.) La navette d'abord.

— Au fait, fit Zekk. Heu... Tu as remarqué que tu as plein de Yuuzhan Vong aux fesses ?

Jacen n'avait pas le temps de regarder. Il était en train de rattraper la reine.

— D'abord la navette, répéta-t-il. J'ai un truc à finir de mon côté.

Le voxyn s'arrêta. Les murs des cellules, à cet endroit, convergeaient et semblaient former une sorte d'îlot. Le monstre pivota sur lui-même. Jacen bondit par-dessus un basal dovin et retomba juste derrière la reine. Il chancela, recouvra un semblant d'équilibre et activa son sabre laser. Le voxyn poussa un cri mais ne parvint pas à tourner suffisamment la tête pour envoyer son attaque sonique vers Jacen. Celui-ci s'avança et plongea la lame de son sabre laser juste derrière une des pattes antérieures de la créature.

Le monstre accusa le coup, le sang, au contact de l'air, se transforma en vapeur toxique. Jacen continua sur sa lancée et trancha une deuxième patte. Puis il plongea profondément sa lame dans les flancs du monstre avant de la pointer vers le haut. Le voxyn s'écarta et s'appuya contre un mur adjacent afin de se retourner contre son assaillant. Jacen sauta pour rester derrière elle. C'est alors qu'il entendit le bourdonnement d'un scarabée tranchant voler dans sa direction.

Il s'accroupit et releva sa lame pour parer le coup. L'insecte fut réduit en miettes. Le voxyn continua de battre en retraite jusqu'à ce qu'il trouve un moyen de se tourner à nouveau vers son adversaire. Jacen se propulsa dans un saut périlleux arrière et retomba sur l'étroite croisée des murs juste derrière lui. Il osa détourner les yeux du monstre.

La frégate progressait déjà au-dessus de la ruche en direction de la navette écrasée. Sa rampe avant était abaissée, ce qui permettrait un embarquement rapide. Nom Anor et ses guerriers se trouvaient à présent à moins d'une centaine de mètres. Certains levèrent des yeux stupéfaits vers la frégate, d'autres continuèrent de ramper vers Jacen. Mais ils étaient tous encore trop loin pour pouvoir lancer leurs scarabées tranchants.

Une sensation de menace attira l'attention de Jacen dans la direction opposée. Il pivota et vit un imposant Yuuzhan Vong bondir vers lui.

— *Jeedai* ! hurla le Vong en tendant un seul bras vers le jeune homme.

Jacen fit fouetter son sabre laser et trancha l'individu en deux au niveau de la taille. Il ne reconnut le laborantin que lorsqu'une main à huit doigts s'accrocha à son respirateur, manquant de le faire tomber à la renverse. Il baissa la tête, le masque se détacha. Le torse du Yuuzhan Vong, aux yeux chargés de colère, s'écroula dans la cellule voisine en frôlant le basal dovin. La créature réagit avec son seul moyen de défense. Une petite anomalie gravifique se produisit et le corps du laborantin, après avoir implosé, disparut complètement dans un éclair coloré.

L'odeur âcre du sang toxique rappela à Jacen les dangers auxquels il s'exposait s'il ne remettait pas son masque respirateur. Il releva la tête et découvrit que la reine était en train de le fixer, à deux mètres de là, de ses yeux noirs et dénués d'expression. La Force résonna soudain de la sinistre détermination du monstre. La créature comprenait pourquoi le jeune homme était là. Elle n'était pas furieuse, elle n'éprouvait aucune haine. Elle était simplement déterminée à sauver sa peau. Jacen ne souhaitait pas la tuer. Il n'avait jamais voulu tuer le moindre animal. Peut-être que le monstre avait deviné cela aussi.

Jacen sentit alors que la tête lui tournait. Il fallait en finir. Agitant son sabre laser pour attirer l'attention de la créature, il glissa sa main libre vers son dernier détonateur thermique. La créature fit un bond. Il décrocha le détonateur de son harnais d'équipement. Le monstre se cabra pour l'attaquer à la tête puis surprit Jacen en posant une patte sur son épaule.

La griffe s'enfonça profondément et fit basculer Jacen. Le détonateur lui échappa des mains sans qu'il ait eu le temps de l'activer. Derrière lui, le basal dovin commença à s'agiter. Jacen fit tourner ses jambes au-dessus de lui pour se propulser de l'autre côté de la cellule. Il retomba, chancelant, mais se catapulta à nouveau dans la même direction, en sautant plus haut cette fois-ci.

Il atterrit sur ses talons au sommet d'une paroi, la vision trouble, les narines en feu. Il partit à la renverse sur la croisée des murs mais parvint à se rattraper par les bras.

Un trio de coraux skippers passa en trombe au-dessus de lui. Leurs proues crachèrent des boules de plasma vers le centre de la ruche. Toussant, luttant pour rester conscient, Jacen se redressa et aperçut la frégate volée par ses camarades en train de remonter en chandelle pour échapper au bombardement. Elle lança un missile au magma, qui disparut immédiatement dans une anomalie gravifique dès qu'il s'approcha d'un des skips. Avec un équipage entraîné et nombreux, la frégate aurait aisément raison des petits appareils. Mais, avec à son bord une poignée de Jedi inexpérimentés, il y avait de fortes chances qu'elle soit réduite en pièces très rapidement.

Jacen activa son comlink mais il s'interrompit en entendant un bruit d'éructation très familier. Il roula sur son épaule valide et se releva avec difficulté. Un jet de mucus brun éclaboussa l'endroit même où il se trouvait un quart de seconde auparavant. Le voxyn se mit à avancer. La puanteur âcre de son sang donna la nausée au jeune homme. Les poumons lui brûlèrent et la tête lui tourna de plus belle. Il manqua de s'évanouir et de chuter sur un basal dovin.

677

La reine atteignit la croisée des parois et s'arrêta. Jacen et le monstre étaient à présent séparés par une flaque d'acide. Le jeune homme leva son sabre laser en parade médiane, la pointe légèrement en avant, laissant pendre son bras blessé le long de son corps. Derrière le voxyn apparut la silhouette de corail yorik, d'une centaine de mètres de long, d'une corvette Yuuzhan Vong, séparant alors Jacen du reste du commando. Ses amis devaient à présent livrer bataille, affrontant une flottille Vong tout entière.

Jacen eut un haut-le-cœur et tomba sur un genou. Voulant profiter de la situation, le voxyn rassembla ses pattes restantes pour bondir.

Un détonateur thermique atterrit alors au milieu de la flaque d'acide. Le minuteur n'en avait pas été activé. Ce fut tout ce que Jacen parvint à discerner avant que le projectile explosif à la coque argentée ne coule au milieu du mucus.

— Ça peut t'être utile, non ? appela Vergere. (Elle était en train de le rejoindre, écartant les bras pour ne pas perdre l'équilibre en sautillant d'une paroi à une autre.) J'ai vu que tu l'avais laissé tomber…

Jacen sentit sa mâchoire se décrocher.

— Mais comment as-tu…

— Pas le temps d'expliquer !

Vergere tendit un doigt vers le voxyn. Celui-ci était en train de cavaler le long d'une arête pour essayer d'échapper à la sphère d'argent. Le détonateur ne pouvait pas exploser sans qu'on ait programmé son minuteur mais qu'est-ce que le monstre pouvait bien connaître de ces armes ? Pour lui, toutes les sphères brillantes étaient des objets qu'il fallait éviter à tout prix.

Jacen sauta les pieds en avant. Il harponna le flanc de la reine, enfonçant ses talons dans sa cage thoracique, l'obligeant ainsi à tomber du rebord. Elle planta ses griffes dans le corail yorik des parois et se rétablit. Jacen rebondit et atterrit lourdement derrière elle. La moindre respiration était à présent douloureuse. Il sentit les ténèbres commencer à l'envahir.

Non, il sentit plutôt les ténèbres *essayer* de l'envahir. Il plongea la lame de son sabre dans le corail et commença à découper autour des griffes de la reine. Toujours soucieux d'échapper au détonateur thermique, le voxyn lâcha une de ses prises pour s'accrocher à la paroi adjacente. Mais le mur ne résista pas et la partie avant du corps du monstre tomba dans une des cellules. L'animal fit fouetter sa queue, et ses dards empoisonnés, en direction du cou de Jacen. Celui-ci tenta d'esquiver mais son épaule blessée l'empêcha d'exécuter son mouvement de recul. L'une des épines se planta dans son cou et le jeune homme sentit le venin se répandre dans ses chairs meurtries. Un poison irritant, brûlant.

Trop affaibli pour donner un coup de pied, Jacen décida de pousser avec les ondes de la Force. Une autre patte de la bête lâcha prise. La reine, également blessée, glissa un peu plus dans la cellule. L'une de ses griffes frôla un basal dovin. Elle bascula complètement dans la cavité, se recroquevilla, implosa et disparut complètement.

Jacen sentit le dard se détacher de son épaule et il fut bientôt pris de nausées incontrôlables. Il tomba à la renverse sur la croisée des parois. Quelque chose se mit à grésiller et sa main commença à brûler. Soudain, quelqu'un le saisit par un bras et le souleva.

C'est alors que se produisit un fracas assourdissant dans les hauteurs, une tempête de feu jaillit, si étincelante qu'elle illumina les ténèbres à travers les paupières closes de Jacen. Il entendit une voix l'appeler. Une voix qu'il connaissait depuis toujours mais qui lui sembla aussi étrangère qu'une voix Yuuzhan Vong.

— Jacen ? (Il y eut une pause puis la voix reprit, froide et exigeante :) Jacen, réponds-moi !

Une main délicate brossa les cheveux du jeune homme vers l'arrière et décrocha le casque audio.

— Tu ne peux rien faire pour Jacen pour le moment, dit une seconde voix, également familière. Pense plutôt à sauver ta peau.

— Vergere ? demanda la première voix. C'est toi ? Je veux parler à mon frère…

La requête fut interrompue. Jacen ouvrit les yeux et vit une main délicate à quatre doigts jeter ses écouteurs dans les airs. Dans le ciel, loin au-dessus de lui, se déroulait une bataille. Une frégate Yuuzhan Vong essayait de franchir un barrage constitué de corvettes Yuuzhan Vong...

Jacen fronça les sourcils, perplexe. Mais cela ne dura qu'un instant, il se souvint que la frégate appartenait à Nom Anor, que ses amis l'avaient dérobée et que, à présent, ils essayaient de venir le chercher. Il se redressa tant bien que mal et aperçut un Yuuzhan Vong borgne, à la tête de plusieurs douzaines de guerriers, en train d'avancer au beau milieu d'une pluie de boules de plasma et de missiles au magma. Dans sa direction. Il essaya de rouler sur le côté mais il en fut empêché par la main à quatre doigts.

— Non... (En dépit de l'apparente fragilité de la main, sa puissance était irrésistible. C'est en tout cas ce qui sembla à Jacen, vu l'état dans lequel il était. La main lui prit son sabre laser puis décrocha celui d'Anakin de son harnais d'équipement.) Tu as gagné tes batailles. Maintenant, il faut payer.

Jacen se rappela alors les tortures que lui et les autres avaient endurées à bord de la *Mort Exquise*. Il sentit son estomac se révulser. Ses mains se mirent à trembler. Il s'ouvrit totalement à la Force et sourit face à la peur que tout son corps éprouvait. Les Jedi étaient sauvés. Comparé à cela, sa peur et sa douleur ne signifiaient rien.

— Détrompe-toi, Jacen, elles signifieront un jour quelque chose, dit Vergere. (Il fut complètement abasourdi. Il n'avait pourtant pas formulé ses pensées à voix haute.) Je te le promets, elles signifieront un jour quelque chose.

Une goutte chaude tomba sur son visage. Puis une autre, et encore une autre. Jacen tendit le cou et vit Vergere essuyer des larmes sur ses joues. Son visage était tourné de façon à ce que Nom Anor et ses guerriers ne voient pas ce qui était en train de se produire.

— Vergere, est-ce que tu...

— Oui, Jacen, dit-elle en pressant un doigt sur ses lèvres. Je pleure pour toi.

55

Les flottes d'invasion tombèrent des cieux comme une tempête de météorites de Nkllonia. Le ciel fut alors traversé par une armada effrayante s'étendant sur près de cent kilomètres de distance. Les explosions se succédaient et d'immenses champignons de fumée noire s'élevèrent sur son passage. Debout dans l'une des tourelles d'artillerie installées sur le toit du bureau de Fey'lya, Leia s'accorda deux secondes pour admirer l'effroyable spectacle et se laisser transpercer par les infrasons des détonations. Il y avait quelque chose à la fois de primal et de magnifique dans la puissance de ce débarquement, quelque chose qui déclencha en elle une détermination passionnée, une volonté qu'elle croyait enfouie à tout jamais dans les souvenirs de sa jeunesse et qui avait refait surface au moment de la mort d'Anakin.

Han vint se poster juste à côté d'elle et lui tendit un casque communicateur d'artilleur.

— C'est la fin du monde, dit-il. Qui aurait cru qu'on vivrait assez longtemps pour y assister ?

— Il y aura d'autres mondes, Han. (Elle enfila le casque et en boucla la mentonnière.) Comme il y en a eu d'autres après Alderaan.

Le sourire que Han lui adressa était aussi espiègle qu'à l'habitude, mais, cette fois-ci, il était plus nostalgique que moqueur.

— Eh bien, espérons que ce monde-ci tiendra le coup jusqu'à

ce qu'on ait fini de recharger nos réservoirs de liquide de refroidissement.

Des faisceaux colorés montèrent des toits dans le lointain pour intercepter la flotte de débarquement. Des vaisseaux, presque invisibles à l'œil nu à cette distance, semblèrent surgir de partout, certains se transformant en disques orange avant de produire des scintillements d'une blancheur immaculée. Il fut répondu au feu des turbolasers par un torrent de boules de plasma. Des tours entières se transformèrent en colonnes de duracier liquide. Dans certains cas, des bâtiments plus solides encaissaient les premières salves sans broncher puis succombaient au deuxième ou au troisième assaut. Des vagues sinistres de coraux skippers et de barges volantes avançaient en aval des flottes de débarquement, tirant profit du bombardement pour localiser et attaquer les tourelles de turbolasers. Les vaisseaux Vong furent bientôt attaqués par un nombre restreint de chasseurs atmosphériques de la Nouvelle République et une pluie d'épaves en proie aux flammes commença à s'abattre sur les toits de Coruscant.

La voix du Général Rieekan retentit dans les écouteurs du casque de Leia :

— Batteries légères, aux postes de combat. Attendez mon ordre pour tirer.

Han s'installa dans le siège d'artilleur, d'un côté du canon laser, et Leia prit place dans celui réservé à l'officier, de l'autre côté. Elle n'avait pas choisi la tâche la plus aisée car elle devait sélectionner des cibles et leur allouer des priorités sur le moniteur du canon. Tout ce que Han avait à faire, c'était d'abattre les cibles choisies. Leia enclencha la batterie de capteurs et commença à calculer des élévations, assignant des préférences basées sur les positions des vaisseaux de débarquement qui risquaient de s'approcher le plus vite.

Au cours des dix secondes qui suivirent, l'intensité des tirs de turbolasers faiblit un peu mais les rayons parvinrent cependant à détruire bon nombre de vaisseaux, au point que Leia dut s'y reprendre à deux fois dans ses calculs. Le temps que les engins ennemis grossissent, passant de la taille d'une phalange auréolée de flammes à celle d'immenses oiseaux noirs aux ailes profilées, les turbolasers avaient créé des brèches aussi grandes que des lacs dans l'effroyable armada.

— Ouvrez le feu ! ordonna Rieekan.

Han pressa la détente et l'air fut bientôt empli du mugissement assourdissant des activateurs de décharge de la batterie d'artillerie. Le tir frappa le premier vaisseau de débarquement par surprise, lui arrachant une aile et envoyant l'engin triangulaire tourbillonner vers le sol. Han procédait par des tirs croisés en rafales à la surface des coques pour duper les équipes chargées des boucliers protecteurs. C'était évidemment plus facile de tirer depuis une tourelle stationnaire que de se défendre depuis le poste d'artillerie d'un vaisseau filant à vive allure. Lui et Leia parvinrent à décocher des tirs contre deux autres vaisseaux de débarquement qui allèrent s'écraser contre des immeubles. Ils ne prêtèrent aucune attention aux skips et aux barges volantes qui descendaient de tous côtés vers leur position. C'était aux canons blasters plus légers, installés dans les tours adjacentes, de leur régler leur compte. Et les équipes expérimentées ne laissaient en général aucun attaquant s'approcher de trop près.

Finalement, Leia ne repéra plus aucune cible sur son écran tactique. Elle releva les yeux vers les miasmes noirs des fumées qui se dégageaient des ruines et des épaves en flammes sur tout l'horizon du paysage urbain de Coruscant. Pendant quelques instant, tout fut calme, puis la voix de Rieekan retentit de nouveau dans les comlinks :

— Soyez sur vos gardes. Ils nous envoient les chasseurs-tueurs.

Leia regarda son écran tactique et vit une ligne de barges d'assaut Vong – elle et Han avaient pris l'habitude de les baptiser « rochers d'assaut » – fondre vers leur position. Assez gros pour être frappés par les tirs des canons blasters légers mais bien trop rapides et agiles pour être touchés par les canons lourds, plus lents à manipuler, ces appareils représentaient une menace bien plus sérieuse que tout ce qu'ils avaient affronté jusqu'à présent.

Leia entreprit donc d'assigner des priorités et de relayer les informations à Han.

C'est ce moment que choisit Borsk Fey'lya pour apparaître sur la passerelle d'accès au turbo-élévateur, flanqué d'une paire de soldats des Défenses Orbitales, de solides gaillards aux cheveux blonds et aux mâchoires déterminées. Leurs traits étaient si semblables qu'ils devaient certainement être de la même famille. Du temps où Leia était à la tête du gouvernement, on n'aurait jamais autorisé deux frères à servir dans la même unité, mais ces règles avaient changé depuis la montée de Fey'lya au pouvoir. Les Bothan avaient un drôle de sens de la famille.

— Leia, vous avez une communication qui vient d'arriver à mon bureau, dit Fey'lya. (Son ton brusque suggérait qu'il s'était enfin extirpé de cette torpeur dans laquelle il avait sombré, lorsque le discours de Leia n'avait pas réussi à rappeler à l'ordre les sénateurs ayant détourné des vaisseaux pour se faire escorter loin de Coruscant.) Vous pouvez la prendre à ma console personnelle.

— On est un peu occupés, là, gronda Han en ouvrant le feu sur le premier rocher d'assaut. Au cas où vous ne l'auriez pas remarqué...

— C'est Luke Skywalker, dit Fey'lya. Il semble coincé.

Han cessa de tirer.

— Ici ? Sur la planète ?

— Près de la Mer Occidentale, si j'ai bien compris ce qu'il disait, répondit Fey'lya. La transmission n'est pas très bonne.

Han regarda vers Leia par-dessus le fût du canon. Il comprit qu'elle pensait à la même chose que lui. Si Luke était encore sur Coruscant, cela signifiait qu'on ne savait pas ce qu'il était advenu de Ben.

— Ces soldats vont prendre la suite, dit Fey'lya, faisant un signe aux deux frères.

Leia sauta de son siège et se dirigea vers l'ascenseur. Au lieu de s'écarter et de se mettre au garde-à-vous, comme le ferait tout soldat en présence d'un ancien Chef de l'Etat, les deux gardes la regardèrent passer, complètement impavides. La Princesse devina instantanément que quelque chose allait de travers. Ses soupçons furent confirmés lorsque, ayant invoqué la Force pour sonder les deux militaires, elle ne sentit rien émaner d'eux.

— Veuillez m'excuser, soldat...

Se tournant pour dissimuler son sabre laser accroché à sa ceinture, Leia fit un pas de côté pour laisser passer celui qui se trouvait le plus près d'elle. Du regard, elle attira l'attention de son époux pendant que lui aussi s'écartait pour laisser sa place à l'autre militaire. Han fronça les sourcils. Elle regarda avec insistance vers son blaster et détacha son sabre laser. Une lueur de compréhension brilla dans le regard de Solo et il posa la main sur son blaster.

Le Yuuzhan Vong qui se trouvait près de lui pivota et l'attaqua en le repoussant violemment contre le mur. Han tomba à terre. Sans sortir son arme de son étui, il ouvrit le feu et abattit l'espion.

Leia pressa son sabre laser dans le dos de l'autre Yuuzhan Vong.

— Rendez...

Il fit brusquement volte-face et envoya un coup de coude vers sa figure. Leia se baissa, pressa la commande d'activation de son arme et s'écarta pour voir le Vong blessé à mort s'écrouler à ses pieds.

Fey'lya observa les deux cadavres, claquant des dents en regardant les grimages Ooglith se décoller de leurs visages.

— Dans mon propre bureau ! s'exclama-t-il.

— Peut-être qu'il est temps de détruire les tours des archives, Chef, suggéra Leia avec une certaine légèreté.

Fey'lya la foudroya du regard et un signal d'alarme retentit avant qu'il puisse répondre quoi que ce soit. Un simple coup d'œil au moniteur informa Leia que les espions étaient au moins parvenus à quelque chose. Trois barges d'assaut ennemies étaient en train de prendre position pour détruire la tourelle de tir.

— On dégage !

Elle poussa Han et Fey'lya vers l'ascenseur de service et se lança à leur suite tout en envoyant par son comlink un rapport succinct à l'aide de camp du Général Tomas. Ils émergèrent dix mètres plus bas dans le bureau du Chef de l'Etat. Un instant plus tard, une violente explosion ébranla le plafond blindé de l'appartement. La batterie d'artillerie venait d'être détruite. Leia vit Garv Tomas débouler par la porte du fond. Elle ôta son casque communicateur et se dirigea vers la console de Fey'lya.

— Luke… Luke ? C'est ta sœur… Luke ?

Difficile de savoir, dans le vacarme de la bataille qui se jouait en arrière-plan, si une réponse lui parvint. Elle projeta son esprit et perçut la présence de son frère quelque part, au-delà de l'horizon. Même si elle n'avait pas l'expérience requise pour se rendre compte de son état et de l'endroit où il se trouvait, Leia sentit qu'il était en vie.

— Luke, si tu m'entends, nous te rejoindrons dès que les réservoirs de liquide de refroidissement seront rechargés…

— Ils sont déjà rechargés, en fait.

Leia jeta un coup d'œil vers Garv Tomas. Celui-ci était en train de foudroyer Borsk Fey'lya du regard.

— Ça fait pourtant un moment que j'ai demandé au Chef Fey'lya de vous relayer cette information.

Fey'lya haussa les épaules.

— Oui, mais ils étaient occupés à la tourelle d'artillerie…

— Correction, Luke… (Leia n'était même pas furieuse. S'offusquer devant l'égoïsme du Bothan revenait à exiger d'un Wookiee qu'il se rase la fourrure. Effectivement, ils avaient été fort occupés à la tourelle d'artillerie.) Le *Faucon* est prêt au décollage. Nous arrivons bientôt, Luke.

Il n'y eut aucune réponse, encore une fois. Elle sentit juste une petite décharge psychique émanant de son frère. Leia espéra que cela signifiait qu'il l'avait bien entendue, mais elle n'avait aucun moyen de s'en assurer. Cela pouvait tout aussi bien signifier qu'il était parti à sa recherche de son côté, qu'il pensait à elle, qu'elle allait lui manquer… Cela pouvait signifier n'importe quoi. Leia se leva et vit que Han était déjà en train de parler des espions à Garv. Le Général secoua la tête, l'air furieux.

— Les gardes postés aux portes sont équipés de scanners épidermiques et ont ordre de les utiliser. Mais des soldats appartenant à différents corps d'armée n'arrêtent pas d'aller et venir et personne ne voudrait refuser le passage à un camarade. (Garv leva les bras au ciel.) Si ça se trouve, ce sont tous des espions Yuuzhan Vong !

— Garv, c'était évident que ce genre de choses finirait par se produire, dit Leia. (Elle se tourna vers Fey'lya.) Je crois que le moment est venu de détruire les tours des archives, Chef. Attendre plus longtemps serait donner à nos ennemis un avantage des plus précieux.

Fey'lya lui adressa un regard courroucé, presque dément, et Leia imagina l'espace d'un instant qu'il allait refuser. Il pivota et observa le carnage qui se déroulait sous ses fenêtres.

— Vous me faussez compagnie, vous désertez, n'est-ce pas ? demanda-t-il. Comme tous les autres sénateurs.

Han leva les yeux au ciel, puis soupesa son blaster comme s'il s'agissait d'une matraque tout en lançant un coup d'œil interrogateur aux deux autres.

Leia poussa sa main pour qu'il range son arme et vint se placer juste derrière Fey'lya.

— Non, pas comme tous les autres sénateurs. Mais il est temps, à présent…

Fey'lya regarda les ruines fumantes de sa cité pendant quelques instants avant de laisser tomber son menton contre sa poitrine.

— Oui, je suppose qu'il est temps. (Il prit un moment pour rassembler ses esprits et se tourna vers Garv.) Général Tomas, donnez l'ordre de détruire les tours des archives. Si vous ne l'avez pas déjà fait…

— A vos ordres, Chef Fey'lya. (Le fait que Garv ne s'empare pas immédiatement de son comlink indiqua que l'ordre avait déjà été donné.) Je vais faire préparer le *Premier Citoyen* pour le départ.

Fey'lya hocha la tête d'un air las.

— Evacuez autant de monde que possible… Et assurez-vous de prendre place à bord. C'est un ordre, Général.

— Oui, Monsieur, dès que ma tâche ici sera terminée.

— Elle l'est, dit Fey'lya. Ne m'obligez pas à vous chasser.

A contrecœur, Garv inclina la tête.

— Très bien, à vos ordres, Monsieur.

— Parfait. (Fey'lya se tourna à nouveau vers le panneau de transparacier.) Et dites au capitaine Durm de ne pas m'attendre. Je ne vous rejoindrai pas.

— Quoi ? demanda Han. Si vous pensez que vous allez réussir à négocier...

— Han, ce n'est pas ce que le Chef veut dire, l'interrompit Leia, posant un index sur ses lèvres. Chef Fey'lya, vous ne pouvez plus rien accomplir, ici...

— Et que pourrais-je donc accomplir ailleurs ? Qui me fera confiance après tout ça, hein ? dit-il en faisant un vague geste vers l'extérieur. L'Histoire m'accusera de tout ce qui s'est passé ici, aujourd'hui. N'essayez pas de me persuader du contraire.

— Il y a d'autres façons de servir la République...

Fey'lya émit un reniflement dédaigneux.

— Peut-être pour vous, Princesse. (Il lui tourna le dos et marcha jusqu'à son bureau.) Mais pas pour moi. Pas pour Borsk Fey'lya.

— Tenez-vous prêts ! (Le capitaine avait hurlé sa recommandation pour se faire entendre à l'intérieur de la tourelle caverneuse de la batterie de canons laser. L'intercom, comme le reste des systèmes de communication, ne fonctionnait plus.) Voilà la deuxième vague !

Luke n'avait guère eu besoin d'écouter l'avertissement de l'officier. Il lui avait suffi de tendre le cou pour apercevoir, par le trou de dix mètres de diamètre pratiqué dans le toit blindé, un rideau de flammes orangées descendre du ciel. Cette fois-ci, l'assaut paraissait plus important et plus rapide que lors de la première vague. Et cette première vague avait déjà réduit à néant plus d'un tiers des batteries de turbolasers de Coruscant.

— Ils mettent le paquet ce coup-ci, dit Mara sans prendre le temps de lire dans les pensées de Luke. (Elle était assise sur un banc de la baie d'observation et avait posé sa cheville, à présent parée d'une attelle au Bacta, sur un casque d'artilleur.) La première attaque était juste destinée à nous affaiblir.

— Han et Leia ne vont pas tarder, dit Luke en prenant la main de son épouse. J'ai dit à Borsk où nous étions.

— Mais lui, est-ce qu'il leur a passé le message ?

Luke s'abstint d'essayer de la rassurer. La peur qu'ils avaient ressentie chez Ben toute la matinée s'était transformée en une étrange sensation de déconnexion. Mara, toujours plus réaliste qu'optimiste, était prête à imaginer le pire. N'étant pas du genre à aimer se reposer sur les autres, elle s'en voulait d'avoir laissé le bébé à Leia et à Han après la mort d'Anakin. Elle était à présent convaincue de ne plus pouvoir compter sur qui que ce soit d'autre pour sauver son enfant. Luke, lui, faisait confiance à la Force. Mais il savait bien que toute issue malheureuse risquerait de mettre sérieusement sa foi en doute.

Les turbolasers jumeaux commencèrent à projeter leurs faisceaux bleutés vers le ciel. Chaque décharge faisait vibrer l'imposante tourelle de tir avec tant de violence que Luke eut l'impression que ses jambes allaient se dérober sous lui. Cette fois, très peu d'explosions étoilées ou de traînées de feu orange apparurent au cœur de la flotte de débarquement. Un flux continu de points lumineux se transforma en sphères crépitantes de plasma blanc qui vinrent s'écraser contre les déflecteurs de la batterie, réparés en catastrophe. A chaque nouvel impact, l'éclairage intérieur faiblissait. A chaque nouveau coup, d'autres appareils disparaissaient dans des cascades d'étincelles.

Au beau milieu de ce chaos, R2-D2 se mit à siffler et à couiner avec tant de vivacité qu'on l'entendit, deux tourelles de tir plus loin. Luke se pencha et regarda en direction de la batterie numéro deux, où le petit droïde avait été réquisitionné pour remplacer une unité R7 endommagée. Il vit l'officier de faction gesticuler furieusement pour lui demander de le rejoindre.

— Je reviens tout de suite, dit Luke à Mara.

Une deuxième boule de plasma parvint à franchir le bouclier et perça un nouveau trou dans le plafond blindé. Quelques secondes plus tard, deux autres boules infernales s'abattirent sur la tourelle elle-même et vinrent s'écraser contre ses parois intérieures. La baie sombra sous un épais rideau de fumée et des cris commencèrent à retentir un peu partout. L'un des canons rendit l'âme et quelqu'un activa le signal d'évacuation.

— Une petite seconde, Skywalker, lança Mara, se levant pour suivre Luke en claudiquant. Tu ne vas nulle part sans moi !

Les opérateurs des ordinateurs de visée avaient déjà déguerpi de la baie numéro deux mais l'officier qui avait fait signe à Luke était toujours là. Il pointa un index vers un moniteur vidéo.

— Votre droïde a commencé à s'exciter, disant qu'il fallait absolument que vous lisiez ça. (Il tourna les talons et prit la fuite avec le reste du personnel.) Il a capté ce signal par les transferts de données de téléciblage ! cria-t-il par-dessus son épaule. Je crois que c'est un très vieux code d'urgence !

Le moniteur affichait un flot de coordonnées temporelles et orbitales, ainsi qu'un message de cinq mots : *Colis récupéré sur Byrt – Calrissian.*

— Sacré Lando ! s'exclama Mara. Pour un peu, je l'embrasserais !

Luke pianota sur le clavier de la console pour imprimer les coordonnées sur une feuille de filmplast.

— Et pour un peu, je te laisserais faire !

Au lieu de risquer de se heurter aux batteries légères de défense de Coruscant, qui étaient encore assez nombreuses, la deuxième vague passa en vol stationnaire à environ deux mille mètres d'altitude. Les vaisseaux déversèrent alors des flux continus en spirale de petites silhouettes sombres. Ces silhouettes commencèrent à se rapprocher et apparurent comme des rectangles noirs dotés d'ailes en forme de V. Il apparut quelques instants plus tard qu'il s'agissait de guerriers Yuuzhan Vong suspendus à d'énormes créatures semblables à des mynocks. Observant la scène depuis le balcon de son bureau, Borsk éprouva une certaine admiration face à la tactique de Tsavong Lah, pour la façon dont il avait préparé sa nouvelle attaque en s'inspirant des leçons tirées de la précédente, la manière dont il avait dupé son ennemi, le laissant à mille lieues d'imaginer ce qui allait se produire. C'était une stratégie classique du dejarik qu'on appelait le coupe-gorge. Et le Maître de

Guerre était en train de l'exécuter avec autant de savoir-faire qu'un vieux champion Bothan.

Ce qui décupla la haine que Borsk éprouvait déjà à l'encontre des Vong. Ceux-ci étaient en train de mettre en pratique sous ses yeux ce que lui avait tenté d'appliquer en y consacrant toute une vie de travail. En agissant ainsi, les Yuuzhan Vong avaient fait en sorte de s'assurer qu'on se souvienne à tout jamais de Borsk Fey'lya comme du Bothan qui avait perdu Coruscant. Pour cette raison, Borsk ne souhaitait plus qu'une chose, pratiquer sur Tsavong Lah la fameuse « prise mortelle du faucheux Kintan ». Une telle manœuvre permettrait peut-être de changer l'opinion des futurs historiens de la Nouvelle République à son sujet.

Lorsque les guerriers volants commencèrent à déverser leurs projectiles enflammés sur le palais, Borsk avala une dernière gorgée du verre de porto Endorien qu'il avait en main, puis il se leva et regagna son bureau. Sans s'autoriser le moindre moment d'hésitation ou de peur, il se baissa vers le tiroir du bas et pianota un code qu'il n'avait jamais songé utiliser un jour. Il sortit un petit scanner-émetteur médical du tiroir, en activa la commande de mise en route et l'approcha de sa poitrine. Lorsque le témoin de fonctionnement commença à clignoter au même rythme que son pouls, il plaça le petit appareil au centre de son plan de travail. Il se baissa à nouveau, cette fois pour armer le détonateur de la bombe à protons qui emplissait le reste du tiroir. Certes, la bombe n'était pas très importante, mais elle serait suffisamment puissante pour détruire cette aile du palais, ainsi que tous les secrets qui y étaient contenus.

Au moment où il terminait ses préparatifs, les soldats ennemis étaient en train d'encercler les tours des archives en proie aux flammes, investissant tous les balcons et éliminant les derniers bastions de résistance. Ne rencontrant aucune difficulté sur la terrasse du bureau du Chef de l'Etat, une escouade de Yuuzhan Vong volants envahit le balcon où Borsk était assis quelques instants auparavant. Le Bothan attendait derrière son bureau. Il regarda les guerriers défoncer la porte-fenêtre à coups de pied, alors qu'il leur aurait suffi de presser un bouton pour en commander l'ouverture. Les deux premiers soldats se précipitèrent vers lui et pointèrent leurs bâtons Amphi vers sa gorge. Ils se gardèrent de le massacrer sur-le-champ en constatant qu'il avait ses deux mains posées bien à plat sur son plan de travail. D'autres guerriers pénétrèrent dans le bureau et allèrent vérifier les portes d'accès avant de commencer à démolir du matériel. Un officier bardé de tatouages de la tête aux pieds s'approcha de la table de Borsk.

Avant que le Yuuzhan Vong puisse parler, le Bothan prit la parole :

— Je suis Borsk Fey'lya, Chef d'État de la Nouvelle République. Si vous avez l'intention de me blesser, vous le faites à vos risques et périls.

L'officier plissa le nez de façon dédaigneuse.

— Il semblerait que je n'aie pas grand-chose à craindre de vous ou de votre Nouvelle République, Borsk Fey'lya.

— Alors peut-être aurez-vous plus à craindre de votre Maître de Guerre, déclara Borsk très calmement. Tsavong Lah voudra très certainement s'entretenir avec moi. Faites-lui savoir que je suis prêt à le recevoir ici même.

— Vous verrez le Maître de Guerre quand il le voudra et à l'endroit qu'il aura choisi. (L'officier posa les yeux sur le scanner à pulsations cardiaques qui reposait sur le bureau de Borsk.) Quelle est cette abomination ?

— Un accessoire de communication, mentit Borsk. Je peux m'en servir pour entrer en contact avec les troupes de la Nouvelle République basées sur Coruscant.

Plus prompt encore à avaler le mensonge que le Chef de l'État ne l'avait espéré, l'officier poussa l'accessoire vers Borsk.

— Dites à vos troupes de déposer les armes et nous les épargnerons.

— Je le ferai après avoir négocié les termes de la reddition avec Tsavong Lah.

L'officier abattit son bâton Amphi sur la main de Borsk. Quelque chose de pointu s'enfonça dans sa fourrure et pénétra dans sa chair. Il sentit le flux brûlant du venin remonter dans ses veines et remarqua le clignotement frénétique du scanner médical, toujours en phase avec ses pulsations cardiaques. Borsk leva sa main libre et appuya fortement sur le point de compression situé sous son aisselle. Il regarda l'officier et haussa les épaules.

— Vous pouvez m'injecter tout le poison que vous voulez. Pour moi, cela ne fera aucune différence si vous ratez l'occasion d'offrir un beau sacrifice à vos dieux.

— Vous présumez beaucoup, Fey'lya, en imaginant que vous puissiez être digne d'être offert en sacrifice.

En dépit de ses paroles, l'officier se tourna et parla à voix haute en Yuuzhan Vong. L'un des villips accrochés à ses épaules lui répondit. Il hocha respectueusement la tête et, sans dire quoi que ce soit à son prisonnier, posta les membres de son escouade à tous les points stratégiques de la suite installée au sommet de la tour. Borsk regretta alors de ne pas avoir pensé à ramener la bouteille de porto qu'il avait laissée sur le balcon. Il était à présent persuadé qu'il mourrait dès qu'il relâcherait le point de compression sous son bras, mais la douleur n'était pas si pénible que ça et ne l'aurait certainement pas empêché de tenir la carafe de sa main blessée. Il avait jusqu'à présent réussi à berner l'officier et il aurait certainement pu continuer à le bluffer ainsi pour le seul plaisir de s'accorder un dernier verre.

Dehors, les Yuuzhan Vong volants continuaient d'investir l'espace aérien de Coruscant, échangeant des tirs avec les batteries d'artillerie légère, prenant possession, petit à petit, des dernières places fortes installées aux sommets des toits. Les tirs des canons faiblirent considérablement et une nouvelle vague de rochers d'assaut s'abattit sur les poches de résistance, transformant les tourelles en squelettes de duracier fondu. Finalement, les barges de débarquement descendirent du ciel, déposant des brigades entières de soldats-esclaves reptoïdes sur les terrasses tombées aux mains de l'ennemi. Les Yuuzhan Vong prétendaient être de grands guerriers, mais Borsk n'eut aucun mal à deviner qui allait se charger des basses besognes dans les niveaux les plus inférieurs de la planète capitale.

En dépit de la douleur qui lui paralysait le bras, Borsk fit appel à sa longue expérience d'homme politique pour conserver un visage aussi impassible que possible. Un énorme rocher d'assaut s'arrêta alors à hauteur de son balcon et une compagnie de guerriers couverts de tatouages en débarqua.

Un individu dépourvu d'oreilles et portant une cape d'écailles colorées par-dessus son armure entra dans le bureau et vint se poster à côté de Borsk. Sa bouche était dénuée de lèvres et son visage était si mutilé qu'il était impossible de faire la différence entre les tatouages et les cicatrices. Borsk sut immédiatement que ce n'était pas Tsavong Lah. Comme presque tout le monde dans les rangs de la Nouvelle République, Fey'lya avait assisté à la retransmission du message de Tsavong Lah après la chute de Duro, lorsque le Maître de Guerre avait exigé qu'on lui livre les Jedi. Et ce visage, aussi effrayant qu'il soit, n'avait rien à voir avec celui du chef Yuuzhan Vong.

— Vous pouvez vous lever, dit le nouveau venu.

— Je me lèverai en présence de Tsavong Lah.

Le Yuuzhan Vong tendit la main. Un de ses subordonnés lui passa un bâton Amphi. Il en abattit la tête sur la main blessée de Borsk. Le Bothan se mordit la langue pour ne pas pousser un cri et il se sentit immédiatement nauséeux.

— Dites à votre Maître de Guerre de se dépêcher, lança Borsk, luttant pour ne pas s'effondrer. Je vais mourir bientôt.

— Je suis Romm Zqar, commandeur de ce débarquement, annonça le Yuuzhan Vong. C'est à moi que vous devez rendre les armes.

Borsk secoua la tête.

— Alors, je ne me rendrai pas.

Au lieu de frapper à nouveau la main blessée, Zqar pressa la tête du bâton Amphi contre celle qui maintenait le point de compression.

— Pourquoi insister pour parler en personne au Maître de Guerre ?

— Pour l'honneur. (Borsk s'attendait à la question et avait, depuis bien longtemps, préparé sa réponse.) Si je dois me rendre, que ce soit auprès de quelqu'un de stature égale à la mienne.

Zqar releva la tête et formula une phrase en Yuuzhan Vong. Il y eut quelques minutes de silence. Borsk se sentait de plus en plus malade. Le témoin lumineux du scanner médical se mit à clignoter de plus en plus lentement. Enfin, l'un des villips des épaules du commandeur répondit quelque chose. Zqar hocha la tête et prononça un mot unique dans sa langue maternelle. Il ordonna alors aux autres soldats de quitter le bureau.

Lorsque tous ses subordonnés eurent embarqué à bord du rocher d'assaut qui attendait sur la terrasse, Zqar reprit la parole :

— Vous n'êtes pas l'égal de Tsavong Lah mais le Maître de Guerre vous adresse ses compliments. (Il appuya sur le bâton Amphi, fichant encore plus profondément les crocs dans la main que Borsk tenait sous son aisselle.) Il m'a demandé de vous dire que la prise mortelle du faucheux Kintan est le seul coup réellement intéressant de ce jeu de dejarik que vous pratiquez, vous autres infidèles.

L'éclat de l'explosion aurait été visible depuis l'orbite même sans l'agrandissement fourni par la lentille du *Kratak*. A travers l'oculaire, Tsavong Lah put admirer la sphère de feu blanc qui attestait de la mort de Tsavong Lah et la regarder se disperser sur un diamètre de près d'un kilomètre à la surface de la planète. Elle sembla se figer quelques instants, dévorant les façades de tous les bâtiments environnants et pulvérisant tous les vaisseaux de corail yorik qui se trouvaient dans un rayon de deux cents mètres. En plus du vaisseau de commandement de Zqar, l'explosion avait détruit deux engins de débarquement, une vingtaine de barges volantes et tous les guerriers qui devaient se trouver dans l'enceinte du palais impérial, ce qui devait représenter environ vingt-cinq mille Yuuzhan Vong.

— J'aurais dû demander à Zqar de le laisser se vider de son sang, dit Tsavong Lah. Nos pertes d'aujourd'hui sont déjà bien lourdes.

— Je suis heureuse que vous n'en fassiez pas partie, Maître de Guerre. (Seef se tenait près de Tsavong Lah, juste en bordure de la grande lentille, observant le monde qu'ils étaient en train de conquérir. Entre ses mains, elle tenait le villip du grand prêtre

Harrar, que le Maître de Guerre avait dépêché sur Myrkr afin de superviser la capture et le rapatriement des jumeaux Solo.) Son éminence Harrar a bien eu raison de vous conseiller de rester à bord.

Tsavong Lah médita quelques instants puis s'adressa directement au villip du prêtre :

— Seef loue votre sagesse, mon ami. Elle pense également que je ne suis pas encore prêt à me présenter devant Yun-Yammka.

— Le fait d'être prêt ou pas n'a rien à voir, Maître de Guerre, dit le villip d'Harrar. L'essentiel est de connaître les désirs des dieux. Ils ne souhaitaient pas vous voir disparaître lorsque le *Sunulok* a été détruit et cela aurait été considéré comme un blasphème de laisser le chef des infidèles vous tuer.

Le Maître de Guerre observa de nouveau le palais impérial et vit la sphère infernale se contracter sur elle-même, entraînant dans le vide qu'elle était en train de créer des volutes de fumées, des nuages de débris et des nuées de cadavres. L'explosion avait anéanti ce qui, sur les schémas fournis par Viqi Shesh, correspondait aux ailes administratives et directoriales du palais. Seuls la grande chambre de convocation et les bureaux sénatoriaux demeuraient encore plus ou moins intacts. Mais il n'y avait plus la moindre raison de croire qu'ils puissent encore contenir toutes les informations vitales dont les scribes espéraient s'emparer.

— Je ne suis pas certain que les dieux seront si heureux de me savoir vivant, éminence Harrar, dit Tsavong Lah, jetant un coup d'œil aux écailles et aux pointes saillant de la chair qui continuait de pourrir au niveau de son épaule. Il est préférable de mourir en servant un but victorieux que de souffrir la disgrâce d'un banni.

— La gangrène aurait-elle repris son avance ? demanda Harrar.

— Disons qu'elle ne s'est pas encore arrêtée, le corrigea Tsavong Lah. Les dieux m'ont donné Coruscant. A présent, je dois leur donner les *Jeedai* jumeaux.

— Vous y arriverez, ô puissant Tsavong Lah. (En s'adressant ainsi à lui, Harrar lui offrait un témoignage de leur amitié car rares étaient les prêtres qui accordaient autant de respect aux guerriers.) La ruse de Vergere est un succès. Elle vient d'annoncer que Jacen Solo était son prisonnier.

— Et Jaina Solo ?

— La dernière fois que je me suis entretenu avec lui, Nom Anor m'a déclaré qu'elle serait bientôt à sa merci.

Seef poussa un soupir de soulagement, mais le Maître de Guerre sentit comme un nœud dans son estomac. Yal Phaath l'avait déjà contacté pour se plaindre de la destruction du centre de clonage et de la perte de leur voxyn élémentaire. Il savait donc qu'il était encore possible de douter de la parole de Nom Anor. Il croisa son poing et sa pince de radank devant sa poitrine et s'inclina devant le villip d'Harrar.

— Gloire aux dieux, Eminence. Tout Coruscant attend votre retour avec impatience.

Ils firent pivoter le *Ksstarr* à nouveau. Le masque de visée que portait Jaina signala trois corvettes de corail yorik fonçant dans leur direction. Derrière ces trois appareils, le vaisseau-monde se découpait contre l'immense disque verdâtre de la planète Myrkr. Le bassin dans lequel ils avaient repéré Jacen sembla encore plus petit que lors de leur précédent passage, paraissant à peine plus large que l'œil à facettes d'un fefze.

— Zekk ! hurla-t-elle à travers son masque de visée. On est encore plus loin !

— C'est parce qu'ils n'arrêtent pas de nous talonner ! gronda Zekk en retour. Ça ne servira à rien si on se fait désintégrer ! Dégage-moi une trouée !

— Vu !

Traitant mentalement Zekk de larve de Sith froussarde, Jaina leva son pouce droit. Le gant de contrôle activa le réticule de visée du masque, une série de cercles concentriques de moins en moins net. Elle posa les yeux sur la silhouette floue la plus à droite et, agissant à tâtons sans réellement comprendre la signification des étranges signaux apparaissant dans son collimateur, elle fit pianoter les doigts de sa main droite, ce qui amena chaque cercle concentrique à se dessiner de façon plus distincte.

Lorsque le disque central se dessina enfin clairement autour de la cible elle serra le poing gauche, dans son autre gant de contrôle.

A l'autre bout du vaisseau retentit le claquement sonore du chargeur automatique du canon à plasma, bientôt suivi de la déflagration assourdissante de l'activateur d'ionisation du projectile. Le masque de Jaina s'obscurcit et elle regarda la sphère enflammée fuser de l'avant du vaisseau.

Son masque s'éclaircit deux secondes plus tard. Sa boule au plasma était en train de décrire une parabole vers sa cible. Mais une ligne impressionnante de tirs ennemis était en train d'avancer vers eux.

— Missiles en approche ! cria-t-elle.

Zekk lança la frégate dans un virage serré ascendant vers la droite et ils s'écartèrent du vaisseau-monde.

— Zekk !

Lowbacca l'interrompit avec un grognement inquiet.

— Comment ça, une flotte ? hurla Jaina.

Elle tourna la tête et discerna une douzaine de silhouettes oblongues, qui venaient d'apparaître en bordure du système, dans son masque de visée. Elle eut un haut-le-cœur. Ce n'était pas tout à fait une flotte mais ils seraient bel et bien pris au piège s'ils essayaient de remettre le cap sur le vaisseau-monde.

Une tornade de boules de plasma fondit sur la partie ventrale du *Ksstarr*, l'un des projectiles échappa à Tesar, occupé à manœuvrer les anomalies gravifiques protégeant la poupe du navire, et s'écrasa contre la coque. La frégate trembla.

La voix de Zekk retentit dans le masque :

— Jaina ? Qu'est-ce que tu veux faire ?

Jaina ne pouvait pas répondre. Il n'y avait qu'une seule chose à faire. Mais comment pourrait-elle abandonner Jacen ? Après l'avoir réprimandé pour avoir laissé Anakin en arrière, comment pourrait-elle ? Le *Ksstarr* trembla à nouveau. Un chuintement mouillé se produisit quelque part vers l'avant, attestant qu'une porte valve était en train de se verrouiller pour isoler la zone endommagée par l'impact.

— Jaina ! cria Zekk.

— Je...

Les mots restèrent coincés dans sa gorge, elle eut l'impression d'étouffer. Elle serra le poing et décocha une boule de plasma dan l'espace.

— Il serait préférable pour Jacen que nous prenions la fuite, dit Tenel Ka. Avec un seul jumeau, peut-être retarderont-ils le sacrifice, ce qui nous laissera le temps d'organiser un sauvetage.

Quel sauvetage ? songea Jaina. Ils avaient déjà perdu tant de Jedi. Même Luke ne se risquerait pas à venir sauver Jacen. Mais il n'empêcherait pas Jaina de le faire. Personne ne l'en empêcherait.

— D'accord, dit Ganner. Faisons ce qui est mieux pour Jacen.

— Jaina ? demanda Zekk. Ton frère...

Fais-le ! pensa Jaina. *Ne m'oblige pas à le dire !*

— C'est bon. (Zekk fit pivoter le vaisseau.) Je crois que je comprends.

— Ce Barabel le croit également, dit Tesar. Nous le croyons tous.

Ce n'était pas possible. Sentant les larmes s'écouler sous le masque, Jaina tourna la tête et le vaisseau-monde apparut, à peine plus gros qu'un poing. Elle ferma les yeux, concentrée sur cette place dans son cœur qu'elle allouait à Jacen. Elle sentit sa présence, une toute petite étincelle qui ne brilla qu'un instant avant de disparaître complètement. Elle ne sentit alors plus rien d'autre que sa propre colère, sa propre haine et son propre désespoir.

— Nous reviendrons, Jacen, dit-elle, trouvant assez d'énergie pour parler. Tiens le coup. Nous reviendrons te chercher.

En règle générale, il n'était guère recommandé de raser la surface d'une planète avec un vaisseau dont la gravité artificielle était activée à plein régime. Les perceptions de ce qui devait se trouver en haut ou en bas étaient en conflit perpétuel et produisaient des effets indésirables sur le sens de l'équilibre de la plupart des espèces vivantes. Leia ressentit ces effets dans son estomac et dans sa tête, qui semblaient tous deux ne pas vouloir rester à leur place. En écoutant ce qui se passait sur l'intercom et en respirant les odeurs qui s'élevaient du système de recyclage de l'air, elle devina également les effets que cela devait avoir sur les autres passagers.

Mais on ne pouvait rien y faire. La soute était pleine à craquer de réfugiés n'ayant pas eu la possibilité de se sangler. Puisque le *Faucon* était en train de virer et de tourbillonner au milieu des voies de circulation aérienne de Coruscant avec un escadron de skips aux trousses, il fallait bien maintenir tout ce petit monde en place. Si Leia s'en sortait vivante, elle considérerait presque comme un privilège de devoir probablement entièrement désinfecter la soute au turbovapeur.

Han fit rouler le *Faucon* sur le dos et bondit par-dessus un pont. Il se retrouva face à deux skips qui fonçaient vers lui et fut obligé de plonger vers les obscurs niveaux inférieurs. Les deux tourelles laser du cargo vrombirent. Meewahl et un artilleur du palais étaient en train de canarder leurs poursuivants. L'un des tirs fit mouche et une déflagration assourdissante fit vaciller les immeubles voisins. Ce succès n'eut cependant guère d'influence sur le nombre de boules de plasma qui fondaient sur eux.

Leia essaya tant bien que mal de se rasseoir au centre de l'immense fauteuil de copilote, vérifia une carte sur son écran vidéo et poussa un juron.

— On a raté notre sortie…

— Je l'ai fait exprès…

— Bien sûr, mon amour…

Han ralentit et exécuta un demi-tour. Les quadrilasers de la batterie supérieure tirèrent en rafales continues et Meewahl perfora les flancs d'une demi-douzaine de skips surpris par la manœuvre du *Faucon*. Han inclina l'appareil à quatre-vingt-dix degrés et vira dans une étroite ruelle secondaire. Leia s'agrippa au bras du fauteuil afin de pouvoir continuer à observer la carte de son écran.

— A gauche dans trois, deux…

— Vu !

Le *Faucon* exécuta un tonneau et s'engagea dans un autre

canal, filant à présent au milieu des catacombes humides des niveaux inférieurs de la Mer Occidentale. Meewahl et l'artilleur du palais descendirent deux autres skips. Han fit passer le cargo sous une impressionnante cataracte d'eau, exécuta trois virages enchaînés très rapides et sema les autres skips.

— Pas mal pour un vieux croûton ! dit Leia en s'installant un peu mieux dans son siège. Peut-être que Corran pourrait t'apprendre à piloter une Aile-X quand tout ceci sera terminé…

— Ouais, pour peu qu'il reste encore des Ailes-X sur Eclipse, répondit Solo.

Ils zigzaguèrent au cœur du dédale de bâtiments moisis et de colonnes couvertes de mousse qui soutenaient le lit du grand lac. Puis le nez du *Faucon* émergea au bout d'une plage de ferro-béton et l'appareil demeura en vol stationnaire sur ses moteurs à répulsion. Droit devant eux fumaient les ruines d'une batterie planétaire de turbolasers. Les canons étaient complètement fondus et l'emplacement de la tourelle évoquait plus le cratère d'un météorite qu'un bâtiment blindé.

— C'est celle-ci ? demanda Han, incrédule.

Leia vérifia son écran.

— C'est bien celle-ci.

Han poussa un juron.

Leia devina ce qu'il était en train de penser. Il avait peur qu'ils ne soient arrivés trop tard mais, sachant que Leia avait probablement encore un atout dans son jeu, il attendait, sans rien dire. C'était toujours le même Han Solo, sans aucun doute, mais un peu changé. Et ce nouveau Han Solo semblait à présent un peu plus en phase avec elle que l'ancien ne l'avait jamais été. Elle commençait à apprécier ce nouveau Han Solo. A vraiment l'apprécier.

Leia ferma les yeux et projeta son esprit pour contacter son frère. Elle laissa sa propre perception de la présence de Luke lui servir de guide, tout comme cela s'était produit sur Bespin, lorsque Dark Vador avait tranché la main de son frère. Au bout de quelques instants, sans regarder, elle indiqua la direction dans laquelle elle sentait sa présence.

— Par là, dit-elle.

— Tu veux dire là-bas ? demanda Han. Là où ce vaisseau de débarquement est en train de se poser ?

Leia ouvrit les yeux et vit une barge de débarquement Yuuzhan Vong, aussi grosse qu'une montagne, descendre sur le sommet de la tour vers laquelle elle était en train de pointer.

— Oui, dit-elle. Ça doit être là.

Mara pivota sur son pied valide et envoya sa cheville plâtrée en un coup de pied tournant dans la tempe d'un Yuuzhan Vong. L'assaillant s'écroula. Mara termina son mouvement et abattit son sabre laser sur le guerrier qui se trouvait juste derrière celui qu'elle venait d'assommer. Elle se pencha prestement pour éviter un bâton Amphi venu de la droite et vit Luke baisser sciemment sa garde pour détourner l'attention de l'ennemi. Elle en profita pour dégainer son blaster. Elle le glissa sous son bras et tira. Deux fois. Un rayon de chaque côté de la tête de Luke, frappant pile entre les yeux les deux Yuuzhan Vong qui s'étaient précipités pour l'attaquer.

Luke sourit et fit fouetter son pied, renversant un autre adversaire. Il se redressa, prêt à se fendre. Pour chaque guerrier qu'ils tuaient, une douzaine d'autres affluaient. Les époux Skywalker se propulsèrent parallèlement dans les airs, exécutant une série de sauts périlleux arrière, avant de retomber derrière les lignes de défense improvisées de l'équipe d'artilleurs de la batterie. Avec leurs sabres, ils entreprirent de dévier et de renvoyer tous les tirs qui fusaient sur eux. L'assaut des Yuuzhan Vong commença à se faire plus hésitant. Il prit fin sous les tirs répétés des fusils blasters des artilleurs.

Un sous-officier – il en restait encore deux en faction près de la batterie – s'approcha d'eux.

— Faut se tirer d'ici et gagner les niveaux inférieurs !

— Non ! lui dit Mara. Le *Faucon* ne pourra pas nous trouver si nous sommes à l'intérieur d'un immeuble.

— Ça n'a plus d'importance maintenant. (L'officier tendit le doigt vers le ciel. Une barge de débarquement de près de mille mètres d'envergure était en train de prendre position au-dessus de la tour.) Comme l'a dit la Princesse : « Battez-vous jusqu'à ce que vous ne puissiez plus vous battre. » Vos amis ne viendront plus. Nous serons plus utiles en bas.

Le vaisseau de débarquement se mit à vomir des torrents de gelée enflammée, chaque goutte perçant un trou gros comme la main dans le toit de duracier. L'une d'entre elles tomba tout près d'eux, ce qui déclencha un cri d'alarme de la part de R2-D2. Mara et Luke invoquèrent alors la Force pour dévier les projectiles qui dégringolaient sur eux.

— T'en penses quoi ? demanda Mara à Luke, sachant qu'il était toujours en contact avec Leia. On est peut-être en train de les attirer dans un sacré traquenard.

Les soutes du vaisseau de débarquement s'ouvrirent et des câbles furent déroulés. Des soldats-esclaves reptoïdes commencèrent à descendre en rappel. Une douzaine de cordes vinrent heurter le toit de l'immeuble au sommet duquel ils se trouvaient.

Luke leva son blaster et ouvrit le feu.

— Il faut rester. Han et Leia ne partiront pas d'ici tant qu'ils ne seront pas fixés sur notre sort. Quel qu'il soit.

Mara hocha la tête.

— Très bien. Je sais que Ben est en sécurité. Autant faire confiance à la Force pour le reste.

— Hé ! Mais où vont-ils tous ? demanda Han à personne en particulier, certainement pas à Leia, en tout cas. Non mais tu ne crois pas qu'ils pourraient se tenir tranquilles pendant cinq minutes ?

La tour était une de ces constructions en miroicier, avec un toit en espalier. Bien évidemment, lorsque Leia avait repéré les éclairs des blasters et des sabres laser de Luke, de Mara et du reste des artilleurs, le *Faucon* se trouvait du mauvais côté de l'immeuble. Il avait fallu se livrer à des acrobaties pendant près de cinq minutes pour contourner la zone et rejoindre le côté du toit où était censé se trouver Luke. Et voilà qu'à présent toute l'équipe de la batterie était en train de dévaler les degrés pour quitter la terrasse.

— Resserre ton harnais, dit Han. Et arme les missiles à fragmentation.

— Les missiles à fragmentation ? s'étrangla Leia. Han...

Solo quitta le toit des yeux et se tourna vers elle.

— Ouais ?

Leia avala de travers et tendit la main vers la commande d'armement.

— Combien ?

Solo lui adressa un petit sourire en coin.

— A ton avis ?

— Tous, dit Leia en appuyant sur les boutons.

Han poussa sur ses commandes. Le *Faucon* plongea à grande vitesse sous le vaisseau de débarquement et rasa le toit à environ trois mètres d'altitude. Trop lent pour réagir, l'énorme barge éjecta une nouvelle volée de gelée enflammée, ce qui causa plus de dégâts aux reptoïdes encore accrochés à leurs câbles qu'au cargo Corellien et à ses puissants boucliers. Han décéléra brusquement et, en espérant que les rétrofusées ne carboniseraient pas Luke ou Mara, il releva le nez de son appareil.

— Feu !

Leia pressa la commande de tir. La première paire de missiles jaillit du nez de l'appareil et alla frapper le ventre de la barge de débarquement avant que les équipes chargées des anomalies gravifiques de protection puissent réagir. L'onde de choc obligea le *Faucon* à se cabrer de plus belle. Leia envoya une deuxième puis une troisième volée de missiles. Lorsqu'elle déclencha le tir de la quatrième vague, des explosions se produisirent dans les soutes grandes ouvertes du massif engin et des pans entiers de corail yorik se détachèrent de sa coque.

Les soldats de la Nouvelle République rebroussèrent chemin et foncèrent en direction du *Faucon*. Han ne parvint pas à distinguer Luke et Mara, mais il était persuadé qu'ils étaient tous deux quelque part dans la foule.

— Occupe-toi de la rampe ! hurla Han en sortant les trains d'atterrissage du *Faucon*. Et fais en sorte que...

Mais Leia avait déjà rejoint le tunnel d'accès. Meewahl et l'artilleur du palais ouvrirent le feu sur les soldats reptoïdes avec leurs batteries de quadrilasers. Han en profita pour déployer le canon blaster à répétition qui était dissimulé dans la coque, pour

faire bonne mesure au cas où la barge de débarquement s'avise-
rait de déclencher des représailles. Il se rendit compte qu'il devenait de plus en plus difficile de manœuvrer au milieu des débris
enflammés qui s'écrasaient tout autour du cargo et comprit qu'il
ne pourrait pas tout faire à la fois.

Il pressa donc la commande d'escamotage du petit canon
blaster à répétition. Un témoin lumineux se mit à clignoter sur
la planche de bord, attestant que la rampe était en train d'être
remontée. Han décolla, mit les gaz et fila sous le ventre du vaisseau de débarquement avant de descendre vers les voies de
circulation aérienne et de plonger à nouveau sous les infrastructures de la Mer Occidentale. Le cargo avait déjà traversé près de
la moitié de la superficie du lac quand Luke entra dans le
cockpit, bientôt suivi de Mara, Leia et R2-D2.

— Merci d'être venus nous chercher, dit-il en posant sa main
sur l'épaule de Han, avant de s'asseoir dans le siège du copilote.
Je commençais à me demander si vous arriveriez un jour…

— Tu sais, les embouteillages sont terribles à cette heure.
(Han jeta un coup d'œil à la carte qui s'affichait sur l'écran de
Leia et voulut demander à Luke de leur calculer une bonne
trajectoire afin de rejoindre l'orbite de la planète. Mais il se
ravisa et, du pouce, indiqua l'arrière du cockpit.) Désolé, p'tit
gars, c'est le siège de Leia.

Le visage de Luke se décomposa.

— Ah, pardon… (Il se leva et fouilla dans une de ses poches
pour en sortir une petite feuille de filmplast.) Je voulais juste te
donner ça…

Un silence inconfortable s'installa dans le cockpit. Luke
voulut tendre la feuille de filmplast à Han, puis en décida autrement et se tourna vers Leia.

Han leva les yeux au ciel.

— Ecoute, je ne voulais pas te vexer. C'est juste que j'ai
besoin de mon copilote à son poste et que toi, tu ailles t'occuper
de la tourelle ventrale. C'est tout.

La sensation de soulagement dans la cabine devint presque
palpable. Han en fut ravi. La dernière chose qu'il souhaitait,
c'était bien que quelqu'un vienne lui présenter des excuses pour

la mort d'Anakin. L'impression aurait été atroce, laissant sous-entendre que son fils était mort pour rien.

— Bon, les gars, on se bouge ou quoi ? demanda Han. Mara, peut-être que tu pourrais t'occuper de recharger les lance-missiles. On a des tas de gens à bord qui aimeraient bien foutre le camp d'ici.

— Compris !

Luke et Mara s'écartèrent pour que Leia puisse regagner son fauteuil. Luke en profita pour donner la feuille de filmplast à sa sœur, lui expliquant au passage d'où il la tenait. Le *Faucon* émergea de l'autre côté de la Mer Occidentale. Han décida de plonger sous les voies supérieures et se livra à une série d'acrobaties afin d'éviter les ponts effondrés et les passerelles en ruine. Laissant R2-D2 se connecter à la console allouée aux droïdes, Luke et Mara rejoignirent leurs postes de combat.

Leia se tourna vers son mari.

— Alors, comme ça, c'est mon siège, hein ?

— Tu te débrouilles plutôt pas mal. (Han regarda l'immense fauteuil de copilote, le vieux fauteuil de Chewbacca, avant d'ajouter :) Si on s'en sort vivants, on pourrait peut-être officialiser tout ça et te faire fabriquer un fauteuil à ta taille…

Leia écarquilla les yeux.

— Quel événement ! (Elle étudia la feuille de filmplast, vérifia le chronographe de la planche de bord et programma une série de coordonnées sur sa console.) Allez, fais-nous partir d'ici, espèce de fou volant !

Han augmenta les gaz et tira sur le manche de direction. Le *Faucon* fila en chandelle entre les canyons de tours et monta vers le ciel opalescent.

Ils dépassèrent les barges de débarquement et les navires d'assaut avant que les Yuuzhan Vong aient le temps de réagir. Quand ils atteignirent les couches supérieures de l'atmosphère, une corvette – identifiée sur leurs écrans comme le *Kratak* – déploya ses escadrons de skips et manœuvra pour leur couper la retraite. Luke et Meewahl déclenchèrent leurs quadrilasers. R2-D2 couina et siffla, passant les gammes d'ondes en revue afin de repérer les fréquences de communication alliées.

Han activa l'intercom.

— Mara ? Comment ça se passe avec les…

— Trois sont chargées.

— Ça ira, dit Han, essayant d'avoir l'air sûr de lui. Paré à…

R2-D2 siffla joyeusement puis la voix familière de Danni Quee retentit dans le haut-parleur :

— *Faucon*, modifiez votre cap de dix degrés. Conservez votre vitesse actuelle. Ne lancez pas vos missiles à fragmentation.

Han obéit instinctivement et jeta un coup d'œil à son écran tactique. Droit devant eux, il n'y avait que des skips à perte de vue.

— Dix degrés ? Vous êtes sûr que ça suffira ?

— Ça ira très bien, confirma Lando sur la fréquence.

Mara intervint instantanément :

— Calrissian ? Qu'est-ce que tu fous ici ? Je ne veux pas que…

— Ton colis est en sécurité avec Tendra, répondit Lando. Ils sont à bord de l'*Aventurier*.

Han se tourna vers sa femme. Leia se contenta de hausser les épaules et de lui agiter sous le nez la feuille de filmplast que Luke lui avait donnée.

— Faites-moi confiance, dit Danni.

R2-D2 émit un trille. Un escadron de chasseurs Jedi apparut sur les écrans tactiques, attaquant les skips par le flanc.

— Bien compris, annonça Han avant de modifier son cap en direction des coraux skippers. Qu'est-ce qu'on a à perdre, de toute façon ?

Les vaisseaux ennemis se regroupèrent et ouvrirent le feu. Luke et Meewahl firent de même. Le *Kratak* accéléra pour se joindre à la bataille. Les premières boules au plasma commencèrent à s'écraser contre les boucliers avant.

L'escadron Jedi arriva enfin à portée de tir et ouvrit le feu à son tour. Près de la moitié des skips furent désintégrés.

La corvette sembla soudainement avoir un problème et vira en catastrophe pour s'écarter de la zone de combat. Les skips sombrèrent dans le chaos. Quatre d'entre eux partirent en tourbillonnant, incapables de concentrer leurs tirs. Deux autres se heurtèrent. Les six engins qui se trouvaient en tête continuèrent sur leur lancée, sans se rendre compte de ce qui était arrivé à leurs camarades. L'escadron Jedi décocha une nouvelle volée de tirs et, soudain, il n'y eut plus rien entre le *Faucon* et la liberté.

— Tu crois que tu peux faire passer ton oiseau par là, espèce de vieux pirate ? appela Lando. Même toi, tu devrais bien être capable d'y arriver.

Han resta sans voix. Un escadron de skips, pourtant disciplinés, ne pouvait se laisser aller à un bazar pareil. Cela aurait presque embarrassé les membres d'un gang de swoops. Et pourtant, c'était bien ce qui s'était produit. Han manœuvra le *Faucon* pour dépasser les derniers skips. L'*Aventurier* apparut sur l'écran tactique et Solo mit le cap sur le destroyer stellaire.

— Heu… C'était réel, tout ce qui vient d'arriver ? osa-t-il enfin demander.

— Je crois bien, répondit Luke par l'intercom. Les ondes d'un yammosk viennent d'être brouillées. (Il bascula sur la fréquence générale et ajouta :) Danni, Cilghal, félicitations. Votre réussite est un peu tardive pour sauver Coruscant, mais elle nous donne beaucoup d'espoir pour l'avenir.

— Elle nous donne de l'espoir à tous, intervint Leia. Merci.

Les autres pilotes d'Eclipse firent chorus. Luke reprit la parole sur la fréquence :

— Bon, rassemblons-nous sur l'*Aventurier* et gagnons le point de rendez-vous. Et soyez prudents. Maintenant que Coruscant est tombée, la responsabilité de maintenir la Nouvelle République en vie incombe aux Jedi.

Han fit pivoter le *Faucon* pour rejoindre le reste du convoi. Il se demanda si l'appareil parviendrait à effectuer le saut très court qui permettrait de rejoindre le rendez-vous avec autant de passagers à son bord.

— Leia ? Combien de soldats avons-nous récupérés sur le toit ?

Il n'y eut pas de réponse. Han se tourna et vit Leia perdue en pleine méditation. Son visage était fatigué, triste. Solo sentit son cœur chavirer car c'était une expression qu'il n'avait lue sur la figure de son épouse qu'une seule fois auparavant. Il se pencha pour lui prendre le bras.

— Quoi ? demanda-t-il. Pas les jumeaux quand même…

Le visage de Leia resta las et triste mais fut bientôt traversé par une sensation de calme et de peur.

— Ils sont vivants. Mais ils ont des ennuis. De gros ennuis.

— R2 ? Ouvre une fréquence pour contacter l'*Aventurier*, ordonna Han. On va déposer nos passagers et on va partir les chercher. Juste toi et moi, Leia.

Elle posa sa main sur celle de son époux et secoua la tête.

— Non, Han. Même si nous savions où aller les chercher, même si nous pouvions les rejoindre à temps, et vivants… Non. Ce ne sont pas les ennuis que tu crois. Ils doivent se secourir eux-mêmes.

Han fulmina silencieusement. D'autres types d'ennuis ? Certainement des ennuis dont seuls les Jedi pouvaient souffrir. C'étaient les pires.

— Et pour peu qu'ils n'y arrivent pas ?

— Ils y arriveront, dit Leia, fermant les yeux et serrant sa main. Ils y arriveront.

Remerciements

De nombreuses personnes m'ont aidé à rendre cet ouvrage possible. J'aimerais toutes les remercier, particulièrement Curtis Smith, pour m'avoir initié aux écrits *Star Wars* il y a de nombreuses années ; Mary Kirchoff, qui attira mon attention sur cette opportunité ; ainsi que Matthew Caviness, Kevin McConnel et Ross Martin, trois grands fans de *Star Wars* qui ne quittèrent jamais mes pensées pendant toute la rédaction. Je dois également des remerciements à Mike Friedman et Jenni Smith ; à tous mes collègues auteurs qui ont planché sur le Nouvel Ordre Jedi, à savoir – quelle belle brochette ! – R.A. Salvatore, Mike Stackpole, Jim Luceno, Kathy Tyers, Greg Keyes, Elaine Cunningham, Aaron Allston et Matt Stover, qui tous ont apporté leur contribution à cette saga au cours d'interminables séances de palabres et de réflexions ; à Shelly Shapiro et toute l'équipe de Del Rey, particulièrement Chris Schluep, Kathleen David et Lisa Collins ; à Sue Rostoni et Lucy Autrey Wilson, chez Lucasfilm, ainsi qu'à Chris Cerasi, Leland Chee, Dan Wallace et tous ceux qui ont contribué à transformer cette tâche en véritable partie de plaisir. Et, bien entendu, merci à George Lucas, pour m'avoir laissé jouer dans sa galaxie.

Achevé d'imprimer sur les presses de

BUSSIÈRE

GROUPE CPI

à Saint-Amand-Montrond (Cher)
en juin 2003

FLEUVE NOIR
12, avenue d'Italie
75627 Paris Cedex 13
Tél. : 01-44-16-05-00

— N° d'imp. : 33576. —
Dépôt légal : juillet 2003.

Imprimé en France